李达全集

汪信砚 主编

第十六卷

人民出版社

国家社会科学基金重大招标项目
“李达全集整理与研究”（批准号：10ZD&062）最终成果

国家出版基金项目
“《李达全集》（1–20卷）的整理、编纂与出版”最终成果

目　　录

入党自传（节录）*

（1949.12）

1920年春季，第三国际东方局派了一个代表来到中国。他的名字是Vitinsky，我们替他取了一个中文名字，叫作吴廷康。他是和他的夫人同来的。他以前在美国做过工人，英语说得很好。东方局认为他比较了解东方情况，所以派了他来。他说，东方局曾经接到了从海参威发去的电报，说中国曾经发生了几百万人的罢市、罢工、罢课的大运动，所以先派吴廷康到中国来调查和联络。他首先到达北京，和李大钊等数人交换意见。当时苏联宣布废除沙皇压迫中国缔结的不平等条约，一般知识分子都对苏联有好感，所以新文化界人士到处请吴廷康讲述苏联情况，对于当时像云雾一般的苏联，有了相当的了解。特别是相信社会主义的人，更喜欢与吴廷康相联系。当时充任英文翻译的人是张太雷。由于李大钊的介绍，吴廷康到了上海，首先访问了新青年社的陈独秀，任俄文翻译的人是杨明斋。当时上海著名的赞成社会主义的人，有星期评论社的沈玄庐、李汉俊、戴季陶（他后来被孙中山骂了回去）、陈望道、施存统、有共学社的张东荪。吴廷康就常和这些人相联络，讲述苏联的情况，并交换关于革命的意见。这时，设了一个外国语学校（地址是渔阳里二号），由吴廷康的夫人教授俄文。当时脱离家庭的找自由的青年学生，都被介绍到这里住下，并学习俄文。经过两个月的时间，吴廷康就劝陈独秀、李汉俊等发起组织中国共产党。最初本想邀约张东荪参加发起的，陈独秀认定他是研究系的，颇有旧政客的臭味，所以没有约他。（他主编着《时事新报》，也曾主张社会主义，但

---

* 这是叶蠖生对1949年12月李达重新入党时所写自传的节录，原标题为“李达自传（节录）”，《新时期》1980年第5期曾以“党的一大前后”为题发表过其部分内容。除这份节录外，该自传的其他内容至今尚未公开。——编者注

后来在中共组成后，他开始反对社会主义了）。

我回到上海以后，首先访问陈独秀，谈起组织社会革命党派的事，他说他和李汉俊正在准备发起组织中共，就邀我参加，做了发起人。这时的发起人，一共是8人，即陈独秀、李汉俊、沈玄庐、陈望道、俞秀松、施存统（时在日本）、杨明斋、李达。每次开会时，吴廷康都来参加。首先拟定一个类似党章的东西，是由李汉俊用两张八行格纸写的。所谓党纲，只有“劳工专政，生产合作”8个字。首次决议，推陈独秀担任书记，函约各地社会主义分子组织支部。另外成立社会主义青年团（S.Y.）。于是由陈独秀函约李大钊在北平组织，王乐平在济南组织（王只介绍了济南五中3个学生组织，他自己未参加），陈公博在广州组织，毛泽东在长沙组织，张申府在法国组织，施存统在东京组织，武汉的组织，是李汉俊自己回去组织的。这样，上海的组织事实上成为一个总部，而各地的组织是支部了。

当时党的工作只有两种：第一是宣传主义，第二是组织工人。宣传的刊物两种：一为《新青年》月刊，是公开的，主要的是讨论社会主义，由陈独秀主编。一为《中国共产党》，是不定期刊（因没有经费，只出了两期），主要是主张社会革命，由李达主编，其第一期第一篇文字，是我所写的中国社会革命之商榷。至于组织工人的工作，是由李汉俊主持的，当时派李中（原为S.Y.后升为C.P.）在杨树浦进行组织机器工会，李启汉（原为S.Y.后升为C.P.）在小沙渡进行组织纺织工会。11月间，陈独秀应孙中山之邀，去广东担任教育厅长，由李汉俊代理书记，并主编《新青年》。同时，吴廷康也回到苏联去了。这时候，经费颇感困难，每月虽只用二三百元，却是无法筹措。陈独秀所办的新青年书社，不能协助党中经费，并且连李汉俊主编新青年的编辑费（每月一百元），也不能按期支付。于是我们就和沈雁冰（当时他任商务小说月报编辑，也加入了）商酌，大家写稿子卖给商务印书馆，把稿费充作党的经费。李汉俊写信给陈独秀，要他嘱咐新青年书社垫点经费出来，他复信没有答应。因此，李汉俊就与陈独秀闹起意见来。

1921年3月，陈独秀拟了一纸党章草案，寄交李汉俊，其中关于党的组织，采中央集权制，关于工人的组织，主张组织产业工会。李汉俊指斥陈独秀要实行党的独裁，而主张地方分权制，对于工人组织，则主张先组织职业工会。

他根据他的意见,也拟了一个党章草案,寄给陈独秀。陈独秀看了之后,非常气愤,就一面写信和李汉俊打笔墨官司,一面写信劝我反对李汉俊。我当时觉得党刚发起,只有那么几个同志,就闹起分裂来,未免太不像样,我只得周旋于陈李二人之间,极力弥缝他们之间的裂痕。可是李汉俊余怒未息,不肯代理书记,就把党的名册和文件交给我,要我做代理书记,我只好接受下来。当时党的工作,因为缺乏经费,都暂时停顿,只有《新青年》月刊仍旧继续出版,我们就在《新青年》写稿子。当时梁启超派办了一个名叫《改造》的杂志,登载了反对中国实行社会主义的文章(题名我忘了),同志们认为必须予以驳斥,推我写一篇文字,我作了一篇题为《讨论社会主义并质梁任公》的文章,发表在《新青年》月刊上。据各地同志说,那篇文章颇有积极效果,其实现在看来,是十分幼稚的。

这一年春季,我到中华书局新文化丛书部,担任编辑,校阅了我所翻译的《社会问题总览》和《唯物史观解说》。此外我还翻译了一本《女性中心说》和一本《中国关税制度论》,交由商务印书馆出版。

4 月间,我和我的妻子王会悟由相爱而同居,没有举行任何仪式,同志们纷纷责难,我们置之不理,但到后来,许多同志们都照样实行了。

6 月间,第三国际派了马林和尼可洛夫两人来到上海。他们和我们接洽了之后,知道我们党的情形,就要我即时召开党代表大会,宣告中国共产党的正式成立。当时党的组织共有 7 个地方单位,我发出了 7 封信,要各地党部选派代表,到上海参加,7 月 1 日下午 7 时,在上海贝勒路同益里李汉俊寓所举行第一次会议。出席的共 12 人,上海——李汉俊、李达;北京——张国焘、刘仁静;武汉——董必武、陈潭秋;长沙——毛泽东、何叔衡;广州——陈公博;济南——王尽美、邓恩铭;东京——周佛海。共计出席代表是 12 人。马林和尼可洛夫都出席。开会时,马林首先用英文演说,大意是说,中国共产党的成立,在世界上很有重大的意义,第三国际添了一个东方的支部,苏联布党添了东方的朋友,世界无产阶级联合起来了。他在演说中,强调着要致电第三国际,报告中共的成立。他简单地致词之后,正在开始做报告之时,忽然有一个生疏人闯进了会场。我们问他“找谁?”他随便说了一句“找某某”,我们答说“这里并无此人”,他就仓忙地走了。当时马林很机警,认为那个生疏人非常可疑,立

即命令我们赶快走避，他和尼可洛夫先走，我们也跟着散开了。果然，不到一刻钟工夫，法租界巡捕房派了两辆卡车来到同益里，立即有巡捕把住弄门，另有两个法国巡捕跑进屋内，当时只有李汉俊一人在家，他是能说法国话的，经接谈之后，才知道他们是来捉共产党的，但到处查看，除汉俊外并无别人，法巡捕房的人也就走了；这真好险，假使没有马林的机警，我们就会被一网打尽了。这是因为马林用英文大声演说，夹杂着说了好几次中国共产党，被法国巡捕听去了，所以才有那一场风波。

从第一次聚会以后，代表们就寄住在博文女校内，互相交换一些经验和意见，对于党的工作如何进行，没有多加讨论。当时成为争论的一个问题，只是关于议会政策的问题。此外，大家都认为应在各地方从事组织工人的运动而已。这时候，党代表中多半带有浪漫的气氛，见面时总要谈到恋爱的故事。当时毛泽东同志却始终沉着，常常独自一人，搔首寻思，绝不他顾，同志们见了他这种神气，总说是神经质，殊不知他是正在计划着回到长沙后如何推动工作。毛泽东同志后来做全党领袖的作风，在这时已经显露了端倪。

为了开会的安全起见，我们嘱托王会悟在嘉兴布置了一个会场。这会场是南湖中游湖的大画舫。时间从上午10时起，到下午6时。讨论的议题，主要的是讨论党章和工作方向。在党的组织方面，分中央与地方，中央设书记、宣传主任与组织主任，地方的组织也分设这三部分。宣传方面，仍照旧以《新青年》为公开宣传机关，以《中国共产党》为秘密宣传机关。组织方面，重在工运，以上海、武汉和京汉、陇海两铁路为中心。其次，讨论宣言的草案，这宣言草案，第一句是“人类的历史是阶级斗争的历史”；接着分析中国的时局，认为当时的北洋军阀政府和广东的国民党政府都应在打倒之列，有所谓“南北政府都是一丘之貉”的文句，因而主张实行社会革命，建立劳工专政，中国才有出路。这个宣言，曾载于《中国共产党》第3期中。最后选举陈独秀为书记。李达为宣传主任，张国焘为组织主任。于是中国共产党正式成立，宣布散会，各地代表分别回去。

9月间，陈独秀辞去广东教育厅长，回到上海，专任党中央的书记，常与马林、尼可洛夫会商。当时决定，在宣传方面，仍以《新青年》为公开机关，由陈自己主持，我则继续编辑《中国共产党》（从第3期起至第7期止），另主编人民出版社丛书(计出版《第三国际宣言与决议案》《国家与革命》《共产党宣言》《苏维埃论》《共产党星期六》《哥达纲领批判》等十余种)。另成立劳动组合书记部,由张国焘主持,他干了 3 个月,就停办了。

10 月间,陈独秀和我商议,在上海创办一个平民女校,以期养成妇运人才,开展妇运工作。我任该校校长,王会悟任主任。入校学生约 30 人,丁玲、王一知、王剑虹等,均由此校出身。当时任教员者为陈独秀、高语罕、邵力子、陈望道、沈雁冰、沈泽民等。但办理不到一年,因经费支绌,就停办了。

马林、尼可洛夫几乎每星期要约集陈、张和我三人,会议一次,听取我们的工作报告。我的报告很简单,因为每一星期不能有书刊出版,再则我虽是宣传主任,而实际只是一个著作者兼编辑。张国焘把每星期所接触的两三个工人的经过,用断续而诘屈的英语,作冗长的报告。陈独秀的报告很少。因为这时的工运,在京汉与陇海两铁路方面,汉口段由武汉支部主持,北京段由北京支部主持,中央只派了 1 人到郑州主持,所以上海方面没有好多可以报告的资料。还有,陈独秀不住在自己寓所,另外找了一个女人往小房间,除了他隔几日来和我们相会外,我们不知道他的住处,他究竟每天做了些什么,我们全不知道。据我所知,除了他在我的寓所拿几封信回去(因为党的通信都由我转)作答以外,似乎没有什么工作。所以党和马林等会议做报告,在陈独秀是一件不愉快的工作。大概由于这样的原因,陈独秀后来大发牛性,要对马林等闹独立。他说,每月只拿他们 2000 多元(国际每月的津贴),事事要受支配,令人难堪,中国一国也可以革命,何必一定要与国际发生关系。这样他接连几个星期不出来和马林等会面。我认为中国无产阶级的革命而不与国际相联系,太闹笑话了,所以曾和张国焘几次去劝他,他个性倔强,坚持己见,好容易才劝转他,才和马林等相会。此后不久,马林和尼可洛夫就回国了,大概是要向东方局报告中国革命的情况,才回去的。

在马林等回国以前,国际来电,要中国派遣一批青年到苏联,参加东方弱小民族会议。(这是与当时帝国主义者的华盛顿会议相对抗的)。因此,党中央派了二三十个 S.Y.团员去到莫斯科,罗觉(罗亦晨)等人是在这时前去的。后来张国焘把劳动组合书记部关门,也到莫斯科去了。从这时起,直到 1922 年 5 月,党中央方面除了间接指导平汉、陇海的工运以外,几乎没有做什么工作。

1922年6月，派往莫斯科的十多个S.Y.团员归国，张国焘也带了一些英文宣传品回来了。于是召开第二次全国党代表大会。这时气象有些新鲜，那些青年团员学会唱国际歌，行动也很敏捷，带来了一些新的作风。他们看到我们国内这些党员俨然是学者式样，他们就送我们一个徽号，叫作“研究派”。这是确实的，我还觉得对于马列主义的研究是太不够了，还须继续努力研究下去。

8月间，第二次全国党代表大会在上海举行。这次大会的情况，比第一次稍有进步。张国焘根据他从苏联带回的英文打字的宣传品，分析了国际的局势。同时，大家又研讨国内的局势。接着要提出本党对于时局的主张，于是分为几个小组，讨论各项问题，我参加教育问题与妇女问题组，指定我为召集人，张国焘也在这一组。小组讨论时，张国焘也曾发表了意见，最后由我归纳为几条，提交大会讨论。但当大会讨论之时，张国焘首先发言，就前天我们所共同确定的几条，大肆批评。原来是根据他所带回的宣传品来批评的，他的主张当然是高超一些。我当面质问他，昨天在小组会讨论时你为什么不提出你的高见，要留到今天才发挥？他答说，昨天没有仔细想到。我听了这话，倒抽一口冷气，这阴谋狡诈的家伙，无非是踏倒别人，提高自己。这于我有什么关系呢？我痛切地感到“同志如敌国”，这样的作风，是很可痛恨的。但是我看了当时所发表的主张，与当时的情况相差太远，我觉得马列主义的理论仍需有深入研究的必要，一方面，我自认自己不够积极；另一方面，我还是专心去研究理论为好。这样，从第二次大会以后，我便离开了中央，做一名普通党员了。

10月间，国际来电，主张中国只能实行国民革命。这电文很简单，我们摸不清楚。到后来，才知道这是指示中共与国民党合作，实行国民革命的。

11月间，我接到毛泽东同志来信，说他们在长沙组织了一所自修大学，要我去做校长。这样，我们夫妇带着刚出生不久的女儿，去到长沙了。

这所自修大学，确实是自修的。毛泽东、李维汉和易礼容各同志，都挂名在这所大学里。于是，我们办了一个名叫《新时代》的杂志，16开本，约100多页，是不定期刊，从这年12月到1923年6月，一共出了4期。我记得其中重要的文章，有李维汉的《观念史观批判》，有我的《马克思主义与中国》和《中国革命与日本帝国主义》等篇。此外，还编了许多临时性的宣传小册子。

1923年春季，越飞来到中国，主张国共合作，实行打倒帝国主义与封建势力的国民革命。于是中共内部发生了两种意见：一是党内合作，即共产党员加入国民党，兼做国民党员；另一是党外合作，即共产党员不兼做国民党员。这两派主张，在党内争执了一个时候。暑假时，我去到上海，会见陈独秀，谈起这个问题，他是主张党内合作的，似乎已经由他决定了。他问我的意见怎样？我答说，我是主张党外合作的。我的理由还未说完，他便大发牛性，拍桌子，打茶碗，破口大骂，好像要动武的样子，幸亏在座有一两位同志劝住了。我心里想，像这样草寇式的英雄主义者，做我党的领袖，前途一定无望。但他在当时已被一般党员尊称为“老头子”，呼“老头子”而不名。我当时即已萌芽了脱党的决心。

1924年，陈独秀的主张实现，共产党员已经兼做了国民党员了。我是不愿做国民党员的。这时候，我在湖南公立法专做学监，兼教几点钟书，上午8点到下午5点要办公，早晚要准备讲义，简直没有一点空闲。党小组开会时，往往不能参加，至多只能做点宣传的文字，或编些宣传册子。这时候，毛泽东同志已去广州，从事农运工作，李维汉和易礼容也已不在长沙。好些青年同志们，对我不加体谅。那年五一节的劳动者游行，我为校务所羁，未能参加，他们就责难我不参加实际工作。事实上，除了星期日以外，我是不能请假的。在这种情形之下，我把离开组织的意念，重新提出来考虑，经过一番自我斗争，终于在这一年的9月脱离了。

总起来说，我当时脱离组织的动机，不外乎下列几点：

第一，不满意于陈独秀的鲁莽灭裂的草寇式的作风。他对于马克思主义并无研究，在1922年党第二次大会以前，他所发表的东西，只是当时一个新闻记者的文章。他和张东荪论战的文章中，对于张东荪主张中国要有资本的话，作了如下的反驳，说：“蠢才，我们反对的是资本家，不是反对资本”①，说这样话的人，配做共产党的领袖么？至于他在第二次大会以后所发表的东西，主要的是蔡和森、张国焘、彭述之代笔的，他自己并无主见，以蔡、张、彭等人的意见

① 见《新青年》第6期。

为意见，他只是领着所谓“老头子”的头衔而已。

第二，不满意于张国焘的阴谋诡诈的伎俩。

第三，不愿意参加示威行列。

第四，不愿意做国民党员。

第五，要专心于马克思主义的研究，不愿分心于他务。

第六，当时我患着肺病（直到40岁时才转好）。

第七，小资产阶级的生活负担颇重。

第八，在主观上，自以为专做理论的研究与传播，即算是对党的贡献，在党与否，仍是一样。

归纳起来，小资产阶级意识过于浓厚，以致思想与实践脱节——这是当年离开组织的总原因。

（原载1980年中国革命博物馆党史研究室编《党史研究资料》第8期）

“湖大”人民工作的方向

（1950.4）

一、在进步中求团结，团结中求进步！

现在是人民的世纪了，中国是人民的中国了，湖大是人民的湖大了！我们中国人民，昨天还停留在半封建半殖民地的社会中，今天已经走上了新民主主义的道路，明天还要走向社会主义。同样，我们的湖大，昨天还是四大家族的湖大，是为蒋介石匪帮政府服务的湖大，今天已经成为人民大众的湖大，成为培养新国家的政治、经济及文化的建设干部的革命的大学了。

为要使湖大成为适合人民需要的革命大学，这任务是光荣而艰巨的。这光荣而艰巨的任务，绝不是一个校长或少数负责工作者所能完成的。为要胜利地完成这一任务，我湖大全体师生员工，就必须紧密地团结起来，铲除宗派主义与新旧界限，结成巩固的文化统一战线。在今天，我们只有一个共同目标，即贯彻新民主主义的教育政策，办好湖大，为新国家造就各种建设人才。我们要在这个共同目标之下，团结起来！

我们讲团结，是有原则的，即在进步中求团结，在团结中求进步。只有在进步中求得的团结，才是真正的团结，才能发挥出团结的力量。同样，我们只有加强团结，才能更好更快地求得进步。只有在这个基础上，我们才能很快地来迎接那随经济建设高潮而来的文化建设的高潮，才能保证把人民湖大办得很好。这应当是我们全体湖大人民共有的确信！

我们求团结，求进步，是为了要改造自己，改造学校。无可讳言，我们是刚从旧社会翻身过来的人，多少带有旧时代的意识、成见和习惯，并且大都未曾参加过实际的革命斗争，因而不能正确地认识敌人，认识自己，认识社会发展

的规律。同样，我们的湖大，也是从旧社会转变过来的，并且是由几个学校合并而成的，当然带有旧时代的习惯和作风，无论是教学的方针、内容和方法，以及各项工作制度，都存在着许多严重的缺点，必须加以彻底的改造，才能适合新时代的人民的要求。为要把学校改造好，我们必先把自己改造好。为要改造自己，只有学习，学习，再学习。从不断的学习中，掌握住马列主义与毛泽东思想，用这个武器，来克服旧的思想、习惯和作风，树立新的思想、习惯和作风。因为不否定旧的，便不能建立新的；不建立新的，就不能搞好学习，搞好工作，不能全心全意为人民服务。所以，当前第一着，大家要抱定改造自己的决心，努力学习马列主义与毛泽东思想，精通业务，把自己改造成一个能够担负起新国家建设工作的光荣的劳动知识分子。只要大家在思想意识上，有了这样的认识，并努力去做，才能把湖大办好。

二、加强教学的领导

我们为要顺利地完成团结改造的任务，使每个人成为国家的积极建设者，使湖大成为完全适合人民要求的大学，首先就要搞好教学的工作。为要搞好教学工作，就必先确定教学的基本方针，加强教学上全面性的领导，才能有计划有步骤地推行下去。

（一）本大学教学的根本方针：本大学教学的根本方针，是根据共同纲领所规定的新民主主义的文化教育政策，即民族的、科学的、大众的文化教育政策，“提高人民文化水平，培养国家建设人才，肃清封建的、买办的、法西斯主义的思想，发展为人民服务的思想”，并“提倡爱祖国、爱人民、爱劳动、爱科学、爱护公共财物”的公德。

因此，我们要“努力发展自然科学，以服务于工业、农业和国防的建设”。“提倡用科学的历史观点，研究和解释历史、经济、政治、文化及国际事务。”“提倡文学艺术为人民服务，启发人民的政治觉悟，鼓励人民的劳动热情。奖励优秀的文学艺术作品。”

我校只有依据上述教学的根本方针实行教学，才能使我校所造就的人才，适合于新国家的需要，在建设事业中，能够搞好工作，并表现其积极性与创造性，以实现理论与实践的一致。

（二）加强政治学习：教学为本大学的中心工作。但在实行教学之前，我湖大人民，不分“教”者与“学”者，必须对于新民主主义的教学方针，具有深刻的透彻的理解，这是关于政治学习的问题。

政治学习问题，基本上也就是思想改造问题。在旧社会中生长培养出来的知识分子，都或多或少地带有旧社会的非马列主义的思想意识，这些含有毒素的东西，必须彻底肃清，才能保证我们搞好学习，搞好工作。因此，加强政治学习，就成为本大学当前教学上的重要环节。

所谓政治学习，就是要学习马列主义与毛泽东思想，树立马列主义的世界观、社会观、国家观，正确了解社会发展的规律，特别要了解由资本主义到社会主义的发展规律，及由半封建半殖民地的社会到新民主主义到社会主义共产主义的发展规律。只有建立了马列主义的世界观、社会观、国家观，认清了社会发展的规律，才能把思想改造好，才能确立为人民服务的思想。

有些学理工科的人，抱着纯技术的观点，以为只要学会技术，便不会没有工作，没有饭吃。诚然，学会技术，是可以有事做，有饭吃，但是，如果仅会技术，而没有政治认识，便不可能全心全意地去搞工作，不可能发挥高度的工作热情。

所以，我湖大人民，无论“教”者与“学”者，无论学社会科学的或学自然科学的，都必须抱定改造自己的决心，重视政治学习，通过政治学习，把每个人造就成全心全意为人民服务的光荣的劳动知识分子。

（三）教学方法的改造：我校过去一贯的教学方法，是机械的、教条式的旧方法，“教”者并不了解学生的需求及情况，“学”者只是被动地接受，这种教学方法，必须加以改造。

第一，自学、集体学习与讲授相结合。这就是把自学、集体学习与教师的讲授三者有机地结合起来。关于政治课程，已经采用了这种方法，上大课，阅读参考书，组织小组讨论会与大班讨论会，提出问题，由大课委员会解答。今后业务课程，也要合理地采用这种方法，少上课，多给学生自学和讨论实验的时间。这样做法，才能很好地发挥教学的效果。

第二，要走群众路线。这就是说，“教”者要相信“学”者能够自己教育自

己，改造自己，使学生尽量发挥其高度的自觉性、积极性、创造性。在“师生互助，教学相长”的原则下，互相帮助进步。要从群众中来再到群众中去。无论政治课或业务课，讲授的人，事前必须了解学生的实际需要与思想情况，讲后应该组织讨论会，展开论争，从争辩中，发生分歧的意见观点，反映上来，加以提高，做出结论，贯彻下去。这样从下而上与从上而下的教学过程，才能把思想提高一步，使理论与实际结合起来。

第三，理论与实际相结合。关于这一点，无论政治学习或业务学习，都是最重要的问题，如果理论不与实际相结合，就会流于教条主义，那样的理论就成为脱离实际的空论。所以，在教师方面，首先要从实际出发，先要了解当前社会的需要，了解学生的实际要求及思想情况，针对着这些去讲授。在学生方面，无论自学、讨论或听讲，不要仅仅满足于理论的了解，必须随时随地同自己思想行动和目前中国革命实况及世界情势结合起来。同实际结合起来的理论，才能切合实用，才能成为行动的指南。

第四，加强教师与学生及教师间的相互联系。过去“教”与“学”未能完全配合，“教”者自教，“学”者自学，“学”者对“教”者是莫测高深，“教”者对“学”者是填鸭注入。其次，教师与教师之间，毫无联系，各自为政，你讲你一套，他讲他一套，往往对同一问题，因教师见解不同，致使学生无所适从。今后，教师与学生必须密切配合起来，学生要多向教师提供意见，教师也要虚心接受学生意见。教师与教师必须经常联系，交流经验，随时改进教学内容及教学方法。总之，教师与学生要发挥彼此负责的精神，共同促进改造工作。

（四）精简课程：我校各院系的课程，存在着许多严重的缺点，必须坚决改造。如文艺、社会科学、财经等学院的课程，有许多是非马列主义的东西，而且多同实际缺乏联系。理工等学院的课程，大都从纯技术观点出发，不免过于重复、琐碎、繁重、叠床架屋，既不能与实际配合，又加重学生负担，损害学生健康，这必须赶快重加调整。

精简课程，在我校是一个重大的改革，同时也正是使我校改造为人民湖大的起点。精简课程的目的，是为了提高教学质量，在少而精的原则下，使教师能有更多的时间来研究教材，准备、检讨并总结教学，使学生能有更多的时间，来预备和复习功课，消化教师所讲的东西。所以精简课程，不是单纯地减少量,而是借减少量来提高质,一句话,是为了使学生学得更好,教师教得更好,学校教育办得更好。因此,不必要的课程,可以停开,重复的课程,应该逐步集中或归并,有用的、需要的课目,必须加进去。同时,为了减轻学生负担,增进教学效能,一律改用中文教本,由讲授者编写讲授纲要或讲义。

关于精简课程,各系应该根据教学总方针,制定各系的分方针,从目前实际需要出发,不要好高骛远,流于形式,决定哪些课是基本课,哪些是公共必修课,原有的性质相同的课程,应该如何合理的归并起来,哪些课有毒素,必须取消,哪些课是必要而没有的,必须新开。各系要拟定详细的课程指导书,说明课目内容及教学进度,交各该院教学委员会审查后,再交教学研究部做最后决定。

精简课程,不是一次就能做好的,现在只是初步的尝试,在以后教学过程中,随时创造经验,二次、三次的精简调整,才能慢慢地改好。

(五)建立教学的领导机构:本大学过去虽有院务会议、系务会议,但以组织庞大,工作殊欠灵活,事实上形同虚设。为要胜利地完成我校所负的任务,必须加强教学上全面性的领导。因此,决定设置教学研究部,依据本大学的基本方针,来研究制订教学计划,研究并改进教学内容及教学方法,检查教学进度,纠正教学方法及思想意识上发生的偏差,统一的集中的掌握全校教学情况。

为使教学研究部发挥其全面性的领导作用,使教学工作能有系统有计划地进行,并使院系之间发挥充分的联系与配合,就必须使院系各级的领导机构建立起来,使教学研究部能够通过中层组织,和群众密切联系,使各项教学计划得以贯彻下去。所以在教学研究部下,设置大课委员会,院教学委员会,系教学委员会及学习总会。大课委员会现在分为社会发展史、唯物辩证法、政治经济学、新民主主义论四组,分组领导政治学习。业务课方面分设会计、统计、数学、普通物理、普通化学、英文、俄文等组,负责业务学习的领导。院和系教学委员会,分别掌握各该院系的教学工作,并分层负责,逐级报告工作,即系教学委员会对院教学委员会负责并报告工作,院教学委员会向教学研究部负责并报告工作。同时,院与院、系与系之间必须经常取得密切联系,交流经验,推广有计划性的有启发性的教学方法。此外,还有几个群众性的学习组织,如教师学习会、助学学习会、学生会、职员学习会、工友学习会等,为了对这些学习

组织集中领导，在教学研究部内设立学习总会，来统一掌握。有了这些教学上的领导机构，才能很好地发挥全面性的领导和分层负责上下交流的效能。

（六）教授讲助与学生的责任：在过去，大家多半抱着雇佣观念，对教学工作不肯多负责任，譬如教授和讲师，一个星期在教室里讲几点钟书，便算尽了责任，下课后，除了改阅卷子外，别的事情便不管了。今天情形不同了，我们都要以主人翁的态度，对自己岗位的教学工作，切实负起责任，要包得学生懂，不能单凭一两次考试决定学生成绩的好坏，要注重平日的考查，认真指导学生学习。我们现在采用教师专任制，教授、副教授、讲师，不能在他校兼课，每人每天至少要有6小时工作，包括讲课，指导学生实习，了解学生情况，考查学生成绩，以及个人的选修等。只有这样，才能保证把学生教好，同时也才能使自己在学术上思想上不落伍、不掉队。

助教是培养新师资的源泉，是教师与学生的中间桥梁，所以助教一方面要很好的帮助教师的教学工作，指导学生做实验，开讨论会，随时考查学生学习生活思想各方面的情况，向教师反映，以便沟通师生关系，更好地给学生多解决问题。另一方面，自己要努力学习，把思想搞通，并加紧钻研业务，选定一二位指导教师，指导自己做学问功夫，以求在短期内能够教课。

大学生的唯一目的，是在于求得专门的知识与技能，把自己造就为新国家的建设人才，以期能全心全意为人民服务。为要达成这个目的，首先就必须加强政治学习，用马列主义与毛泽东思想，把自己的头脑武装起来，深切地认识自己在新民主主义时代所应担负的任务。其次，要加紧业务学习，把自己的专业搞好，以期具备足够的知识与技能，将来能胜任自己所分任的工作。再次，还要向群众学习，向工厂中的工人学习，向农村中的农民学习，并准备参加土改的工作，把学习所得的经验，同自己的所学综合起来，以便毕业后有效地为群众服务。而目前最重要的事情，是克服小资产阶级的思想，抛弃地富阶级的包袱，完全站在工人阶级的立场，准备把自己造成为劳动知识分子。

三、调整行政机构提高工作效能

本大学的中心工作，固然在于教学，搞通思想，提高业务，但是为要增进教学效率，顺利推进教学工作，便不能不依靠行政工作效率的提高。为了提高行政工作效率，基本上必须发挥职工们对工作的积极性和创造性，因而就必须加紧政治学习，调整行政机构，建立各种工作制度，实行集体领导与分层负责的民主集中制。

（一）调整行政机构。本大学现已实行校长制，但为了加强集体领导，推行及改进校务，在校长领导下，已组成校务委员会，辅助校长主持全校校务，决定全校应兴应革事项的原则，并审查各种计划与工作报告，本校原设有秘书处、教务处、图书馆 3 个单位。关于总务事宜，由秘书处负责办理。现在为了减轻秘书处的负担，将原来经办的总务事项划分出来，重新成立了总务处。同时，为了统一教学领导，又设立了一个教学研究部。所以，现在行政上是 5 个单位，即秘书处、教务处、总务处、教学研究部和图书馆。这样的调整，可使各单位责任分明，能够更好地发挥领导机能，增进工作效率。各有关单位，必须经常取得密切联系，交流工作经验，改进工作方法。

（二）建立工作制度。行政机构调整以后，各单位及所属各科室，必须建立并严格执行各种工作制度，如会议制度、汇报制度、值日制度、请假制度等，才能保证顺利推行工作。各处、部、馆、科、室以及各种委员会，除另行规定者外，应该每周个别举行会议一次，检讨一周来工作情况，有哪些优点值得发扬，有哪些缺点需要纠正，下周的中心工作如何，都应该在会议中提出研讨并做决定。必要时，有关单位可举行联席会议。下级对上级，一定要建立汇报制度，将本单位工作情况，定时或随时向上级汇报，有困难或问题，向上级提出，经过指示后，再贯彻下去。事先请示，事后汇报，这是搞好工作的一个起码条件。事先请示，可以减少工作上的错误，发挥集体领导的机能；事后汇报，可以沟通上下关系，使上级对群众情况多所了解，因而在决定工作计划上，得有可靠的依据。此外关于值日、请假等，也必须定出办法来，各科室每日都要有值日，星期日可以各处、部为单位，实行联合值日制。职工不能随便请假，如有特殊情况必须请假的，一定要提出正当理由，经主管人许可，不能任意离去。这一点，需要各科室主管人切实掌握。

（三）端正工作态度和作风。有了机构，有了制度，还不够，最重要的在于工作者要有正确的工作态度和工作作风。这可以举出下面四点来。

第一，打破雇佣观念，建立主人翁的态度。这一点，在前边已经说到，无论教职员工，都要有这样的工作态度。在过去，不管做什么事，都把它看作是一种职业，是为了吃饭而做事，你出钱，我出力，多拿一分钱，就多做一分事，少拿一分钱，就少做一分事，有时多做一点事，便觉得不够本。现在情形不同了，我们的学校，是人民的学校，是革命的学校，一切工作人员，都是为人民服务，为建设新民主主义国家而服务，我们不是被人雇佣而来的，我们都是学校的主人。

第二，认真负责。从前由于抱着雇佣观念，对于自己的工作，不免有“做一天和尚撞一天钟”的心理，敷衍塞责，得过且过。现在，我们自己做了主人，一切要向人民负责，所以，对工作必须抱定严格认真，切实负责的态度来处理。

第三，实事求是。知识分子有一个大毛病，就是夸大狂，好高骛远，不能掌握现在，好对未来抱幻想。这在工作上的表现，就是浮躁，不老实，不切合实际。列宁说：“少说些漂亮话，多做些日常平凡的事，少发些政治喧声，多注意些极平凡的可是主动的共产主义建设事业。”少说多做，一切从实际出发，自然会把工作搞好。

第四，要依靠群众。在谈教学方法时，曾经说过要走群众路线，其实，不仅教学方法应该如此，一般工作方法，都要走群众路线。毛主席说过：“三个臭皮匠，赛过一个诸葛亮。”我们不要以为自己了不起，看不起群众，犯官僚主义或个人英雄主义的错误。任何工作，都不是一两个人所能搞好的。要相信群众的力量，依靠群众的力量，只有这样，才能解决问题、克服困难。共产党不是依靠群众的力量，不会有今日这样伟大的胜利；今后新国家的建设，不依靠群众，也不会顺利完成。所以，大家在工作作风上，必须要走群众路线，才能保证把工作搞好。

总之，目前我们的教学和行政，都是在摸索中向前行进，错误和偏差，在所难免，只要我们全体湖大人民紧密地团结起来，拿出向人民负责的精神，切实掌握教学基本方针，严格推行行政工作，有错误及时改进，有偏差及时纠正，从实践中逐渐创造新经验、新方法，一定能把湖大改造成革命的人民的大学。

（原载 1950 年 4 月 12 日湖南大学校报《人民湖大》创刊号，署名李达）

做一个光荣的劳动知识分子

（1950. 4）

劳动和劳动人民，在阶级社会，是不被人重视的，统治阶级把劳动和劳动人民看作“下贱事”和“下贱人”，认为不劳动是高尚的、光荣的。现在不同了，在苏联，劳动人民取得了崇高的地位，劳动成为他们生活中必要不可少的东西，如果不劳动，就会感到生活的空虚，无意义。他们的知识分子，都工人阶级化了，都变成劳动知识分子，在社会主义社会的建设上起着伟大的作用。在我们中国，是以工人阶级为领导，以工农联盟为基础的，劳动人民当了家，劳动人民由被压迫被奴役的状态，变成国家的主人，劳动人民在国家中占了头等重要的地位。

我们知识分子，一般说来，在过去都是轻视劳动和劳动人民的，现在我们首先要改造这种思想，要站在劳动人民的立场，向劳动人民看齐，向劳动人民学习，学习他们劳动斗争的知识和经验。同时，我们对于新民主主义要有正确的认识，要搞好政治学习，用马列主义和毛泽东思想把我们头脑武装起来，作一个劳动知识分子，献身于人民，献身于人民的国家。

为要很好地为人民服务，还必须把自己的专业搞好。现在我们的国家已开始走上建设的第一步，需要大量的专家和政治、经济、文化各种建设人才，我们必须先把自己的专业搞好，学会了为人民服务的本领，然后才能保证满足国家建设的要求，保证胜利完成自己的工作任务。

我们从学习社会发展史中，认识了劳动创造了世界，劳动创造了人类的真理，认识了劳动的伟大与光荣，可说是已经初步地建立了劳动观点，但光有这个理论上的认识，还很不够，我们还应该足踏实地身体力行去实践起来。到我们中国来的苏联专家的表现，可以作为我们最好的榜样。譬如东北鞍山铁矿，在以前工人工作情绪是不太高的，产量也是不太多的，自从苏联专家来了以后，情形就不同了，工人工作情绪提高了，产量也增多了，为什么呢？道理很简单，就是苏联友人能够足踏实地身体力行去干。他们是些工程师，同时也是实际工作的工人，他们到矿山去，穿上工人服下矿坑去工作。热心地亲自动手去教给工人怎样烧好锅炉，同一些穿着肮脏衣服的工人拥抱，和工人的关系搞得很好，同工人打成一片。由于这样的工作作风，自然会提高工人工作情绪，而使产量大大增加了。再如北京有个五百多年前的阴沟，被苏联友人发现了，他们从洞口爬进去观察测量，那里边脏得很，可是他们毫不在乎。像他们这种精神，是值得作为我们的模范，值得我们学习。

目前在本校我们要热烈响应政府和毛主席 1950 年生产救灾植树护林的号召，首先保证及时完成已订好的“种植 12000 株树的计划”，接着做到计划并执行开荒垦熟种好蔬菜的生产任务。必须而且只有这样做，我们才能更深刻地领会到劳动的伟大与光荣。把理论与实践联系起来了，才算建立了真正的劳动观点，才能走上我们应走的劳动知识分子的道路。

（原载 1950 年 4 月 19 日湖南大学校报《人民湖大》第 2 期，署名李达）

关于教学方针和教学计划的报告*

(1950.4)

各位同人、各位同学、各位同志：

今天是我们校历上规定上课的日子，我们临时决定举行开学仪式。

一、本期教学计划

为了使大家了解本学期的教学计划，来共同促其实现，趁着这个开学仪式来报告一下本学期的教学计划，是必要的；不但是开学，就是在学期结束的时候，也应该报告一下一学期的经验总结，作为我们以后教学计划的根据。本校现正就原有基础来逐步改进，通过这次寒假学习，大家的学习成效很大，学习情绪也高涨了，希望开学以后把这种学习情绪继续下去。但是参加寒假学习的，还只有七百多人，只占全校人数的四分之一，应该如何把寒假学习的精神普及起来并提高一步，这是需要我们有步骤、有计划地继续去学，继续去教，因此，在开学的时候，我们就必须先确定教学的基本方针和计划。

二、本大学的基本方针

本大学教学的基本方针，是根据共同纲领所规定的新民主主义的文化教育政策，即民族的、科学的、大众的文化教育政策。所谓民族的教育政策，是针

---

* 本文是1950年4月12日李达在湖南大学1950年上学期开学典礼上的报告，原标题为“校长报告全文”。——编者注

对着帝国主义的，殖民地的教育政策而言的；所谓科学的，是针对着过去封建的，唯心论的教育而言的；所谓大众的，是针对着官僚资产阶级的教育而言的。我们的教育是为工农阶级服务的教育，我们的任务是“提高人民文化水平，培养国家建设人才，肃清封建的，买办的，法西斯主义的思想，发展为人民服务的思想”，并进而“提倡爱祖国、爱人民、爱劳动、爱科学、爱护公共财物”的公德。因此，我们要“努力发展自然科学，以服务于工业、农业和国防的建设”。这就是说中国的自然科学方面的工作者，应服务于中国的工业和农业；社会科学方面的工作者，应“提倡用科学的历史观点，研究和解释历史、经济、文化及国际事务”；文学艺术工作者，应“提倡文学艺术为人民服务，启发人民的政治觉悟，鼓励人民的劳动热情，奖励优秀的文学艺术作品”。只有依据上述教学的根本方针，实行教学，才能使我们所造就的人才，适合于新国家的需要；在建设事业中，能够搞好工作，并表现积极性与创造性，以实现理论与实践一致的教学方针。也就是说，要进行新民主主义的教与学，教员要根据新民主主义的根本方针来教，学生要根据新民主主义的根本方针来学。

三、加强政治学习

我们的中心工作是教学，但在教学之前，我们湖大人，教者与学者，都要对于新民主主义的教学方针，具有透彻的理解，因此，我们还得加强政治学习。就是要学习马列主义与毛泽东思想，树立马列主义的世界观、社会观、国家观，正确了解社会发展的规律，特别要明了由新民主主义社会达到社会主义社会的发展规律。有些学理工科的人，抱着单纯的技术观点，以为只要学会了技术，便不会没有工作，没有饭吃，这是错误的，因为如果仅会技术而没有政治认识，便不能发挥高度的工作热情，全心全意地去搞工作，为人民服务。

以上讲的是宇宙观，我们还要大略谈谈我们教学计划中，关于人生观的问题：第一是德育。就是通过学习，养成“爱国家、爱人民、爱劳动、爱科学、爱护公共财物”的公德。第二是智育。这是属于技术问题，如何搞好业务，更好地为人民服务。第三是体育。就是要搞好身体的健康。第四是群育。就是要虚心向群众学习，走群众路线。

四、改造教学方法

我们过去的教学方法，是机械式的，是教条式的，这样的教学方法，必须加以彻底改造。第一，我们要做到自学集体学习与教师的讲授三者有机地结合起来；并且应当以自学为主。关于政治课程，已经采用了这种方法，今后业务课程，也要合理的采用这种方法，少上课，多给学生自学和讨论实验的时间。第二，要走群众路线，教者要相信学者能够自己教育自己，改造自己，使学生尽量发挥高度的自觉性、积极性、创造性。在“师生互助，教学相长”的原则下，互相帮助进步。第三，要做到理论与实际相结合，无论政治学习或业务学习，如果理论不与实际相结合，就会流于教条主义。所以在教师方面，首先要从实际出发，要了解社会的需要，了解学生的实际要求及思想情况；在学生方面，无论自学讨论或听讲，不要仅仅满足于理论的了解，必须随时随地同自己思想行动和目前的中国实况及世界情势结合起来。第四，要加强教师与学生间的相互联系，像过去那种教者自教，学者自学，学者对教者是莫测高深，教者对学者是填鸭式的注入，都是要不得的。其次，教师与教师之间，毫无联系，往往对同一问题，因教师见解的不同，你讲你的一套，他讲他的一套，使学生无所适从。今后，教师学生必须密切配合起来，教师与教师必须经常联系，交流经验，彼此发挥负责的精神，共同促进改造的工作。

五、精简课程

关于精简课程，在我校是一个重大的改革；同时也是使我校改造为人民湖大的起点。精简课程是为了提高教学质量，在少而精的原则下，使教师能有更多的时间来研究教材，准备并总结教学经验，使学生能有更多的时间，来预备和复习功课。所以精简课程，不是单纯地减少量，而是要提高质，一句话，是为了使学生学得更好，教师教得更好，学校教育办得更好。因此，不必要的课程，可以停开，重复的课程，应该逐步集中或归并，有用的、需要的课目，必须加进去。同时，为了减轻学生负担，增进教学效能，一律改用中文教本。各系应该

根据教学总方针，制定各系的分方针，从目前实际需要出发，决定哪些课本是基本课；哪些是公共必修课，原有的性质相同的课程，应该如何合理地归并起来；哪些课是有毒素，必须取消；哪些课是必要而没有的，必须新开。

精简课程，不是一次就能做好的，现在只是初步的尝试，在以后教学过程中，随时创造经验，二次、三次的精简调整，才能慢慢改好的。

六、建立教学领导机构

为了胜利地完成我们的任务，首先必须加强教学上的全面领导，设立教学研究部是负责推动和领导全校教学的组织。现在关于政治学习，已经成立了大课委员会，内设社会发展史、辩证法唯物论，新民主主义和政治经济学四组。关于业务方面，也设有英文、俄文、物理、化学、数学、会计、统计等组大课委员会。其次，成立了各院教学委员会，下设各系的系教学委员会，负责实施各系业务课程的教学，反映教学的情况，受教学研究部的领导。

七、教师讲助的责任

教授、副教授、讲师、助教是各有各的责任的，大家以后要负起这个责任来。以后大家教书，要能保证同学听得懂。过去，教员先生们，每星期只来学校上几点钟课，下课之后便走了，除了改几本卷子之外，便什么也不管了，这种办法在现在是不行的。现在，学生要找先生了，我们不能要求先生们和干部一样的工作，但我们要求教师们每天要工作 6 小时，每天除了讲课之外，还得留在学校里指导学生的学习，小组讨论，并了解学生学习情况，考查学生成绩，以及个人的学习和进修。一句话，保证学生懂，这是一个最重要的原则。

助教是介于学生和教师之间的中间的桥梁，又是师资的来源，所以助教的责任，一方面要帮助同学学习、实习和讨论，并且要了解学生情况向教师反映，以沟通师生间的关系；另一方面，自己要努力学习，搞好业务，以期能在短期内教课。

八、学生的责任

学生的责任:第一是学习,第二是学习,第三还是学习;总而言之,要学习、学习、再学习。分开说起来,可分为政治学习、业务学习和向群众学习。关于政治学习和业务学习的问题,是需要向大家说明一下的。两者之中究竟哪一种重要呢?究竟应偏重哪一方面呢?两者都不能有所偏重的。假如只偏重哪一方面,便是一种偏向,这种偏向在北方各大学存在过,在我校还算没有,但我们是应该事先防止的。大家应该明白:政治学习,主要是改造我们的思想,更好地为人民服务;业务学习是要搞好我们的本领,搞好技术。要为人民服务,没有本领是不行的。所以,单有政治学习或单有业务学习,思想都会搞不好的。例如在寒假学习中,大家都很热烈地学习政治,这是很好的,开学以后就不行了,必须开始读书,除每星期搞一天的政治学习之外,其余的时间,都要读正课。加强我们的业务学习,学好本领。

其次,大家要安下心来读书。减租退租运动中,大家的情绪闹得极不安定,我们大多是地富阶级出身,很多人犯了温情主义,见到自己的家庭、爸爸妈妈被清算了,被斗争了,革命革到自己头上来了,便感到不安起来。所以要认清土改是必然的,是适合时代潮流的,是不可抗拒的,是符合社会发展的规律的。认清了这个问题,现在就只有咬紧牙关,努力向前,不许退后,大家最好写信回去,劝爸爸妈妈"尽其所有",来完成这件事情。

再次,要讲到工作与学习,要把它分开来讲。这里所谓工作,是讲学习以外的工作,如学生会学习一类的工作,不是讲的其他工作。学生的主要任务,是读书,是学习,一切的工作都要围绕学习这个中心。一切工作都要服从于学习。

最后,要精简课外活动。大家天天开会,天天搞课外活动,妨碍了功课,这是要不得的;我提出一个原则,每星期最多只有三个晚上开会,星期日还得除外,其余几个晚上是要用来好好地读点书的;最好是只有两晚开会还要包括文娱活动和晚会在内。星期日是要休息的党团员开会最好在星期日以免妨碍了读书。

九、学生会与学校行政的关系

学生运动的方向，现在已经变了，在国民党反动统治之下，学生运动的方向，是革命。大家为了反蒋反美，罢课、游行、示威，是应该的。现在，革命已经实现了，我们的方向要改变一下，要读书，以前大家认为毕业就是失业，或者，毕业后最多做一个雇佣工作者，现在，应该努力做一个新时代建设的干部。关于学生会与学校行政的关系，在这里我要简单提一下。

学生会的总任务，是保证搞好学习。学生会不应该代替学校行政工作，也不应该做学校行政的附属品，而是要成为学校行政的协助力量，发挥学生与学校行政的密切联系，拥护并执行学校行政的号召。学校的号召，都是经过考虑与协商的，并不是随随便便的，一说出来便要把它完成。同时，学校行政方面，也应积极帮助学生会共同解决问题。

关于其他各种组织，如院会、系会、班会等，如有任何意见，希望尽可能地反映给学校，对于教学方面；也可以向教师做协商，多提意见，不宜做硬性的决议，要求学校实行这个决议，那个决议，学校行政是有基本的方针和办法的。有些决议是行不通的。

我提供一个主要的原则："学生会与学校行政要常常配合，常常协商，学校方面实行新民主主义的教育，学生方面实行新民主主义的学习。"学生会要在这方面与学校建立根本的关系。

十、党团员与非党团员的关系

最近中共中央关于党团员与非党团员的联系的文件，大家是看过了的。我们学校里的党团员和非党团员，应该好好团结，加强团结。最重要的是：第一，党团员不但要在政治学习上起带头作用、模范作用；而且要在业务学习上起带头作用、模范作用。第二，党团员和非党团员都要认真的学习，老老实实的学习。第三，党团员的一切活动都以不妨碍正课学习为原则。第四，党团员应该推动和帮助同学展开新民主主义的学习。第五，党团员要用自己优良的作风影响非党团员的同学。第六，不傲不躁，态度诚恳，磊落光明，不要有特殊感和优越感。

非党团员对于党团员的态度，也要注意：第一，不要对党团员有所歧视。第二，不要抹杀了他们的积极性和优点。要学习他们的优点，对他们的缺点，要合理的批评，多提供意见。第三，不要误以为党团员是来监视我们的，例如有些学校，大家讨论得很热烈，但党团员一参加，便大家都不作声，这是一种偏向。第四，不要过于苛责党团员，我在北京时，听到有人说，有些学校的非党团员找着团员说："你是团员"，"那你是为人民服务的"，"你给我去打洗脸水来"。这种苛责的态度，是错误的。

总之，大家要切实记着："精诚团结，合作无间。"必须明白，在改造旧教育建设新教育的任务上，在新民主主义的学习上，党团员与非党团员都是负有责任的。

十一、革除旧习惯，树立新作风

过去的一切旧习惯和作风，我们都要加以改革。本期开学时，我们决定要做两件事：一件事已经办了。过去学校在开学时，总是延期注册，有些人本人不来，请人代替注册；或者注了册之后，就回家，或者在外面做事，或兼课，到期考再回学校来。针对这种种坏现象，学校已决定注册到 18 日止，决不延期。凡在 18 日以前不来学校注册的，一律以休学论。另一件即将开始办的事，也是为了改革过去的旧作风的。过去的宿舍，大家是自由组合，总是邀着同乡、老同学，或一个小圈子以内的人同住一间寝室，这种脱离群众习惯是要打破的，本学期起，我们要采用新的编法，按照院系、年级来编寝室。这样，同院、同系、同班的同学同住一个寝室，吃饭睡觉都住在一起，上课开小组会也在一起，可以相互帮助，可以加强政治学习，搞好业务学习，走群众路线，统一组织，一上课，大家都去，把门锁起来，免得像以前同房不同系、不同班，上课时间不一致，这个走了，那个不走，以致校外小偷趁机而入，这样一来，我们的组织就严密起来了。小偷进不来，地主、富农进不来，国民党的特务也进不到我们的房子里来了。

总之，过去国民党反动统治时代，一切自由散漫脱离群众的旧习惯必须革除。把新的作风树立起来！

十二、节　约

过去，同学把学校看作资本家，把自己比作雇佣劳动者，这样或那样事，都向学校要钱、要米。大家要明白。1950 年是全国财政上最困难的一年，学校的经费预算还不知是多少，三月份的薪水和经费到现在还没有完全发下来，将来能有多少预算，现在也不知道，所以我要提一个原则，以后当节省的，必须节省下来；不当省的，我们一定不省。例如印刷所，这是能帮助文化学术的发展的，现在规模太小，不能适应需要我们要加以扩充；此外，书籍是要买的，实验和实习的器材等也是要买的。至于其他可省的东西，我们是要节省的。所以，我特别向大家说明一下，以后关于要钱一事，大家慎重一点。完了。（本文未经讲者过目，误漏之处由编者负责）

（原载 1950 年 4 月 19 日湖南大学校报《人民湖大》第 2 期）

自然科学与政治

——在“科学工作者协会湖大分会”的讲演

（1950.4）

我不是学自然科学的人，今天来做报告，恐怕没有什么新的内容。说起科学，我想简单地解释几句。科学应该包括自然科学和社会科学，不仅仅自然科学才是科学，现在的社会科学已经和自然科学分庭抗礼了。记得去年科学工作者协会在北京开筹备会的时候，有几位学社会科学的人，误认为科学工作者就是指自然科学工作者，他们不把社会科学当作科学。因为在国民党反动派统治时代，社会科学的确算不得科学。譬如以经济学而论，马列主义的经济学，是根据社会发展的规律分析生产过程中人与人的关系的科学，但资产阶级的经济学，只研究人与物的关系，研究物怎样能满足欲望，只是一种极狭义的商品学的一部分。资产阶级的政治学，也只在一些“人口”、“土地”、“主权”的名词上兜圈子。现在，我们有了马列主义的社会科学，只有这样的社会科学才是真正的科学，这在资本主义社会里是不可能的事。

如果对研究社会科学的人讲话，我是研究马列主义的人，还可以多谈几句。今天，我是向自然科学工作者讲话，严格地说起来，我是不够资格的。只好站在社会科学的立场，简单地谈谈关于自然科学与政治。

首先要谈的，是自然科学的社会性、历史性和阶级性。

人类的知识不外乎两种：一是劳动斗争的知识，一是阶级斗争的知识；科学也不外乎两种，即自然科学和社会科学。前者是劳动斗争的知识和经验的总结，后者是阶级斗争的知识和经验的总结。自然科学的发展史，可以说就是生产发展史，也是社会发展史的一部分。同时，自然科学发展史，又是劳动人民集体向自然的斗争史，不是某些个人的历史，因此自然科学是离不开社

会的。

在原始社会,自然科学知识毫无系统,它是劳动人民在实际生活过程中集体创造的,又是为劳动人民服务的。我们知道,火就是在当时发明的。火的发明与使用,对以后人类发展的影响,比什么发明都伟大,比蒸汽机的发明还要伟大,如果没有当时的火,就没有现在的蒸汽机。火对人类生活的贡献,可想而知,但是我们却从来没听说过火被哪些人独占。火一经发现,就与广大劳动人民的生活相结合,属于全社会。此外,斧头、石器、金属等都是了不起的发明,它们的功用,可以说不在现代力学和冶金学的发明之下,都是那时期劳动人民在谋取生活资料过程中累积起来的科学知识,所以自然科学知识,就是劳动人民向自然斗争中的积极的有系统的综合的知识。在原始社会,科学知识虽还不成系统,但每一发明和发现,总是符合大众利益的,不是为某些特殊的人所垄断,而是为大众服务的。

当社会发展到阶级社会之后,情形就不同了。在奴隶制社会,科学虽有进步,总是为奴隶主服务。如古代希腊罗马的科学家,在他们的心目中,并不考虑到广大的劳动的奴隶群众。

封建社会是历史上的重农主义时代,科学不太发达。社会上产生了少数的地主剥削阶级,专靠剥削农奴取得地租,农奴则终身被束缚于土地上。在这一段相当长的时期中,科学不能向前发展,科学变成为宗教的婢仆。在中国历史上,曾经也有过很多科学发明,如3000年前发明了指南针,1700年前发明了造纸法,1200年前发明了刻板印刷,800年前发明了活字印刷,但都被当时的封建阶级视为奇技淫巧,加以扼杀,不能继续发展起来,就是因为没有具备科学发展的条件。

到了资本主义社会,新兴的资产阶级在和封建阶级的斗争中,非常奖励新的科学发明。这时期,人类社会的生产力,由手工业生产进入了机器生产,特别是在19世纪,自然科学进步极大。自然科学的进步,在当时对于人类社会有着很大的贡献,这是不成问题的。但是越到近代,就只限于为资产阶级服务了,广大的无产阶级竟无法分受科学发明的利益。例如在美国,资产阶级所养的科学家只想着要怎样才能节省人工,怎样才能使工人为资本家工作得更好,使资本家多赚钱,因此就不断地发明一些新机器来为资产阶级服务,至于新机器出现后如何加深了工人阶级的痛苦,他们是毫不顾忌的。据说在现在的美国大工厂中,由于有了新的机器,工人们甚至一分钟也不能停止地做着工,新的工场设备限定一分钟完成一件工作,一分钟后,机器自动地把第一件拖走,把第二件送来,要是不把第一件赶好,这第二件工作便不能做了。这样,资本家就可借口"技术条件不够","工作效率低",加以淘汰、减薪或解雇了。工人的肉体的剥削增加到这样的程度！现在工人阶级觉悟了,起来向资本家做斗争,从经济斗争发展为政治斗争,发展为武装夺取政权,最后推翻资产阶级的统治,是不成问题的。由此可见,资本家为了追求巨额利润,养着许多科学家,来从事各种发明,他们的任务,就是帮助并加深资产阶级对工人阶级的剥削。所以,在资本主义社会中,自然科学知识只是为少数几个大富豪服务的。

在社会主义的苏联,情形就完全和美国不同了。苏联的自然科学是为人民服务的,就因为有了这种科学,苏联的生产力能在短期内迎头赶上并超过了美国,而胜利地完成社会主义的建设,向着共产主义迈进。

这就是自然科学的社会性、历史性、阶级性。

其次,要说到中国的自然科学工作者。过去中国的自然科学家,对于政治,是完全不过问的,也从不研究社会科学和马列主义,对民生疾苦是不太关心的。他们只顾如何把功夫搞好,并不注意到科学对劳动人民生活上的影响。据我所知,"七七"抗战时,上海便有些自然科学家,安心留在上海,不愿到抗日的后方去,他们认为日本人来了,也一样需要科学,需要科学家,甚至美国人来了,也不会有两样。过去的这种自然科学家自认为是超阶级的,和政治不发生关联的。但实际上,都直接或间接地替统治阶级做了帮凶。

我再讲一个故事。

去年政协开幕以前,人民政府邀请了许多自然科学家到北京去开"科学工作者协会"筹备会,其中各地的人都有,以上海为最多,那时长沙还未解放。起程以前,当局便在上海设宴招待他们,由上海用专车把他们送到北京去,路过南京时,南京当局也把他们邀下车去,盛宴招待,途经济南,又是鱼翅海参,到了天津,只差半点就可以到北京了,天津当局还是照样请下去,极丰盛地款待他们。到了北京,住在大饭店内,设备都很讲究,招待周到,总是大鱼大肉,每餐至少有七八碗菜,简直是三日一小宴,五日一大宴。这样就有个别的人,

因此骄傲起来，俨然以政府上宾自居。“你们也少不了我们吧！”也有进步的人，曾自觉地提议把科学和政治联系起来、结合起来，却立即被许多人拒绝了。他们异口同声说：“我们是纯粹搞科学的人，谈政治怎么谈得来！”后来，这种情形慢慢有了转变。是怎样转变过来的呢？原来北京大饭店的住客有好几种，伙食分为四等：“特灶”、“小灶”、“中灶”和“大灶”，科学家们吃的是“特灶”，负责招待责任的工作人员和同住的其他中共干部吃“大灶”。“大灶”吃些什么呢？每餐一小碟咸菜，一杯开水和窝窝头，他们吃起饭来简单极了，吃一口窝窝头，吃一片咸菜，再喝一口开水。这样艰苦的生活，是同住在一个饭店里的科学家们亲眼看见的，使得他们大受感动。他们曾开会议决，自动请求每餐减少几个菜，但没有被接受，饭菜还是照原样开，共产党人这种自奉甚俭而厚待科学家的作风，对中国科学工作者给予了极大的心理上的影响。同时，新北京的一切令人感动的新气象，都是使北上的科学家们改变了原来态度的原因。因此，筹备会之后，在第一次全国科代大会开幕时，大多数人转变了立场，不称“他们”或者“你们”，而称起“我们”来了，这次，他们不以客人自居，而要做主人了。还有很多人很快地开始谈起政治来了，这叫作反客为主。我想，中国的科学工作者要想改造是很快的、很容易的，把他们过去的历史比较一下，就很明白。在以前国民党反动派统治时代，科学家是不容易安身的，例如华罗庚所研究的数学，在国内并不“需要”，反而他的声望在国外比国内还高，苏联请他去讲学，美国学术界也请他去讲学。

所以有些优秀的中国科学工作者宁愿不回来，或者有些人改行做别的事去了。这种情形现在如何呢？不必多说，只要调查一下现在的工科毕业生，还有没有闲在家里没事做的人，就可以明白了。

一句话，科学家是受人民政府尊重的。中国的自然科学工作者，前途是无限的。他们研究科学的条件已经具备了。可是，他们总不免多少带有一点旧社会的习气和作风，因此中国的自然科学工作者，必须要把方向转换，朝着广大的劳动人民！要认清时代的潮流，认清新民主主义的社会是我们历史发展的必然；同时更要认清自己对于新社会所负的使命——为新民主主义社会的劳动人民服务，认清新中国由农业国进入工业国中自然科学工作者不能推卸的责任。

总结起来，自然科学家不是与政治无关的，不是超阶级的，是应该和政治打成一片的。

现在我们再看看美国的科学家、日本的科学家和苏联的科学家，他们的方向是怎样呢？在美国，资产阶级的科学家的任务，除了帮助少数大富豪加强对无产阶级的剥削外，有的科学家曾在研究"如何可使杀人廉价些？"他们觉得从前用刀杀人，一把刀可杀死几百人，杀一个人只花几分钱就够了；后来改用铅弹，杀一个人要花好几角；越到近代，杀人越贵，原子弹的价钱则更贵了。他们正在研究廉价杀人的方法。在美国那种社会制度之下，科学家的任务就是如此。至于日本御用科学家也是一样，他们在为日本法西斯军阀研究、发明和制造细菌弹来大量屠杀被侵略国的人民。最近，苏联所发表的日本军阀制造细菌毒杀中国人民的罪恶，都是日本的御用自然科学家干的。

只有苏联的科学家们，才能真正为人民服务，他们研究着原子能，用原子能来改造自然界，用原子能来开山，用作原动力，为广大人民谋取更多的幸福；此外，为了防备帝国主义的进攻，他们也研究原子弹，保障安全，比较起来，美国的和苏联的科学家的方向是完全相反的。

我们既认识了自然科学的社会性、历史性和阶级性，那么，一个自然科学工作者，就应该而且必须是一个辩证唯物论者。只有坚决地掌握了辩证唯物论的观点，才能接近真理，才能正确地认识自然现象及其发展规律。譬如以物理学而论，如果不坚定地站在辩证唯物论的观点上，就会被观念论的物理学家所说的"物质消灭了"的鬼话所欺骗。在以前的物理学上认为原子是物质不可分的最后的小部分，后来出现了"物质的电子说"，于是观念论的物理学家就大喊说："物质消灭了。"其实，物理学上这个新发现，是在证明我们在现在以前对于物质概念所知道的限度消灭了，我们的知识进得更深了，以前为我们所不知道的物质的特性，现在被暴露出来了，而物质的这种特性，无疑是客观存在的，是离开我们的意识而独立存在着的。谁否认这个真理，他就必然沦入观念论的阵营去，所以列宁说："我们应当理解，缺乏坚固的哲学基础，无论任何的自然科学，任何的唯物论，都不能支持反抗资产阶级观念的袭击及恢复资产阶级世界观的斗争，为了支持这种斗争，并把它引到彻底胜利，自然科学家应当作一个现代的唯物论者，做一个对这种唯物论的自觉的拥护者，这种唯物

论是马克思所代表的，即是当一个辩证唯物论者。”列宁这段话，自然是不仅适用于自然科学家，也同样适用于社会科学家的。所以，我们现在的自然科学工作者，应当做一个辩证唯物论者。

最后，我说一个比喻，中华人民共和国好比一只大船，毛主席是我们的舵手，他为我们指出了航行的方向，走苏联的路，走苏联的方向。这船上管理机器的人，就是我们每一个自然科学工作者。所以，我们的自然科学工作者要明白船的方向——毛泽东的方向，加强自己的责任感，开好机器，加足马力，迅速地稳步地走向“独立、民主、和平、统一和富强的新中国”。

（原载 1950 年 4 月 26 日湖南大学校报《人民湖大》第 3 期，署名李达，文末注明“高一寒记录”）

在湖南大学五一劳动节大会上的讲话*

(1950.5)

今天是中华人民共和国成立以后第一个五一劳动节。我们来庆祝这个伟大的节日,和从前是不同了。从前除开解放区以外,在国民党反动匪帮统治下,在这个节日里,我们受着压迫与监视不能自由自在地开会庆祝,就是开会庆祝,也是由黄色工会来包办,来做反动的麻醉的宣传,而我们却不能说出自己心里想说的话。今天不同了,工人阶级已成为领导阶级了,我们翻身了、解放了,五一劳动节,已由中央人民政府定为国家最重要节日之一了。在这个伟大的节日里,我们要尽情地庆祝,自由地欢呼,说出自己要说的话,拿出无比愉快的心情,来迎接我们自己的节日。

五一劳动节,是国际工人阶级团结一致,共同对整个剥削者统治者来做反抗斗争,以取得胜利的标帜,它说明了工人阶级只有起来同剥削者做坚强的斗争,才能生活下去,才能得到解放。同时,这个伟大的节日,是用工人阶级先烈们的无数血汗换得来的,我们庆祝五一,首先要向我们工人阶级的先烈们致敬,要表扬他们在国际工人运动史上的伟大功劳,发扬他们反压迫反剥削的英勇精神。

一、国际工人运动发展过程

我们知道,国际工人运动,在它的发展过程中,是走过了曲折的艰苦的道

* 这是1950年李达在湖南大学庆祝五一劳动节大会上的讲话,原标题为"李校长讲词"。——编者注

路的。在第一国际时代,由于马克思、恩格斯的正确领导,全世界工人阶级团结起来,对国际资产阶级进行了坚强的英勇斗争。到了第二国际,机会主义者把国际工人运动引向歧途,当第一次帝国主义重分殖民地的战争时,第二国际的机会主义者竟提出所谓"保卫祖国"的口号,鼓动工人阶级,为了保护本国资本家的利益,而到国际战场上去和自己的阶级弟兄相厮杀。但是,全世界工人阶级,在长期的实际斗争中,锻炼了自己,提高了阶级觉悟和政治认识,深切地了解到第二国际的叛徒们,绝不是自己的朋友,而正是自己的死敌,同时,由于十月革命社会主义国家苏联的诞生,于是在布尔什维克党的领导下,国际工人阶级认清了敌友,更加紧地团结起来,国际工人运动更加迅速地发展起来、扩大起来。

二、团结广大劳动兄弟携手并进

现在,国际工人运动,已经发展到更高阶段,已经不是单纯的经济斗争,而是要武装起来,推翻资产阶级的统治,建立工人阶级自己的政权了。世界各国工人阶级和它的先锋队——党的力量无比的壮大起来了,对抗资产阶级的斗争也更加尖锐更加剧烈起来了,毫无疑义的,工人阶级对资产阶级的斗争,是从内部打垮资产阶级的力量。国际工人阶级,在自己的党领导下,不但把自己团结成锻炼成钢铁一样的坚强,而且同殖民地半殖民地被压迫民族的广大劳动弟兄,也紧密地携起手来,共同对付自己的阶级敌人。譬如法国码头工人,为声援越南人民的解放战争,掀起反殖民政策的热潮,进行了罢工,拒绝装卸美帝供给法帝用以屠杀越南人民的军火。法国工人阶级的行动,充分表现出他们伟大的国际主义精神。由此可见,帝国主义内部工人阶级同殖民地半殖民地劳动大众的结合,这一伟大的力量,一定会把垂死的帝国主义送进坟墓。

同时在国际工人阶级及其先锋队的号召下,更把全世界一切爱好和平民主的人士都团结起来了,这一和平民主阵线的力量是飞跃地壮大起来了,我们相信,这一伟大阵营的坚强力量,一定会粉碎任何帝国主义战争贩子们企图制造战争破坏和平的阴谋,而予世界持久和平以有力的保证。

这是我们庆祝五一劳动节时,必须认识清楚的。

三、中国工人阶级的伟大任务

现在，我们中国，在工人阶级先锋队共产党毛主席的领导下，已经获得解放了，中国工人阶级，在中国革命运动及解放战争中，付出了最大的代价，流了不少的血；今后在新民主主义的国家建设中，中国工人阶级还必须付出更大的代价，流出更多的汗。在这种情形下，我们来庆祝五一劳动节，更有着伟大意义。

中国工人阶级，必须要很好地接受五一及其以后的国际工人运动的经验和态度、教训，特别要接受苏联工人阶级建设社会主义国家的经验和知识，来发挥创造力、领导力，把全国工人都组织到工会中来，发扬正确的劳动态度，遵守劳动纪律，提高劳动效力，奖励生产模范，保证胜利完成变农业国为工业国的任务。

工人阶级，一方面要提高自己的政治知识业务知识，在一切工作上，起带头作用、模范作用；同时，更要很好地去团结其他各阶层人士，特别是要很好地和农民团结起来，巩固工农联盟的基础。

我们知识分子，要向工农劳动人民学习，要坚决地站到工农阶级的立场来。只有这样，我们庆祝五一，才是有意义的。

最后，让我们高呼：全世界工人阶级联合起来！

（原载1950年5月3日湖南大学校报《人民湖大》第4期）

在湖南大学纪念“五四”青年节大会上的致词*

（1950.5）

今天是中华人民共和国成立以后第一个“五四”青年节，大家都感到无上的光荣、无比的快慰！因为今年的“五四”和往年的“五四”不同了，往年的“五四”，我们是在国民党反动派的皮鞭、马队、刺刀和水龙的压迫和监视下来纪念的，现在解放了，一切反动派势力已经被打倒了，大家翻身了，大家可以痛痛快快地庆祝，尽情地欢呼了！

一、“五四”运动的发生和发展

同志们！我们今天来庆祝五四，也就是庆祝新民主主义革命的胜利。因为新民主主义的革命运动是以“五四”开始的。一百多年来的中国社会，是在帝国主义与封建势力的双重压迫与剥削之下的半殖民地半封建社会。在这种社会中，出现了中国的民族资产阶级，出现了他们的先锋队，以孙中山为首的同盟会成立了，发动了资产阶级民主主义即旧民主主义革命，经过几十年的斗争，终于爆发了辛亥革命。但是由于中国资产阶级力量的薄弱，革命性不坚强，以致使辛亥革命流产，资产阶级不能爬上统治阶级的地位。所以，在辛亥革命之后，帝国主义在中国的势力，不但没有丝毫损坏，反而愈趋凶恶，日本帝国主义的侵略，则是更加紧了。代替满清封建王朝的，是以袁世凯为首的北洋

---

* 这是1950年5月4日李达在湖南大学纪念五四青年节大会上的致词，原标题为“李达主席致词”。——编者注

军阀,形成了封建割据的形势。中国仍旧是半殖民地半封建的中国。

从辛亥革命流产,至第一次帝国主义大战将近结束,苏联十月革命快要爆发,以前这一段时期的政治,是封建军阀对外勾结帝国主义,对内压迫中国人民的政治。袁世凯想做皇帝,勾结日本帝国主义,引起日本帝国主义者提出1917年的“五七”亡国条约,就是有名的二十一条。后来传到段祺瑞政府,也是一样,继续勾结日本帝国主义,企图稳定其封建统治。当时的中国经济,由于西方帝国主义,特别是英、法、德等帝国主义者参加了欧战,减轻了经济侵略的压迫,中国的民族工业得到了暂时发展的机会,但这时日本帝国主义在中国的工业经营也日益得势。从表面上看来,中国经济显出繁荣的现象。与此同时,中国的无产阶级也正在这时形成了,客观上与资产阶级处于对立的状态。

当时的思想意识是很复杂的,主要以封建意识做支配地位。其次,也有资产阶级的民主和自由思想意识,这是以国民党为代表。也有狭隘的爱国主义的思想意识,有无政府主义的思想意识,也存在着似是而非的社会主义思想意识。

这就是“五四”时代中国社会的政治、经济和思想意识方面的大致的情况。

1917年苏联十月革命的胜利,震动得世界完全变了样子,马列主义思想传遍了全世界,也传播到中国来了。可是当时的苏联,受着14个帝国主义者的包围,东方的日本,也是其中之一。1918年日本勾结段政府,缔结“中日军事协定”,名义上是“共同防敌”,实际上出兵东北,去侵略西伯利亚,当时中国的处境,是极危险的。在同时,有几千留日的中国学生返国,一部分回到北京,一部分回到上海推动了救国运动。回到北京的留学生,向北京各大学中学,很做了一番反日救国的宣传,引起了学生群众的响应。这些都替次年的“五四”运动准备了条件。那时候,大家已经感觉到要救中国,必须像苏联那样实行社会主义革命。

1919年,帝国主义的分赃会议巴黎和会开幕了。日帝为要在和会上取得中国的山东,事先引诱段祺瑞政府的承认,段政府的驻日公使章宗祥,外交部长曹汝霖,和总理陆征舆,居然“欣然承诺”。这消息透露出来,首先是北京学生的坚决反对,因而爆发了以北京学生为首的“五四”运动,全体罢课游行,表示抗议。事态慢慢扩大，传到上海、汉口等地，纷纷响应，接着就是“六三”运动。因为有全国工人、商人的支持，几百万人的罢工，罢市，罢课，段祺瑞政府的卖国条约，没有签成。

二、“五四”运动的意义

首先，“五四”运动是反帝反封建的群众爱国运动。一方面反对日本帝国主义，要求废除二十一条，拒绝巴黎和约的签字，它是一个反帝的民族独立运动。另一方面，主张民主，提倡科学，打倒孔家店，反对旧礼教，所以，又是一个反封建的民主运动。

其次，是新文化运动与爱国运动的合流。新文化运动是五四爱国运动的最初表现形式，随着反帝反封建的爱国运动的发展，两个运动便结合起来，互相发生推动作用。这个时候，马列主义又被有系统地介绍到中国来，在思想上和干部上，为1921年中国共产党的成立及五卅运动与北伐战争做了准备。

最后，“五四”运动又是中国新民主主义革命运动的起点。“五四”以前的民主主义运动，是资产阶级领导的，属于旧民主主义的范畴。“五四”运动，是具有初步马列主义思想的知识分子来领导的，通过这个运动，开辟了中国新民主主义革命的历史。邓拓同志说：“三十年前的‘五四’运动，是以共产主义知识分子，革命小资产阶级的知识分子和资产阶级知识分子的统一战线为基础，而以共产主义知识分子为领导骨干的反帝反封建的革命运动。”这是正确的。

三、“五四”运动的经验教训

随着新文化运动的发展，在知识分子内部起了分化，一部分的知识分子，继承了“五四”运动的科学与民主的精神，并在马列主义的基础上予以改造，把中国革命引向胜利。另一部分人，经不起考验，由消极颓废，而走上了反革命的道路，如胡适、翁文灏、丁文江之流，便是典型的例子。这说明了知识分子为了不走上灭亡，只有一条路，就是革命，再没有第三条路可走。

“五四”运动在开始时，即在“六三”以前，由于没有工农大众参加，运动进行得很脆弱，“六三”以后，工农大众参加进来，运动转入新阶段。这个经验教训，明白告诉我们，知识分子是离不开广大的工农群众的。诚如毛主席所说：“知识分子如果不与工农民众相结合，则将一事无成。”因此，我们知识分子，在今天必须与工农大众紧密地携起手来，接受工人阶级的领导，才能够在工作上作出成绩来。

现在，帝国主义已被我们赶出中国大陆了，封建制度也被基本上打垮了，但是，我们还必须彻底肃清作为帝国主义支柱的封建制度残余思想，贯彻“五四”反帝反封建及提倡民主与科学的精神。

四、纪念“五四”运动我们必须配合国际主义与爱国主义的精神

关于“五四”运动的前因后果，我们已经讲过了。

庆祝“五四”，我们必须明了国际的革命形势，明了中华人民共和国的成立，与国际革命形势的发展是分不开的。我们应该坚定信念，自中苏条约签订的第一天起，坚决地向苏联一边倒。只有苏联才是保卫世界和平民主的堡垒。现在，苏联、东南欧各国，再加上中华人民共和国及殖民地的人民，组成的和平民主阵线的人数，已超过全世界人口的半数，这力量是不可战胜的！另一方面，现在，帝国主义和封建势力虽然已经被我们赶跑了，可是，有一部分还盘踞在我们的台湾、西藏等地，他们封锁着我们的海口，不时来轰炸我们的大城市，破坏我们的经济建设。所以，我们青年同志们，必须大力支援解放军，解放一切未解放的领土，将最后残存着的一切帝国主义和封建势力彻底消灭！同时，我们要彻底打垮在今天还当作一个阶级存在着的封建地主阶级，大家要积极地参加土地改革工作；同时，还要消灭一切潜存在我们思想意识上的敌人，我们要改造思想，要知道，在这场反封建的土改斗争中，我们青年同志们，是要坚决地站在农民这一边的！

五、纪念“五四”，各界青年们要各自站在岗位上为新民主主义而奋斗！

纪念伟大的“五四”青年节，各界的青年同志们，大家要坚守自己的岗位，为新民主主义的建设而奋斗！

青年工人同志！要在毛主席的领导之下，参加工会，加紧学习科学技术知识，发扬我们优秀的工人阶级的积极性和创造性！

青年农民同志们！要贯彻减租运动，要彻底实行土改；同时，还要加紧学习文化，提高阶级觉悟！

青年学生们！要搞好新民主主义的学习，改造思想，建立起全心全意为人民服务的人生观。

青年军人同志们！要搞好警卫工作，消灭一切土匪特务，搞好农村工作，在土改运动中积极支持农民兄弟们。

其他各界青年同志们！大家要继承着“五四”的光荣传统，把科学与民主的精神带到自己的工作中去，为新民主主义新中国的建设而奋斗！

（原载 1950 年 5 月 10 日湖南大学校报《人民湖大》第 5 期）

如何研究马列主义？*

（1950.5）

马列主义是一切科学的总原理、总结论，对于一切现象，都能适用，都能解释。因此，无论我们是属于哪一种性质的工作者，对于马列主义，都必须努力研究、深入研究。

另一方面，马列主义本身，是随着社会的不断发展而发展的。所以，相对地说起来，它是没有止境的，是最最有机、最最生动的一种科学。这也就意味着，是很不容易研究得好的一种科学。我个人从事这种研究，已经有了 31 年，不敢说也不能说是已经把它研究好了。

因此，我们研究马列主义，首先要确立计划，订定步骤，从头学起，循序渐进。不要好高骛远，东摘西拾。此外，由于马列主义是一切事物发生、发展和转化的普遍真理，在整个宇宙间的任何一个角落里，在我们有生的任何一分钟、一秒钟里面，都有这一种真理存在着。所以我们还得要抱定随时研究，随地研究，不停研究的决心，那才有搞好的可能性。走马看花的心理，不求甚解的态度，是绝对要不得的。我们不仅是要懂得，而且是要切切实实的懂个透彻才行。

今天，我想就研究马列主义的计划和步骤，向各位提供一点意见，作为参考。我认为研究马列主义，至少要分成三个段落：一是基本理论的研究；二是社会存在的研究；三是社会意识形态的研究。关于这三个段落的主要内容，下面分别加以说明：

---

* 本文是 1950 年 2 月 25 日李达在湖南大学马列主义研究会第三次小组联合讲习会上的报告。——编者注

一、基本理论的研究

马列主义最最基本的理论，就是唯物辩证法。它是自然科学和社会科学的成果之普遍化的概括，是无产阶级的、劳动人民大众的世界观，也就是革命理论和政策的最高指导。所以，我们首先就必须彻底地了解它，懂得它。

我们知道，唯物辩证法有四个基本特征；第一个基本特征，是一切事物都是在相互联系中存在着，事物与事物之间，存在着相互依赖，相互制约的关系，即一切事物的存在和发展与另一事物的存在和发展具有密切不可分的关系；所以，我们研究事物，首先要从联系的观点去掌握。第二个基本特征，是一切事物都是在发展运动中存在着的，这一运动形态，是由低级向高级发展，并且是互相转化的。而革命的任务，就在于要依靠并发展前进的社会力量，去摧毁落后的社会力量。所以，我们要把事物作为发生发展和没落转变的过程来研究。第三个基本特征，是一切运动发展变化的过程是质量互变，由低级到高级的互相运动。这就是说：量变到一定程度，必然引起质变。同时在这新质的基础上，必然产生新的更高的量变。量变是渐进的变化，质变是飞跃式的突变，是革命。第四个基本特征，是一切事物的发展变化，由于他内部包含着矛盾，由于它是对立的统一，有矛盾，就有斗争，经过斗争，事物才能发展变化。在阶级社会中，分为剥削与被剥削两大阶级，被剥削阶级经过斗争，打倒剥削阶级的统治，建立自己阶级的政权，社会便向前发展一步。

这是唯物辩证法的一方面，它还有另一个方面，就是唯物辩证法认为世界在本质上是物质的，客观存在的物质世界，是唯一真实的世界，这种客观存在的物质世界是可以认识的，而精神现象不过是物质的一种作用，是物质运动的一种表现形式，它是依存于物质，不能离开物质而独立存在。但是，社会的思想意识对社会的物质发展过程，也有它推动的作用，所以说“理论一掌握群众，就成为物质力量”，这就是物质与精神的辩证关系。

以上简短的说明，正是马列主义的基本的理论，说来虽然似简单，研究起来，却不是一件容易事。

关于这一方面的著作，虽然很多，但应以斯大林的《辩证唯物主义与历史唯物主义》作为基本读物,恩格斯的《反杜林论》、《费尔巴哈论》、《社会主义从空想到科学的发展》,斯大林的《列宁主义问题》、《无政府主义还是社会主义》,列宁的《论战斗的唯物主义的意义》可以作为补充参考书。罗森达尔的《唯物辩证法》和希洛可夫的《辩证唯物论教程》,米定的《辩证唯物论》可以有条件的作为参考。我个人在十多年前所写的那本《新社会学大纲》的前半部,虽然没有来得及把这十几年来世界革命的具体实践结合进去,大体说来,还可以有条件的作为参考。

另外,当作世界观看的唯物辩证法,其中包含着两个部分,两个领域,即唯物论的自然观(自然辩证法)与唯物论的历史观(历史辩证法)。唯物论的自然观,以自然现象的发展法则为对象,因而是自然科学的成果的概括。唯物论的历史观,以社会现象的发展法则为对象,因而是社会诸科学的成果的概括。

关于唯物论的自然观,权威的著述,只有恩格斯的《自然辩证法》是最有系统的一本书,所以,在这一方面,还有待于自然科学工作者的发展。

至于唯物论的社会观,就是彻底地把唯物辩证法应用并扩张于人类社会或历史的领域,使唯物辩证法更趋于深化和发展。涉及这一方面的著作,极其繁多。主要的读物是:马克思的《哲学的贫困》、《德意志意识形态》,恩格斯的《费尔巴哈论》、《反杜林论》,列宁的《唯物论与经验批判论》,斯大林的《辩证唯物主义与历史唯物主义》、《联共党史简明教程》,米定的《历史唯物论》以及前面曾经提及我个人所写的《新社会学大纲》的后半部,也可以有条件的作为参考。

二、社会存在的研究

等到第一个研究阶段可以告一段落之后,我们才能真正掌握住有力的工具,对社会存在做进一步的研究,才有可能不致为五光十色的社会表现所迷乱,走入歧途。关于这一段落里面的研究范围,主要的是马列主义的经济学说和国家理论。

第一是马列主义的经济学说。马克思的《资本论》,是这一方面的经济著作，但如果我们不曾具备基本的经济学素养，是难把它念懂的。所以，我们必须从一般的、通俗的政治经济学书籍着手，李昂捷夫的《政治经济学》是比较适宜于作为入门之用的一本书。此外如马克思的《政治经济学批判》，列宁的《政治经济学教程》，都可以作为参考。

第二是马列主义的国家理论。它的具体内容，是无产阶级的、劳动人民大众的阶级观和国家观。表现于外的是一切革命的理论、政策和方法。有关的著作，也是很多的，比较重要的，是恩格斯的《家庭、私有财产与国家之起源》，马克思的《共产党宣言》、《哥达纲领批判》，列宁的《国家与革命》、《论国家》，斯大林的《论列宁主义基础》。此外，像列宁对于阶级的定义，斯大林对于社会主义国家在帝国主义时代仍需保持并加强国家机器的新解释和《苏联宪法草案报告》，都是非常重要的必读文献。

三、社会意识形态的研究

社会意识形态，是具体反映社会存在的东西。因此，它的成长，也就落后于社会的存在。就目前阶段而论，一切宗教、艺术、哲学等属于社会意识形态范围以内的文化成果，大部分是继承旧社会的遗产。继经济建设高潮之后，即将到来的文化建设高潮，一定会出现许多新的创造的。

所以，我们对这一方面的研究的当前任务，是正确地掌握着马列主义对于那些旧的文化成果加以批判、抉择、扬弃和吸纳，并不断地创造新的文化。这对于我们目前的研究，还是要着手准备的。

前面我对于如何来研究马列主义，已经提出一个大概的轮廓，但尤其重要的是：我们研究马列主义，一定要把毛泽东思想随时联系在一块，才能使理论不致和中国人民革命的具体实践分离脱节，变成抽象的、空洞的东西。什么是毛泽东思想呢？我们可以说，毛泽东思想是马列主义在中国人民革命具体实践中的发展。也可以说，是马列主义在被压迫的、落后的殖民地或半封建半殖民地国家里的新的发展。像《中国革命与中国共产党》、《中国革命史》、《新民主主义论》、《论联合政府》、《目前形势和我们的任务》、《论人民民主专政》，以及刘少奇的各种著作，都是我们必读而且必须读懂的重要著述。

还有,当前的一切政令和其他重要文件,像新华社的社论,可以说是400万共产党员和一切干部的教科书,我们也要随时注意研究和学习。关于研究马列主义的程序,我只简单地说起以上几点,当然是不充分的。

(原载1950年5月17日湖南大学校报《人民湖大》第6期,署名李达)

社会发展史*

(1950.5)

* 《社会发展史》于1950年5月10日由国立湖南大学印行,内封面书名为"唯物史观社会发展史",署名李达主稿。李达撰写了第一章"绪论",并与张子杰合撰了第六章"资本主义社会"。其余各章由张子杰、汪诒荪、解毓才、梁希杰、孙秉莹、罗仲言等人撰写。该书第一章曾以"学习社会发展史"为题被收入人民出版社1988年8月出版的《李达文集》第四卷。——编者注

第一章　绪　论

第一节　学习社会发展史的意义

我们学习社会发展史,就是要学习马列主义的社会观,学习毛泽东思想的中国社会观。

现在是人民世纪了,世界是人民的世界,中国是人民的中国了。由于人民革命的胜利与中华人民共和国的成立,中国人民的前史就宣告结束,而真正的中国人民的历史就此开幕了。从此,我全中国人民要使用我们全部的劳动能力,一笔一笔地写下我们自己的历史。

我们要怎样使用全部的劳动能力去写下自己的历史?去创造新的中国?首先就要搞通毛泽东思想,接受毛主席与中共的领导,向着新中国的前途,努力迈进。

我们要搞通毛泽东思想是很不容易的,但毛泽东思想有一个基本的总路线,是可以学会的。这基本的总路线,就是毛泽东的中国社会观。

中国人民,昨天还停留在半封建半殖民地的社会中,今天已经走上了新民主主义的道路,明天还要走向社会主义走向共产主义的境界。这条由半封建半殖民地的社会走向社会主义共产主义的道路,是中国人民的康庄大道,是毛泽东思想的基本的总路线,即毛泽东的中国社会观。

毛泽东思想,是马列主义的普遍真理与中国革命的具体实践的结合。因之,毛泽东思想的中国社会观是马列主义社会观在中国社会的应用与扩张,是它的具体的表现,是它的一个分支,所以我们要学习毛泽东思想的中国社会观,必先学习马列主义的社会观。

马列主义的社会观告诉我们:社会的历史,是劳动人民的历史,是劳动创

造世界的历史，是劳动者生产斗争的历史。这社会的历史可以划分为5个质不相同的阶段：即原始社会、奴隶制社会、封建社会、资本主义社会和社会主义社会。第一个阶段的原始社会，是无阶级的社会。这一阶段的期间是很长远的。假定人类的历史经历50万年，这第一阶段就经历49万余年之久。在原始社会的初期，人类的生产力极其幼稚，人人都是劳动者，他们共同生产、共同消费，没有人压迫人、人剥削人的事实，没有阶级的区别，因而也没有国家机关，没有法律制度。但是到了原始社会后期，由于生产力的逐渐发展，由于农业畜牧业与手工业的分工，由于交换的发生，由于私有财产的形成，社会就发生了奴隶制，分裂为奴隶主与奴隶的阶级对立。由于阶级冲突不可调和的结果，奴隶主这一阶级，便利用自己阶级的权势，组成了一种公权力机关即国家，作为压迫奴隶阶级的工具。于是原始社会告终，出现了最初的阶级社会即奴隶制社会。

奴隶制社会成立以后，人类的历史，就变为阶级斗争的历史。奴隶制的成立，推动了生产力的向前发展，在这一点上，比较原始社会是进步的。但随着生产力的发展，奴隶不堪奴隶主的压迫和剥削，就不断地对奴隶主实行残酷的阶级斗争，只因为奴隶不是新生产方式的担负者，所以阶级斗争的结果，是奴主两阶级的同时消灭，因此奴隶制社会宣告终结。

历史上代替奴隶制社会而出现的，是封建社会。封建社会建筑在封建地主与为农奴的农民的阶级对立之上。前者是压迫与剥削的阶级，后者是被压迫与被剥削的阶级。这封建社会比较奴隶制社会是前进了一步的。农奴是半解放了的奴隶，比较单纯的奴隶是生产性的。从此农民对地主的阶级斗争，就代替了奴隶对主人的阶级斗争。随着封建的生产力的发展，手工业与商业也发展起来，因而出现了工商业者的阶级即资产阶级。他们创造了资本主义的生产方式，发展了资本主义的生产，就取得了超出封建地主的经济优势。于是这一阶级就利用农民阶级和工人阶级，发动了对封建阶级的革命斗争，结果终于战胜了封建阶级，爬上了统治阶级的宝座，建立了资产阶级国家。于是资本主义社会就代替了封建社会，登上历史的舞台。

资本主义社会，是历史上最后的阶级对抗的社会，即无产阶级与资产阶级对抗的社会。随着资本主义的发展，无产阶级便由自在阶级转变为自为阶级；

由经济斗争转向于政治斗争,转向于无产阶级革命。无产阶级革命运动的发展,最后必然取得胜利,终结资本主义社会而树立社会主义社会。这由资本主义到社会主义社会转变的规律,已由苏联十月革命证实了。

苏联十月革命以后,无产阶级掌握了国家的政权。地主资产阶级的势力全被推翻了。由于无产阶级专政的加强与经济建设的成功,苏联早已进入社会主义时代。

随着资产阶级残余的肃清,苏联无产阶级的自身也被扬弃了。苏联现在已经没有人压迫人、人剥削人的事实了。苏联社会主义的胜利,鼓舞了全世界劳动人民都要向着社会主义的道路前进。

一切民族都要到达于社会主义——这是马列主义社会观的普遍真理。但这一普遍真理,在世界各个民族的社会中实现起来,就具有特殊的特征和相貌。一切民族并不是精密地循着完全相同的途径而到达于社会主义的。从这里,就发生了马列主义社会观的具体的应用的问题。

“马列主义的普遍真理一经与中国革命的具体实践相结合,就使中国革命的面目为之一新”——这一伟大的工作,毛泽东同志在其中国社会观中显示了辉煌的范例。

毛泽东同志在其《中国革命与中国共产党》中说:“中华民族的发展(主要是汉族的发展)和世界上别的大民族一样,经过了若干万年平等而无阶级的原始共产主义社会生活。而从原始共产主义社会崩溃、社会生活转入阶级生活的那个时代开始,经过奴隶社会、封建社会,直到现在,已有了五千年之久。”他叙述了中华民族文化的发展,详细地分析了自周秦以迄鸦片战争的3000年间的中国封建社会的特征。指出周代是诸侯割据称雄的封建国家,秦朝至鸦片战役为“专制主义的中央集权的封建国家(同时在某种程度上仍旧保留着封建割据的状态)”。这长期的封建社会是农民阶级与封建阶级对立的社会,封建阶级对农民阶级厉行着“残酷的经济剥削与政治压迫,曾经不能不在历史上掀起无数次的农民暴动以反抗地主阶级的统治”。而这无数次的农民革命战争的规模之大,是世界历史上所没有的。但“农民革命总是陷于失败,总是在革命中与革命后被地主贵族利用了去,当作他们改朝换代的工具”。“封建的经济关系和封建的政治关系,基本上依然继续下来。这种情

况，直至近百年来，才发生新的变化”。

他接着分析鸦片战争以后百年来的中国社会的新变化，叙述帝国主义对中国的经济侵略、政治侵略和文化侵略的过程，封建经济解体的过程，买办官僚资本的形成过程，和民族资本发生发展的过程，因而中国的资产阶级与无产阶级也重新产生了。他详细地分析了上述诸过程之后，就得出了一个结论说："中国现时的社会是一个殖民地、半殖民地、半封建性质的社会，只有认清中国社会的性质，才能认清中国革命的对象、中国革命的任务、中国革命的动力、中国革命的性质、中国革命的前途与转变。所以认清中国社会的性质，就是说，认清中国的'国情'，乃是认清一切革命问题的基本的根据。"

中国社会的性质既然是半殖民地半封建的性质，那么，中华民族半殖民地半封建的社会走向社会主义社会，要经由怎样的途径呢？这个途径就是新民主主义的革命。新民主主义革命，是以工人阶级为领导，联合农民阶级，团结小资产阶级与民族资产阶级，实行反帝国主义，反官僚资本主义，反封建主义的革命。革命胜利以后，就建立了中国人民民主专政。"中国人民民主专政，是中国工人阶级、农民阶级、小资产阶级、民族资产阶级及其他爱国民主分子的人民民主统一战线的政权，而以工农联盟为基础，以工人阶级为领导。"这人民民主专政的国家，就是我中华人民共和国。从此，我中国人民，就要遵奉共同纲领，竭尽我们的劳动的能力，为实行新民主主义的各种政策而奋斗，以期变农业国为工业国而走向社会主义。

基于以上说明，我们可以知道，毛泽东的中国社会观，是中国革命的理论，是毛泽东思想的基本的总路线，是马列主义社会观的普遍真理在中国社会的具体的应用与扩张。它不但是中华民族由半殖民地半封建社会到达于社会主义社会的革命理论，并且是一切落后民族到达于社会主义的革命理论。所以我们必须学习马列主义的社会观，学习毛泽东思想的中国社会观，才能理解中国由半殖民地半封建社会到新民主主义到社会主义发展的规律，才能自觉地、自发地为这一革命建设而奋斗。

这是我们学习社会发展史的一点意义。

其次，我们学习社会发展史，就是为的要重新估定历史的价值。

过去的历史，是人类社会的前史，是劳动人民的前史。我们和我们先代的劳动人民，是处在反动统治者、剥削者的践踏之下生活过来的，我们人民还是在昨天刚刚翻身站立起来的。回想我们前几代前几十百代的劳动人民祖先，一直过着牛马般的生活，受着主人的压迫和剥削，受着封建地主的压迫和剥削，近百年来更受着帝国主义和官僚资本的压迫和剥削。古今的那些压迫者和剥削者，受着劳动人民的供养，过着骄奢淫逸的生活，却一直贱视着劳动人民，替人民加上“皂”、“隶”、“舆”、“台”、“臣妾”、“小人”、“庶民”、“子民”、“奴仆”、“黔首”等一连串的鄙视的称号，他们替自己加上“皇”、“帝”、“王”、“公”、“侯”、“伯”、“子”、“男”、“卿”、“大夫”、“神”、“圣”、“君子”、“士绅”、“老爷”等一系列尊贵的头衔。人民甘受他们压迫和剥削的，则称为“良民”、“顺民”，反抗他们的压迫和剥削的，则称为“乱民”、“莠民”、“匪徒”、“败类”。他们所写的历史，是歪曲事实的历史，是记录自己屠杀人民、剥削人民的历史。人民反抗他们的革命历史，他们则诬称为匪徒谋乱史。在中国的长期封建社会里，由于“地主阶级对于农民的残酷的经济剥削与政治压迫，曾经不能不在历史上掀起无数的农民暴动以反抗地主阶级的统治。从秦朝的陈胜、吴广、项羽、刘邦，汉朝的新市、平林、赤眉、黄巾、铜马，隋朝的李密、窦建德，唐朝的黄巢，宋朝的宋江、方腊，元朝的朱元璋，明朝的李自成，直至清朝的太平天国，都是农民的反抗运动，都是农民的革命战争”。但过去统治者的历史上，都把这些农民战争，诬为“匪乱”，为“匪祸”（其中刘邦与朱元璋因后来欺骗农民取得皇帝宝座除外），口诛笔伐，无所不用其极。现在我们要把这类历史加以改编了，这数千百万的先代的人民，是革命的先烈，是历史的主人，我们要洗清他们所蒙受的污名，表扬他们的丰功伟业。我先世的劳动人民，不但反抗封建阶级的压迫与剥削，还反抗异种民族的统治阶级的压迫与剥削，驱逐他们的势力，而又能与异民族的人民和平相处。“中华民族的各族人民，对于外来民族的压迫，都是不愿意的，都要用解放的手段解除这种压迫的。他们只赞成平等的联合，而不赞成互相压迫。”（毛泽东）我们现在要表扬他们，继承他们反压迫反剥削的光荣传统。

毛泽东同志说：“在中华民族主要是汉族的开化史上，有素称发达的农业和手工业，有许多伟大的思想家、科学家、发明家、政治家与军事家，有丰富的文化典籍。还在3000年前，中国就有了指南针的发明。还在1700年前，已经发明了造纸法。在1200年前,已经发明了刻板印刷。在800年前更发明了活字印刷。火药的应用,也远在欧人之前。所以中国是世界文明发达最早的国家之一,中国已有5000年的文明史。"这些都是我古代伟大的劳动人民的业绩。可惜被封建阶级把这些发明和发现当作奇技淫巧而扼杀住了,不能继续发展起来,因为这些是不利于封建的剥削方法的。现在我们要表扬他们,师承他们的劳动创造的能力,在新民主主义的建设中,努力发挥我们的创造性。

"中华民族,是一个有光荣革命传统和优秀历史遗产的民族"(毛泽东),这光荣革命传统和优秀历史遗产是属于我们劳动人民的。所以说:"历史科学要想成为真正的科学,便不能再把社会发展史归结为帝王将相的行动,归结为国家'侵略者'和'征服者'的行动,而是首先应当研究物质资料生产者的历史,劳动群众的历史,各国人民的历史。"(斯大林)

第二节　学习社会发展史的观点

我们学习社会发展史,既然是为了要理解马列主义社会观,理解毛泽东思想的中国社会观,理解中国社会由半殖民地的境地到新民主主义到社会主义的发展规律,因而要理解新民主主义革命建设的理论与政策,而自觉地自发地用高度的热诚使用全部劳动能力,为创造新中国的前途而奋斗;那么,我们在学习社会发展史的时候,就必须具备以下五种观点。

一、是辩证唯物的观点

其一,依据辩证法的观点,世界一切现象或对象,都是互相联系着,互相制约着。这一发展规律,在历史方面应用起来,我们对于任何社会,任何社会思想,就不能单从某种要素或一定成见出发,而必须从这一社会现象或社会思想所产生,并与它相联系的那许多社会条件出发,并且还要联系时间与地点。

我们说毛泽东思想是马克思主义,这是对的。但单只说毛泽东思想是马克思主义,还是不够的。毛泽东思想是中国的马克思主义。如刘少奇同志所说:"毛泽东思想,就是马克思主义在目前时代的殖民地、半殖民地、半封建国家民族民主革命中之继续发展,就是马克思主义民族化之优良典型。……它是中国的东西，又是完全马克思主义的东西。它是应用马克思主义的宇宙观与社会观——辩证唯物论与历史唯物论，即在坚固的马克思列宁主义理论的基础上，根据中国这个民族的特点，依靠近代革命以及中国共产党领导人民斗争的极端丰富的经验，经过科学的缜密的分析，而建设起来的。它是站在无产阶级利益因而又正是站在全体人民利益的立场上，应用马克思列宁主义的科学方法，概括中国历史、社会及全部革命斗争经验而创造出来，用以解放中国民族与中国人民的理论与政策。它是中国无产阶级与全体劳动人民用以解放自己的唯一的正确理论与政策。”在苏联十月革命以前，中国不可能有毛泽东思想，因为毛泽东思想所由产生的历史的社会的条件，还没有完全具备。

其二，依据辩证法的观点，世界一切的东西，都处在不断运动和不断发展中，旧东西必然衰亡，新东西必然生长。这一发展规律，在历史方面应用起来，“当然就没有什么‘永世不移的’社会秩序，什么私有制和剥削制的‘永恒原则’，什么农民服从地主，工人服从资本家的‘永恒观念’”（斯大林）。所以封建制度要被资本主义制度所替代；资本主义制度要被社会主义制度所替代。中国半殖民地半封建社会，要由社会主义前期的新民主主义社会所替代。

中国共产党在 1921 年第一次党大会的时候，全部党员仅有 35 人，出席的代表仅有 12 人。那时代表中国人民革命的势力是何等的微小，而帝国主义、封建主义、官僚资本主义的反动势力，是何等庞大，两者是完全不能比拟的。当时的中国共产党人虽然是占极小的少数，但他们是新生的力量，他们代表着极广大的工农劳动人民的利益，在他们的背后，有着极大的潜势力，所以中国共产党一经成立起来，就发动工农群众，组织工农群众，很快就形成坚强而广大的革命力量。这一由中国共产党领导的人民革命的力量，经过北伐战争、土地革命战争和抗日战争，就日益壮大起来，成为“历史上和政治上头等的力量”。最后经过三年有半的解放战争，终至于摧毁了那庞大的反动势力，即帝国主义、封建主义、官僚资本主义的势力，建立了中华人民共和国。

由此可见，旧的阶层的力量虽占优势，终归是要灭亡的，新的阶层的力量，虽然微小，却是新生的，是成长的，是不可战胜的，最后终于要摧毁旧的力量取而代之。所以我们“为了在政治上不犯错误，便要向前看，而不要向后看”（斯大林）。

其三，依据辩证法的观点，一切发展着的事物，都由渐变到突变，由量变到质变。这一发展的规律，在社会方面应用起来，“由被压迫阶级所实行的革命的变革，当然也就是完全自然而必不可避免的现象”。“由此可见，由资本主义进到社会主义，工人阶级摆脱资本主义压迫，绝不能经过缓慢变化，经过改良来实现，而只能经过资本主义制度的质变，经过革命来实现。”（斯大林）

中国历史上无数次的农民革命战争，都是这一发展规律的具体表现。在每一封建王朝统治之下，农民阶级因为不堪封建地主的压迫与剥削，那革命的情绪，就蓄积和酝酿起来，达到一定程度时，少数领导者登高一呼，万方的农民就群起响应，爆发为一个大革命（虽然农民阶级不能代表新生产方式，而胜利的果实终被地主贵族掠夺了去）。

中国人民百余年来反抗帝国主义及其走狗的革命运动，也是由量变到质变的实例。其中规模最大的，首先是太平天国的革命。可惜这一次革命未能彻底，终于失败。其次，孙中山所领导的辛亥革命，虽然颠覆了满清统治，却以与北洋封建军阀妥协而终局。这是半殖民地中国资产阶级力量微弱的表现。1925—1927 年的大革命，虽是中共领导工农群众参加的结果，但因为机会主义的陈独秀派，抱着与反动派妥协的态度，不肯武装群众与实行土改，以致蒋介石匪帮勾结帝国主义，并与地主阶级缔结同盟，背叛了中国革命，造成了革命的失败。这完全是机会主义者、改良主义者领导上的错误，所以不能“将革命进行到底”。

1927 年以后毛泽东所领导的人民革命，便完全不同了。这一人民大革命的队伍有毛泽东思想武装着，能够“将革命进行到底”。现在，蒋介石匪帮的军事势力，还想退到海南岛与台湾，负隅顽抗，同时大陆上也还有反动匪徒的残余势力，我们必须完全彻底干净的肃清他们，一点也不可松懈我们的努力，由半殖民地半封建社会到新民主主义社会的质变必须经过彻底的革命来实现。“为了政治上不犯错误，便要做革命家，而不要做改良主义者。”（斯大林）

其四，依据辩证法的观点，“发展是对立面的斗争”。这一发展规律，在社会方面应用起来，无产阶级的阶级斗争，人民的革命斗争，“当然也就是完全自然而必不可避免的现象”。

半殖民地半封建的中国社会内部的矛盾，是颇为复杂的，但现阶段最主要的矛盾，是帝国主义与中华民族的矛盾，是封建残余和官僚资本两者与人民大众的矛盾，所以新民主主义革命，是工人阶级、农民阶级、小资产阶级和民族资产阶级反抗帝国主义、封建主义和官僚资本主义的革命。工人阶级是中国革命的基本动力，所以他们是中国革命的领导。

以上是应用辩证法的观点观察社会生活，观察社会历史的情形。

现在再说到唯物论的观点。

辩证唯物论的根本论纲是：存在规定意识，即物质规定精神，世界先有物质，后有精神；物质是本源，精神从物质产生。物质是离开人类意识而独立的客观的实在；精神意识只是客观的实在的映像。我们认识自然世界，就是把自然世界的构造及其自己发展的规律反映出来，然后依据它的发展规律来改造它。

这个论纲在社会方面应用起来，就是社会的存在规定社会的意识，即社会的物质生活规定社会的精神生活，社会意识是社会的存在之映像。我们认识某一社会，就是认识某一社会的特殊的和自己发展的规律，然后再依据它的发展规律来改造它。

所以社会历史的发展是具有其自己的规律的，因而社会历史的研究，已成为一种科学。所以说："无产阶级党的实际活动，决不以卓越人物的善良愿望为基础，决不以理性普遍道德等等的要求为基础，而应以社会发展的规律为基础，应以研究这些规律为基础。"（斯大林）

因为社会意识是社会的存在之映像，所以"社会的精神生活所由形成的来源，社会思想、社会理论、政治观点和政治制度所由产生的来源，……要到社会的物质生活条件中去探求，要到社会存在中去探求，因为这些思想、理论和观点等，是这社会存在的映像。"（斯大林）毛泽东思想既然是中国的马克思主义，那么，我们要理解毛泽东思想，就不应单只学习马克思主义，还必须从中国社会的物质生活条件中去探求。

社会思想，虽是一定社会的存在的映像，但正确地反映了一定社会存在的社会思想，对于那一定社会的存在，就给以一定的影响。"理论一掌握了群众，便立刻成为物质的力量。"毛泽东思想，很正确地反映了中国社会的存在，所以它变成了"中国无产阶级与全体劳动人民用以解放自己的唯一正确的理

论与政策”。这一点,已由中国革命证实了。

二、我们学习社会发展史,要有劳动的观点

人类社会为要继续存在,第一件根本事情,是取得物质生活资料。为要取得物质生活资料,人们首先要到外部自然界去采取并变造自然的存在物,这种到自然界去采取并变造自然的存在物的行为,就是劳动。马克思说:“不要说一年,就是几个星期,如果停止了劳动,任何国民也都要死灭,这是小孩们也都知道的事情。”可见劳动是人类求取生存的第一个基本条件。所以,在社会发展史中,首先,就提出了劳动创造人类,劳动创造世界的命题。

我们知道,如果没有劳动,就不会有现在的人类,也不会有现在这样的花花世界,劳动不但创造了世界,而且创造了人类本身,可见劳动人民在社会发展过程中是起着如何伟大的决定的作用。所以“社会发展史首先便是生产发展史……也就是物质资料生产者本身的历史,即身为生产过程中基本力量并实现着社会生存所必需物质资料生产的那些劳动者群众的历史”(斯大林)。

虽然是劳动创造了人类,创造了世界,虽然是劳动人民在社会发展史上起着决定性的推进作用,但自古以来,劳动却被看作是下贱的事情,劳动者却被看作下等人。像这样对劳动的鄙视,是有其历史根源的。在原始社会时代,物质的生产力非常幼稚,人人都是劳动者,不曾有过不劳而食的人。在那个时代,没有精神劳动和肉体劳动的区别,大家都兼作肉体劳动与精神劳动。往后生产力稍见发达,物质的生活资料稍有剩余,社会中就发生了一种分工。这种分工发展起来,就出现为精神劳动与肉体劳动的分工。大部分人从事于生产的劳动,极小部分人从生产劳动中解放出来,而专做精神劳动了。精神劳动与肉体劳动的对立虽然日趋于深化,但在生产力贫弱的时期中,两者还没有完全分离。

到了生产资料私有制出现,社会第一次分裂为奴隶主与奴隶对立的阶级以后,奴隶主便完全脱离生产劳动,而专靠剥削奴隶的劳动果实而生活了。从此精神劳动变为奴隶主阶级的特权,变成一切压迫者与剥削者阶级的特权,生产劳动就变为奴隶、农奴、工钱奴隶的专业了。从此君子统治小人,小人供养君子。君子有闲暇,可以研究哲学和科学,可以研究统治术和剥削术。从此,

谁劳动谁就是奴隶,谁就是农奴,谁就是工钱奴隶。中国的儒者孔子鄙斥樊迟学稼学圃是小人,而自己却“四体不勤,五谷不分”。罗马平民宁可向贵族求食,却不屑劳动,因为在当时,如果有人劳动了,便是奴隶,这轻视劳动的观念一直流传下来,迄今已有数千年之久。

现在是“天翻地覆”的时代,劳动人民掌握了政权,再不会遭受任何压迫了。他们在社会上取得了应有的地位,同时,劳动也被看作光荣的事情。但是,一些地主阶级和中小资产阶级出身的知识分子,还会或多或少地在脑子里存在着鄙视劳动人民的反动思想的残滓。口头上也许会喊一喊“劳动神圣”,而在日常生活和实际行动上,却不能具体地表现出来。

所以,所谓确立劳动观点,应当包含下面几点意思:其一,要明确了解劳动创造世界创造人类的道理,了解劳动人民在社会发展过程中和当前中国革命中所发生的决定作用。其二,要彻底肃清贱视劳动,贱视劳动人民的错误观念。其三,要参加实际劳动。其四,要接近劳动人民,向劳动人民学习,从不断的接触中,建立对劳动人民的阶级感情。

三、我们学习社会发展史,要有阶级的观点

“一切至今存在过的社会的历史,是阶级斗争的历史。”因此,我们学习社会发展史的时候必须掌握住阶级和阶级斗争的观点。

关于阶级,列宁有一个极周密的定义:

“阶级是由人们在历史的特定社会生产体系中所处的地位,由于他们对于生产工具的关系(其大部分经法律制定并赋予形式),由于他们在社会的劳动组织中的任务,由于他们依怎样的方法并在什么程度去领受社会中所能处理的部分等,而互相区别的人类大集团。阶级是人类的大集团,是由于他们在特定社会经济制度中的差别,而其一方能独占他方劳动的人类大集团。”

列宁这个定义,是科学的阶级观。阶级绝不是永久不变的范畴,阶级只是在社会的一定的历史发展阶段上才发生的,并且阶级的发生,根源于经济的发展。

科学的阶级观,把阶级社会的经济构造——历史上特定社会的生产体系,一定社会经济制度中社会集团所占的差别地位,作为阶级差别的基础。在社

会的生产体系中，各阶级的地位，由各阶级间的生产工具分配的差别所规定，而在经济上占据支配地位的阶级，是生产工具的所有者，其他的阶级或完全脱离生产工具（如劳动者）或成为单纯的工具，而附着于生产工具（如奴隶或农奴）。

我们必须掌握住科学的阶级观点，才能理解原始社会是无阶级的社会，理解各个历史阶段的阶级社会之阶级构成，因而才能理解阶级斗争的社会史。

过去统治阶级的历史家或者故意隐藏阶级性，或者伪装超阶级的立场，或者歪曲阶级的概念，其目的都是掩藏自己的阶级性。中国古代历史家把封建时代的阶级的差别描写为“自天子以至于庶人”若干等级，而实际上只有所谓“庶人”是农民阶级，其他都是封建阶级（包括天子至乡大夫的许多阶层）。又如说“士、农、工、商四民平等”，把各阶级的知识分子，把地主与农民，把工业资本家与工人，把商业资本家与店员，都当作一个阶级。又有人说，满清统治推翻以后，中国社会已没有阶级区别，正如美国和法国一样，全民平等。又有把收入的多少为标准来划分阶级，或者把职业的区别来划分阶级。此外，还有人说阶级的区别是由于各人天赋的才能不同。或者说，阶级的发生，由于政治的强力。这些谬误的、虚伪的、曲解的阶级观，都是淆乱阶级的真相的，我们必须根据科学的阶级观，加以斥责，才能正确地理解阶级社会的历史。

社会中既然有了阶级的对立，必然由于各阶级的利害冲突而引起阶级斗争。所以阶级社会的历史，原是阶级斗争史。我们掌握住正确的阶级观点以后，又必须掌握住阶级斗争的观点。

阶级的对立，是奴隶制、封建制与资本制社会中之历史的事实，这在马克思以前，早由资产阶级的代言人所发现了的，但能给我们以科学的阶级观的人，却只有马克思和恩格斯。同样，阶级斗争也是阶级社会中之历史的事实，这也是由马克思以前的资产阶级学者所道破了的。例如，他们把法国大革命看作是一个社会斗争，但他们把这种阶级斗争，解释为正义与非正义的斗争，自由与反自由的斗争，至于能给我们以科学的阶级斗争观的人，也只有马克思和恩格斯。

马克思的科学的阶级斗争观的要点，是在于证实资产阶级的社会是历史上最后的阶级对立的社会，无产阶级与资产阶级的阶级斗争，是历史上最后的阶级斗争;这最后的阶级斗争,不可避免地要到达于无产阶级专政;这无产阶级专政,只是达到消灭一切阶级并建立无阶级社会的过渡阶段。我们必须深切地理解马克思的阶级斗争观,才能懂得马克思主义。所以列宁说:“关于社会斗争的学说,不是马克思所首创,而是马克思以前的资产阶级所创建的;一般地说,这种学说是资产阶级所能接受的。谁要是只承认阶级的斗争,他还不是一个马克思主义者,他可能还没有跳出资产阶级思想和资产阶级政策的圈子。把马克思主义限于社会斗争说以内,就等于割裂马克思主义,等于曲解马克思主义而把它变成配合资产阶级‘口味’的东西。只有把承认社会斗争扩张到承认无产阶级专政的人才配称为马克思主义者。这就是马克思主义者跟平庸的小资产者(自然还有大资产者)之深刻的区别,在这块‘试金石’上,才可以试验出某人是否真正了解马克思主义和承认马克思主义。”(《国家与革命》)

我们必须理解科学的阶级观与阶级斗争观,才能理解人民民主专政的意义。

中国的人民民主专政以工人阶级为领导,以工农联盟为基础。这一专政的第一步,是推翻帝国主义者的侵略,消灭地主阶级与官僚资本阶级,随着专政的进行,新民主主义的建设,必将逐步完成,就可以进入社会主义了。

在阶级社会中,统治阶级的一切思想、理论和政治观点,都贯穿着自己阶级的特殊利益和要求,都是他们压迫人民的精神的武器。我们研究历史必须善于分析他们这些精神的武器之阶级的性质,指出其社会物质生活的根源。同时我们对于一切史料、一切文献,也要贯穿着阶级的观点,慎重地加以选择和应用。

四、我们学习社会发展史,要有群众观点

群众观点,与阶级观点有密切关系。

人类的历史是人民群众的历史,是劳动人民的历史,不是少数英雄豪杰的历史。人民群众具有无穷无尽的伟大创造力,自己创造了自己的历史。

根据历史唯物论的观点,决定社会面貌,决定社会制度性质,决定社会由这一制度发展为另一制度的主要力量,是人们生存所必需的物质生活资料的

谋取方式，也就是社会生活和发展所必需的生活资料和生产工具等物质资料的生产方式。这些物质生活资料，是劳动人民创造的，所以，归根结底是劳动人民推动了社会的发展，是劳动群众创造了人类历史。

资产阶级的代言人，故意歪曲和抹杀了这一事实，喊说："一部世界史，试将其中十余人抽去，恐局面或将全变。"（罗素语）俄国的民粹派也不懂得社会的经济政治发展的规律，认为人类历史不是人民群众创造的，不是阶级斗争创造的，只是为个别的杰出人物即所谓英雄豪杰创造的，而群众是盲目地跟着这种英雄豪杰走的。列宁对于这种荒谬的言论，曾经做过严厉的尖锐的批判。

我们不否定个人在社会发展过程中所起的作用，但是要知道，个人影响社会发展的可能及其范围，是依着当时的社会经济构造以及当时的社会力量对比关系来决定的，个人的性格和才能，只有在社会关系所容许的那个时间、地点和其他的条件下，才能成为社会发展的因素，所谓英雄豪杰才能显出他们的真正本领，否则，他们的作用便永远不会由可能性进到现实性。所以说："并不是英雄创造历史，而是历史创造英雄。也就是说，不是英雄创造人民，而是人民创造英雄并推进历史。英雄、杰出人物，只有当他们能正确了解社会发展条件，了解应如何改进这些条件的时候，才能在社会生活中起重大的作用。英雄和杰出人物如果不能正确了解社会的发展条件，却竟不顾社会的历史要求而胡作乱为，俨然以历史的'创造者'自居，那他们就会变成滑稽可笑、不值一钱的倒霉人物。"①所以，我们不能把历史看作帝王将相的家谱，把社会发展史归结为帝王将相的行动，而要认清历史是人民群众的历史。

人民群众用自己的劳动创造了历史，但是胜利的果实，却被少数人独占了去，人民群众流血的革命斗争，被少数人利用作为夺取政权的工具。由奴隶社会到农奴制社会，到资本主义社会，只不过由旧的统治者、剥削者改换为新的统治者、剥削者，由旧的统治方式、剥削方式改换为新的统治方式、剥削方式。只有苏联社会主义的革命，和我们中国新民主主义革命，才能摧毁人压迫人、人剥削人的关系，人民群众才能获得了自己创造出来的革命果实。

人民群众的力量是伟大的，所以，工人阶级先锋队的党，革命的党，就必须

① 《联共党史》。

依靠群众，并把他们团结起来，组织起来，领导起来，才能战胜阶级敌人，否则就孤立了自己，帮助了敌人，等于解除了自己的武装。刘少奇同志说："人民群众的敌人，只有人民群众自己起来才能打倒。……没有人民群众的真正自觉与真正发动，仅有先锋队的奋斗，人民的解放是不可能的，历史是不会前进的，任何事业都是不能成功的。"我们能够获得今天这样辉煌的革命胜利，重要原因之一，即在党善于依靠群众，团结群众，组织群众，领导群众。我们团结了四个朋友——工人阶级、农民阶级、小资产阶级、民族资产阶级，打垮了三大敌人——帝国主义、封建主义、官僚资本主义。这四个朋友的团结，更可以保证我们胜利地完成新民主主义国家的建设。

基于上面所说的道理，我们必须建立起全心全意为人民群众服务，对人民群众负责的观点。现在是人民的世纪了，我们的国家是人民民主专政的国家了，一切为了人民，人民的利益高于一切。我们都是人民中的一分子，集体中的一部分，个人服从集体，个人的利益服从集体的利益，无论学习或工作，都不是为了个人，而是为了集体，为了人民，一切都要对人民负责。从旧社会里出来的知识分子，都带有浓厚的个人主义思想，这种旧思想旧意识的存在，不但影响学习，阻碍进步，而且使你到工作岗位时不会搞好工作。所以，要想掌握为人民服务对人民负责的群众观点，首先要用大力克服小资产阶级的个人主义。

为了很好地为人民服务，就必须搞好对群众的关系。其一，不要犯先锋主义的错误，其二，不要做群众的尾巴。只管自己，不顾群众，自己单独地跑在前头，把群众丢在后面，这样便和群众脱节，犯了先锋主义的毛病。反之，自己在学习上不积极、不进步；在工作上不努力、不苦干，结果，群众跑在前头，自己落在后面，或是等着群众推动自己向前走，这样也便和群众脱节，成为群众的尾巴。所以，无论在学习上或工作上，都必须恰如其分地搞好群众关系，推动并领导群众向前走。

为了很好地为人民服务，还必须向群众学习，尤其要向工农群众学习。因为既然要为人民服务，就不能不具备服务的本领，即要有一定程度的知识和经验，这些知识和经验，最重要的只有向人民群众才能学习到。过去中国的知识分子，是所谓"四体不勤，五谷不分"的士大夫，既没有生产斗争的知识和经验,也没有阶级斗争的知识和经验,反而自高自大,看不起劳动人民。现在必须克服这种错误的糊涂观念,先向群众学习,然后教育群众。"把群众的知识和经验集中起来,化为系统的更高的知识,才能够具体地去启发群众的自觉,指导群众的行动。"(关于修改党章的报告)

五、我们学习社会发展史,要有组织观点

列宁说:"无产阶级在为政权斗争中,除组织而外,再没有别的武器。无产阶级既然被资产阶级世界里的无政府竞争制的统治所分散,既然被那替资本做的奴隶式的工作所压抑,既然经常被抛到完全贫困、粗野和退化的'深渊里',所以无产阶级之能够成为而且必然会成为不可战胜的力量,就只是因为它由马克思主义原则所造成的思想统一、有组织的物质的统一把它巩固起来,这个组织把千百万劳动者团结成为工人阶级的大军。在这支大军面前,无论俄国沙皇专制已经衰颓的政权,亦无论国际资本正在衰颓的政权,都是支持不住的。"这是列宁于1904年抨击孟什维克派时在他有名的著作《进一步退两步》一书中所说的结语。列宁认为无产阶级为要击败敌人,获得胜利,仅有无产阶级的思想统一是不够的,还需用无产阶级"有组织的物质的统一"来巩固思想上的统一,这样,无产阶级才能成为不可战胜的力量。

我们必须深切理解无产阶级先锋队的党组织的意义,理解党的组织是无产阶级争取解放的斗争武器。

历史的经验教训,证明了被压迫被剥削的人民如果没有自己的组织,尤其是没有无产阶级的党的领导,是不可能彻底战胜阶级敌人,不可能建立自己政权,不可能获得解放的。例如公元前63—公元前70年,在古代罗马,斯巴达卡斯领导奴隶起义,集合了一万左右的群众,起来反抗奴隶主的压迫,同奴隶主的军队抗争了六七年之久,但是因为奴隶不是新生产方式的担当者,本身组织涣散,没有自己的先锋队来领导,终于被罗马奴隶主政府残酷地镇压下去了。中国历史上的农民起义,也是因为没有工人阶级来领导,本身的组织不健全,不是被专制政府残酷地镇压下去,就是被封建地主夺取了胜利的果实,演成了改朝换代的把戏。所以,列宁说:"无论哪一个革命运动,若没有一种稳定而能保持继承性的领导者组织,便不能巩固起来。"

工人阶级在没有举出自己的先锋队以前，也只是一个自在的阶级，在对资产阶级的斗争中，表现着极大的幼稚性、脆弱性，只是对个别的资本家斗争，而不是把资本家当作一个阶级来对待，斗争的目的，局限于经济斗争的范围内，尚未能发展为政治斗争；斗争的手段，往往是破坏机器、捣毁房屋等。有了自己的党，工人阶级才由自在的阶级变成自为的阶级，在党的领导教育下，政治觉悟逐渐提高，于是对资产阶级的斗争，才由单纯的经济斗争发展为政治斗争、思想斗争以至于武装斗争，武力夺取政权。在实际斗争中，工人阶级的力量也就迅速地壮大起来了。所以，真正的革命家的任务，“是要依靠资本主义发展过程所产生的强大革命力量，即依靠工人阶级，发展其阶级意识，把它组织起来，帮助它建立自己的工人政党”。①

中国共产党，是中国工人阶级的先进的有组织的部队，是它的阶级组织的最高形式。它代表着中国民族与中国人民的利益，谋求中国民族与中国人民的彻底解放。

首先要知道，党是工人阶级的先进部队，不是平常的部队。这个部队，是用马列主义和毛泽东思想武装起来的，它通晓社会生活的发展规律，通晓阶级斗争的规律，所以它善于领导工农阶级的革命斗争。

中国共产党是工人阶级的有组织的部队。它是有严格的组织和铁的纪律的。凡是党员，一定要参加党内的一定组织，并服从党的一切决议。必须如此，才能把全体党员在统一意志、统一行动、统一纪律之下，组织成为一个能够领导工人阶级斗争的伟大部队。

中国共产党是工人阶级组织的最高形式。它的任务是要领导工人阶级的其他一切组织。像职工会等组织，都要受党的领导。如果缩小或降低党的领导，结果就会削弱工人阶级的力量，解除工人阶级的武装。

中国共产党是在中国人民反对帝国主义、封建主义、官僚资本主义，争取民族解放的长期的艰苦的革命斗争中，发展起来的，是在北伐战争，十年土地革命战争，八年抗日战争和三年有半的人民解放战争的长期武装斗争中发展和锻炼出来的，它有马列主义和毛泽东思想做精神武器，它有长期的斗争经验

---

① 《联共党史》。

和建设经验,在中国革命的长远道路上发展锻炼了自己。

斯大林说:“这个党要这样勇敢,以至于足以引导无产者去为夺取政权而斗争;这个党要这样有经验,以至于足以认清革命环境的复杂条件;这个党要这样机敏,以至于足以绕过那横在达到目标的道路上的一切和任何暗礁。如果没有这样的党,那就甚至于休想去推翻帝国主义,休想去争得无产阶级专政。”斯大林这段话适用到中国来,我们可以说,如果没有中国共产党,那就休想去推翻帝国主义、封建主义和官僚资本主义,休想去争得人民民主专政,休想由新民主主义社会进而到达社会主义社会以至共产主义社会。

所以,任何一个革命工作者,必须靠近组织、靠近党,接受党的教育和领导,光荣地愉快地为建设新民主主义国家而奋斗前进。

第二章　社会的构造与发展的理论

第一节　社会的经济基础——生产方式

人类社会，经历了5个发展阶段，即原始共产社会、奴隶社会、封建社会、资本主义社会和社会主义社会（新民主主义社会是社会主义社会的前期）。我们学习社会发展史，就是要理解这5种社会形态的构成和发展的规律。

依据历史唯物论的观点，社会的存在决定社会的意识，社会的物质生活是第一义的，精神生活是第二义的。“社会的物质生活，是离开人们的意志而存在的客观现实，而社会的精神生活，是这个客观现实的反映、存在的反映。”换句话说，就是社会物质生活条件决定社会面貌、社会思想、观点和政治制度等。

社会物质生活条件是多方面的，究竟哪一种条件是起着决定性的主要力量呢？对于这个问题，斯大林在《联共党史》中做了明确的答复，他说：“这样的力量，据历史唯物主义看来，便是人们生存所必需的生存资料的谋得方式，便是社会生活和发展所必需的食品、衣服、靴鞋、住房、燃料和生产工具等物质资料生产方式。”我们知道，人类为了生存，最根本的第一件事情，就是要有物质生活资料，如吃的米面、住的房屋、穿的衣服、烧的燃料等，这些物质生活资料，都是要付出人类的劳动才能取得的，无论就周围自然界中采取现成的东西，或是对自然物施以加工或变造，都离不开劳动。人类的劳动，和其他动物的劳动，有着本质上的不同，一般动物的劳动，是无意识的、本能的，只能利用自然物，不能改变自然物；而人类的劳动，是有意识的、有目的的、有计划的，不仅利用自然物，使用自然工具，而且能改变自然物，制造生产工具。人类的劳动，主要的是使用自己制造的工具，对自然物加工变造，使之满足人类的特定需要。

这样看来，人们为要生活，就必要用自己的劳动来生产物质生活资料，为要生产物质生活资料，就要善于制造和利用生产工具，因而在人与自然及人与人之间就必然形成一定的关系或方式即生产方式。所以说生产方式是人类社会生活的物质基础，是决定社会制度性质的主要力量。

有些人承认物质生活条件是社会的基础，然而，他们否认生产方式是其中的决定的主要力量，而把这种力量归着于地理环境或人口的增长及其密度。

照地理论的说法，由于地球经纬度的不同，由于海洋、河川、气候、土壤等的不同，就产生出种种民族的特性、风俗、习尚、宗教与社会制度，因而形成了各色各样的社会。

我们不否认地理环境是社会发展的必要条件之一，它会加速或延缓社会发展的进程，然而，它绝不是人类社会生活的基础，绝不是社会发展的主要力量。譬如在同一地理环境之下的民族，能够由封建社会进到资本主义社会，或由资本主义社会进到社会主义社会，即是明证。现在，我们中国已经由半封建半殖民地的社会发展为人民民主专政的新民主主义国家了，在这样翻天覆地的社会大变革下，地理环境并没有改变。因为“社会的变更和发展，是比地理环境的变更和发展快得不可计量的”。

地理论的主张，显然是帝国主义侵略政策的工具。因为照地理论的说法，殖民地半殖民地国家在经济上文化上之所以落后，是同这些国家的不利的自然条件有关的。但是，事实上我们知道，殖民地半殖民地国家之所以愚昧、落后，乃是帝国主义长期残酷压榨的结果。地理论者出来替帝国主义做辩护，散布思想毒素，企图麻痹殖民地半殖民地民族反帝解放斗争的情绪，隐蔽帝国主义侵略的本质，以便利于帝国主义对殖民地半殖民地人民大众的统治。

其次，是人口论，它以为社会的发展形态，并不是在生产程序中一个跟着一个而来，而是从属于某一种承继法则的，其最重要的因素，是各该时代和各该国家内人口的生长及其或多或少的密度。

按照人口论的说法，既然人口的生长是决定社会发展的主要因素，那么，人口密度较高的国家，就应该造成较高级的社会制度，但事实并不如此。譬如苏联的人口密度小于西班牙，但前者是一个强大的社会主义的进步国家，是世界和平堡垒，后者却是一个实行着法西斯恐怖独裁统治的帝国主义。

自然,人口的生长及其密度,是要归到社会物质生活条件的概念中去的,它对于社会生活的进步或低落,有着相当的影响,但是,它本身并不能说明“某个社会制度恰巧要由一定的新制度来替代,而不是由其他某一个制度来替代”的问题,所以,人口的增长,并不是而且不能是决定社会制度性质和社会面貌的主要力量。

归根结底,成为人类社会生活的物质基础,决定社会制度性质的主要力量,是人类物质生活资料的生产方式。

中国封建制度,自周秦以来,一直延续了 3000 多年,其间虽然有诸侯割据称雄的封建制度与专制主义的中央集权的封建制度之分,但基本上生产方式并没有变化,所以,3000 多年来的中国,始终停滞在封建社会的阶段。自从鸦片战争以后,帝国主义的势力侵入进来,对中国社会经济发生了解体作用,“一方面破坏了中国自足自给的自然经济,破坏了城市的手工业及农民的家庭手工业;又一方面则促进了中国城乡商品经济的发展”(毛泽东)。但是帝国主义列强侵入中国的目的,并不是要把中国变成一个资本主义的国家,它一方面“从中国的通商都市直至穷乡僻壤,造成了一个买办的和商业高利贷的剥削网,造成了为帝国主义服务的买办阶级和商业高利贷阶级”(毛泽东);另一方面,勾结中国的封建残余,形成“三位一体”的联盟,以进攻和剥削广大的中国劳动人民,把一个独立的封建的中国,变成了半殖民地半封建的社会。为什么说是半封建的社会呢?就是因为封建的生产方式虽在解体过程中,但是还没有引起质的变化。

现在我们中国,是人民的中国了,是工人阶级领导的、以工农联盟为基础的、团结各民主阶级和国内各民族的人民民主专政的国家,是新民主主义的国家,是新民主主义的社会。我们国家的性质变了,社会的性质变了,因为生产方式发生了质的变化。

生产方式有两个方面:一个是生产力,另一个是生产关系。生产力是人类在劳动过程中所表现出来的力量,换句话说,人类劳动力与生产资料互相结合而参加生产过程时所发挥出来的制造物质生活资料和生产资料的能力,就是生产力。

生产力包含两个因素:一个是劳动力,这是生产力最基本的部分,没有劳动力就谈不到任何生产。一个是生产资料，这又分为两类：一是劳动对象，如原料、土地、矿山等；一是劳动工具，如镰刀、斧头、机器等。这两种因素（劳动力与生产资料）有机地结合起来所发生出的能力，就是生产力。斯大林说："被利用来生产物质资料的生产工具，以及因有相当经验和劳动技能而运用着生产工具，并实现着物质资料生产的人们——所有这些因素综合起来，就构成社会的生产力。"

生产力是表示人类对自然力量统治的尺度，是社会物质生活资料积累的标志。在原始共产社会，人们的生产力非常幼稚，劳动所得，仅足维持个人温饱，毫无剩余可言，有时处于半饥饿状态，而且经常受着盲目的自然力的迫害。后来生产力逐渐提高，人类对自然的控制力逐渐加强，劳动的结果已经有了剩余，这时便出现了阶级社会。在阶级社会中，生产力虽然提高了，但是由于生产资料为少数寄生阶级所独占，他们侵吞了并有时销毁了劳动人民的生产果实，所以劳动人民始终过着牛马般的生活。只有到了新民主主义社会和社会主义社会，由提高生产力所产生的果实，才能为劳动人民所享用，才能为更美满的生活准备物质条件。

生产方式的另一方面，是生产关系。人们对自然斗争，生产物质生活资料，各个人从来就不是孤立地进行的，不但人们的劳动力要同生产资料结合起来，同时人与人也必须结合起来，彼此配合，相互分工，结成一定的社会关系，在这种社会关系之内，才能从事生产。这种社会关系，即人与人在物质生活资料的生产过程中所发生的相互关系，就叫作生产关系。生产关系的总和，形成社会的经济构造。

"生产力的状况所回答的问题，是人们用怎样的生产工具来生产他们所必需的物质资料，而生产关系状况所回答的问题，则是生产资料（土地、森林、水利、矿源、原料、生产工具、生产建筑物、交通联络工具等）归谁所有，生产资料由谁支配——是由全社会支配，还是由单个的人、集团和阶级支配并利用去剥削其他的人、集团和阶级。"①生产方式就是在物质资料生产过程中生产力与生产关系统一的体现。

① 《联共党史》。

生产关系中最基本的部分,表现在人们对于生产资料的占有(所有权)和使用的关系上,由于人们对生产资料的占有和使用的关系不同,便形成了质不相同的生产关系。在原始共产社会,生产资料为大家所公有,任何社会成员,都要从事劳动,在这个基础上所结成的生产关系是平等的,是共同生产、共同消费的,没有人压迫人、人剥削人的事情。到了阶级社会,生产资料为少数寄生阶级的奴隶主、封建地主和资本家所独占,他们利用生产资料,强制广大的奴隶、农奴和工资劳动者从事繁重的劳动,对之进行残酷的剥削,于是表现在原始共产社会的那种平等的生产关系,就变成为奴隶主、封建地主和资本家剥削奴隶、农奴和工资劳动者的剥削关系了。在社会主义的苏联,一切生产资料都归公有,消灭了人压迫人、人剥削人的事实,形成了平等的生产关系。然而今日的苏联,绝不是原始共产社会的再版,因为它是在高度发展的技术的基础上建立起来的。在我们新民主主义的5种经济成分中,国营经济中的生产关系,是没有剥削的平等的关系,其他经济成分,还或多或少地存在着剥削关系。我们的目的,在于“使各种社会经济成分,在国营经济领导之下,分工合作,各得其所,以促进整个社会经济的发展”①,稳步地变农业国为工业国。

生产关系是离开人们的意志而独立的,在社会中生活着的人们,无论自己愿意与否,都必然要加入这种生产关系。“因为每一辈新人开始生活时,他们便遇到现成的生产力和生产关系,即前辈人所工作的结果。因此,这辈新人在最初一个时候,应当接受他们在生产方面所遇到的一切现成的东西,应当适应于这些东西,以便能生产物质生活资料。”②

生产关系是与特定发展阶段上的社会的生产力相适应的,适应于生产力的特定发展阶段,就必然形成了特定发展阶段的生产关系的体系。马克思说:“社会关系是和生产力密切联结的。人们既获得了新的生产力,便会改变自己的生产方式,而随着生产方式的改变,即本身生活保证方式的改变,人们也就会改变自己所有一切社会关系。手力磨坊产生了以封建主为首的社会;蒸汽力的磨坊产生了以工业资本家为首的社会。”所以,在生产方式的两个方面

① 《共同纲领》。

② 亚历山大洛夫:《论社会发展学说史》。

上，生产力是最活泼、最生动、最革命的力量。

但是生产关系也并不是完全被动地去适应生产力的，一种生产关系既经形成之后，对于生产力会发生积极的推动的作用。譬如十月革命后的苏联，由于生产资料收归人民所有，生产关系起了本质的变化，于是生产力便随之飞跃地发展起来，提高起来。现在，我们实行土改，“土地回家”，打垮了封建地主对农民的剥削关系，农民的劳动热情提高了，虽然在目前生产技术一时还不易改进，但是在农民高度劳动热情的鼓舞下，生产力无疑的是向前发展了。在工业部门，由于工人有了政治觉悟，大家都明确地认识到生产是为了自己、为了很好地建设自己的国家，所以，一般的都能在节省资材、提高劳动生产性的原则下，积极生产，出现了许多劳动英雄。这就足以证明生产关系不仅是单方面的适应着生产力，而且能够推动生产力的发展。

然而，生产关系对生产力的这种能动的推进的作用，是有限度的，当“社会的物质生产力发展到一定程度时，便和它们向来在其中发展的那些现存生产关系，或不过是现存生产关系在法律上的表现的财产关系发生了矛盾，于是这些关系便由生产力发展的形式变成了生产力的桎梏”（马克思）。这时，生产力要求打破旧生产关系，建立新生产关系，于是革命到来，社会发生根本的变革，经过这种变革，社会便由一个较低级的发展阶段进到一个较高级的发展阶段。这就是社会发展的普遍规律。但是，仅仅局限于这一普遍性的规律还不够，因为社会是一个发展过程，在这个过程中的各个阶段上的社会形态各有不同，因而各个阶段上的社会的发展规律，也就不能不有其特殊性。譬如欧洲的封建社会仅有1000多年，而中国的封建社会，却延续了3000多年，就是因为中国封建社会有其特殊的条件、特殊的发展规律。再如中国革命的前途，既不是要走资本主义的发展道路，也不是立刻就建设社会主义社会，而是要经过新民主主义的历史发展阶段，这也是因为中国社会有它特殊的形相。所以说并不是一切国家都精密地循着同一路线而到达于社会主义的。

最后，生产力与生产关系的矛盾，在阶级社会中，就表现为阶级斗争，因而阶级斗争，是阶级社会发展的原动力。在苏联，生产力和生产关系是相互适应的，两者间已没有矛盾，阶级消灭了，已没有阶级斗争，而批评与自我批评，就成为它的社会发展的原动力了。

第二节　社会的上层建筑

生产关系的总和，形成社会的经济构造即基础，在这个基础上，产生了上层建筑。一定的社会经济构造，即一定的社会生产方式，有一定的上层建筑，后者为前者所制约，随前者的变化而变化。“社会的生产方式怎样，社会本身在基本上也就会怎样，社会的思想和理论、政治观点和政治制度也就会怎样。”（斯大林）

在这里，我们说明 3 个问题。

第一，国家与政治。

国家是受经济基础所规定的上层建筑之一。我们学习社会发展史，必须理解国家的本质是什么？它是怎么产生的？又是怎样会消灭的？

恩格斯在《家族私有财产及国家的起源》中给国家下了这样一个定义：“国家决不是从外面强迫加给社会的一个力量。国家也并不是如黑格尔所断定的什么‘道德观念的现实’或‘理性的外形和现实’。国家是社会发展到一定阶段上的产物；国家是社会陷入自身不可解决的矛盾中，并分裂为不可调和的对立方面，而又无力摆脱这种对立情势的表现。为了使这些对立方面，这些彼此经济利益冲突的阶级，不致在无谓的斗争中互相消灭而使社会同归于尽，于是一种表面上似乎驾于社会之上，而用以缓和冲突，使这些冲突不致超出‘秩序’范围以外的力量，就成为必要的了。这个由社会当中产生出来，但使自己驾于社会之上，而日益与社会脱离的力量，便是国家。”

恩格斯的这个定义，是科学的、革命的国家观。他说明了国家是一个历史的范畴，是社会发展到一定阶段时的产物，是阶级不可调和的表现。反过来说，国家的存在，就证明阶级冲突之不可调和。所以，国家的本质，就在于它是少数人对多数人或多数人对少数人的阶级压迫和统治的工具。

国家不是从古就有的，是当社会上出现了阶级以后，有的阶级在经济上占据了优越的地位，为了保证这一优越地位，保证对其他阶级的压迫和剥削，才建立了自己阶级的国家。

在原始共产社会，由于生产力的低劣，劳动所得没有剩余，社会上不可能

有不劳而食的寄生者存在，所以，没有阶级，没有人压迫人、人剥削人的现象，因而，不需要政治权力、法律制度等东西，当时的社会秩序，完全依靠传统习惯来维持。到了原始共产社会末期，由于金属工具的发明与使用，由于农业畜牧业与手工业的分工，由于交换的发生与发展，劳动生产力提高了，个人劳动所得，除了维持自己生活外，还有了剩余，于是便产生了私有财产，同时，对战争的俘虏，已不加杀害，而迫使做奴隶、服劳役，到这时，社会上便形成了奴隶主与奴隶两个对抗的阶级。奴隶主阶级为了维持和巩固其对于奴隶的统治和剥削，便创设出公共的强制权力即国家，组成政府机关，制订种种法律，设置武装力量，通过国家这种机关，来镇压奴隶的反抗，保证其对奴隶实行残酷的剥削。所以奴隶社会的国家，是奴隶主统治和剥削奴隶的工具，是少数人压迫多数人的工具。经过封建社会到资本主义社会，其统治方式和剥削方式虽然不同，但基本上，国家依然是少数人压迫多数人的工具，即是封建地主与资本家统治和剥削农奴与工资劳动者的工具。

在这三个阶级国家中，其政权的组织，有各种不同的形式，有君主制，有共和制，有民主制等，但是，不论在哪一种形式下，有权的只限于奴隶主、贵族、封建地主和资产阶级等一小撮集团，至于奴隶、农奴和工资劳动者的广大人民，则毫无权利可言。美国以"民主"国家自诩，而事实上，无产阶级依然是毫无权利。到了帝国主义阶段，资本主义已是"垂死"的时候了，资产阶级为要挽救它的濒于死亡的命运，便撕去了套在专政外面的"民主"糖衣，赤裸裸地露出本来的狰狞面目，实行了血腥的法西斯政权，疯狂地向国内工农大众及国外殖民地半殖民地劳动人民进攻。资本主义虽是"垂死"的了，然而还没有死去，所以，还需要资产阶级的掘墓人——无产阶级加紧努力，展开革命斗争，才能把它早日送进坟墓。

现在，我们的国家，是新民主主义的国家了，是人民民主专政的国家了，是极大多数人压迫极少数人的国家了。我们国家，在国体上，是各革命阶级联合专政，即是工人阶级领导的，以工农联盟为基础的，团结各民主阶级和国内各民族，以反对帝国主义、封建主义、官僚资本主义的人民民主专政，对人民是民主的，对反动分子是专政的。"人民的国家是保护人民的。有了人民的国家，人民才有可能在全国范围内和全体规模上，用民主的方式，教育自己和改造自己，使自己脱离内外反动派的影响（这个影响现在还是很大的，并将在长期内存在着，不能很快地消逝），改造自己从旧社会得来的坏习惯和坏思想，不使自己走入反动派指引的错误路上去，并继续前进，向着社会主义和共产主义社会发展，完成消灭阶级和进入大同的历史任务。”（毛泽东）

这是人民民主专政的一个方面，另一方面，我们要对敌人对反动派实行专政，实行独裁，“压迫这些人，只许他们规规矩矩，不许他们乱说乱动，谁要乱说乱动，立即取缔，予以制裁”（毛泽东）。在我们“共同纲领”中有人民与国民之分，明确规定着国民只有保卫祖国、遵守法律、遵守劳动纪律、爱护公共财产，应征公役兵役和缴纳赋税的义务，不给他们选举权和被选举权，就是这个道理。

在政体上，是民主集中制，即在民主基础上的集中，在集中领导下的民主。我们实行无男女、信仰、财产、教育等差别的真正普遍平等的选举，选出各级人民代表大会，再由各级人民代表大会选举各级人民政府。人民代表大会向人民负责并报告工作，人民政府委员会向人民代表大会负责并报告工作。在人民代表大会和人民政府委员会内，实行少数服从多数的制度。各下级人民政府由上级人民政府加委并服从上级人民政府。全国各地方人民政府均服从中央人民政府。同时，在县市以上的各级人民政府内，设置人民监察机关，以监督各级国家机关和各种公务人员是否履行其职务，并纠举其中违法失职的机关和人员。人民和人民团体对于任何国家机关和公务人员的违法失职行为，都有权向人民监察机关或人民司法机关控告。只有这样民主集中制的政治，“才能充分地发挥一切革命人民的意志，也才能最有力量地去反对革命的敌人”（毛泽东）。

国家既是随阶级的发生而发生，亦必随阶级的消灭而消灭，这乃是历史的必然、社会发展的规律。毛泽东同志说：“人到老年就要死亡，党也是这样，阶级消灭了，作为阶级的斗争的工具的一切东西、政党和国家机器，将因其丧失作用，没有需要，逐步的衰亡下去，完结自己的历史使命，而走到更高级的人类社会。”

既然说，阶级消灭了，国家就随之消灭，那么：为什么现在的苏联已经消灭了阶级而还有国家呢？因为现在苏联虽然已经胜利地完成社会主义的建设，并开始向共产主义前进，但是，就对内方面说，经济组织工作和文化教育工作，还需要进一步的发展；就对外方面说，它还受着资本主义的包围。所以，在今日的苏联，国家还要负担着两个基本任务：面对内进行和平的经济组织工作和文化教育工作，对外用武力保护国家，以防外来的侵略，即现在苏联的军队，惩罚机关和侦探机关的锋芒，已经不是向着国内，而是指向国外去对付外部敌人了。

第二，社会的意识形态。

“不是人们的意识决定他们的社会存在，恰巧相反，正是他们的社会存在决定他们的意识。”这是历史唯物论的著名的定律。

当作上层建筑物看的社会意识形态，是社会存在的反映，它不过是“被移植被翻译于人们头脑之中的物质”而已。有怎样的社会存在，就产生怎样的社会意识。在不同的社会、不同的时代、不同的阶级，便必然生出不同的思想。

在原始共产社会，由于人们对自然控制力量的薄弱，时时受到自然界的威胁，如疾风、暴雨、火山的爆发、冰河的移动等，使得人们无法解释，便认为万物都是神灵，值得人们崇拜，于是便形成了万物有灵论的思想。

到了阶级社会，思想意识不但为社会的经济构造所决定，而且具有阶级性、党派性。如中国商朝的巫教，认为贵族、奴隶主和奴隶的身份地位，都是天帝所设定，并由天帝经常在监视着各人的生活，王或帝便是天帝的儿子（天子），代表天帝来行使统治。这种思想意识，一方面是当时人们无力支配自然的表现；另一方面也成为奴隶主阶级统治并麻醉奴隶的一种工具。

封建社会的地主统治阶级，制造出忠孝等道德观念，来欺骗、麻醉广大的农民群众。所谓忠于国，就是要农民不准反抗，做个“顺民”，服服帖帖地受地主阶级的压迫和剥削。所谓孝于亲，就是要一个家庭的成员都变成家长的奴隶，在家庭养成了服从的习性，对地主阶级的国家机器自然就不会反抗了；同时地主阶级在“求忠臣于孝子之门”的原则下，还可以培养出维持和巩固自己阶级统治的帮手。

到了资本主义社会，生产方式改变了，于是资产阶级便喊出了自由平等的新观念。所谓自由，就资产阶级说，是本阶级间竞争的自由，是对无产阶级及其他劳动人民压迫和剥削的自由；而在无产阶级及一般劳动人民，却只有挨饿的自由,只有受压迫受剥削的自由。资本主义的政治民主,是假民主、真专政,是资产阶级对广大劳动人民的专政。没有经济自由,绝不会有政治民主。

在阶级社会中,宗教起了极大的反动作用,统治阶级利用宗教来麻醉人民,使被压迫被剥削的广大人民在“人间地狱”中,憧憬着向往着“天堂”,麻痹了反抗斗争的情绪。所以列宁说:“宗教是人民的鸦片。”

今天的苏联人民,在长期的社会主义的教育之下,一般的都养成了爱国家爱人民的崇高思想,他们都抱着这样一个观点:“凡对于人民有利之事,不论如何困难,也一定要完成的。”这种热爱国家热爱人民的品质,在反法西斯的保卫祖国的战争中具体表现出来了。

我们是新民主主义国家的人民了,新国家的人民要肃清而且必然会肃清封建的、买办的、法西斯主义的思想,发展为人民服务的思想;要养成而且必然会养成爱国家、爱人民、爱劳动、爱科学、爱护公共财物的公德。

由此可见,有什么样的社会存在,就有什么样的社会思想,而且在阶级社会中,一切社会思想都带有阶级性、党派性,即各种阶级,都是按照自己的物质条件,并适应着社会关系,来创造和形成种种不同的思想。但一般说来,“一定时代的统治的思想,却常常是统治阶级的思想”,所以,无产阶级在对资产阶级的斗争中,不但要做政治斗争、武装斗争,而且要展开思想斗争。列宁说,在阶级斗争中间,国家有两种职能:一种是刽子手的职能,一种是牧师的职能;前者用武力,后者用思想麻醉。无产阶级必须粉碎统治阶级的反动思想,把自己的头脑用进步的革命的思想武装起来,才能保证政治斗争、武装斗争的胜利。

由此可见,社会的思想虽然为社会的存在所决定,但是,这社会思想一经形成,反转来对于社会的存在却起着一定的作用。所以,列宁说:“没有革命的理论,就不会有革命的运动。”

理论,必须是从实践中产生,它才能成为实践的指南。所以,理论必须是从实践中来、到实践中去的,换句话说,即是从群众中来,到群众中去的。所谓从实践、从群众中来,就是要实际参加斗争工作,虚心向群众学习,把从实际斗争中和从群众中得来的知识和经验集中起来,就得出有条有理的道理和办法。所谓到实践中到群众中去,就是把这种有条有理的道理和办法,再告诉群众,

化成群众的意见，号召群众坚持下去，行动起来，用实践来考验这些道理和办法是否正确。然后再从实践中、从群众中集中新的知识和经验，做成新的道理和办法、再向群众坚持下去，用实践来考验。这样继续不断地循环下去，理论的内容就一次比一次更正确、更丰富、更接近客观真理。只有这样的理论，才能指示着我们在行动中不犯错误或少犯错误，只有依据这样的理论，才能作出科学的预见。斯大林说："理论是世界各国工人运动的综合经验。当然理论如果不和革命实践联系起来，它就会变成无对象的理论，同样，实践如果不以理论为指南，它就会成为盲目的实践。可是，理论如果是在和革命实践最密切的联系中形成的，那它就能成为工人运动的最伟大的力量：因为理论，而且只有理论才能给运动以信心，确定方向的力量以及对于周围事变的内部联系的理解；因为理论，而且只有理论，才能帮助实践理解不仅各阶级在目前如何行进和向哪里行进，而且理解这些阶级在最近将来应如何行进和向哪里行进。"

全世界无产阶级的导师斯大林、中国人民的导师和一切被压迫民族的导师毛泽东在苏联和中国革命中所起的伟大作用，便是一个活生生的例证。

第三，思想改造。

社会思想为社会的经济构造所诞育，但在产生之后，它便有着自己的发展规律，受着自己的内在规律的影响发展着。社会意识在自己的发展中，落后于社会存在的发展。斯大林说："明显的，开始外部条件变化了，物质变化了，然后意识及其他精神现象适应的变化了——观念方面的发展落后于物质条件的发展。"这就是思想的惰性。

譬如苏联人民，经过社会主义的教养，绝大多数的意识都是新的、社会主义的，"苏联劳动者的绝大多数是无产阶级社会主义社会、共产主义的积极的与觉悟的建设者"，但是仍然有部分的个别的人们在意识中保存着或多或少的私有者的偏见和资本主义的残余。这就是因为一方面人们的思想在它的发展中落后于人们的经济地位；另一方面资本主义的包围依然存在，它总在努力复活和帮助苏联内部人们思想中的资本主义残余，所以斯大林号召说："我们布尔什维克应时时刻刻秣马厉兵。"

现在我们的国家是新民主主义的人民民主专政的国家了，社会的存在已经变化了，帝国主义、封建主义、官僚资本主义的有形力量已被我们打垮了，但是从旧社会中带来的旧思想旧意识并没有被打垮，被带到新社会来，这种旧思想的残余，会阻碍个人的进步，阻碍社会的发展。所以，我们不但在有形的战场上已经打了胜仗，而且还要在无形的战场上——思想的战场上再打个胜仗。因此，我们提出思想改造、思想革命的问题。

为要改造思想，就要分析思想中有哪些毛病，然后才能对症下药，治病救人。知识分子绝大多数是小资产阶级出身，部分的是地主阶级或资产阶级出身，以及个别是农民出身。小资产阶级是动摇于资产阶级与无产阶级之间的中间阶级，所以它的思想，首先表现为两面性和向上爬，革命情势达于高潮时，便倾向革命；革命低潮时，便倒入统治阶级的怀抱，并极力向上爬，甘心做统治阶级的帮凶。其次是超阶级思想，自以为不左不右走中间。再次是自私自利的观念，凡事从个人的利益出发，以个人的利益为转移。资产阶级，由于它是一个生产资料占有者的阶级，所以私有观念特别浓厚，认为私有财产是不可侵犯的。又由于它是在自由竞争中发展起来的，所以最富于竞争性、剥削性，把自己的幸福建筑在别人的痛苦上。地主阶级由于割据土地，重利盘剥农民，轻视劳动，便养成了割据思想、享乐思想、升官发财思想，等级观念和残酷的剥削性。农民阶级是小土地所有者，实行小规模生产，由此便产生出分散性、狭隘性、保守性，浓厚的私有观念和乡土观念等。旧社会的知识分子，在思想上都会或多或少地包含着上面这几种成分。归结起来，不外乎是自由主义、个人主义、主观主义。所谓思想改造，就是要用马列主义和毛泽东思想的武器武装起来，确立五大观点，打垮这思想上的三大敌人，做一个光荣的劳动知识分子。

第三章　原始共产社会

第一节　人类的来源——劳动创造了人

学习原始共产社会,基本上要解决三个问题,即:(一)人类是从哪里来的?(二)原始共产社会是一个什么样的社会?(三)原始共产社会是怎样发展的?它又为什么不存在了?

人类不是从“开天辟地”以来就有的,也不是上帝创造的。依照达尔文的进化论,世界上一切生物都是由低级的到高级的进化来的,世界上的人类也是由一般动物进化而来,即是由猿猴类中高度发达的类人猿进化来的。

据地质学上的推断,地球从形成到现在,已有 20 万万年的历史了,而人类的出现,是距今四五十万年间的事,在悠长的地球年代中,人类只占一个短暂的时期。

地质学家把地球的年代分为 7 个阶段:(一)无生代(72500 万年),(二)太古代(45000 万年),(三)原生代(32500 万年),(四)古生代(30000 万年),(五)中生代(13000 万年),(六)新生代(7000 万年),(七)现代。在原生代才开始有生物,到了古生代才开始有脊椎动物,在中生代的三叠纪出现了胎生动物,在新生代的始新世出现了猿猴,到了渐新世后期与中新世前期,出现了类人猿(距今约 2000 万年),在距今四五十万年左右,才有人类出现。

在距今 2000 万年以前,猿类中有一种“树居古猿”,分布于欧、亚、非各洲,由西班牙到印度一带。这种古猿,有一支生活环境没有改变,就变成现在的猩猩、黑猩猩、大猩猩和长臂猿;有一支生活环境起了变化,并由于具备了一定的条件,就变成了人。从此人和猿便分了家,循着不同的途径向前发展了。

人类学家达第和拉布朗博士先后在南非发现了一些“南非人猿”的头盖

骨和牙齿的化石,头盖骨的样子很像猿,而牙齿却像人。这种“南非人猿”,可能是五六百万年前人与猿间的过渡动物,可以说它是人类最早的直系祖先,或至少是接近人类的祖先。

人类的发展,经过3个阶段,第一个阶段是猿人时期,距今约四五十万年,这时失去了猿的一部分性质,具有一部分人的性质。爪哇猿人、“北京人”、巨人、海德堡人属于这一时期。第二阶段是尼人时期,距今约二三十万年左右,尼人已失去猿的大部分性质。第三阶段是真人化石时期,距今约十几万年,这时,人体形态已与现代人没有显著区别。经过这十几万年的发展,人类便分布于地球的各大陆上,由于生活环境的影响,如地势的高低湿燥、饮食的好坏、气候的寒暖等,就区分为黄种、白种、黑种及澳洲人等不同颜色的人种,可见人种虽有区分,起源却是相同的。而资产阶级的代言人,竟宣传人种优劣的谬论,替法西斯帝国主义进攻殖民地半殖民地人民的侵略行为做理论上的辩护,这种狂吠,完全违反了人类本身的发展规律,我们必须予以严格地驳斥。

关于中国人种的由来,有种种不同的说法,除各种推论与神话传说外,有西来说,认为中国人是来自西方;有东来说,认为中国人是从日本来的;有南来说,以为中国民族的发祥地在印度支那半岛;又有北来说,以为中国民族起源于美洲大陆,是由美洲北部渡海而来的。自从“北京人”(中国猿人北京种,简称北京人)被发现后,才打破了以上各种臆说,找到了自己的真正祖先。“北京人”的遗骨中比较完整的,共有4个人的头盖骨,146枚牙齿及其他少数散骨,是1926年以后在北京西南周口店发掘出来的。从地质年代来看,约与爪哇猿人为同时(距今约四五十万年);从体质特点上看,进化程度比爪哇猿人略为高些。由于在发掘的地方发现有灰、有焦骨、有烧过的石头、有木炭,可见当时的“北京人”已经知道用火并制造粗糙的石器骨器了。火和石器的使用,把他们生活提高了很多。“北京人”的出土,证明了我们的祖先在四五十万年前就栖息于中国大陆,不必到外部去错认祖宗了。

根据上面的说明,可以知道世界的人类都是由高度发达的类人猿进化来的。那么,为什么树居古猿的一支会变成人,而另一支不会变成人呢?又为什么现在的猩猩、黑猩猩、大猩猩和长臂猿不能变成人呢?

斯大林说“一切以时间、地点和条件为转移”,类人猿是在一定的时间、地理环境及其他条件下才变成了人的。那么，这些条件是什么呢？主要的有以下三点。

第一，生理的条件。类人猿是高度发达的猿类，在生理的构造和机能上，较一般猿类和其他动物具有高级性、优越性，头脑和口腔比一般猿猴为大，所以，在冰河到来下地找寻新食物时，能比一般猿猴或其他动物少受自然环境的限制。由于更多地食用新食物，吸取新的养分，就引起血液上的变化，因而整个身体也发生变化。

第二，自然的条件。类人猿生长热带、亚热带，那些地方富于含有较多滋养料的果品，类人猿又是生活在树上，比较其他动物能优先取得这种食物，所以他们的生理构造和机能就容易发生变化。当冰河到来时，类人猿由于生理构造和机能的优越性，便移居于冰河边沿或空隙的地方，挣扎着生活下去，而别的动物，因不能适应新环境，大多死亡。那时正是动物的幼年时代，有向着多方面进化发展的可能，所以类人猿才能由于具备了转变为人的条件而变成人，现在的动物循着一定方向发展下来，都定型化了，即使再具备转变为人的条件，也不可能变成人了，所以现在的猩猩、黑猩猩、大猩猩和长臂猿不能再变成人。

第三，劳动的条件。劳动，在类人猿进化为人的各种条件中，是一个最主要的头等意义的决定条件。固然，类人猿具有生理上的优越性，冰河的到来引起生活环境的变化，但是，如果只有这些条件而没有劳动，类人猿也绝不会变成人。劳动使类人猿得以在冰河时代的寒冷环境中挣扎着生存下去，劳动推动了类人猿生理构造和机能的发展，使它变成了人。

以下具体说明劳动在从猿到人的转变中所起的作用及其发展过程。

人类的祖先类人猿，原来是住在树上，大约在距今 50 万年到 100 万年的时候，地球上的气候变冷了，树木凋谢了，于是，类人猿被迫不得不从树上下来，到地面上谋取生活资料。过惯了树上生活的类人猿，到地面上来生活，并不是一件容易的事情。在树上时，猿的后肢与前肢共同担负运动全身的工作，到了地面之后，就必须把支持全身运动前身的工作交给后肢单独担负，使前肢自由活动，才能生活下去，这样就慢慢直立起来，手足便分了工。另一方面，类人猿在树上生活的时候，由于攀援及采取果子，手足已有了某种初步的分工，但是，仍然是用5个手指共同取物，拇指和其他4指不能单独动作。到了地面之后，为要攫取微小的食物，必须用手指单独来拿，特别是拇指与其他4指的对立，有了这种“相对性”，人手才能从事各种细巧的劳作，才能制造工具。所以，手足分工，是“从猿转变到人的有决定意义的一步”（恩格斯），是由于长时期劳动训练的结果。

类人猿到了地面后，在困难的环境中生活，一方面要寻找食物，一方面又要防御敌人，所以必须群居，必须从事集体劳动，这样，为了传达经验，就需要有明确的语言表示种种意思。正如恩格斯所说：“劳动的发达，必然使得社会各个成员更紧密地互相结合起来，而且这样一来，互相帮助和共同协作的情形就增多了，这种共同协作的好处，对于每一个人就一目了然了。简单地说，这些在形成中的人，已经到了彼此间有什么东西非说不可了，需要产生着自己的器官。猿类不发达的喉管，由于音调的抑扬顿挫之不断加多，缓慢地然而一定不移地改造起来了；而口部的器官，也逐渐学会了连续发出一个个清晰的音节。”所以说，“人类的语言，是从劳动当中并和劳动一起产生出来的”。

类人猿为要用种种方法来取得不宜找寻的生活资料，和抵御地面上的可怕的敌人，就必须时时使用脑子，来指挥手的工作，用语言交换斗争经验，于是便引起脑髓的发达。恩格斯说：“首先是劳动，然后是同劳动一起产生的语言，这两者乃是最主要的推动力，在它们的影响下，猿的脑髓才逐渐变成在基本构造上完全相类似但较大和较完善的人的脑髓。”更因为不断地摄取新食物，供给脑髓的营养和发展所必需的材料，脑髓就一代一代地更加发达起来。

由于在劳动过程中手足的分工，语言的发生，脑髓的发达，人身的其他器官也随之发生了显著的变化：听觉和嗅觉退化了，味觉和智力发达了。于是我们的祖先便脱离了猿的范畴，走向人的境地。

总而言之，人和猿的最大分界线，在于人能够制造工具，而其他任何高等动物，也只能利用自然物做工具，而不能制造工具。“当我们祖先的两手，经过长期的改造与练习，而学会了制造石刀和类似极简单的工具的时候，猿转化为人的一个决定性的步骤便完成了。”（恩格斯）人之所以能够制造工具，基本上是由于手足分工，而手足分工是长时期劳动训练的结果，所以恩格斯说：“劳动创造了人类本身。”

第二节　前氏族社会

人类社会经过了原始共产社会、奴隶社会、封建社会、资本主义社会和社会主义社会五个发展阶段。第一个阶段的原始共产社会，是无阶级的社会，这一个阶段的时期是很长的。同样的，“中华民族的发展（主要是汉族的发展），和世界上别的大民族一样，经过了若干万年平等而无阶级的原始共产主义社会的生活”（毛泽东）。

原始共产社会，是一个建立在共同生产共同消费的生产方式之上的社会，按照生产力发展的程度，又可以分为前氏族社会与氏族社会两个阶段。前氏族社会大约相当于旧石器时代，氏族社会大约是从新石器时代开始。

在前氏族社会，人类刚脱离动物状态不久，生产力非常幼稚，最初几乎完全为自然力所控制，只能消极地适应自然。恩格斯说：“人在最初脱离动物界（狭义地说）而进入历史以后，还是半动物性的、粗暴的，他既无对抗自然界的力量，又没有觉到自己的力量，所以他们像动物一样的穷；他们的生产力也并不是怎样比较动物来得大。”但在长期劳动过程中，积累了知识与经验，逐渐变消极的适应为积极的适应，变器官的适应为技术的适应，利用自己制造的工具，来对自然做斗争。随着生产技术劳动工具的进步，生产力便慢慢发展起来。

人类最初使用的石器，是没有经过人工制造的，叫作曙石器。后来才知道将石块敲打成各种形式来利用，这就进入旧石器时代。在这个时期首先出现的，是作为剥、削、切、打之用的石质和木质的手槌；稍后才把尖刃的石头连接在木棒上，作成削皮器和尖头器；更后用打制了的细长石片做成雕刻刀穿孔器和猎具，并把兽骨做成器具。到旧石器时代末期，猎具更加完备，骨器也更加进步更加复杂，骨质钩针缝针和弓箭都出现了。从此再前进一步，便入了新石器时代。

弓箭和骨器的发明，尤其是火的发明与使用，在推动前氏族时期生产力向前发展和人体本身的变化上，具有重要的意义。由于火的使用，人们可以熟食，并免去受潮湿而生疾病，因而扩大食物的界限，引起人类面貌的变化。所以恩格斯说:“火的发现,是人类脱离动物生活的第一步。”同时,弓箭和矛尖、针钩等骨器的发明,促进了渔猎的发展,使人们的物质生活资料增加起来,于是人们就逐渐散居于比较寒冷的地带和江河海洋沿岸了。

以上是前氏族时期生产力发展的大体轮廓。在这个时期,生产力虽然向前发展了,然而发展得很迟缓,仍是非常幼稚,由于生产力的幼稚性,便决定了前氏族社会的经济形态不能不是采集经济、渔猎经济。

最初,人们是生活在热带或亚热带的森林中,大部分住在树上,当时的生活资料,是果实、块根、昆虫、小鸟等,有时猎获到一些带病的、离了群的或掉入自然陷阱中的动物,也是很偶然的事情。后来,狩猎工具种类增多了,特别是弓箭网罟的发明,使人们能够捕捉到较大的动物,并且知道捕鱼,于是狩猎便带有经常的性质,成为前氏族时期经济生活中的一个重要部门了。

由于生产力的幼稚性及人类对自然斗争的力量的薄弱性,使得原始人不能不结成集团,不能不过着集体劳动的群居生活。一个人如果脱离了群,便等于宣告死亡。恩格斯说:“按我个人的意见,社会的本能,是人从猿猴中进化来的最重要的原动力之一。最初的人必然是合群而居,这是我们探讨已往的历史所证明的。”

原始人群,普通大约是由40—50人组成的,他们成群地采集和猎取果实、草根、鱼虾、野兽等生活资料,获得食物,就当地吃掉,然后再流浪到别处去。原始人常常是处于半饥饿状态,得到什么食物,都是共同吃用,没有剩余,无所谓私有财产。由此可见,由于生产力的低弱,决定了集体劳动的方法,由于集体劳动的方法,决定了集体分配的方法,这样便形成了共同生产共同消费的生产方式,形成了原始共产社会的经济基础。

原始人群,在最初没有劳动分工,只有最简单的劳动合作。随着狩猎的发生,生产力稍见发展,便产生了性别和年龄上的分工。譬如制造比较复杂的工具,或远出狩猎等,需有一定的经验和体力,则由男子来担任;采集、烹饪和看护小孩等轻便工作,则由妇女来担任。同时全群人们分为幼年、成年和老年三个集团,各集团从事不同的工作,互相为而劳动。于是生产力就由这种分工而向前发展了。

在原始共产社会,婚媾关系与生产关系有着密切的联系,婚媾关系表现为

生产关系的一个侧面。原始共产社会婚媾关系，经过了 5 个发展阶段，即杂交、血族群婚、半血族群婚（普那路亚婚）、对偶婚和一夫一妻制（一夫一妻制实是文明社会的婚制）。所谓杂交，就是在原始群中，不论老幼，不分辈数，都可以发生性的关系，即群中的一切男子属于一切女子，一切女子属于一切男子。当时生产力极度低弱，男女老幼一同为采集食物而漂泊，两性关系必然是杂交。只有这样的两性关系，才能保证人的生产和人类的团结生存。往后，生产力稍有进步，性别与年龄上的分工发生，男女之间各自形成不同的群，幼年、成年与老年也各别分担一定的劳动，于是两性关系，便由杂交进化为群婚。最初是血族群婚，即禁止祖孙与母子间的性交，而同胞兄弟与姊妹、从兄弟与姊妹、再从兄弟与姊妹等，仍是互为夫妇。到后来原始人的生活，由漂泊无常进到暂时定居，各族各自占有一定的采集食物狩猎动物的地界，为要扩大自己的经济势力，只有扩大亲族关系，于是血族群婚就发展为半血族群婚，即排除兄弟与姊妹间的性交关系，而实行一族内部或甲族与乙族间少壮男群与少壮女群的族外结婚。由此前进一步就是对偶婚。在对偶婚制下，一个男性在许多妻中间，有一个正妻，而他对于她，也是许多夫中间的一个主夫。但同时，这个男性除了自己的正妻以外，还可以同其他许多的妻发生性交关系；同样，做了一个男性的正妻的女性，也可以同其他许多的夫发生性交关系。由杂交到血族群婚半血族群婚，是表现着前氏族社会生产关系的侧面，对偶婚则表现着氏族社会生产关系的侧面。从此再前进一步，两性关系就成为由奸通和卖淫所补充的一夫一妻制。这时原始共产社会已经崩溃，阶级社会出现了。

中国在黄帝以前，大致属于前氏族时期。据传说，中国远古时代的人，是穴居野处，与鸟兽同群，“居不知所为，行不知所至”（《庄子》），可能是三四十人的原始群随处漂泊。“饥即求食，饱而弃余。”（《白虎通》）当时还不知道用火，所以茹毛饮血，也没有衣服穿。在两性关系上，是“男女杂游，不媒不聘”（列子），完全是杂交状态。他们所能使用的工具，还不过是木枝或天然石块之类。据说先有一个“有巢氏”教人构木为巢，白天到地面去采集生活资料，夜间回到树巢睡觉，这样就避免野兽的侵袭。后来有个“燧人氏”发明了钻木取火的方法，人们就知道熟食，而且知道用火去对付周围的野兽了。再后，“庖牺氏做结绳而为网罟，以佃以渔”，由是便有了捕鱼和狩猎，食物的种类和范围因之扩大。关于两性关系，有“女娲氏”与“庖牺氏”共同制定嫁娶，便由杂交进化为群婚。到了“神农氏”教人开垦土地，种植五谷，农业即行萌芽，而进入氏族社会。

上面这些神话传说，自然是不完全可靠的，但传说中的当时人们生活情况的演变与一般发展规律大体上是相符合的，所以，我们无妨引来做个证明。至于把一些重大发明，都托之于圣人，那不过表示社会发展的某些阶段罢了。

第三节　氏族社会

上面说过，前氏族社会与氏族社会，本质上没有什么差异，整个原始共产社会的生产方式，是共同生产共同消费的，只是后一阶段的生产力较前一阶段更为发展而已。

前氏族社会属于旧石器时代，氏族社会大体上包括新石器时代和铜器青铜器时代；前者的经济性质是采集经济，后者是生产经济；前者的两性关系主要是群婚，后者是对偶婚。中国传说中的黄帝、尧、舜、禹以至夏代，大概是属于氏族社会时期。

新石器时代是从制陶术的应用开始的。莫尔甘说：“野蛮时代初期，不问其来自发明或来自应用，都以制陶术的发明为始。”中国仰韶期的出土物中，有许多陶器，且有红白黑两色或三色的花纹，正是传说中唐虞夏时代的遗物。新石器时代的工具的形式，基本上和从前一样，只是经过研磨，但比以前更为锋利，更为精巧，如石刀、石斧、石锄、石铲之类，都可以作为伐木垦地之用。这时骨器的种类已较前增多而精致了。仰韶出土物中，有磨光的石刀、石戈、石斧、石杵、石镞以及纺织用的石纺轮等，可见那时的石器都是经过研磨的了。由此前进一步，就到达了铜器青铜器的时代。一般说来，新石器时代的开始约在公元前12000年；铜器的出现，约为纪元前8000年；青铜器的出现，约为公元前5000年。中国在仰韶文化的末期（沙井期），已经有制造很精巧的带翼的铜镞，只是到殷代才普遍制造和使用铜器，同时青铜器也成为重要的工具。金属工具的发明与使用，大大地促进了生产力的发展。

在前氏族时期，经济性质是采集经济，不论采集果实或狩猎动物，都是取得自然界现存的东西作为生活资料。到了氏族社会，发生了农业和畜牧业，就成为生产经济了。

农业是采集的复杂化的结果。农业的出现，一般说来，是以定居生活为前提的，但是，在土地肥沃、人口稀薄的地方，也有不营定居生活而经营农业的种族。有些地方是由于牲畜饲料的需要所引起的。最初，农业的耕作方法是粗放制，在耕作时，人们成群结队地使用极粗糙的工具，在广大的田野上，进行漫撒与播种，播种以后就不管了，这期间没有什么犁地、施肥、锄草等细致步骤。后来进了一步，采取集约制，在较小的土地上，深耕细作，加工施肥，并使用畜力，去提高生产量。这是金属工具发明、生产技术提高以后的农业耕作方法。

在中国，自从神农"作陶冶斧斤为耜耝耰，以垦草莽"，似乎已有了农业的萌芽。其后，关于农耕也有不少的传说，如史记上说："舜耕于历山"；虞书上说："后稷播种百谷"；国策上说："尧见舜于草茅之中，席陇亩而廕庇桑阴。"这些传说，虽不完全可靠，但证之仰韶时期的出土物，有彩陶，有耕作种植的石锄和石耰，又发现有谷粒，在山西又发现有半个蚕茧。可见在这一传说时代，确实已经有农业了。

采集的复杂化产生了农业，狩猎的复杂化便产生了畜牧业。人们对于肉食和兽皮兽毛角牙的要求，是驯养动物的原因。最初是驯养犬、猪、鸡、羊等，以后便进而驯养马、牛等较大的动物了。《淮南子》上说："拘兽以为畜"；虞书上说："厥民析鸟兽孳尾，厥民因鸟兽希革，厥民隩鸟兽氄毛。"这便是说明在氏族社会中，人们不仅需要拿兽肉和兽乳做食料，而且需要用皮革羽毛来做御寒的衣服，因而对于畜群的繁殖，对于鸟兽的皮革羽毛的修整保管，就不能不十分注意了。

由于农业和畜牧业的发生，推动了工具的制造，尤其金属工具的制造，更要有相当的技术和经验，于是便有一部分人专门担任这种工作，因而手工业产生了。这样，氏族时代的生产力，便有了极大的发展，随之，人类的经济生活和社会生活发生了激烈的变化。

在氏族社会，虽然生产力是不断地向前发展了，人们的生活也起了变化，但是，生产关系依然是共同生产共同消费的。土地及共同应用的劳动工具为全氏族的集体所有，集体劳动得来的生产物，除了为再生产而存留的部分外，都是按照需要来分配。

关于生活资料的共同分配,莫尔甘描写印第安人易洛魁族生活情形,可以作为一个显明的例证。他说:"凡一家的某一人员,在打猎、捕鱼中或由种地所得的一切,都放在公共贮藏室里;家中人员都是靠公共的存品生活的。每家有几个炉灶,普通是每四间设一灶。炉灶安置在走廊,没有烟囱。每家事务由主妇领导。各家烧好每日的普通菜饭后,把主妇请来,由她按照各个家庭的需要,把食物分配给各个家庭。"

氏族是从原始群发展而来的,以一定的血统关系为基础而构成的人类历史上最原始的社会组织形态和民主的生活。在氏族中大家都是平等的、友爱的,没有阶级,没有剥削。我们可以再拿易洛魁人氏族的情况做个例子,莫尔甘说:"易洛魁人的全体成员,都是自由人,有相互防卫自由的义务。他们在特权及个人的权利上是平等的,虽是酋长或军长,也不能要求何等的优越权。而且他们由血缘而结合为兄弟关系,自由、平等、友爱,虽从没有变成公式,却是氏族的根本原则,□是全氏族制度的单位,组成印第安人社会的基础。"那时,没有法律或政治制度,"共同的联系、社会本身、纪律、劳动的秩序,是靠习惯、传统的力量及氏族的长者或妇女所享的权威或尊重来维持的(那时妇女往往不仅占着跟男子平等的地位,有时甚至占着还要高的地位)。当时特殊的人物,专从事管理的专门家,是没有的。"(列宁)《礼记》上所说:"大道之行也,天下为公,选贤与能,讲信修睦……使老有所终,壮有所用,幼有所长,鳏寡孤独废疾者皆有所养……",便是象征着禹以前的中国氏族公社的大同社会。

后来由于人口增多,许多氏族联合起来,形成一个大氏族,大氏族之上,有部落和部落联盟。中国夏族的氏族组织,相当发达,尧典上说:"以亲九族,九族既睦,平章百姓;百姓昭明,协和万邦",可能是有 9 个部落,包含着 100 个大氏族和若干氏族。

氏族本身是随着生产力的发展而发展的,先有母系氏族,而后变为父系氏族。母系氏族是由母系传统的。因为无论在半血族群婚或对偶婚之下,父子的血统关系,不能辨认,"知有母,不知有父",因而自然形成了母系传统。另一方面,在采集经济时代,女子既要担任采集工作、又要调理食物,主持家计,经济地位非常重要。往后进入生产经济时代,家中经济日趋复杂,女子的任务

也日益加重，更由于氏族共有财产及公共职务的继承等，需要计算血统，因而便形成了以女性为中心的母系氏族。这时，女性的权力是很大的，“有时她们可以毫不踌躇地罢免一个酋长，把他降为普通的战士”。后来，男子在经济上的地位渐占优势，农业、畜牧及渔猎等事，大都由男子去操作；而各部落间的战争又不断发生，于是男子在氏族中的地位愈益提高，母系氏族遂变成父系氏族。“从此，男子就在一家之内，取得掌握一切的大权，女子成为男子的附属品，成为男子的玩具和生小孩子的机器了。”（恩格斯）

中国传说中的尧、舜、禹的时代，是母系氏族社会。在母系氏族中，男子在家从母，出嫁从妻，周礼有“嫁子人妻”之说，就是说自己女儿要从他族娶进夫来，自己男儿要嫁到他族去做婿。继承关系，自然以母系为中心，于是便表现出“尧舜传贤”的民主制度。到了夏代，金属工具发明了，生产力向前发展了，男子在经济上所占的地位提高了，母系氏族便让位于父系氏族，禹就不再传贤，而把酋长宝座传给自己的儿子了。

有怎样的社会存在，就产生怎样的社会意识。原始共产社会，生产力极低，经济构造非常简单，因而，由此产生的思想意识也就非常幼稚。

人类最初的思想意识，可以说是语言。语言是人类劳动的产物。在劳动发展的最初阶段，社会的生产非常低劣而简单，人们只用简单的姿式和叫声来表达意思就够了。后来，生产劳动渐趋复杂，单纯的姿式和叫声已经不能满足原始人传达思维的要求；另一方面，由于人类直立行走及长期劳动的结果，咽喉口腔发生变化，即下骸骨突出，口腔扩大，舌头可以运用自如，发出清晰的音节，于是便产生了语言。

原始人有所谓图腾信仰，这是崇拜物质生活资料的一种表现。因为当时人们生产力很低，常常感到生活资料的缺乏，因而对于某些稀少或最重要的动植物，必须加以保护，禁止剿灭，于是便以所崇拜的与特别保护的东西，作为图腾，作为氏族的标志。如易洛魁人塞奈卡 8 个氏族，就是以狼、熊、龟、海狸、鹿、鹬、苍鹰和鹰等 8 种动物做图腾的。但是，由于受到保护的动植物日益增加，使得人们更缩小了自己生活资料的范围，于是，到后来就不能不解禁了。在中国原始共产社会，也存在过图腾崇拜，如夏的先族以龙为图腾，周的先族以鼋为图腾。现在我们的姓，如马、牛、羊、石、梅、李等，也可能是图腾名称的遗留。

原始人的思维体系，是万物有灵论。即认为世界上一切东西，无论人类本身或其他动植矿等物，都有灵魂存在。相信人死之后，灵魂便脱离死体，仍然继续生前同样的生活；并进而联想到世界万物也和人一样，都有灵魂，都值得人们崇拜。由此进一步的发展，就是崇拜祖先。到这时，已经由崇拜生活资料进为崇拜获得生活资料的人类的劳动经验了。

上面这几种思想意识，都是采取宗教的姿态表现出来的。原始人向自然做斗争时，感到自身力量薄弱，自然力强大，因此发生恐怖与幻想，以为神的力量是超人的。自己对自然斗争，得到胜利或失败，都不相信自己，而委之于神力，委之于图腾或祖先的灵魂，举行魔术的仪式，这样就产生了原始宗教。所以，原始宗教，和以后的一切宗教一样，是支配人类的力量在人类意识中之幻想的反映，是人类对于自然和社会的关系之无力的表现。原始宗教中许多荒唐无稽的迷信，留传在阶级社会的宗教里，成为统治阶级利用作麻醉人民的有力的精神工具。

原始人的艺术，是从实际生活的要求中发生成长起来的，但是也都罩上了一层宗教魔术的神秘外衣。譬如绘画，在最初是完全写实主义的，画一个用枪刺入腹内的野牛，这就表示在狩猎时可以杀死它。后来只画一个牛角，表示就可以用魔术把野牛引到自己的地方来，于是艺术就从写实主义变为象征主义了。此外，歌谣、舞蹈和音乐，也都是在共同劳动过程中产生出来的。歌谣，在劳动时可以调整劳动速度，在狩猎时可以鼓舞战斗情绪。在战争或大狩猎以前，举行舞会，以壮士气。所有这些事情，都是从实际生活需要而来，都带有浓厚的宗教气味。所以，在原始人的思想意识中，宗教、魔术、艺术三者是混为一体，分不开的。

在原始人贫乏幼稚的思想意识中，有一点是值得我们注意的，就是他们集体主义的精神和重视劳动重视劳动人民的观念。在原始共产社会，个人对群的关系，正如蜜蜂之不能离开蜂房一样，一个人如果离开了群，便无法生存下去。在这共同生产共同消费的生活环境中培养出来的原始人，只有一个群的观念，无所谓个人利害，所以氏族内充满了“平等和友爱”的精神（不过，氏族内部的平等友爱，是氏族以外的人享受不到的。原始人具有极大的狭隘性，同

时生活也非常贫乏，绝不是人们理想中的“黄金时代”，这一点是值得注意的）。这种集体主义，被后来的阶级社会扼杀了，人们都变成了自私自利的动物，现在我们要把这种集体主义的精神，在更高的基础上培养起来，发扬起来。

原始人是不劳动不得食的，因而他们就非常重视劳动，重视劳动人民，谁在劳动上占重要地位，谁就得到人们的最大尊敬。最初妇女之所以受人尊重，而形成了母系氏族制度，主要的就是因为妇女在劳动上尽了最大的力量。在阶级社会中，统治阶级踏在劳动人民的头上，用劳动人民的血汗供养着自己，反而鄙视劳动，鄙视劳动人民，把劳动看作“下贱事”，把劳动人民看作“下贱人”，说“好逸恶劳”是人类的天性。事实上，恰巧相反，人类是需要劳动的，没有劳动的生活是空虚的、寂寞的、无意义的。今天苏联人民爱劳动的精神，就是一个明证。他们在社会主义竞赛的过程中，劳动在人们的意识中，已成为名誉的、光荣的、良善的和英雄的事业了。我们要继承并发扬被中断了的我们祖先爱劳动的优良传统，学习苏联人民爱劳动的崇高精神。

第四节　原始共产社会的崩溃

原始共产社会，是在生产力与生产关系的矛盾中发展起来并崩溃下去的。这一矛盾的表现形态，就是个体生产与集体占有的矛盾。个体生产的倾向，在性别与年龄上的分工中，就已经发生。后来由于社会分工的出现，金属工具的发明与使用，生产技术逐渐提高，个体生产的倾向更加发展，而生产物却仍然由氏族公社实行共产主义的分配，于是个体生产与集体占有之间的矛盾愈益发展起来，这种矛盾发展到一定的阶段，便引起质的变化，转变为它的反对物，原始共产社会即行崩溃。以下具体说明这个发展过程。

我们知道，促进原始共产社会崩溃的重要条件，是私有财产的发生，有了私有财产，就生出贫富不同的阶级，有了阶级，便产生了阶级统治工具的国家，于是原始共产社会告终，阶级社会出现。

那么，私有财产是怎样发生的呢？主要的是由于分工与交换的发生与发展。本来在前氏族社会就有了性别与年龄上的分工，不过那只是自然的分工，而不是社会的分工。到了氏族社会，才发生了社会的分工。第一次是农业与畜牧业的分工,第二次是农业畜牧业与手工业的分工。分工的结果,一方面造成了生产上的狭隘性,另一方面加强了人与人在生产上的关联性和依存性,在这个基础上,便产生了交换。最初的交换,是在氏族之间进行的,而且是偶然的;以后,氏族分解为许多家族,各家族从事于不同种类的生产,因而在氏族内部也发生了交换,并且带有经常的性质。起初的交换,是由氏族中的首长来进行的,他们往往把交换物的剩余,存在自己手中予以保管,后来就成为习惯,慢慢地由暂时的保管变为私有了。随着交换的发展,就出现了脱离生产而独立的商人,由于他们做媒介,直接生产者就可不必自己来从事交换,而以更多的时间来专搞生产了,所以商人在当时对生产起了一定的帮助作用。这一部分人,借着商业剥削,就成为后来的资产贵族。

其次是战争。在原始共产社会,氏族内是人人平等、相互友爱的,这是好的一方面;但另一方面,这种精神是非常狭隘的,他们的友爱,只限于本氏族,对外族则抱成见,相互掠夺,相互残杀。交换发达后,部落间的接触愈发频繁,所发生的事故也愈多,交换往往成为战争的导火线。战争的结果,就有了战利品,这些东西,以前归氏族公有,后来就成为参战人员特别是指挥者的私有物了。

关于私有财产的产生过程,一般说来,大致是从装饰品、衣服、武器的私有开始;后来是牲畜、农产品、手工业品的私有;再后是农具、家屋、宅地的私有;最后是土地的私有。由生活资料的私有到生产资料的私有,由动产到不动产的私有,是私有财产发展的主要特征。

随着私有财产的发生,社会生活便起了很大的变化。氏族分解,家族出现,若干家族联合起来,组成农村公社。原来的氏族是以血缘关系为纽带的,而农村公社却是以地域和经济关系为主而结合的了。农村公社是原始共产社会的最后阶段,它具有公共财产和私有财产并存的“二元性”。原来,土地是公有公营的,到了农村公社时期,就变为公有私营,土地所有权属于氏族,分给各家族耕种,最初分配年限大约为 3 年,往后因为各家族私有财产的差别、劳动生产性的差别等等条件,分配的年限一再延长,由 3 年延长至 4 年、5 年、10 年、20 年,最后各家族把分配来的土地,据为己有,不再交还氏族实行分配,于是土地便由公有私营变为私有私营。从此,农村公社中的土地,除森林、牧场

等外，其余的都成为各家族的私有物了。

在这样的发展过程中，一部分人在生产交换和战争中，发财致富，在经济上剥削别人，在权力上占统治地位，就成为部落贵族和资产贵族。另一部分人，在生产交换中，因天灾人祸而破产，使得自己不能不依靠别人过活，甚至因还不起债，连自己的家人也抵给人家做奴隶。再有战争的俘虏，也都变成了奴隶。此外，还有一部分人，为数不多，在生产和交换中仍然保持自己的独立性，即所谓自由民，他们构成了奴隶主与奴隶之间的中间阶级。

原始共产社会发展到这个阶段，氏族的血缘关系的纽带，已没有力量来维系人与人之间的关系了。社会上已经显然分成奴隶与奴隶主的对立，穷人与富人的对立，作为阶级压迫工具的国家就成为必要了。恩格斯说："生产力逐渐发展起来，人口的密度增加了，在某种场合上，形成共同的利益；在别种场合上，又形成了各个农村公社间利益的冲突，各个农村公社组成更大的集体，这点又可引起新的分工，和新的机关的建立，以保护共同的利益，反抗敌对的利益。这些机关，乃成为整个集体共同利益的代表，它们对于单独的村社，占据特别的而有时敌视的地位，它们很快地更加独立了。一部分是因为公共的职务，继续遗传，此种遗传在一切事情自发而生的社会里，差不多是自动地形成的；还有一部分是因为一个集团和他个集体间的冲突加多了，所以这样的权力，更觉需要了。由于这种公共职权对于社会的独立，以后又变成凌驾社会的统治。"这个过程可说是原始共产社会的崩溃过程，同时也就是奴隶制社会的形成过程。这个过程，完成了"向着统治阶级和被统治阶级之社会的最初的大分裂"。

中国的殷民族，从相土到成汤时，农业已趋于繁盛，私有财产逐渐发达，原来氏族成员中，一部分已成为富有的贵族，一部分沦为奴隶，其余的一些家族，则转化为公社内的自由农民，但是由于财产渐次向贵族集中，自由农民因借贷等关系而丧失土地，趋于贫穷化。在这种情形下，殷族为了扩张耕地，掠夺奴隶，不能不向外发展；同时另一方面，土地需要从氏族长的支配形态下解放出来，于是成汤便在自由民与奴隶的参加下，推翻了夏族的统治，建立起土地国有的奴隶所有者的国家，完全了中国历史上第一次的社会大革命。

第四章 奴隶制社会

第一节 奴隶制社会产生的前提及其发展

在无阶级的原始共产社会崩溃以后,人类历史上第一次出现了阶级社会,即奴隶制社会。这就是列宁所指出的“奴隶占有者与奴隶社会是分成阶级的头一个大划分”。从此,奴隶占有制度在古代东方各国,在希腊、罗马,统治了好几百年。

我们知道,奴隶制社会是由原始氏族社会母胎内孕育起来的。因为推进人类社会向前发展的一定的生产力以及与它相适应的生产关系,在新的社会还没有建立之前,已经在旧的社会内部开始萌芽或逐渐发展起来了。“新的生产力以及与之相适应的生产关系之产生,并不是离开旧制度而单独发生的,也不是旧制度消灭以后发生的,而是在旧社会内部发生的。”(斯大林)由此可见,奴隶制的产生,是氏族社会发展的必然结果。

现在,我们准备说明两个问题:第一,奴隶制产生的前提;第二,奴隶制的形成及其发展。关于第一个问题又可分作两项来说明。

首先要指出的,产生奴隶制的第一个前提,是氏族社会内部劳动生产力水平的增长。马克思说:“在劳动生产率尚未达到一定的水平时,工人并没有剩余的劳动时间——没有这种劳动时间,剩余劳动即无产生的可能,因而也没有发生资本家的可能,而同时也没有发生奴隶主、封建贵族的可能,一言以蔽之,即没有形成大私有者阶级的可能。”①

当人类社会发展到氏族社会末期,由于金属工具的发明与应用,生产技术

---

① 《资本论》第1卷。

较前进步，经过两次社会大分工后（首先是农业与畜牧业的分工，其次是手工业与农业及畜牧业的分工），劳动生产率较前提高，农业与手工业各部门的剩余的生产物也较前增加。氏族生产发达的结果，感到了族内劳动力的缺乏，需要吸收补充的劳动力，这种剩余劳动力的来源，便是战争。战争中的俘虏，过去大多立即杀掉，或者因为在劳动力感到缺乏的时候，把一部分年轻的俘虏收为养子，编入自己的氏族。但在剩余生产物产生以后，战胜者不再任意杀戮俘虏，而把俘虏变为奴隶，来替自己生产，剥削他们所创造的剩余生产物。所以"产生奴隶制所必要的基本前提，是以利用奴隶当作劳动力为有利的生产力的水平"。

其次，奴隶制产生的第二个前提，是氏族内部的财富不平均。由于社会分工增进了劳动生产率，于是发生并发展了采掘和生产各种物品的种族和部落间的交换。交易事务，最初是由氏族公社中族长进行的，交换的物品就是牲畜。随着生产力的增长，为了耕种田地之必要，结果使个别家庭固定在所耕种的地段上，这样就造成了私有财产的基础。往后原始共产主义制的瓦解，就使牲畜由公社公产变成私产。土地和工具也变成了私有财产，所有这些前所未有的财富源泉，逐渐聚积在族长和领袖们手中，起初是跟原来生产资料的社会公有制同时并存着。但是由于财产不平均的发展，就开始把社会关系改变了，父权社会代替母权社会，而加强了个别家族的意义。恩格斯在《家族、私有财产及国家的起源》一书中说："这种财富（指剩余生产物而言）变成个别家族的私有及其迅速的增加，就给了以对偶婚及母权制为基础的社会以猛烈的打击。对偶婚给家族添加了一种新的原素。与亲生的母并存的，它又确立了一个确实的亲生的父，而且这个亲生的父，也许甚至比别的比现代的父来得更确实些。依照那时所存在的家族内的分业，丈夫的责任是获得实物及为了这所必要的劳动工具，因此，他也获得了劳动工具的私有权。"

随着这种社会关系的大转变，发生了儿子对于父亲财产的继承权。由于财产的继承，就加强了个别家族的意义，牺牲其他家族，而使财富集中于某些家族之手。同时，同一家族内的分子，也发生了分化的现象。这种财富上不平均地继续扩大，终致破坏了大家族。社会有了贫富的区别，贫者因向富者借贷而不能清偿时，债权者就有迫使债务者为奴隶甚至处死的权利。于是破产的家族,也变成了奴隶的来源。总之,奴隶是氏族制解体的标志,同时也变成了新阶级国家的象征,那就是指明“人类社会第一次的阶级分裂”。

我们现在进行分析第二个问题,这里要提出的,便是奴隶制的形成及其发展过程。

奴隶制在其形成、发展过程中,最初是“家长制的奴隶制”。这是一团自由人和非自由人,在家长的父权之下,组成一个家族的制度。换言之,最初的奴隶制,是在所谓家内族长奴隶制的形式上存在的。这种“家长制的奴隶制”的特点,是在奴隶绝对不能离开家族的组织。奴隶是家族中最下层的分子,奴隶主本身也就是家长本身,都要一同从事于肉体劳动。因此,这时对于奴隶的剥削,还是带着比较轻松的和缓的性质。因为起初奴隶制仅带着偶然的性质,奴隶的使用也不很多,他们的主人跟他们在一块儿工作。奴隶可以说是工作中的助手或家中佣仆,例如厨子、马夫、侍役等。交换还不发达,凡生产的一切,差不多全为家内所消费了,这时的生产,主要地还是自然的。

进一步的发展,生产范围扩大。熔铁术的发现,带来了生产中的革命。于是便产生了一种生产,其任务不但是制造使用价值,而且制造一部分的商品作为交换之用。但生产量的多少,是根据生产力的发展,劳动分工的发展,手工业脱离农业的发展,以及贸易的发展来决定的。由于这一切的发展,原始公社的家内经济日趋消灭,而发生了如恩格斯所说的劳动第三次分工。从这次分工中产生了另一批专业者——商人,他们不复从事于生产品的生产,而只从事于交换工作。

同时,在最富裕的家庭中,奴隶从补充助手和补充生产力的效用,变为替主人制造剩余生产品的主要的生产力。这样一来,所采取的剥削形式,比以前要厉害得多了。所以恩格斯说:“古代的过度劳动真正可怕!那种置工作者于死地的强迫劳动,在古代便是过度劳动的正规形式。”他在《家族、私有财产及国家之起源》中说得对:“在前一个发展阶段上,刚刚发生而且偶然的奴隶制度,现在竟成了社会体系的一个主要构成部分;奴隶已不是简单的助手,现在把他们几十几十地赶到田野或手工场里去工作了。”

奴隶占有制在古代东方各国:埃及、巴比伦、印度、中国、日本,以及西方的希腊、罗马,总之一句话,在世界任何民族的历史中,都曾出现过,因为这是人类社会发展过程中所必经的一个阶段。不过其中以希腊、罗马的古代社会是典型的奴隶制。现在就以这两种奴隶制的发展过程作为说明。

在希腊,当公元前1200年至公元前1000年的时候,它的经济组织还是自然经济。那里人民的主要生活是农业和畜牧。手工业和商业都不怎么发达。商业主要操在腓尼基人的手中。人们的财富是以家畜的多少和土地的广狭来衡量的。随着交换的发展,手工业及商人的出现,增大了商品的需要,扩大了生产的范围。于是人们不仅在家内的经济使用奴隶劳动,在手工业交换的贸易上,也大量地使用奴隶劳动。此外,还有较大的奴隶劳动的手工场,制造很多的商品。在这些手工场里,奴隶是按专门技术来分别的,奴隶的工作几乎普及于经济的全领域。

在罗马,奴隶劳动的使用,比希腊更为普及。但是因罗马是农业国,所以奴隶劳动,用在手工业方面的较少,而主要的是用在农业、铁业方面,或充当家内仆役等。在古代罗马,造成规模宏大的奴隶占有庄园,这种庄园叫作“大庄园”。当时富有的奴隶主往往拥有奴隶几百人以至几千人。于是发生大规模的奴隶占有经济。

在我们中国,奴隶制社会相当于殷商时代。从甲骨文、金文、易爻辞、诗经等记载中,也大略可以看出殷代奴隶被使用的范围,不仅在普通的生产领域和杂役中,而且用以参加战争和公务。奴隶制社会,在任何民族的历史中,尽管时间上先后不同,形态上各色各样,但在剥削制度的本质上却没有什么差别。它是人类社会发展史上一个必经的过程。历史上已经有了3种剥削形式,即奴隶占有制、封建制度、资本主义。只有在剥削制度消灭后,劳动生产性的增长是给全社会服务的。

第二节　奴隶制社会经济结构的特征

奴隶制社会经济结构的特征,简单说来,大体上可分为下列三点:

首先一点,就是奴隶的特质,只是一种经济范畴。因为奴隶本来是一个自然人,只有在一定的社会关系之下,他才变成了奴隶。这正如纺织机器就是纺织棉纱的机器,只有在一定的社会关系之下,它才变成了资本一样。因此,这种当作经济范畴看的奴隶,就是这一社会经济结构的第一个特征。

奴隶,在经济范畴里说,首先是一种财产,是物品,是商品。“奴隶的劳动,不是工资劳动即自由劳动,好像牛马没有出卖它们的劳动于农夫一样,奴隶并没有把他的劳动卖给奴隶所有者,而是把自己本身和自己劳动一起并一次性地卖给奴隶所有者。所以奴隶本身,是一种商品,而劳动力不是他的商品。”因此,“奴隶的买卖,形式上是商品的买卖”(马克思)。由此可见,奴隶在流通过程中,是当作一种商品而出现的,这正是因为奴隶本身和他的劳动力合在一起,成为一个商品的缘故。在不断地混战和债户破产而变为奴隶的条件下,奴隶的确比牲畜还要便宜。如在古代罗马,一匹骏马约值现在的货币四百卢布,而战争失败的军事俘虏,有时只卖几个卢布。

但在生产过程中,奴隶一方面是生产工具,另一方面他是劳动者。从生产工具说,奴隶制下的奴隶,犹如现代社会里的劳动家畜一样,都是一种固定资本。这就是说,主人买下奴隶时,需付出一定的资本,而这些资本由于奴隶市场中新的投资,就被收回来了。若从奴隶结合生产工具(与奴隶本身不同)才能开始生产过程说,那么,奴隶又是一个劳动者,也可说是结合劳动力与生产工具在一起的直接生产者。

在奴隶占有制的罗马,把劳动工具分为3种:一是哑巴工具,一切器具都属于此种;二是半说话的工具,即牲畜;三是说话的工具,这就是奴隶的称呼。由此可见,在当时的人眼光看来,奴隶和一柄斧或一头牛的区别,仅仅只在于他会说话罢了。在其他关系上,奴隶跟牲畜或劳动工具都是主人的私有财产。主人可以自由买卖、租赁,可以处死他们。

所以奴隶制生产方式(奴隶剥削)的特点,是奴隶不能占有生产资料,无权使用自己的劳动力。奴隶本身连同全部劳动在一起,都是属于奴隶主的,奴隶主以经济以外的强制方法逼迫他们工作。奴隶的全部剩余生产品,都为奴隶主所侵占。

其次,奴隶制社会经济结构第二个特征,就是奴隶主对于奴隶无情的残酷的剥削。奴隶剥削的基本原则,是要尽力榨取剩余劳动,并不顾虑到劳动力的再生产。所以马克思说:“奴隶经济的原则,是在最短促的时间内,从人类家

畜榨取最大的劳动量。”①因此，奴隶剥削和奴隶生产方式的特点之一，是奴隶劳动的最低生产力。这同时可以解释古代所使用的工具都是非常粗笨和奴隶制时代技术发展的非常迟缓的原因。

奴隶主对于奴隶的剥削方式，不外两种：其一是奴隶主直接使用奴隶来劳动；其二是购买奴隶，专供别人雇用。例如公元前 5 世纪时，希腊大奴隶主尼基，专门从事奴隶的“租赁”。在使用奴隶劳动的拉维利昂的国有银矿中，仅尼基个人就有一千多个奴隶，专给开采矿山的各企业家雇用。总之，不管用哪一样方式，奴隶制的生产总是要求大量劳动力的消费。奴隶主对于奴隶的剥削是非常厉害的，他们想尽方法，要在最短的时间内，从奴隶身上剥削最多的生产品。因此一般都采取强制劳动的方式。尤其在金矿中，对奴隶的剥削是特别残酷的。一位古罗马的著作家曾叙述这种工作情形说：“这儿对病人、病弱的老人以及对孱弱的妇女，没有丝毫谦让和怜悯的余地。谁都要工作，稍有违抗，即加以鞭笞。只有死亡，才可使他们的痛苦和贫困告终。”公元 2 世纪以后，罗马大私有地上耕种奴隶，多到数千人，分为好多队，带着锁链，在残酷的监督者鞭笞下，在极其苛刻的条件下去工作。

奴隶制社会的生产技术，极其低下。一方面，因为有了大量劳动力的供给，对于提高技术不感兴趣。即使是大规模的建筑，也是利用大批的奴隶来担任。像埃及的金字塔，就是由十几万人成年累月的劳动，才能完成的。在希腊，据亚里士多德的记载，当时所用的器具有下列各种：斧、辘轳、轴、车轮、秤、滑车、滑车轮、舵、用铜或铁制的齿轮等。

另一方面，奴隶在过度劳动的情况下，非常愤恨主人，常常故意把工作器具毁坏，或者漠不关心，表示对奴隶主的反抗。他们对待工具的恶劣态度，就如同他们的主人对待他们一样，因而发给奴隶使用的，都是顶粗糙、顶拙笨难以损坏的器具。

奴隶制社会经济结构第三个特征，是大规模的奴隶生产。如前所述，希腊、罗马的奴隶占有者大都握有几百以至几千的奴隶。使用奴隶劳动普遍于其经济全领域。特别是在大规模的庄园里，大群的奴隶，在那广阔的田野中从

---

① 《资本论》第 1 卷。

早到晚的工作，替不劳而获的奴隶主生产着难以数计的剩余生产物。奴隶制生产，正因为是大规模的生产（经常集合大量奴隶的生产），所以具有单纯协作的优点，而在个别场合中，具有分别采用劳动分工的优点。原始共产时代的初期协作，范围是非常狭小的，参加的人数不多。另一方面，在原始共产社会分解基础上生长起来的个别的小生产，在奴隶制生产方式下也不能大规模地应用单纯协作。因此，奴隶制时代的单纯协作，就它的规模和它所集合的劳动力的分量而论，是更广大和发达的协作。大批利用奴隶的单纯协作，造成了新的生产力，这种生产力比之原始共产主义经济和族长家族下的个人生产，要强大多了。

当时并非没有小生产者的自由劳动者，不过随着奴隶制经济的发展，自由的工农业者，也就丧失了他们存在的理由。因为大规模的单纯的协作生产所得的效果要来得大，同时也可节省若干生产的费用。此外，廉价的劳动力，野蛮的榨取方式，以及对于商业资本与高利贷资本的依赖性比较微小，使得这些自由劳动的工农无法可以竞争，结果促成了他们与生产资料及生活资料脱离的运动，引起了大土地所有及大货币所有的发展。譬如在罗马，一方面出现了除劳动能力以外一无所有的自由人；另一方面出现了获得一切财富（以剥削劳动）的所有者。那些被挤出生产轨道的自由人，正如马克思所说："没有变成工资劳动者，却造了游荡的农民。"①他们集中在城市里，依靠国家供养来生活，成为憎恨劳动的流民阶层。

我们中国在殷代的奴隶所有者，大多是贵族、工商业者一流人。奴隶劳动的领域是农业、手工业及畜牧业等，也是替贵族服役的，这些奴隶们的主要工作，据近人研究，有从事畜牧的，有从事农耕的，有从事工艺的，有卫戍边疆的，有用来做仆役的，甚至有用作祈神或祭祖先的牺牲。这时生产者已不是生产资料的所有者，而生产资料的所有者已不是生产的担当者。劳动力与生产资料分离后，劳动力所有者因为要继续生产，维持生活，就被生产资料所有者强制为无人格的隶属，当作生产工具与牲畜一般的成为奴隶主所私有，从事强制的劳动。所以中国奴隶制社会尽管在形式上和西方希腊、罗马稍有不同之处，

① 《马恩书信集》。

但是当时奴隶主对于奴隶的残酷剥削，并没有差异，因此，中国奴隶制社会经济结构，在本质上，也自然没有什么不同的了。

综合以上的三个特征看来，古代社会经济的结构，基本上分为两个部分：一方面是少数奴隶主对于生产资料和生产工作者的所有制；另一方面，是被主人当作牲畜看待可以随意买卖、处置的直接生产工作者——广大的奴隶。前一种人是不劳而获的剥削者，后一种人是受着野蛮的榨取和强制劳动的被剥削者。奴隶的死活，奴隶主从来不会关心，反正有的是奴隶，这个死了，再找别个，这样就构成了奴隶社会的生产关系。

实际上，奴隶制社会是以自然经济为基础的。但在它上面起着附属作用的，商业、货币和高利贷资本的关系，也有显著的发展。这可以分作三个方面来说明：第一，奴隶制社会是建筑在超经济的强制关系上的，奴隶主对奴隶的剥削形式特别来得残酷。第二，大部分为奴隶经济所产生的生产品，都消耗在奴隶经济的本身，表现为奴隶劳动最低的生产力。第三，奴隶制最显著的特点，是所谓非生产者的消费，造成奴隶主的骄奢淫侈，完全变成社会的寄生虫。商品在奴隶制社会中，不过为一部分剩余生产品转变过来的，绝不像在资本主义生产方式的条件下，把全部剩余生产品都变成商品。

奴隶制是在连续的阶级斗争中——主要的是奴隶和奴隶主之间的斗争中，向前发展的。除此以外，奴隶主和小生产者（农民、手工业者、居民）之间的斗争，也起了相当重大的作用。

第三节　阶级、国家的形成及意识形态

阶级是紧跟着原始公社的崩溃而来的。“摩尔干[①]发现了氏族的实质及在其部落中的地位，这样就把这种原始共产社会的内部组织的典型形态弄明白了。跟着这种原始公社的瓦解，社会开始分裂为一些特殊的，归根结底互相对抗的阶级。”（恩格斯）奴隶制是人类社会头一次的阶级大划分，所以阶级的出现，正标志着奴隶制社会的诞生。

---

① 本书中亦译为“莫尔甘”。——编者注

阶级的发生,是与整个社会发展进程具有密切的联系。随着社会第一次大分工(农业与畜牧),剩余生产物较前增多,交换行为发生,私有财产产生了。社会向前进一步的发展,又促进了手工业与农业、畜牧的分工,剩余生产物愈增多,交换范围愈扩大,于是一部分人就脱离了直接生产,专从事交换行为,因此经商致富,成为后来的资产贵族。社会阶级新的划分,便是这样引起的。从此,自由人与奴隶、贵族与平民、富人与穷人,在互相对抗斗争中区别出来,这样构成了奴隶制社会阶级的全般内容。

阶级是历史的范畴,是由于社会内部经济条件的发展所促成的,它是一定的历史发展阶段上的产物,必然将随着社会历史的发展而消灭。一切认为阶级永久存在的谬论,都是资产阶级别有用心的宣传。

国家是随阶级的产生而出现的。在奴隶制社会中,奴隶主和奴隶是两个基本对立的阶级。但在奴隶主集团中,显然又有贵族、自由人、农民、手工业者各阶层。他们彼此之间的矛盾,和他们整个阶级对于奴隶的矛盾,随着私有财产的扩大而日见加深。从前以血族为纽带的氏族的自然组织,再也不能维持这种新的场面。一切有产者、特权者、债权者们,早在要求打破旧的氏族的约束和牵累,确立起一种维护自己利益的新秩序,这样就爆发了新的奴隶主反对旧氏族的运动,这一运动注定了氏族贵族的失败,因为他们违反了社会经济发展的方向。恩格斯在《反杜林论》中指出:“在古代历史条件之下,近于以阶级矛盾为基础的社会之转变,是只能在奴隶制的形式之下来完成的。”于是,旧的氏族制度,便由以私有财产为基础的国家政治组织而代之了。在这运动中,新的奴隶主享受了胜利的果实,成为国家的统治者,他们采取了种种步骤来发展奴隶经济。因此,奴隶主国家就是强迫社会上极大多数的奴隶,去替少数奴隶主创造财富的一个暴力机关。

国家的特征是什么?恩格斯指出了两点:第一,在原始社会里,人口系按氏族或种族而划分,现在却以土地来区别了。国家的权力及于一定的领土范围和居住在这块领土上的公民。第二,社会权力不是建立在人民自己的武装力量上面,而是由特殊的武装队伍(警察、军队)来支持的。社会权力又包括了各种的“强制机关”——如法庭、监狱、行政机关、立法机关和官吏。它们的作用不外向人民横征暴敛,维持自身的用费。社会斗争愈激烈,它们暴敛愈加

甚。因此“国家是阶级统治的机关，是一个阶级压迫别一个阶级的机关”（列宁）。

国家的产生绝非如卢梭民约论所说：人们为了维护公共人权而限制了自己的利益。同时也不像黑格尔所说是“道德观念”的体现。“国家是社会矛盾不可调和性底产物和表现。某时某地社会矛盾客观上没有调和底可能，该地该时就因而发生国家。反之，国家底存在正足以证实社会矛盾是不可调和的。”①归根结底国家是在社会发展的一定阶段上的产物。

如前所述，国家也和阶级一样，都不是永远存在的。国家的形式随着生产方式的变迁而变迁。古代的、封建的、资产阶级的国家，——这些都是历史上最重要的国家形式，它们都适应着一定的阶级社会的形式。在共产主义社会里，由于一切旧制度残余的消灭，国家也要随着消灭，因此，国家和阶级一样，都是历史的范畴。只有资产阶级的御用学者，才会一口咬定说，国家是永远存在的，是一切制度必需的形式。毛泽东同志说：“我们和资产阶级政党相反。他们怕说资产阶级的消灭，国家权力的消灭和党的消灭。我们则公开声明，却是为着促使这些东西的消灭而创设条件，而努力奋斗。共产党和人民民主专政的国家权力，就是这样的条件。”②

下面具体地说明古代阶级国家形成的过程：

古代希腊的雅典是典型的奴隶主国家。当公元前 1000 年至公元前 700 年之间，正是从氏族社会过渡到奴隶制社会的时期。当时社会阶级一方面是以军事首长、民众大会、民众议事会为代表的氏族贵族；另一方面自然是被压迫的奴隶。介于这两个中间的阶级，是外来居民，他们不能参与行政，在这一点上和贵族对立起来。

到了英雄时代，根据提秀斯法令，雅典设置一个类于中央政府的总议事会。承认贵族在建国以前的既得权利，现在仍然有效。同时，按照职业把农民和手工业者划分开来，这就打破了以前氏族和部落的严格界限，容纳外来居民于公民的范围以内。但是贵族和平民之间的矛盾，并没有缓和下来。相反的，

① 列宁：《国家与革命》。

② 《论人民民主专政》。

这一矛盾到了公元前6世纪末达到了最高峰。有名的梭伦改革,就是明显的标志。梭伦代表平民的利益,规定限制贵族侵占土地,禁止拿人做债务的抵押品,免使自由人沦为奴隶。公民的范围愈加扩大,议事会人数增到400人,平民参政机会也增加了。他们按照土地及收入多少,分为四级,享有不同的参政权。这样,旧的贵族统治就逐渐转化为平民的统治。以后雅典阶级的对立,主要的不是贵族与平民,而是平民与奴隶的斗争了。

古代罗马阶级国家的形成,约莫与雅典相同。传说公元前8世纪时已经建立国家。最初氏族贵族仍占优势。他们分别操纵元老院、库里亚(十个氏族组成)大会和军事首长(勒克斯)三个平行机构。库里亚大会职权最大,可以制定或否决法律,选举或罢免高级官吏(连勒克斯在内)。在贵族与奴隶之间,也有一种自由民,他们没有罗马公民的资格,要纳税当兵,可是不能参与政治,这就引起贵族与自由民之间的对立。以后自由民的力量一天天膨胀起来,终于击败了贵族势力。塞维、特力阿的改革,正如梭伦改革一样,象征着自由民的胜利。新的森都库里亚大会代替了旧的库里亚大会。森都库里亚大会是按军队方式编成的,只有按照一定财产取得当兵资格的五个阶级才能参加。当时的普罗列塔利亚是没有资格的,奴隶更不用说了。恩格斯说:"这一权力不仅是被用以反对奴隶,而且被用以反对不许服兵役及被剥夺武装的所谓普罗列塔利亚的。"①这就很好地说明,当奴隶主们互相争夺统治奴隶权的时候,是怎样的彼此对立,但在反对奴隶的这一基础上又互相统一起来了。

总之,古代希腊、罗马的奴隶主国家,已经具备着各种不同的形态。有君主制与共和制。后者又于贵族主义与民主主义的区别。在贵族制下,只有少数特权者参加选举。在民主制下,一切人都有权参加。但这里所谓一切人仅指奴隶主而言,奴隶们是没有份的。资产阶级故意歌颂古代国家的民主与共和,企图隐蔽资产阶级国家虚伪的民主与自由。实际上在奴隶制基础上建立起来的国家,根本是奴隶主用以压迫奴隶的工具,犹之资产阶级的国家是资本家镇压无产阶级的工具一样,不论他们怎样的欺骗,迟早都要被送进坟墓里去的。

---

① 《家族私有财产及国家之起源》。

中国在夏商之际，已经进入青铜器时代。由于经济基础的变革，促进了氏族社会迅速转向奴隶制社会，而产生了殷代国家。历史上的“成汤革命”充分说明了这一变革的意义。殷代社会诸阶级亦如希腊、罗马一样，有贵族（天子、帝、王、公、邦伯、史等）、自由民（万庶、畜民、行人、武人等）和奴隶（奴、奚、仆、童、御等）。自由民中的一部分，破产以后，也是靠国家供养的。如《盘庚》有：“古我先后，既劳乃祖乃父，汝其作我畜民。”因此，自由民也是奴隶的间接剥削者，这和罗马的情形很相似，但是殷代的天子或帝权力很大，不像希腊罗马的多头政治，他们的更替，也不经过选举，所以容易造成专制的形态，这又是中国奴隶制社会的特殊性。

现在说明古代社会的意识形态：

适应着奴隶制社会阶级的对立，因而反映在当时人类意识上，也表现为对立的形态，即唯物论与观念论的斗争。

古代希腊是哲学的摇篮。当公元前 6 世纪时，氏族制度残余消灭了，完全意义的国家出现了，这种历史的变革，构成希腊哲学的辩证观。赫拉克利图首先提出：“一切都存在，同时又都不存在，因为一切都在流动，一切都经常在变化，一切都处于经常的发生和消灭过程中。”这种辩证唯物论的宇宙观，虽然还是不很科学的，但从反对传统的宗教宇宙观说来，却起着很大的作用。

公元前 5 世纪时，希腊贵族与平民的斗争，日见尖锐，因而唯物论与观念论的对立，也更显明。前者以德谟克利特的哲学为代表，把希腊的唯物论，做了进一步的发展，但是缺乏了辩证观和变动的因素。因为他反映的是当时工商业阶级的意识。相反的，柏拉图是观念论的代表，反映了没落的贵族意识。他的全部哲学浸透了宗教的意识，认为神的观念，是最高幸福的观念。这种观念分成严格的“教级制”，充分适应了他所代表的阶级的政治见解。

唯物论与观念论的斗争，随着自由民与没落奴隶主的激烈冲突，有了进一步的发展。以伊壁鸠鲁为代表的 部分唯物论者，反映出进步的自由民的意识。以亚里士多德为代表的希腊、罗马的无数学派，则反映着没落奴隶主的意识，充满了神秘主义色彩。

古代希腊在科学上的成就很高。今天大多数科学术语，还采用希腊文或部分拉丁文。欧几里得的几何学，埃拉特色尼的地理知识，均很出色。至于荷马、修昔的底斯和希罗多德诸人的史学，尤为著名。

古代罗马的哲学，虽不及希腊的辉煌，但从法律思想和政治观点说，差不多成为以后此类学术的起源了。

中国殷代的意识形态，也完全反映当时的社会情况，由于在经济政治上单一阶级支配权的确立，产生了这一阶级支配人间一切的思想。但又因为当时社会生产水平的低下，特别在农业上仍受自然的支配，因而与人间支配阶级互相平行的，又有一个支配自然的天或帝的存在。这在宇宙论上就形成“人的世界”与“神的世界”的两重世界观。不过支配阶级是“受命于天”来统治人类的，他们把自然界的诸现象（山、川、雷、电、风、雨等）一一予以神秘化，然后拿来和各种社会现象统一起来，从而归结为奴隶主的观念的静止的宇宙观。

殷代在科学文艺上，也已有了很多的贡献，就如农业上适用的太阴历已经发明。其中规定一年四季 12 个月，闰年加上 1 个月。月分 3 旬，月大 30 日，月小 29 日。文艺方面有了象形和形声文字，以及有音韵的诗歌。石雕、铜雕、骨雕的作品，均绮丽精美。音乐上似乎已有五音以上的复音奏——濩乐（从郭沫若说）。

总而言之，不论古代希腊、罗马和殷代社会的意识形态，均已达到相当高的水准。但是这些成就绝不是一些天才的人们能够凭空创造出来的。假如没有奴隶们的辛勤劳动，创造出剩余生产物，准备着发明各种思想学术的物质条件，那么，任何天才高远的人，也不可能有什么成就。由此可知，古代世界所以能够放出灿烂文化的花葩，基本的原因，还是奴隶的血汗所产生出来的。谁要是忽略或者否认了这一点，一味地归功于少数人的功绩，谁就要堕落到个人英雄主义的深渊里。

第四节　奴隶制社会的崩溃

我们现在提起奴隶制度，自然认为这是野蛮、荒谬的事情。但从它瓦解原始公社制度的作用来说，它的产生完全合乎人类社会发展的客观规律，因而奴隶制社会比起原始社会的确是前进一步的。因为第一，就沦落为奴隶的人说，它是表示进步的。以前，战争俘虏是简单地被杀掉的。现在，生命留下了，虽然过着牛马的生活，可是总比杀死要幸运得多。第二，奴隶制度使农业与手工业的分工，有更扩大的可能，从而创造了奴隶大生产。固然那时使用的工具极粗拙，不过很多人的共同劳动，能有简单的分工与合作，这样，比起个人的劳动生产率总要高些。第三，由于剩余劳动的提高，自由的奴隶主阶级，才有可能专门从事于精神文化的工作。因此，古代社会的物质基础就造成了精神文化广大发展的机会。古代奴隶制之进步的历史作用，就在于物质文化、精神文化的广大发展。所有这些都是用奴隶的血肉所造成的。恩格斯说："没有奴隶制或许就没有希腊国家……罗马帝国。没有希腊文化和罗马帝国的基础，也就不会有现在的欧洲。"同样，"在这意义上，我们有权说，没有古时的奴隶制，或许就没有现在的社会主义"。归结起来说，奴隶制在人类历史发展上是起过一定作用的。

但是这种历史作用是有限度的，当它发展到顶点时，就要反转来阻碍了社会的发展，而陷入自己内部不可调和的矛盾中，这就是奴隶生产关系与生产力的矛盾。

奴隶制的劳动生产性，原是低微的。由于奴隶的过度劳动，常时疲惫，他们的劳动力永远不会增加。同时，强制的劳动，使他们感到厌烦，每每毁坏工具，以泄气愤，因而奴隶主不得不采用粗笨的工具，这就不易改进生产的技术。以永远不会增加的劳动力运用着不易进步的工具，奴隶的劳动生产性当然是很低级的。因此，奴隶主对于奴隶的剥削自然是有限度的，否则就要逐渐减少。然而奴隶主是诛求无厌的，他们和资本家一样，绝对不会自觉地限制自己的欲壑。所以这种剥削关系，和低级劳动生产力之间的矛盾，就成为这一社会的总的矛盾了。

从这一总的矛盾中，演化出各种破坏奴隶制社会的原因：

第一，由于大奴隶生产的出现，使原来从事小生产的自由民经不起前者的竞争与垄断，纷纷被迫陷入破产的境地，转变成为罗马的无产阶级，或是殷代的"畜民"。他们轻视劳动，不事生产，坐待国家的供养，这就不仅增加了奴隶主的负担，从而加强了对奴隶的剥削，同时在自由民这方面原来的生产力，也逐渐减退了。

第二，同样因为大奴隶生产，需要大量补充劳动力，可是受着生理的限制，奴隶数目不能自由增加，那就只有向外掠夺了。古代希腊罗马因此发生过长期对外战争。殷代也是如此，甲骨文中有“弇奴”、“鄜人”、“羌人”、“邶奴”[①]，大概都是从异族掠取来的奴隶。这样的方式固然最简单，不过，战争的结果却大大破坏了社会生产力。因为战争不唯消耗了大量的剩余生产物，而且整个动摇了奴隶制经济的基础。像恩格斯描写罗马征服世界的结果，是“普遍的贫困化，交通梗塞，工艺衰落，人口减少，都市没落，农业倒退至最低的程度”。这样，把罗马奴隶主的统治引到了尽头。

第三，奴隶的剩余生产物，并不用于再生产，主要是用在消费方面。大奴隶主穷奢极侈的生活，加深了消耗的程度。随后连生产领域里的奴隶，也被移转于无谓的消耗。大批奴隶充当贵族的家奴、娱乐的工具。譬如古代罗马马戏院里的角斗士，就是专供贵族取乐的。此外，还有监督奴仆工作的奴隶，所有这些都浪费了奴隶的劳动力。

第四，由于社会生产力衰退的结果，作为商品用的剩余生产物也随着减少。其次，因为都市零落，交换市场缩小，商品流通范围减少，金融涸竭，因而形成了经济萧条。

第五，在大生产日趋没落的时候，大奴隶主不得不把自己的土地，分为若干小块，在一定条件下，租给一些小农，这就是附属农民。以后奴隶制越衰落，附属农民越增加。最后这种新的生产方式，就腐蚀了奴隶制社会，而成为产生封建社会的一个前提。

奴隶制社会的矛盾愈加深，奴隶所受的剥削愈野蛮。他们在活不下去的时候，自然要举起反抗的拳头。一部奴隶社会史，正是奴隶的斗争史。

希腊衰落了，罗马征服了希腊，征服了当时所能知道的整个世界。可是结果自己走着希腊的路径，不可避免地衰落了，奴隶们的反抗愈来愈甚了。在公元前 2 世纪中，罗马奴隶在亚巴那、在西西里，曾经进行过三次大暴动，规模一次比一次大。在下一世纪中，爆发了斯巴达卡斯的起义。他集合了一万左右的人，击败了派来剿灭他们的军队。这一胜利，震动了罗马的奴隶主，迫使他们调来 10 个精锐军团，才平定下来。奴隶暴动固然失败了，但却震撼了奴隶

---

① 李达：《经济学大纲》第一分册。

主的统治。在他们自己的斗争中，即使不是代表着新的进步的生产力，他们斗争的目的，只想恢复过去的自由，想把历史的车轮倒扳转来，回到自然经济去，因而他们的斗争，没有得到巨大的收获。可是，因为他们不断的斗争，也就加速了奴隶制度的崩溃。

在奴隶反抗运动中，也交织着奴隶主阶级间的斗争。如前所述，被大规模生产挤出了轨道的自由民，起初受着国家的供养，随着国家财源的枯竭，停止了这一开支。此外，因为长期的战争，小农、手工业者负担苛捐杂役，生产大受影响。同时又受高利贷的剥削，很多濒于破产。于是形成了自由民与贫穷自由民，贵族与平民之间的对立，因而演出长期的斗争。殷代也有“小民方兴，相为仇敌”的事实。因此，贫困的小农与手工业者在反对大奴隶主的时候，往往与起义的奴隶结成某种同一阵线，并且起着一种辅助的作用。

奴隶主统治的末路，大多是国防空虚，武力废弛，给予外敌以侵入的机会，最后毁灭了自己。罗马帝国、殷代国家都是在异族攻略下覆亡了。

奴隶制社会已经敲了丧钟，奴隶主消灭了，奴隶制度的剥削形式废止了。但是代之而起的，却是封建主剥削农奴劳动的方式。一种剥削者代替了另一种剥削者！

下面我们看看资本主义时代奴隶制的残余。

奴隶制度随着古代社会消逝了。可是它的残余一直被保留下来，经过长期的封建社会，它的灵魂又在资本主义时代活跃起来了。

自诩为“文明”的西方资本主义国家，如西班牙、荷兰、英吉利等国，在资本的原始蓄积时代，却用野蛮的方法征服新发现的土地，掠夺落后民族的土地和财产，剿灭了土著的居民。积累着自己的财产、自己的资本，这是多么血腥的罪恶。

资本主义的生产方式出世以后，那些国家的资本家们，感到劳动力的需要，开始把俘虏来的土人转化为奴隶，驱使他们开垦土地，开采矿山，经营农业。这样，奴隶的身价高起来了，奴隶贸易也繁盛起来。大约从16世纪初年起，葡、西、英等国就开始猎取奴隶，贩卖奴隶。而在这些国家里，奴隶贸易成为统治阶级的独占权。这项利润，非常丰厚。通常是150%—200%，最少也不下于50%。从1680—1786年间，各国在非洲猎取的黑奴，估计在1000万以上，这是何等惊人的数字。所谓“文明”国里的绅士们，再也不讲什么高尚的人格了。

美帝统治下的南美诸州，是世界使用奴隶最多的地方。那儿，奴隶变成一种产业的组织。马克思指出那里的黑奴，因为过度的劳动，平均七年之中耗尽了劳动力。黑人常常掀起反抗的行动，没有成功。经过南北战争（1861—1865）以后，奴隶制才宣告废除。但是直到现在，黑奴在美国，仍旧遭受一切可能的民族压迫。

随着资本主义国家的生产力逐渐发展，使用奴隶，因为种种限制，反而不如雇佣劳动随便的多，奴隶制度显然失去了存在的理由。因此，在19世纪中叶以后，资本主义各国才相率解放奴隶，这完全是从利害的观点出发，绝对不是什么人道主义。

我们中国百余年来，受尽帝国主义的奴役，成千成万的同胞，被西方“文明”人们掠去做了奴隶。葡萄牙人在澳门的罪行——贩卖“猪仔”，尤其值得痛恨。现在全国人民翻身了，我们要求加速解放美帝奴役下的台湾，以及一切未收复的国土，解放那些地方的同胞，根除本国的奴隶制，进而拯救全世界被奴役的人们！

第五章　封建社会

第一节　封建社会的形成

奴隶制度，在奴隶革命的震动下，陷于崩溃，在这个废墟上，产生了地主与农民（农奴）两大阶级对立斗争的封建社会。

奴隶制是怎样转变为封建制呢？

首先，从生产力方面看，奴隶社会的集体生产，为封建社会创造了物质条件。我们知道，在原始共产社会，由于金属工具的发明与使用，以及应用畜力到农业与运输方面去，已使个体劳动成为可能，但是，当时生产工具，仍然非常粗劣，为要更有效地发挥人类劳动，来补充生产工具的不足，不能不继续采用集体劳动的方式，所以，个体生产虽有可能，但并未发展下去，由可能性进为现实性。经过奴隶社会的发展阶段，在奴隶集体劳动的形式下，逐渐提高劳动技术，改良生产工具（这种改良，自然是极端缓慢的），再加上一部分人脱离生产，专门从事科学文化工作，总结了生产斗争与阶级斗争的经验，这样，便为个体的小农生产真正创造了有利的发展条件。

其次，奴隶主阶级为自己安排了阶级的掘墓人和殉葬人。奴隶社会经济的发展，是靠着残酷的剥削奴隶而来，随着奴隶主对奴隶剥削的加深，慢慢就发生了生产力与生产关系的矛盾，而表现为奴隶与奴隶主两大阶级的斗争，最后发展为奴隶起义。但是，由于奴隶革命的目标不是向前看，而是向后看，企图把社会拉向后退，幻想回复氏族社会的生活，所以，奴隶革命虽是阶级斗争的表现形式，却带有本能的意味，不能代表新的生产方式，而得到真正的解放，结果是两个阶级同归于尽。

然而，另一方面，在奴隶社会没落时期，封建生产方式的因素，就已经在发生与发展。当时出现了一种半自由的小生产的农民,他们继承了奴隶社会的生产经验与生产技术,成为新的生产力。但是,这种新的生产力,在奴隶制崩溃以前,是不会得到发展的。所以,这些小生产的农民,便同情奴隶斗争,参加奴隶起义,结成同盟,反抗奴隶主,摧毁了奴隶主阶级统治的政治经济基础。斯大林说:“在辩证法看来,最重要的不是现在似乎坚固、但已经开始衰亡的东西,而是正在产生、正在发展的东西。”我们在小生产的农民这种新的生产力上,看到新社会的发展前途。

以下拿欧洲和中国为例,具体说明由奴隶制到封建制的转变过程。

在欧洲,到了五六世纪以后,封建制度才变成了支配的社会形态。但在3世纪初期,封建的生产方式,便在罗马帝国的奴隶制母体内,孕育起来了。当时由于奴隶生产的低落及奴隶来源的涸竭,罗马的奴隶主被迫地将自己大规模的蓄奴领地,分割成为很多的小块土地,以一定的条件,租给奴隶和破产的小自由农去耕种。这种半自由的附属农民,除向地主缴纳一定的劳役地租或现物地租外,在人格上还有些自由。这种制度,到3世纪中叶,已经推行于罗马全境。后来,罗马的地主政府,为了抑制他们逃避纳税等义务,就禁止他们迁移他处或放弃耕地,使之束缚于一定土地之上。于是,这类小生产的附属农民,就成为中世纪农奴的前辈。

到罗马帝国末年,在西部高卢地方,一般的小地主和自由农,“因连年战争和掠夺而相率破产,不得不向新兴的显宦或教堂请求庇护。他们把自己的一块土地的私有权,转给庇护者,而又从庇护人手中,以各种不同的条件,租回这块土地。他们一旦陷于这种附庸地位,便渐渐失去了自己的人格的自由。经过数代以后,他们大半便转变为农奴了”(恩格斯)。

由此可见,在罗马奴隶社会的解体过程中,已经孕育了封建生产方式的萌芽。这是一方面。

另一方面,与古罗马为邻的北部日耳曼野蛮民族,它的生产方式,比罗马民族要落后些。后来,由于迁移的结束,两民族互相交通、互相杂处,于是,在日耳曼民族的经济构造中,便引起了变化,氏族财产逐渐成为个人私有财产,加速氏族公社的解体。

在这样情形之下,日耳曼人征服了罗马帝国,把侵占的土地,实行封建分割，于是萌芽在罗马与日耳曼民族社会经济构造中的农奴制的剥削方式与生产方式，便合流起来并相互发生作用，促进了欧洲封建社会的形成。诚如柯斯明斯基所说："封建制度在欧洲的发生有两条路：一是由于罗马帝国所盛行的蓄奴社会形态解体的结果；一是由于日耳曼人氏族公社解体的结果。日耳曼人之征服罗马帝国，结合了这两个过程，从它们的相互影响中，产生了新的社会形态——封建制度，作为它们的综合。"

中国的封建社会，始于周代。周武王伐纣统一天下后，就列土封侯，形成了诸侯割据称雄的封建国家。

殷代末年，由于奴隶主对奴隶的残酷剥削，和奴隶来源的涸竭，奴隶占有制便开始解体，封建生产方式的萌芽已经孕育起来。如《商书·微子篇》上说："我用沈酗于酒，用乱败厥德于下"；"小民方兴，相为敌仇，今殷其沦丧"。就足以说明殷代末年奴隶主生活的腐败、社会秩序的紊乱和奴隶的反抗。甲骨文上所说"惟我奚不足"，更足以表示劳动力的缺乏。至《孟子》上说"殷人七十而助"，则是表明由奴隶制向农奴制的转变，所以才能有这种赋役或年贡的地租形态。

周民族是以农立国，农业比殷发达。在公刘时代，奴隶生产还占居主要地位。到了古公亶父，因避狄人侵扰，迁居岐山后，便吸收了许多归附平民，由古公到文王，由于剥削比较宽些，可能招来大量的归附平民。他们领取土地，从事耕种，形成了小农的生产方式。然而，这并不是说在那时就已经完全废弃了奴隶生产，而是奴隶与农奴并存，农奴数量多于奴隶，封建成分超过奴隶成分。到了公元前1122年，周民族征服了殷民族，也像日耳曼人征服罗马帝国一样，把被征服者的土地侵占过来，分给自己的同族和功臣。据说，周公成王建立七十一国，其中兄弟之国十六，同姓之国四十。《诗经》上说："锡之山川，土田附庸。"金文上也有关于"受民受疆土"（大盂鼎）的记载。这样，便摧毁了奴隶占有制的旧社会形态，形成了新的封建制度。后来经过一个长时期的四方征伐，努力镇压了反革命的残余势力，封建制度的国家基础，才得确定下来。

第二节　封建社会的生产特征和剥削方式

在奴隶制废墟上建立起来的封建社会，和奴隶制比较说来，是人类历史发展中前进的一步。

斯大林说:“在封建制度下,生产关系的基础,是封建主占有生产资料和不完全占有生产工作者,这生产工作者便是封建主虽已不能屠杀、但仍可以买卖的奴隶。当时除封建所有制外,还存在有农民和手工业者以本身劳动为基础占有生产工具和自己私有经济的个人所有者。这样的生产关系,在基本上是与当时的生产力状况相适合的。熔铁和制铁工作更进一步的改善;铁犁和纺布车的散布;农业、园圃业、酿酒业和制油业的继续发展;与手工业作坊并存的手工业工场企业的出现——这就是当时生产力状况的特征。新的生产力所需要的,是在生产中能表现某种自动性、愿意劳动、对劳动感觉兴趣的生产者。因此,封建主就把奴隶抛弃,因为奴隶是对劳动不感兴趣和完全没有自动性的工作者;而宁愿利用农奴,因为农奴有自己的经济,有自己的生产工具,具有为耕种土地并从自己收成中拿出一部分实物缴给封建主所必需的某种劳动兴趣。”

在这样生产力与生产关系的基础上,反映出封建社会生产方式的四个特征。

第一,自然经济占有支配地位。在封建社会,封建地主把他们占有的土地,分为两部分,一部分是他们私有的大庄园,另一部分分租给农民去耕种,叫作“分与地”。无论是地主的封建庄园或农民的“分与地”,都是小规模的个体生产,带着自给自足的性质。每一个封建庄园里,有农民也有手工业者,如铁匠、木匠、鞋匠等,他们生产的一切东西,都是供给封建地主及其家族和仆从们来享用的,不会拿出从事扩大生产。农民们在自己分与地上,艰苦劳动所得,除供地主剥削外,只求能够赡养自己的家族,已经就很幸运了,当然谈不到有多少剩余。所以,封建经济的特征,是单纯再生产,只是“生产过程在以前的范围内,在以前的基础上面的不断重演”(列宁)。剩余生产品是很少的,而且是不固定的,照例是以封建地租的形式被地主们消费掉,通常投入市场的,仅仅是消费的剩余,所以,交换也不大发展,基本上是自然经济占着支配地位。这种自给自足的封建庄园,便是封建割据的经济基础。

第二,农民被束缚于土地之上。在封建社会,一切土地,几乎全被封建地主所占有,形成大土地所有。农民们从地主手中领得土地,使用自己的牲畜和

工具，经营农业，向地主缴纳地租，终身被束缚于地主的土地之上，成为土地的附属物，“好像蜗牛和它的壳一样”（马克思），这正是封建剥削的源泉。因为必须如此，地主才能有使农民为他们劳动、受他们剥削的条件和可能。列宁说过：“无地、无马、无产的农民，乃是☐适宜于农奴制剥削的对象”，如果农民脱离开土地，地主便无从施其剥削了。

第三，农民对地主的人格依附——超经济的强制。封建生产方式下的农民，比奴隶制下的奴隶，虽然较为自由一些，但对于地主仍然存在着人格上的依附关系，隶属关系，实际上农民成为地主的所有物，地主有自己的法律、法院、监狱，可以随时惩罚“不驯服”的农民。地主不但可以买卖自己的农奴，而且可以把他们作为赌博上的赌注，或拿他们来交换犬马，有时更可以拿他们的名册向银行抵押。甚至地主对农民还享有所谓“初夜权”，即农民的少女出嫁时，第一夜必须送给地主陪宿。又有所谓“死手权”，即农民死后，地主有继承他的一部分财产的权利，这就是说农民死了还要受地主的剥夺，而不能停止封建的隶属。恩格斯在《德国农民战争》中说：“地主们无论何时，可任意把农民投之狱中，在狱中拷问农民正和在预审法庭拷问犯人一样。无论何时，他们可扑杀农民，或者把农民斩首。”在我们中国，地主对农民大都具有政治上法律上的特权，如所谓“逞威恃强，视佃民为鱼肉”、“武断乡曲”、“格杀庄佃”，这种事实，在历史上不断地被记载着。大清规律明文规定着“佃户见田主，不论齿叙，并行以少事长之礼”，如有违反，就鞭笞 50 下。一部封建社会史，就是这样充满了农民的血和泪的历史。

由于农民对地主在人格上的依附性，地主才能够使用公开的“超经济的强制”，来实施并保证其对农民的剥削关系。“这种强制的形态和程度，从农奴制起直到农民身份上的权利限制为止，可能是非常之多而且复杂的”（列宁），在封建制度的各发展阶段上都有变迁，但这种强制关系的本身，却通过整个封建社会始终被保存下来，成为封建社会中一个最重要的基本的特征。

农民对地主的人身依存的程度，他们占有权的保证程度，他们所负担的义务的苦重和性质，是依着某国某区或甚至某一个庄园从经验上所得的经济条件而变化的，尤其是受着阶级斗争的水平、农民对地主剥削反抗的程度来决定的。所以，农民只有起来对地主做坚强的斗争，才能保证获得自身的解放。

第四,生产技术的落后性。由于农民对地主的人格依附,地主对农民的残酷剥削,及封建经济的自给自足性,使得农民过度贫苦,没有力量或没有兴趣来改善生产技术,以致生产技术成为极端幼稚和停滞的状态。因为农民终年劳动所得,一半或者一大半都被地主拿去,剩下的也许连维持自己生活都不够,如何能选购好的品种,采购好的农具,增加肥料,兴修水利等,来改进生产技术呢!再者,即使农民忍劳忍苦,尽力去改进生产,也往往是地主得利。譬如因改进生产,使产量增加,地主势必借口来增加地租,结果,农民花钱出力,白忙一场,所以,他们就很少有兴趣去改进生产技术了。我们要坚决地实行土地改革,就是要废除封建的土地关系、剥削关系,把地主的土地和其他生产资料交给农民,使农民有财力、有条件、有兴趣去发展生产,提高产量。

封建地主对农民的剥削方式,主要的是封建地租,但在不同的发展阶段,地租也有不同的形态,即劳役地租、物品地租和货币地租。这三种地租形态的发展、转化或更替,是和封建社会生产力的发达程度相适应的,它们反映出封建经济的各个发展阶段。

封建地租,是封建剥削的实质问题、核心问题,我们必须理解了地租的本质,才能理解农民如何受着地主的残酷剥削,为什么农民必须推翻封建制度才能彻底翻身。

一是劳役地租。这是剥削农民剩余劳动最惨重的和区别农民的必要劳动与剩余劳动最明显最露骨的一种剥削方式。在劳役地租的制度下,农民要在地主的土地上或家庭中无报酬地做工若干日,例如一星期工作 3 日或 4 日,而在自己的分与地上就只能工作三两日了。并且在农忙时,农民要抛荒自己的土地,首先替地主耕种或收割,有事随喊随到,做了地主的工作,就误过了自己的农时,致令自己遭受重大的损失。西周土地分成公田和私田,农民先种公田,公田种完,才敢种私田。公田的收入,全部作为劳役地租,缴纳给地主。解放前,有些地方还有所谓“脚租”、“送工”、“帮工”等名目,都不外是劳役地租的变形和残余。

二是物品地租。这是封建地租剥削的一个主要方式。在这种地租形态下,农民每年按地主的要求和约定,向地主缴纳一定比例、一定数量或一定种类的农产物。“在这种情形下,农民对于他自己的全部劳动时间的利用,已经多少可以自行支配了”(马克思)。和劳役地租比较起来,农民有更大的活动范围,可以获得剩余劳动的时间。同时也正因为如此,这一方式,比劳役地租的强制劳动的方式,带上了很大的欺骗性,它使农民不得不在自己的租地上努力生产,地主不管农民的收成如何,到时总得照拿租子。它隐蔽了地主对农民剩余劳动的剥削关系。毛泽东同志在《中国革命与中国共产党》上说:“农民用自己的工具,去耕种地主、贵族和皇室的土地,并将收获的四成、五成、六成甚至七成,奉献给地主、贵族和皇室们享乐。”封建的剥削阶级,完全是把自己的享受快乐,建筑在农民的痛苦之上的。

三是货币地租。这种地租,是封建地租的最高而最后的形态。由物品地租到货币地租的转变,是和商业、城市工业、商品生产及货币流通的发展相关联的。当自然经济支配的时候,主要的是征收物品地租,那时剥削还比较限于狭小的范围,地主的胃就是剥削农民的界线。随着交换关系的发展和海外贸易的扩大,一方面使地主的贪欲增加起来,因而加强了对农民的剥削;另一方面使货币增加获得了重要性,于是地主就常常要求把地租的一部或全部改收货币了。这种剥削方式,从表面看来,似乎使农民有了自由处理其生产品的权利,而实质上,更带上了对农民剥削的隐蔽性和深刻性。因为农民为了缴纳货币地租,往往被迫把自己的产品廉价卖给投机商人或向高利贷者借债,在这里就扩大了商业资本和高利贷活动的地盘;另一方面,地主为要取得更多的货币,也就更残酷地剥削农民的劳动,在这双重的压榨下,农民生活就一天一天地陷于绝境。

这三种剥削方式,虽然是表示着封建经济发展的不同阶段,但是,它们在历史上的更替却是很复杂的,有时候后一种方式可以返回到前一个方式,有时各个方式可以并存。就中国的一般情形说来,物品地租是一个最普遍的形态。

除了地租的剥削外,还有所谓徭役、兵役、地丁、钱粮等各种苛捐杂税,这便人□或全部剥削了农民的剩余劳动或全部劳动以及身体自由。如春秋时代,陈国司徒辕颇,替国君筹钱嫁女儿,加征田赋,多余的财物,给自己铸鼎。西汉大郡太守死,照例收财一千万文以上,东汉数目更大。这都是农民的额外负担。像这样的例子,是不胜枚举的。

由于残酷的剥削,地主生活日益豪华,农民生活日趋贫困。元曲上说:

“地主们霸占着鸦飞不过的田产，开着油房、粉房、磨房、酒房、解典库。旱路上有田，水路上有船，人头上有钱。他们看见别人的东西，恨不得擘手夺将来，若有问他要一贯钱，就如挑一根筋相似。农民们又无房舍又无田，受这些悭吝苦口的家伙压榨，弄得吃了那早起的，无晚夕的，每日烧地眠，炙地卧，衣不遮身，食不充口。就是与人家挑土筑墙、和泥、托坯、担水、运浆、做坌工生活，也因为饥寒交迫，气力不加，做到半工还得停下来。”这就是地主和农民生活上尖锐的对照。

中国封建制度，从西周开始到鸦片战争，一直持续了3000年，基本上就是因为地主对农民过度剥削，破坏了生产力的发展。关于这个问题，毛主席做了一个英明的论断，他说：“农民被束缚于封建制度之下，没有人身的自由。地主对农民有随意打骂甚至处死之权，农民是没有任何政治权利的。由于地主阶级这样残酷的剥削和压迫所造成的农民的极端的穷苦和落后，就是中国社会几千年在经济上和社会生活上停滞不前的基本原因。”

在封建制度下，除了封建地主的领地和农村作为社会经济的骨干外，还存在着手工业者和都市。在封建社会中，都市是手工业生产、商业及货币流通的中心。商品生产、商业资本及高利贷资本等，都在这里成长起来。

就欧洲说来，奴隶社会的解体，招致了都市的衰落，古代都市有许多崩溃了，或甚至根本消灭了。在封建社会初期，手工业与农业是完全结合的，后来，随着分工的发展与生产力的增大，在封建地主的领地中，渐渐产生了手工业与农业的分离，这种分离，使得农民和手工业者，不得不实行相互交换。起初是在大封建庄园附近比较狭小的地区内一个中心点，把农产品与手工业品来交换，这就形成了集市。这种集市，逐渐固定下来，其中较大的，就变成了后来的都市。

在最初，都市是依靠着封建领主，受他们庇护的，后来随着手工业及商业的发展，在都市与封建领主之间便引起了激烈的斗争，斗争的结果，使都市从封建领主的羁绊中解放出来，并获得了许多特权。于是，许多逃亡的农奴、手工业者，也都集中到都市中来了。

在都市中，旧有的手工业者，特别是其中的上层阶级，看到农村中多数农奴和自由民逃亡到都市来，对于手工业的生产，成为严重的竞争者，害怕失去

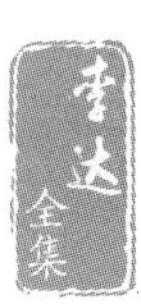

在生产上的独占地位，便努力设法对外来人加以排斥，组成行会，来保护手工业者的特权，不许未加入某业行会的人从事该业生产，而要加入行会，则又有种种限制。行会有严格的章程和超经济的强制办法，它规定作坊的学徒数目，规定生产品的质量和数量，禁止各作坊间的自由竞争，规定师匠职工与学徒的等级制度，这些都证明了手工业行会的封建性。

随着劳动分工与交换的增加，商业也逐渐发达起来。在起初，商人主要的是以服务于地主阶级为主，部分地成为农民与手工业者间的交换媒介者。但无论为谁服务，总是加重了对农民与手工业者的剥削。到封建社会末期，商业已有较大的发展，商业资本和高利贷资本也发展起来，对封建经济发生了解体作用。

中国封建时代的手工业，最初也是与农业结合着的，后来手工业渐渐和农业分离，在都市中发达起来，可是在农村，两者还是结合着，而且在全国范围内普遍地存在着。它们不需要较大的市场，生产结构非常简单，也就不可能达到手工工场的分工。这种家庭手工业与小农经营的结合，使中国封建社会长期保持着旧面貌，不发生变化。

大都市中的工业，尤其某些官营工业，规模都相当宏大。两汉时，冶铁采矿工业都很发达，元帝时公家雇用的采铜工人，每年经常有 10 万人。唐代工业，有纺织、瓷器、制盐、造纸、造船等，纺织业主要是农村副业。到了宋代，手工业更加发达，各地都有作坊制造器物。据《马可波罗游记》说："杭州城有 12 种职业，各业有 12000 户，每户至少有 10 人，中有若干户多至 20 人 40 人不等。这种职业的主人（工厂长）自己都不操作，只是指使工人作工。生产品供给附近许多城市消费。"这似乎已是手工工场的组织了。元朝江南种棉织布，比宋朝还要发达。手工业中丝业更为兴盛。元朝以后，直到明清，手工业也有相当发展，直到帝国主义经济势力侵入后，手工业就趋于衰落了。

中国的商业，在西周时代，已渐发达。《易经》上说："近利市三倍"，可见当时商业已很有利可图了。春秋时代，齐桓公、晋文公经营霸业，都注意通商。孔子弟子端木赐买贱卖贵，家累千金。富商的地位很高，可以结交诸侯卿相。战国时代，似已废除了官买制度，商人得自由贸易。据荀子说，北方的走马大狗，南方的象牙犀皮颜料，东方的鱼盐，西方的毛织物牦牛尾，都能在中国市场买到，可以想见当时贸易的发展。到了秦代，商业的发展，已扩张到全国，商人的势力很大，大商人吕不韦就做了秦相。两汉开拓疆土，对外贸易已开其端，与日本、印度、南洋、西域、罗马帝国都有过往来。当时对外贸易的原则是输入外国货物，防止金钱流出。主要是用丝织品换取外国的骡、马、皮革、毛织物、璧玉、珊瑚、琉璃等物。到了唐朝，商业一直向上发展，外国商人在中国经营商业的，有胡商、蕃贾、波斯商等名目，外商人数也很多。宋代因船舶制造的进步，除了国内商业普遍发展外，对外贸易多趋重于海路，与南洋、阿拉伯、日本、朝鲜等，都有商船往来。元代领土横跨欧亚两洲，陆海二路的对外贸易都很发达。元朝末年，由于战乱关系，对外贸易几乎陷于停顿，直到后来印度航路发现，才恢复了对西方的贸易。明清之际的对外贸易，是相当发达的，鸦片战争以后，受了帝国主义的压迫，便一天一天地处于劣势了。

近百年来，中国的民族工商业，在帝国主义与封建势力的两重压抑下，一直在走着下坡路。近 20 多年来，以蒋、宋、孔、陈四大家族为首的官僚资本的形成，更扼杀了民族工商业的发展。所以，现在我们的工商业政策，必须要在有利于国计民生的原则下，保护民族工商业的发展，来创立新民主主义国家建设的经济基础。

第三节　封建社会的阶级、国家和思想意识

封建社会的基本阶级，是地主和农民（农奴），这是继奴隶主与奴隶之后的第二次重要的阶级划分。地主阶级占有主要的生产资料——土地，利用它来剥削农民。农民是封建社会的主要生产者和财富的创造者，同时却又是一个人数最多的被剥削、被压迫阶级。所以，毛泽东说："封建社会的主要矛盾，是农民阶级与地主阶级的矛盾"，因而封建社会主要的阶级斗争，就是农民阶级反抗地主阶级的斗争。

在地主阶级中，国王是最大的地主，国王之下有王公、贵族、僧侣、武士等大、中、小地主。这些地主阶层，随着社会的发展而发生矛盾，引起分化，特别是中小地主如武士等，部分地会逐渐失掉土地，沦为农奴。

随着手工业与农业的分工，物品地租的实行，产生了新兴地主。农民内部

也起了分化，出现了富农、中农、雇农等。在都市产生了商业贵族、手工业师匠，构成介于地主与农民之间的新的剥削阶级，也就是后来资产阶级的前身。在新旧地主之间、城市市民与封建领主之间、商业资本家与手工业者之间，都有不同程度的矛盾和斗争。

此外，在封建时代初期，还有从前一个时代遗留下来的一些自由农民，最初，他们努力防止地主夺取他们的土地，企图保持自己的独立地位。但是，以后地主的威权日大，对他们的压迫日甚，于是大多数自由农民不得不转化为农奴了。

占在社会上层的地主阶级，为了在剧烈的阶级斗争中，维持自己的统治和剥削，便需有自己的国家权力。马克思说："地主阶级为了维持其统治权利，就必须有一个把庞大的人们总括于它的统御之下的、使他们服从于一定的法律和规则的装置"，这种装置，就是地主阶级的封建国家。

奴隶制社会的国家，是奴隶主压迫奴隶的工具；同样，封建社会的国家，是封建地主压迫农民的工具。这就是封建国家的本质。

封建国家的权力，和地主阶级实行的直接的超经济强制是分不开的。他们有军队、民团、官吏、法庭、监狱等设备，他们随意征收赋税与贡物。通过土地所有权，而树立起的这种超经济的强制的政治权力，才能保证他们对广大农民实行残酷的压迫与剥削。

由于社会经济发展的程度不同，农民与地主的阶级对立与阶级斗争的情况不同，封建国家就有了不同的组织形式和统治方法。

初期的封建国家，是诸侯割据称雄的国家形式，它有两个特征：

第一，是封建的阶梯制。这就是由于土地的分封，在地主阶级方面，便形成了梯形或宝塔形的等级结构。西周时，在国王或皇帝之下，有公、侯、伯、子、男五等诸侯；而诸侯之下，又分为卿、大夫、士等大小不同的等级。国王是最高最大的地主，全国的土地，全部属于这最高地主；全国的人民，都要受他的统治和剥削。所以说："普天之下，莫非王土；率土之滨，莫非王臣。"被分封的各臣属等级，也都要按着层次规定，最后服从这个最高地主。所有这些阶层，都是压在农民和小手工业者的身上，不劳而食，靠剥削维持其"旨酒佳肴，羔裘逍遥"的奢侈的寄生生活。

第二,是封建的割据性。这和封建的阶梯制是相关联的,因为大领主们把领地依次分封,各领主在其领地内部,享有几乎完全的政治的独立,结果,必然生出了这种割据性。西周时代,周天子还保持着“天下宗主”的威权,列国诸侯不敢显然违抗王命,互相吞并。平王东迁以后,领土逐渐缩小,王权遂趋衰落,齐楚秦晋吴越强大国家相继出现,拿周天子做傀儡,用武力争霸中原,造成诸侯割据称雄的局面。

《左传》上说:“家臣不知国”,正足以说明这种封建的割据性。

在诸侯割据称雄的形势下,人民平时受经济剥削,战时受生命危险,既要忍饥破产,又要作战伤亡,已经到了“民不堪命”的地步。当时有所谓“盗憎主人,民恶其上”的谚语,就是说人民与统治者间存在着不可调和的矛盾,阶级斗争一天一天地尖锐起来。这就迫使封建统治阶级不得不把它的阶级强制工具的组织形态和统治方法改变,使国家权力加强起来。其次,占着多数的小封建主,由于被卷入新兴的商品生产和货币经济里面,需要有有力的中央集权,来维持和加深他们对农民的统治和剥削。同时,都市的形成和商品生产的发展,在统治阶级中,产生了新的都市工商上层分子和商人地主阶层,他们为了发展商品的生产,扩大交换的范围,需要打破闭锁的封建的割据,消灭封建的混战。而且为了保障他们从封建领主获得的对农民的剥削,和巩固他们对工匠学徒的支配,也需要强有力的中央政权。在这样情势之下,封建国家,便由初期的诸侯割据方式,转变为专制主义的中央集权制。

秦始皇统一中国后,改封建诸侯为郡县,郡守县令,由朝廷任命,可以随时调动,防止割据互斗。事无大小,全由皇帝一人裁决。建立了中央集权的封建国家。在官制方面,形成了庞大的官僚制度。中央官制有辅佐皇帝处理国政的左右丞相,掌全国军政的太尉,辅佐丞相的御史大夫,管理司法的廷尉,掌财政经济的治粟内史等官。地方官制有监御史、郡守、郡尉、县令长。县以下的乡官有掌教化的三老,掌狱讼的啬夫,捕盗贼的游徼和亭长。这种官僚制度,在以后各朝代,形式上虽有变更,而基本上却始终成为封建国家的一个重要统治工具。

在中央集权的封建国家中,“皇帝有至高无上的绝对的权力,在各地分设官职,以掌兵、刑、钱、谷等事,并依靠地主绅士作为全部封建统治的基础”(毛

泽东）。这一个庞大的官僚阶层，完全靠着剥削农民和小手工业者的血汗来供养的。

封建地主对农民的剥削，是封建社会的物质基础，在这一基础上，产生了封建社会的思想意识。

在欧洲，封建地主阶级，利用农民的愚昧，便借基督教的神道设教来麻醉农民，行使他们的统治和剥削。他们对一切自然现象和社会关系，都用神的意志的表示来说明。他们说地上的一切物体的秩序和社会关系的秩序，都是神——创造主严格规定的。这就是要农民们服服帖帖地甘心供封建地主驱策，受封建地主剥削。这样的宗教教义，渗透于一切社会思想之中，不但支配了哲学的研究，使哲学成为“神学的侍女”，甚至科学也屈服在它的权力之下了。

隶属于神学之下的哲学，是经院哲学。最初，经院哲学所研究的问题的范围，只限于基督教的宗教思想，不研究任何自然，排斥经验和观察，它的任务，不外是要来巩固基督教的教义和僧侣的统治地位。到了 13 世纪末，由于都市及工商业的发达，社会生活及政治生活中个人主义的勃兴，经院哲学中的一部分便超出了原来的研究界线，把神学与合理的知识分开，建立了新观点，即以为只有个体才是离开主体而存在的真的实在。这种学说的广泛普及，就成为 16 世纪唯物论复活的先驱。

中国封建社会的思想意识，在春秋战国时，最为复杂；同时也最为发达，主要的可以分为儒、道、墨三派，儒家道家是代表封建统治阶级的思想意识，墨家则反映农工大众的要求。

儒家以孔孟为代表。孔子的中心思想，是宗法观念。他非常崇拜周公，因为周公制礼治民，规定尊卑亲疏贵贱长幼男女君臣父子等差别，每一等人都有他一定的权利和义务。所以，孔子主张天命论，认为一个人的富贵贫贱，是天命所定，这就是说不劳而食的封建地主，是生来的统治者剥削者，而劳动的农民大众，是生来的被统治者、被剥削者。天命是固定不变的，因而政治道德等也都是固定不变的。政治的根本是礼乐，道德的根本是仁义。礼、乐、仁、义的基本精神，就是要在下的被统治者、被剥削者，知命安贫，遵守“本分”，不许“犯上作乱”，服服帖帖地受人宰割。当时，是由封建小邦向中央集权制过渡的时代，是旧封建领主开始没落而新兴地主——商人开始发生的时代，也就是农民和地主的斗争逐渐尖锐的时代，孔子代表着旧地主阶级的利益，建立了一套宗法观念，想借以维持摇摇欲坠的旧统治者的地位。但是历史是往前进的，社会发展规律粉碎了他的幻想，所以，他周游列国，一无所成。

孟子继承了孔子的天命论，相信五百年必有圣王出世，平治天下。他认为“劳心者治人，劳力者治于人”，是“天下的通义”，就是说，农工大众应该服从统治阶级。他企图调和新旧地主间的矛盾，让他们在共同的剥削利益上，统一起来，共同对付农民；同时，又企图在“民为贵”的口号下，缓和农民的抗争，维持封建统治的存续。

道家的代表是李耳，他的学说比儒家更为反动。他想使社会回复到“结绳而治”的太古时代。他竭力主张愚民政策，他说：“圣人治民，非以明之，将以愚之，民之难治，以其智多”，这样反动的学说，和儒家所说“民可使由之，不可使知之”，如出一辙。

在代表当时统治阶级利益的儒家道家以外，出现了代表下层农工利益的墨子学派。墨子本人是一个很技巧的工人，他深知农工大众的痛苦，他不信天命，认为人无贵贱，凡是人都应该“兼相爱，交相利”。他要求人类平等，每个人都得有工作，有饭吃，反对统治阶级任意压迫和剥削。不过墨子为时代所限，他把人民公意幻化成天鬼，想借此去说服统治阶级，自然不会有所成就了。这种革命思想，到秦汉以来，遭到统治阶级的深恶痛绝和残酷镇压，便逐渐消沉下去。

儒家学说，经过汉朝董仲舒的尽量发挥和统治阶级的尊崇，在中国思想界一直占据支配地位。南北朝时，儒道佛虽然形成鼎力的局面，但是，道佛两教都引儒自重，不敢向儒家进攻。同时儒家又吸收了道佛，经过唐朝，产生了宋明的理学。中国封建社会长期地延续下来，儒家思想也长期地支配下来，成为统治阶级麻醉广大农工群众的精神武器。

在长期的封建社会里，广大农民是读不起书的，所有读书的知识分子，绝大多数都是地富阶级出身，形成了借分润一些统治阶级剥削农民劳动果实为生的士大夫阶层。他们学会了摆架子，学会了如何压制农民。他们看不起劳动群众，以接近农工从事劳动为可耻。他们不仅是封建统治阶级的代言人和

帮凶,而且是直接执行统治的血腥的魔手。

从旧社会地富阶级出身的知识分子,都带有浓厚的封建思想意识,如轻视劳动的剥削思想、贪污腐化的享乐思想、升官发财的向上爬思想、孝顺父母的报恩思想、社会地位的等级思想、以上对下的恩赐思想等。这些思想毒素,严重地妨碍着自己的改造进步。所以,必须要以马列主义的武器武装起来,用大力去克服。

第四节 封建社会的崩溃

封建社会的生产关系,基本上同这一阶段的生产力发展水平是相适合的。但是,由于封建地主对农民的残酷剥削,就限制了生产力进一步的发展。到了封建社会后期,生产力和生产关系的矛盾,日益显著而尖锐起来。这时,在封建社会母体内,已经孕育出资本主义生产方式的因素,再加上农民革命的冲击,于是封建制度便崩溃了。

马克思说:“资本主义社会的经济结构,是从封建社会的经济结构里面成长的。封建社会的解体,解放了资本主义社会的因素。”那么,封建社会的解体过程是怎样的呢?

简单说来,就是商业资本和高利贷资本对农村经济的腐蚀作用。我们知道,在封建社会里,由于手工业和农业的分离,引起了都市的产生及城乡的对立,引起了商品生产的发展和商品交换的发达,因而引起了商业资本和高利贷资本的成长和发展。这样成长起来的商业资本,便渗透于封建经济内部,发挥其寄生的破坏的机能。

在农村,由于商业资本与商品货币经济的发展,使得封建地主的贪欲,大大增加起来,因而加重对农民的剥削。结果一部分农民陷于破产,离开土地,变成半无产者;而另一方面,一小部分殷实农民,却又趁机致富,并用钱赎回自己的封建义务,变成了富农。在这种情形之下,旧的封建经济关系,便不能继续存在下去。

在都市,由于市场的扩大和商品经济的发展,商人不仅做手工业者与直接消费者间的媒介,而且侵入于手工业生产过程的本身,控制手工业者,使大批手工业破产,使自己成为工商业家,结果,出现了手工业工场。这样,封建的行会手工业崩溃,手工业者隶属于商人,大部分都没落下去,被驱入手工业工场。资本主义的工业,在封建经济的母体内成熟了。

然而,在促进封建社会崩溃上起着决定作用的,却是农民的革命战争。

封建社会的农民,在地主阶级残酷的剥削中,不能生活下去,便起来和地主做斗争。毛泽东说:“地主阶级对于农民的残酷的经济剥削和政治压迫,曾经不能不在历史上掀起无数的农民暴动,以反抗地主阶级的统治。”

在法国,于 14 世纪末叶,爆发了甲克里农民起义,参加起义的有 10 万人。他们手里拿着棍棒镰刀做武器,攻陷城市,屠杀地主贵族。起义的火焰,燃遍了整个法国北部。起初,都市的资产阶级,是赞助农民运动的,后来,他们背叛了农民,同封建统治阶级妥协起来,共同扑灭农民起义,屠杀了 4 万多人。

在英国,也是在 14 世纪末叶,爆发了大规模的农民起义。起义军在石匠泰拉领导之下,同地主的武装坚强斗争,而占领了伦敦。后来泰拉被叛徒刺死,武装农民失去了领导而瓦解了。紧跟着,统治阶级便实行了疯狂的屠杀,以作报复。

在德国,从 15 世纪到 16 世纪,各地不断发生大规模的农民起义,以 1525 年托马斯、蒙柴领导的一次为最大,全国都卷入农民起义的浪潮中了。

在俄国,17 世纪拉辛和 18 世纪蒲加巧夫两人所领导的农民起义的规模更大。他们主张消灭农奴制度,喊出“万世自由”的口号,但是,都被沙皇政府残酷镇压下去。

农民起义,震撼并摧毁了封建制度,但是,这些斗争,却被新兴的资产阶级所利用,来加速封建经济的解体,建立起自己的统治。所以,斯大林说:“农奴的革命,消灭了农奴占有者,废止了农奴的剥削形式。但是,它却以资本家和地主、以资本主义的和地主的剥削劳动者的形式来代替它们。一种剥削者又被另种剥削者取而代之。”

“中国历史上农民暴动与农民战争的规模之大,是世界历史上所没有的”(毛泽东)。秦朝的陈胜、吴广、刘邦,是中国历史上第一次农民起义。当时,人民在统治阶级的残暴刑罚和严重徭役的压榨下,只有两条路可走,不是起义,就是死亡。于是在陈胜、吴广号召下,爆发了全国性的农民战争。陈胜起义为时虽然很短，而革命的浪潮，却被他激动起来，终于摧毁秦朝的统治，但胜利的果实却被亭长出身的刘邦吞食了。

西汉时代，土地集中在少数人之手，广大的贫民被迫沦为奴隶，阶级斗争尖锐地发展着。到了王莽变法，人民所受痛苦更深，终于掀起了农民起义，遍及全国各地。其中以新市、平林、赤眉、铜马等声势最为浩大，但以缺乏组织和纪律，没有政治知识，致使胜利果实落在豪绅地主兼知识分子的刘秀手里。东汉末期的农民起义军，以黄巾最大，他的宗教色彩非常浓厚，利用迷信组织群众，到后来的影响很大。

其后，经过三国、两晋、南北朝，到隋末，杨广厉行暴政，人民不堪其苦，起义军布满全国，政权便由杨广转到李渊手去。

到了唐末，统治阶级赋敛无度，人民受残酷的剥削，到了逃无可逃的地步，于是，又爆发为大规模的起义。其中，黄巢军是最大的主力，他转战广东、广西、福建、江西、浙江、江苏、安徽、湖北、河南、山东等地，沿途农民纷纷响应，闹得唐朝官吏，手足无措。但是，由于那时还没有先进的工人阶级来领导，所以，全国农民起义都相继被统治阶级镇压下去，造成了五代十国的军阀大混战的局面。

北宋的地主统治阶级，巧立名目，搜刮民财。宣和时，京西一代饥荒严重，发生人吃人的惨状，而统治者还是照旧剥削，人民实在无法生活下去，又不能不起义了。首先起事的是方腊，纠合了好几万人，攻城陷阵，屠杀官吏，以泄民怨。后来有宋江等起来，和官军对抗，但是，不久他们就受了朝廷招抚，无耻地背叛了农民大众。

元朝是异族统治时代，从忽必烈灭宋起，到亡国止，在蒙古贵族与汉族人民之间，始终继续着长期的残酷的种族斗争与阶级斗争。到了托欢铁木耳时代，政治腐败，军队衰朽，地主豪强剥削加紧，水旱灾荒区域扩大，农民起义的时机到来了。刘福通红巾军一起，得到全国的响应，摧毁了蒙古的统治。朱元璋驱逐蒙古，统一中国，于是，中国的统治权，就又由蒙古贵族回到汉族地主阶级的手里。

在朱元璋30年统治下的中国社会，一度呈现出欣欣向荣的气象。但是不久，由于地主兼并土地，官吏横征暴敛，农民起义便相继而起，一直发展下去。

到了明末，统治阶级对人民的剥削益趋残酷，农民普遍破产，生活无法维持，于是在李自成、张献忠等号召之下，发动了最大规模的农民起义，攻占北京，推倒明朝的统治。但是，由于吴三桂的叛变，引清兵入关，起义的果实，白白落入异族之手。

满清入关后，便采用残暴的手段屠杀反清的汉族人民，以巩固其统治。但是中国农民，在太平天国以前，已展开反对满清和地主的斗争，而掀起连续不断的农民战争。这些农民战争，都带有浓厚的宗教色彩和原始暴动的形式，很多发展成为一种掠夺的行为，然而，这些农民战争，却正是太平天国革命运动的先驱。

太平天国时代，中国海禁已经开放，帝国主义列强已经侵入进来，中国农民的敌人，已不限于旧的统治剥削者，而且有新来的民族敌人。所以太平天国的农民战争，和过去历史上的农民战争，在性质上已经不同了，它是民族的资产阶级性的农民战争，可以说它是资产阶级民主革命的序幕。

中国历史上，2000多年来无数次的农民战争，由于社会条件的限制，和不可能有先进的工人阶级的领导，不是土崩瓦解，就是被地主贵族利用了去，当作他们改朝换代的工具。

总结欧洲和中国农民战争的经验教训，农民革命不外有三条道路：第一条道路，是农民自己掀起无数次革命运动，但只能改朝换代，只能打击封建制度，不能打破封建制度，爬在农民头上的是另一群封建地主。第二条道路，是参加资产阶级的革命，如在法国，农民参加了自由资产阶级领导的民主革命，打倒了封建贵族，农民脱离了农奴地位，但却成为资产阶级的后备军，受他们剥削压迫。第三条道路，是工农联盟，农民接受工人阶级的领导，联成联盟，进行革命。如在苏联，无产阶级使农民成为自己的同盟军，完成了无产阶级革命之后，靠着工农联盟，巩固了无产阶级政权，农民才得到彻底的解放。在我们中国，事实证明，工农联盟，农民接受工人阶级的领导，已经打败了封建主义、官僚资本主义和帝国主义，建立了人民的中国。由此可见，只有工农联盟，才是农民求得真正解放的唯一道路。

中国的封建社会，自从鸦片战争资本主义侵入以后，便发生了重大的变化。外国资本主义的侵入，一方面分解了中国的封建关系，促进了中国商品经

济的发展，在客观上形成了发展资本主义的某些条件；可是另一方面，资本帝国主义为了压迫和剥削中国广大人民，又支持中国的封建关系与封建势力，障碍着中国资本主义的发展。在这种情形下，就使中国社会沦入半殖民地半封建的命运，中国农民大众在封建主义、官僚资本主义和帝国主义三位一体的束缚下，经历了极端痛苦的生涯。

现在，官僚资本主义和帝国主义，已被我们驱逐出中国大陆了，在老解放区，地主阶级已经消灭了；而在新解放区，正在展开灭租退押的斗争，为平分土地做准备工作。我们要知道，地主阶级之所以能够残酷地剥削农民，基本上就是由于他们占有了土地，所以，要消灭地主阶级，就必须消灭封建的土地制度。《中国土地法大纲》上，关于这一点说得很透彻："中国的土地制度极不合理，就一般情况来说，占乡村人口不到10%的地主富农，占有约70%—80%的土地，残酷地剥削人民。而占农村人口90%以上的雇农、贫农、中农及其他人民，却总共只有约20%—30%的土地，终年劳动，不得温饱。这种严重情况，是我们民族被侵略、被压迫、穷困及落后的根源，是我们国家民主化、工业化、独立、统一及富强的基本障碍。为了改变这种情况，必须根据农民的要求，消灭封建以及半封建性剥削的土地制度，实行耕者有其田的制度。"由此可见，实行土改不仅是为要消灭封建以及半封建性的剥削，而且在于铲除我国民主化、工业化及独立富强的障碍，这是历史发展的必然，任何人都无法抗拒的。出身于地富阶级的知识分子，要彻底了解这个道理，要坚决拥护政府的土改政策，背叛自己的阶级立场，倒向广大的农工方面来。

第六章　资本主义社会

第一节　资本主义的产生与发展

资本主义制度，是阶级社会剥削制度的最发达的最后的一种形态。它是在封建社会中孕育起来的。它的产生，有两个必要的前提条件；一个是资本的原始积累，一个是自由劳动者的形成。实际上，这是一个过程的两种表现。

资本的原始积累，主要的是从商业资本和高利贷资本的发达而来。马克思说："商业资本的存在及其到某种程度的发达，是资本主义生产方式发达的历史前提。"本来，商业资本和高利贷资本，在奴隶社会和封建社会里，就已经相当普遍地存在了，不过，那时它们是完全脱离生产的。到了封建社会没落时期，由于商品经济的发达，国内外市场的扩大，商业资本和高利贷资本的势力，逐渐壮大起来，这时，商人不仅在商品流通过程中起着媒介作用，而且进一步在农村破坏了封建庄园的自给自足经济，控制了家庭手工业者，在都市削弱了行会组织，支配了都市手工业者。这样一来，无论在农村的家庭手工业中或都市的手工业中，便形成了资本主义生产方式的萌芽形态，于是，这样的商业资本，剥削城乡的手工业者，积累起大量资本，便慢慢转变为工业资本了。

资本原始积累的另一方面，而且是更重要的一方面，那就是商业资本的海外掠夺。当16、17世纪，西、葡、荷、英、法等国的商业资本，在政府重商主义政策之下，对殖民地落后人民实行了大规模的无耻的残酷掠夺，它们强占和抢劫了落后国家人民的土地和财产，实行不等价交换，贩卖黑奴等，借以积累了大量财富。正如马克思所说："美洲金银产地的发现，土人的被剿灭、被奴役、被活埋在矿坑里，东印度的征服与劫掠的开始，非洲的变为猎取黑奴的猎场——所有这些事实，都正表示着资本主义生产的曙光。这些牧歌式的过程，就是资

本原始蓄积的主要原因。”这样,“在欧洲以外,由于直接的掠夺、奴隶化、强盗杀人所掠夺来的财宝,流入本国,就转化为资本”。

由此可见,资本的原始蓄积过程,在国内是广大农民和手工业者的破产过程,在国外是弱小民族的殖民地化和人民遭受奴役的过程。所以说:“资本的出世,是从头到尾的每个毛孔都渗透着血腥和污物。”(马克思)

但是,资本主义的产生,除了资本的原始蓄积外,还需要有自由劳动者的存在。因为“货币所有人要使货币变成资本,就必须在市场上找到自由劳动者。所谓自由劳动者,有两种意义:第一,他必须是自由人,可以把自己的劳动力,当作商品出卖。第二,他没有别的可卖的商品。那就是说,实现劳动力所必要的一切东西,他是一无所有的”(马克思)。

那么,这样具有两重意义的自由劳动者是怎样产生的呢?自由劳动者的产生,是同资本的原始蓄积结合在一起的,资本的原始蓄积过程,也就是自由劳动者的形成过程。这个过程,一方面把生活资料和生产资料转化为资本,同时,也就把直接生产者转化为工资劳动者,所以,这个过程,也就是生产者和生产资料分离的过程。列昂节夫说:“这个过程的内容,就是对小生产者大众的残暴剥夺(首先是对农民的剥夺)而将他们转变为一无所有的、失去生产资料和生活资料的无产者;而另一方面,就是把掠夺来的财富集中到数量极少的资本家集团的手中去。”

英国是一个典型的例子。在15世纪最后30余年中,英国已开始了农业革命。当时由于尼德兰等地毛织工业的发达,羊毛价格大增,牧羊比种地更为有利,于是英国的地主们,利用国会的势力,通过了许多圈地法,把农民从土地上驱逐出去,把耕地改为牧场。这个圈地的过程,发展很快,到16世纪末,2/3以上的土地,都落到地主手中了。这就是摩尔所说的“羊吃人”的时代。这样失去了土地的农民,便变为流离失所无家可归的流浪无产者集团,形成资本主义生产的后备军。同时,生出了新式地主和向地主租进土地而使用雇佣劳动来组织资本主义生产的农业家,这就破坏了封建的土地关系,建立起农业上的资本主义生产方式。

商业资本转变为工业资本,最初是采取家庭手工业的小商品经济的形态,即农民的手工业者,由商业资本家供给原料,制造商品,而接受劳动报酬的工资。在这种情形下，农民的小手工业者变成在自己的家中为资本家工作的工资劳动者，而商业资本家也就变质为工业资本家了。

由此前进一步，出现了手工业工场，即资本家用一定的工资，雇用几十个或几百个劳动者，在资本家设定的场所，使用资本家的工具和材料，来从事生产。

手工业工场的出现，并不能最后摧毁封建制度，因为它和家庭手工业的生产一样，也是建筑在狭隘的手工技术基础之上的，所以，它不可能使社会的生产，从根本上发生变革。直到产业革命，机器生产代替了手工生产时，资本主义的生产方式才占据了支配的地位。

产业革命发源于英国。1738 年钟表匠凯伊发明飞梭，应用到纺织业上，使织物的生产增加了两倍。1764 年，工人哈格里斯发明了珍妮纺织机，棉线生产提高了很多。1767 年，理发匠阿克莱发明了水力纺织机，他并且开始创设了聚集数百工人的大纺织工场。1768 年，教士卡特莱特发明了自动织布机，结构更为完善，生产速度比以前增多了 40 倍。1785 年，职工克伦普顿把珍妮机和水力机，加以改良，发明了更为进步的混合机，棉线产量大大增加。同年，化学家瓦特发明蒸汽机，普遍采用于各工业部门，才完成了产业革命。

产业革命不仅给了英国社会经济构造以革命的变化，同时也给予其他国家以极大的激动，使它们开始走向资本主义社会。

但是，要想使资本主义的生产关系巩固起来，仅仅有了资本和自由劳动者，有了生产技术上的革命，还是不够的，必须要资产阶级起来推翻封建统治，自己掌握政权。恩格斯说："资产阶级在其生产的整个范围中，还受中世纪封建政治形式的压制，这种政治形式，是早已被生产（不仅被手工业工场，而且甚至被手工业）所超过了，无数的行会的特权，转为生产的障碍和桎梏，资产阶级的发展，既受行会特权的阻碍，又受各地及各省关税壁垒的阻碍。资产阶级的革命，结束了这种情况。"

资产阶级革命的发展过程，开始于 16 世纪下期的尼德兰革命（1566—1581），发展于 17 世纪中叶的英国革命（1640—1660），至 18 世纪末叶的美国独立革命（1776—1783）和法国资产阶级大革命（1789—1794），达到了最高潮。在法国大革命之后，资本主义才彻底地建立起来。

第二节　资本主义生产方式的特征

社会生产力,发展到资本主义时代,由于产业革命的结果,已经创造了比一切前代所创造的总和更多和更大的生产力,轮船、航运、铁路、电报等,已经把世界密切地联系起来了。电气技术也有了极大的发达。在这样发达的生产力基础上,便建立起与之相适应的生产关系。

斯大林说:"在资本主义制度下,生产关系的基础是生产资料的资本主义所有制,同时这里已经没有了私自占有生产工作者的情形,这时的生产工作者,即雇佣工人,是资本家既不能屠杀、也不能出卖的,因为雇佣工人已免除了人格上的依赖,但他们却没有生产资料,所以他们为要不致饿死,便不得不出卖自己的劳动力给资本家,并忍受繁重的剥削。除资本主义的生产资料所有制外,还存在有免除农奴制依赖的农民和手工业者以本身劳动为基础占有生产资料的私有制,而且这种私有制在第一个时期是很流行的。手工作坊和手工业工场企业已由机器化的大工场所代替了。用农民粗笨生产工具耕作的贵族地产,已由根据农艺学经营和使用农业机器的资本主义大农场所代替了。新的生产力所需要的是比闭塞无知的农奴们文化些、伶俐些、能够懂得机器并正确使用机器的生产工作者。因此,资本家宁愿利用免除了农奴制羁绊而有相当文化程度来正确使用机器的雇佣工人。"

在这样生产力与生产关系的基础上,表现出资本主义生产方式的特征。

商品生产占统治地位的经济,是资本主义生产方式的基本特征。我们知道,如果没有商品生产,资本主义就要毁灭。但是商品生产并不是在资本主义制度下才产生的,而是在从前就有了,不过,资本主义的商品生产,和它以前的商品生产(单纯商品生产),有着本质的不同,因而也就表现出资本主义生产的几个特征。

第一,从生产技术看,单纯商品生产,是手工业的生产,而资本主义的商品生产,是机器生产。

第二,从生产资料和生产品的占有关系看,单纯商品生产之下,生产者自己占有生产资料和自己所制造的商品。譬如一个手工业的鞋匠,他自己有生产工具、钉子和麻线，自己买皮革等来做，他所制造的鞋子，归他自己所有，由他自己来支配。在资本主义商品经济下，情形就不同了，所有生产资料，如土地、工场、矿山、机器、原料、燃料等，都被资本家所独占，而直接劳动的工人，除了自己的劳动力以外，别无所有，对自己所制造出来的商品，是无权支配的。

第三，从劳动的性质看，手工业者是自己直接从事生产的，它不是雇佣劳动。在资本主义制度下，独占生产资料的人完全脱离生产，雇佣劳动成为普遍的基本的劳动形式，劳动力也变成了商品，变成了能够创造剩余价值的一种特殊商品。

第四，从生产的目的看，手工业的小生产者，他从事生产的目的，基本上是为了满足自己的需要，譬如鞋匠卖掉鞋子，是为要交换那能够满足自己欲望所必需的各类生活资料，或购买一部分生产资料，以便继续生产。反之，资本家经营企业的目的，却不是为了自己的需要，而是为了取得利润，蓄积资本。

以上几点说明，我们可以说资本主义的生产方式，是资本家独占生产资料，使用机器和雇佣劳动，进行商品生产，以取得利润蓄积资本为目的的。

由此可见，在奴隶制和封建制的生产方式下，剥削是用直接的强制方法来实现的，在资本主义制度下，剥削是采取了经济强制的形式。

那么，资本家为出卖而进行商品生产所取得的利润的源泉在哪里呢？资本家对工人是怎样实行剥削呢？

简单说来，资本家所得的利润，就是在生产过程中，工人的剩余劳动所创造的剩余价值，这是资本主义最重要的秘密及其剥削实质。列宁说："雇佣工人出卖自己的劳动力给土地、工场、生产工具的所有者，工人一部分工作时间，用来补偿自己和自己家庭的消耗（工资）；工人另一部分工作时间的劳动成果，为资本家创造出剩余价值、利润的源泉、资本家阶级的财富源泉。"

资本家用什么方法来从工人身上剥削更多的剩余价值呢？有两个基本方法：一个是延长工作时间，用这种方法剥削来的剩余价值，叫作绝对剩余价值。假定工人每天工作 10 小时，其中 5 小时是必要劳动，5 小时是剩余劳动，如果把每天的工作时间延长到 12 小时，那么，必要劳动时间不变，而剩余劳动时间便从五小时增加到 7 小时了。这种方法，大多是行之于资本主义初期的或后进的国家，但是在工人阶级严厉反抗斗争之下，资本家还采用了另外一种方法来增加剥削,那就是改良劳动技能和劳动组织,以求提高劳动强度,缩短必要劳动时间,使剩余价值相对增加,这叫作相对剩余价值。

在阶级社会的发展过程中,存在着三种不同的剥削方式,即奴隶主对奴隶的剥削、封建地主对农奴的剥削和资本家对工资劳动者的剥削。在这三种剥削方式中,有一个类似之点,就是劳动者所得到的只是自己必要劳动所创造的生活资料,而他们的剩余劳动或由剩余劳动所创造的剩余生产物和剩余价值,都被奴隶主、封建地主和资本家剥削去了。但是也有它不同之点:那就是在农奴制下,农奴是半人格的,农奴的劳动是半强制性的,他们的必要劳动和剩余劳动,在时间上空间上都显然分开,所以剥削关系非常明白。在奴隶制度,奴隶是完全没有人格的,奴隶的劳动是强制的,连他们的必要劳动,在形式上都被奴隶主剥削去了,所以剥削关系非常残酷。在资本主义下,工人在法律上和资本家是处于"平等"地位,人格是独立的,由于采取了工资形式,好像工人已经取得他们整天劳动所应得的报酬,但事实上,他们只能得自己必要劳动所创造的价值,至于剩余劳动所创造的剩余价值,同样也被资本家剥削去了。由此可见,工资劳动制是一种最隐蔽的剥削方式。

工人阶级所创造的剩余价值,构成了资本家阶级所得收入的最大源泉,被分配到资本主义社会各部门中去:工商业资本家得到的是利润,放款资本家和银行得到的是利息,地主得到的是地租。此外,资产阶级政府的各项捐税等,也都是来自工人阶级所创造的剩余价值。

第三节　资本主义生产的矛盾与经济恐慌

资本主义社会的基本矛盾,是社会的生产与私人的占有之间的矛盾。这是生产力与生产关系矛盾的表现。

什么是社会的生产呢？恩格斯在《反杜林论》中说得很明白,他说:"手纺车、手织机、手用槌,被纺织机、机器织机、蒸汽槌所代替;需要数百人数千人协力的大工场,代替了个人的作坊。和生产资料一样,生产本身也从个人分散行动的系列,转变成社会行为的系列。生产品也从个人的生产品,转变为社会的生产品。现在工场所出产的纱、布、金属品等,是许多劳动者的共同产品,这些生产品在完成之前，先要顺次经过他们许多人的手。没有一个劳动者能够说：这是我做的，这是我的生产品。”

不仅各个工场内的生产是社会性的，而且在整个资本家相互之间，也是进行着社会的生产。譬如在手工业纺织时代，小生产者本人既纺纱又织布，他可以独立完成一种生产品。到现在，由于生产技术的专门化，纺纱和织布是要个别来实行的，这就是许多分散的生产过程，融合而为一个社会的过程。于是，生产者之间的社会关联越加巩固，生产者集结为一个统一体。

生产虽然社会化了，而生产物却依然是私人占有的形态，资本主义越发展，生产的社会性与占有的私人性之间的矛盾也越加尖锐化深刻化。这个基本矛盾，从下面几个矛盾中具体表现出来。

首先，表现为无产阶级与资产阶级的对立斗争。这两大阶级间的矛盾，是没有妥协性的，因而不可避免地会形成尖锐的阶级斗争。不过，无产阶级在自己发展的最初阶段上，还不理解全体阶级的任务和革命的必要性，只是作为一个“自在阶级”而存在着。那时，他们对资产阶级进行斗争，主要的是经济斗争，斗争的方法也是很幼稚的，他们往往打碎机器，焚烧工场，企图用暴力来重新恢复过去中世纪的工人的地位。随着资本主义的发展，无产阶级很快地在生产中和斗争中锻炼了自己，提高了阶级觉悟，由“自在阶级”变成“自为阶级”，尤其在自己的先锋队——党的领导下，组织起来，统一起来，对资产阶级进行了坚强的政治斗争和思想斗争。

在这斗争中，党的领导，是起着决定作用的。1871年巴黎公社，因为没有党的领导而失败，1917年伟大的苏联无产阶级革命和我们新民主主义革命，由于党的正确领导，而都获得了辉煌的胜利。

其次，社会的生产与私人的占有之间的矛盾，表现为个别资本家生产的有计划性、有组织性与资本家全体生产的无计划性、无组织性之间的矛盾，这就是所谓生产的无政府状态。在资本主义社会中，就个别资本家的生产而论，是有计划的、有组织的，资本家知道自己有若干资金，知道如何来有计划地使用它，知道生产什么物品和生产多少。但是，他并不知道别的资本家在这个同一生产部门中投下若干资本，生产若干物品，以及社会的购买力大小如何。资本家彼此之间是各不相谋的。这样一来，必然会造成生产的无政府状态，而为盲目的市场法则所支配。

再次，是表现为生产力与消费力之间的矛盾，也就是“财富积累”与“贫困积累”的两极化，结果爆发为“生产过剩”的经济恐慌。列昂节夫说：“经济恐慌的基础，存于生产社会性和生产结果之资本主义的占有形式的矛盾。这种资本主义基本矛盾的表现，是以获得最大限度的资本利润为目标的资本主义生产能力的巨量增加，与千百万劳动群众（他们的生活水准被资本家不断地降低到最小限度）的支付能力的需求之相对的缩减间的矛盾。”我们知道，在资本主义的生产下，资本家为了追求更多的利润，必须蓄积资本，扩大生产规模，因为引起资本有机构成的高度化，不变资本逐渐增多，可变资本相对减少，这样就加速了机器对工人的排挤。结果，在一个极端上蓄积了财富，在另一个极端上蓄积了贫困，形成了“产业后备军”。生产无限制地扩大，就与劳动人民购买力的相对缩小，发生剧烈矛盾，而成为周期性的经济恐慌。每当恐慌到来时，“资本家因他本身使广大民众遭受破产而找不到有支付能力的需求者，便不得不烧毁生产品，消灭已制成的商品，停止生产，破坏生产力；此时千百万民众被迫失业挨饿，而这并不是由于生产不够，却是因商品出产太多”（斯大林）。

这样的经济恐慌，自从 1825 年以来，差不多每隔十年左右即爆发一次，而且恐慌的情况愈演愈烈。“一方面强迫消灭大批生产力，另一方面争取新的市场与更加彻底地剥削旧市场，……这就是准备更多方面的与更厉害的危机，并且减少了预防危机的手段。”①这样，每次新的恐慌，就更加动摇了资本主义的基础。

第四节　资产阶级的国家与思想意识

资产阶级的国家，是资本主义社会的上层建筑。它的发生发展的过程，是和资本及资产阶级本身发生发展的过程相适应的。

资产阶级的前身，是封建时代的都市的市民。他们最初还是农奴的、无权

---

① 《共产党宣言》。

利的身份,即所谓第三身份。后来商品经济特别发达,他们的经济势力逐渐增大,就开始向封建领主要求政治权力了。进入手工业工场时代,由于货币经济飞快的发展,商品市场急剧扩大,以及资本的原始蓄积,封建的区域经济就迅速崩溃,而过渡到国民经济了,因而封建的地方分权政治也过渡到封建的中央集权政治了,这就是由封建国家到资产阶级国家的过渡期的政治形态,即绝对主义的君主专制。

这是因为在那时,封建阶级日趋没落,但尚未崩溃,资产阶级正在生长,但尚未成熟,也就是两个阶级的力量对比还没有引起根本的变化,所以,两个阶级共同分得了统治权,而君主专制便利用这两个阶级的矛盾,来维持自己的权力。

产业革命以后,生产技术有了飞快的进步,资产阶级在社会中占据了统治的地位,对于旧的国家形态,不能不加以变更,于是,资产阶级便在农民和无产阶级联合之下,以暴力夺取政权,实行民主主义的革命,建立了资产阶级的民主共和国。

资产阶级国家的政治形态,有君主立宪制,有民主共和制;同时,资产阶级更标榜自由与平等,来欺骗劳动人民,实际上,资产阶级所揭举的自由与平等,是建立在私有财产的基础之上的,离开了私有财产,便没有自由与平等,因而所谓全民的自由与平等,就成为资产阶级一个阶级的自由与平等了。正如封建社会的国家是地主贵族压迫农民的工具一样,而资本主义时代的国家,则是资产阶级压迫无产阶级及其他劳动人民的机器。所以,列宁说:“资产阶级国家的统治形式是可以各不相同的。资本在有此一形式的地方表现其势力的方式是如此,在有彼一形式的地方表现其势力的方式是如彼,但实际上,政权总是操在资本掌握的:不管是资格限制或别种限制,不管是民主共和制度,横竖都是一样,并且这种共和制度愈民主,则资本主义的这种统治就愈加横蛮,愈加公然无耻。美国是世界上最民主的共和国之一,同时也没有哪一个国家内的资本权力,少数百万富翁对于全社会的统治权力,如在美国表现得这样横蛮,这样贿赂公行(凡是在 1950 年以后到过那里的人,都知道这点)。资本既然存在,也就统治着全社会,所以无论什么民主共和制度,无论什么选举制度,都是不会改变事情实质的”。这个实质就是:“资本主义的国家,总是替资本

家控制无产阶级和贫苦农民的一副机器。”

到了帝国主义时代，无产阶级的力量壮大起来实行革命斗争了，尤其在第一次世界大战以后，资本主义体制的总危机愈加深刻了，资产阶级为了维持其摇摇欲坠的统治地位，不能不探求新的政治手段，于是，出现了法西斯主义。法西斯主义，对内实行公开的残酷的恐怖政策，对外实行无耻的疯狂的民族侵略，它挑动了第二次世界大战，给全人类带来了无比的灾难。所以，季米特洛夫说：“法西斯主义就是战争。”法西斯主义者想用战争给资本主义找出路，而结果必定是资本主义的死亡。

在资本主义生产方式的基础上产生的思想意识是怎样呢？我们可以说，资本主义社会中支配的思想意识，是个人主义自由主义。我们知道，资产阶级的物质生活条件，是开办工场，雇用工人，靠剥削剩余价值来过其寄生的奢侈生活。在“自由竞争”的原则下，资本多的制胜，资本少的失败，大资本吞并了小资本，于是在思想意识上，便反映出自由放任的个人主义。譬如亚丹斯密说：“各个人如得自由和安全而行动，那么，想改善他自身状态的自然的努力，就是非常有力的原理；它不仅能够不借任何力量，只用自己的力量，引导社会趋于富裕和繁荣，而且能够克服因人类的愚蠢而妨害这努力的作用的许多障碍。”这就是极露骨地表现出自由放任的个人主义的思想。因此，资产阶级便提出了自由平等的口号。不过，他们所要求的自由平等，仅只是一般政治上的自由平等，也就是资产阶级在法律面前的自由平等，而并不要求经济上的平等，他们认为工人应该受剥削，资本家应该剥削人，他们主张保证经济上的剥削权利，要求保护剥削者的私有财产制。

个人主义，也是小资产阶级思想的主要特征。因为小资产阶级大多是小生产者，他们的生产规模小，都是靠着自己的一些小财产和个人一部分劳动来生活，这样的物质生活条件，就决定了他们只相信个人，一切从个人出发。

在资本主义社会，宗教尽了极大的反动作用。马克思说：“宗教是人民的鸦片，是一种精神上的麻醉剂，它使资本的奴隶把自己对于人类生活的要求，溶解在这种麻醉物之中。”资产阶级一方面自己向宗教寻求“安慰”，同时，利用宗教去麻醉劳动人民的斗争情绪，他们宣传“阶级调和”，要求工人忍受资本家的剥削，要为资本家忠实劳动。宗教不仅在资本主义国家里面尽了极大的反动作用，而且在殖民地半殖民地还尽了帝国主义掠夺者的前锋的任务。帝国主义者在掠夺殖民地半殖民地人民的政策上，广泛地利用了传教师制度。在殖民地半殖民地国家中，传教师表面上是宣传基督教义，实际上多从事于间谍或工商业的活动。关于这一点，中国就是一个最明显的例子。

封建时代，哲学是“神学的婢女”。但是，由于自然科学的革命，促进了生产力的飞快发展，改变了人与人的生产关系，于是在哲学上便出现了17、18世纪的机械唯物论，从培根、笛卡尔的物理学说，经过霍布士、洛克和斯宾诺莎，而达于18世纪的法国唯物论。后来由于智力劳动与体力劳动的分裂愈形加深，而造成了产生唯心论的新方式的条件。唯心论的哲学体系在德国复兴起来，主要的代表者为康德、费希特、雪林等人，而集其大成的是黑格尔。黑格尔哲学的最大贡献，是他的辩证法，而其最大的错误，则是唯心论，他拿着辩证法的唯心论，来和法国机械唯物论相对抗。在从唯心论转变到辩证唯物论中，费尔巴哈是一个过渡桥梁。

随着资本主义社会内部矛盾的发展，无产阶级的力量日益壮大起来。他们要求接受资本主义文化的进步面，而剔去它的反动面，以建立自己阶级的革命理论。于是开始有空想社会主义出现，跟着就有马克思、恩格斯的科学社会主义与辩证唯物论的产生和发展。马克思和恩格斯从黑格尔辩证法中，采取了它的“合理的内核”，摒弃了黑格尔唯心主义的外壳，并发展了辩证法；同时，他们又从费尔巴哈唯物论中，采取了它的“基本的内核”，摒弃了他那唯心主义的和宗教的伦理杂质。这样，就发展成为马克思主义的辩证唯物论，成为指导国际无产阶级革命运动的指南针。

到了帝国主义阶段，资本主义的危机日益加剧，无产阶级的革命运动已到了短兵相接采取直接行动的时候，于是列宁、斯大林接受了并发展了马克思主义，领导着俄国的无产阶级革命，建立了第一个社会主义国家。十月革命后，马列主义传布到中国，与中国革命的具体实践结合起来，发展成为毛泽东思想，中国的工农大众，在毛泽东思想的正确领导下，打垮了三大敌人，树立起工农大众自己的政权。

第五节　资本主义的垄断阶段

资本主义的发展，在20世纪开头，进到了帝国主义的阶段。什么是帝国主义呢？列宁给它作了一个极简短的定义，他说："帝国主义是资本主义的垄断阶段。"同时，他指出了帝国主义的五个主要特征："第一，生产和资本集中已发展到很高的程度，而造成了在经济生活中起决定作用的垄断组织；第二，银行资本与工业资本融合为一，而在这个财政资本基础上造成了财政寡头；第三，与商品输出不同的资本输出，已具有了特别重要的意义；第四，分割世界的资本主义国际垄断同盟形成起来了；第五，各大资本主义强国已把世界上的领土分割完毕。"达到这样阶段的资本主义，就是帝国主义。

我们知道，在资本主义社会中，资本家为了追求更多的利润，和在自由竞争中立于不败地位，便不断采用新机器，实行严密分工与科学管理，并在购买原料和推销产品上取得最优越地位，结果，形成了大企业排挤或吞并小企业，于是，在资本集积之外，更进行着资本集中，最后形成了资本的垄断组织。如加特尔、新迪加、托拉斯、康平纳等，通过股份公司的组织，把资本集积和集中起来。到了银行资本与工业资本相融合而形成了更巨大的垄断组织，即所谓康采恩，资本的集中就更发展到惊人的程度，一个国家的各种重要企业，往往为极少数的几个财团所掌握，这样就形成了财政资本的寡头统治。譬如以民主自诩的美国政权，实际上是操在华尔街几个财团老板之手，杜鲁门不过是这几个财团老板的代言人而已。

资本的垄断组织的出现，不但没有避免和消灭了资本主义内部的矛盾和竞争，反而更使它剧烈起来。从前是许多资本家间的竞争，现在变成几个财团相互间的竞争，特别到了经济恐慌时期，竞争更加来得激烈。

帝国主义依靠着对殖民地半殖民地的掠夺而自肥，殖民地半殖民地对帝国主义的发展，具有头等重要意义。帝国主义对殖民地半殖民地的掠夺，分为两个时期和两个主要方式：在工业资本主义时代（19世纪）主要是输出商品，即把大量的工业产品，向殖民地半殖民地推销，同时掠夺殖民地半殖民地的贱价原料和粮食，变殖民地半殖民地为帝国主义国家的原料供给地与商品推销市场。到了帝国主义时代，除输出商品外，更输出过剩的资本，利用新式技术，在殖民地半殖民地开矿山、筑铁路，开设工场和农场，利用当地的丰富资源和廉价的原料及劳动力，来取得大量的超额利润。

帝国主义掠夺殖民地半殖民地，是要把它们变成自己国家的农业原料的附庸，它是人工地阻碍着殖民地半殖民地生产力的发展；同时，维护着旧的前资本主义生产关系的存在。这就是说："资本主义破坏着殖民地半殖民地经济的自然性，散布着货币关系，这样就加强了封建地主、商人、高利贷者和富农对于农民劳动大众的压榨。地主、商人、高利贷者和富农，在殖民地半殖民地乡村中，往往成为帝国主义的代理人，成为帝国主义与被剥削大众间的寄生的中间人，成为帝国主义在殖民地半殖民地的支柱"（列昂节夫）。

就中国而论，"外国资本主义的侵入，曾经对中国的社会经济起了分解的作用。因为外国资本主义的侵入，一方面破坏了中国自给自足的自然经济，破坏了城市的手工业及农民的家庭手工业；又一方面则促进了中国城乡商品经济的发展。这些情形，不仅对中国封建经济的基础起了解体的作用，同时又给中国资本主义生产的发生创造了某些客观的条件与可能"（毛泽东）。但是，这只是帝国主义侵入中国以来所发生的变化的一个方面，还有另一个方面，那就是帝国主义勾结中国封建残余压迫中国资本主义的发展。因为"帝国主义列强侵入中国的目的，绝不是要把中国变成资本主义的中国。帝国主义列强的目的与此相反，他们是要把中国变成他们的半殖民地与殖民地"（毛泽东）。

19 世纪的末叶，是资本主义各强国侵占殖民地最厉害的一个时期。到第一次世界大战为止，列强约共占领了 2500 万平方公里的土地，比整个欧洲要大两倍，其中以英法两国所侵占的土地为最多。帝国主义用铁和血征服了弱小国家，使之成为他们的殖民地半殖民地，使殖民地半殖民地的劳动人民变成它们的奴隶。

到 20 世纪开始的时候，全世界的领土大致已经被分割完毕。因此，比较后起的德、意、日等国要想多得一些，便只有向其他强盗的口中去夺取了，也就是说只有对世界领土重新来一次分割，在这种要求下，爆发了两次世界大战。但是，战争不但不能减少资本主义内部的矛盾和解决世界分割问题，反而使这些矛盾更加深刻化激烈化，终会促成帝国主义的崩溃。

首先，我们知道，资本主义的经济恐慌，到了帝国主义阶段，已经发展成为资本主义的总危机了。过去，资本主义各国，在未发生经济危机以前，是先有长期的兴旺、繁荣和高涨。可是，现在的危机不同了，它在危机最低点以后，并不是转向经济的回复与繁荣，而是出现为长期的特种经济萧条。这种资本主义的总危机，对于资本主义本身，丝毫没有促进的作用，它只有使资本主义的一切矛盾更加尖锐，使资本主义的腐溃性更加强化。这也就会像马克思所说："生产资料的集中和劳动的社会化，已达到这样一种程度，就是它们已不能和它们资本主义的外壳相容了。于是，资本主义的外壳就要破裂。资本主义私有制度的丧钟就要撞打起来，剥夺者的财产要被人剥夺。"

这样的总危机，是在下面几个矛盾中表现出来的。

第一，资本主义国家内部阶级力量的变化和斗争的尖锐。在帝国主义时代，资产阶级逐渐脱离生产，在国内和国外，大部分是以债权者与股票所有者的资格，过着寄生生活。在政治上因惧怕工农大众的反抗，实行法西斯的野蛮统治，道德破产，贿赂、舞弊、欺诈，无所不用其极。充分表现出资产阶级本身的腐烂与外强中干。另一方面，资本主义国家的工人运动，由于苏联十月革命与社会主义建设成功的刺激，迅速地从经济斗争进入政治斗争。而第二次世界大战以后，工人阶级的觉悟与团结更加大大提高，罢工运动高涨起来，各国共产党也都壮大了。工人阶级对资产阶级斗争，是从内部打垮帝国主义的决定力量。

第二，帝国主义列强间充满着极度尖锐的矛盾和冲突。现在这种矛盾，已由分散的形势发展为集中的形势。因为第二次世界大战，打倒德、意、日三个帝国主义国家，削弱了英、法两个帝国主义国家，养肥了一个美国帝国主义国家。美帝在实行世界扩张政策中，势必与英、法、比、荷等发生冲突，而表现为美帝与其他帝国主义国家间矛盾的集中形态。然而，这绝不是说，其他帝国主义国家间就没有矛盾了，而那些矛盾，也是在日益增长中。

第三，殖民地半殖民地反帝解放运动的高涨和胜利。殖民地半殖民地的人民，在帝国主义残酷压迫下，在社会主义苏联的鼓舞和援助下，已经普遍地掀起了以工人阶级为领导的反帝解放运动，已从部分的守势的斗争，发展为全面的攻势的斗争，并且与帝国主义国家的工人阶级的斗争相互配合援助，反对共同敌人。在苏联扶助之下获得解放的，有罗、捷、波、保、北鲜等新民主国家，在近东和远东，黎巴嫩、巴勒斯坦、希腊、印度、缅甸、越南、印尼、马来亚、菲律宾等国的反帝民族解放斗争，都在热烈地开展着。尤其中国解放战争的全面胜利，更鼓舞和加强了这些民族争取解放的信心和力量。这一个新的革命形势，快要给帝国主义的统治来一次清算了。

第四，苏联社会主义建设的胜利和威力的强大。自从苏联伟大的十月革命的胜利时起，“资本主义已经不是唯一的和包括一切的世界经济体系，……除资本主义的经济体系以外，还存在着社会主义的体系，后者是在发展着，进步着，与资本主义的体系对立着，而它的存在这一事实本身，又暴露着资本主义的腐溃性，动摇着它的基础”（斯大林）。社会主义的苏联，在第二次世界大战的火焰中，胜利地经过了考验，证明是比一切非苏维埃的社会制度，更有生命力量，是必然在全世界范围内代替资本主义社会制度的一种新的社会制度。

总结起来，在目前世界上，显然已经分成两个阵营，一个是以美帝为首的法西斯反动阵营，一个是以苏联为首的和平民主阵营，现在和平民主阵营的力量飞快地壮大起来了，任凭战争贩子们无耻地叫嚣，它是不能扭转社会发展方向的。人类解放斗争的总前途，就是社会主义与共产主义。各民族的人民，都将经过自己具体斗争的道路，到达这一点。

第七章 社会主义社会与新民主主义社会

第一节 从资本主义到社会主义的道路

代资本主义社会而起的是社会主义社会。它是现存社会中最卓越的制度。

从资本主义转变到社会主义社会,如所周知:马克思主义已有过原则性的说明。这就是说,资本主义发展到了帝国主义时代,生产力的发展,劳动的社会化,生产力的集中,无产阶级的组织性和政治觉悟性,无产阶级和资产阶级间阶级斗争的尖锐达到了这样的水准:使转向无产阶级的社会成为不可避免。这就是资本主义社会必然要转变成为社会主义社会的历史根据。

其一,无产阶级革命与资产阶级革命的区别:资本主义的崩溃与社会主义社会的崛起,固然是循着一定的历史规律而运行,但是无产阶级革命和资产阶级革命比较起来,却具有根本不同的几个特征:

第一,资产阶级革命,是在封建制度中已经创造了资本主义结构的现成形式时完成的,譬如说,资本主义式的大手工业工厂已经有了,资本主义工厂产生了,资产阶级支配着大资本,资本主义在一般国民经济中,特别在工业部门中已经占有决定的地位,这一切都是资产阶级革命时已经具备了的形式。

相反的,无产阶级革命却是在社会主义结构的现成形式还没有的时候就开始了。固然,那时候的劳动过程已经有了社会的性质,大的经济联合在工商业中已经占有统治地位,可是为了使这些联合和劳动本身成为社会主义的,就一定要首先推翻资产阶级的政权,使他们的生产资料属于国有才有可能。

第二,资产阶级革命的唯一任务便在夺取政权,创造了适合于本阶级经济需要的国家机构,这样,他们自己的任务完成了,自己的目的达到了!但是无产阶级革命的任务是更远大的，夺取政权只是手段，无产阶级建立政权的目的是要创造一种新的经济，这就是说废除人剥削人的，超脱资本主义的一切矛盾的，和为劳动者利益而保证着经济文化更进步的社会主义社会经济。

第三，资产阶级革命通常并没有促成国家的根本破坏，资产阶级所建立的国家政权，仍然是剥削阶级资本家和地主（资产阶级化的地主）手中的统治工具，国家的实质是没有什么变更的。反之，无产阶级革命乃是推翻一切任何剥削阶级的集团，彻底破坏旧的国家机器；同时建立被剥削的、最革命的、最前进的无产阶级政权，创造崭新的国家，把它作为从建立社会主义社会到共产主义社会的强大的机构。

第四，资产阶级革命曾经利用工农大众的力量才告完成，但是资产阶级的利益，是与劳动人民的利益对立的，所以资产阶级革命成功以后，立即背叛劳动人民的利益，这样，使他们中间发生广大群众性的阶级斗争（即资产阶级与以无产阶级为领导的劳动人民间的阶级斗争）。可是无产阶级在革命进程中，却保持了长久的劳动人民的坚固联合，以无产阶级为领导的劳动人民的精诚合作，支持社会主义的革命政权。

以上是资本主义革命与社会主义革命性质不同的地方，由此并可明白社会主义社会的建设需要较长的时间，只有在推翻资本主义以后，依客观情势有步骤地推进，才能完成它。

其二，无产阶级专政的任务：依据社会发展的规律，无产阶级斗争进行的结果，又必然走向无产阶级专政以代替资产阶级专政。列宁说过："资产阶级国家形式非常复杂，可是他们的本质只有一个，所有这些国家归根结底必然是资产阶级专政。由资本主义到共产主义的过渡，自然不免有极丰富与极复杂的政治形式，可是他们的本质必然也只有一个，就是无产阶级专政。"①

无产阶级专政是推翻资产阶级的统治，实现社会主义革命胜利的结果，同时又是无产阶级革命的发展和建设社会主义的开端。它的重要性据斯大林明智的解说，有三个最基本的方面：

一是利用无产阶级政权来镇压剥削者，来保卫国家，来巩固与其他各国无

① 《国家与革命》。

产者间的联系,来保证世界各国革命的胜利和发展。二是利用无产阶级政权,来使劳动者和被剥削者群众最后的离开资产阶级,来巩固无产阶级与这些群众的联盟,来吸收这些群众参加社会主义建设事业,来保证无产阶级对这些群众实行国家领导。三是利用无产阶级政权来组织社会主义,来消灭阶级,来保证过渡到无阶级的社会与无国家的社会。①

这便是无产阶级专政底目的和基本任务。这里必须指明:在无产阶级专政时期,虽然只有共产党一个政党,但他只是领导无产阶级专政,而不是共产党自己专政,它是建立在工农联盟、党与非党联盟的广大群众基础上面。无产阶级专政建立以后,阶级斗争并没有停止。无产阶级的党与政府还要继续领导人民向剥削者,向过去统治阶级的一切残余势力,做长期的艰苦的斗争,才能彻底消灭阶级,废除剥削,建立社会主义社会,走向共产主义的社会。

其三,社会主义在一国胜利的理论:关于由资本主义发展到共产主义的理论,应该特别提到列宁的社会主义在个别国家内胜利的可能性,关于它的胜利的条件,关于它的胜利前途的理论。

当马克思恩格斯在19世纪40年代研究资本主义的结果,他们假定:无产阶级革命要在世界各国或在资本主义的主要国家(如英、德、法、美)同时进行,并同时开始自资本主义到共产主义的过渡时期。伟大革命导师列宁创造地发展了这一学说,把它应用到帝国主义时代,他指出:“不可避免的帝国主义世界战争,必然会削弱帝国主义国家,并造成在帝国主义阵营最弱的一环突破这种阵线的可能性。由于帝国主义时代资本主义经济和政治发展的不平衡性,社会主义最初在几国,或甚至在单独一国内的胜利是可能的,社会主义在一切国家的同时胜利,由于资本主义在这些国家内发展的不平衡性是不可能的。社会主义最初在一国或几国胜利了,而其余的国家却依然是资产阶级的国家。”②列宁这一社会主义在一国胜利的可能性的理论,把马克思主义提升到了新的更高阶段上,这是一种新的、完善的、社会主义的理论。

总之,无产阶级革命的历史任务,在消灭阶级这一革命,是发生在帝国主

① 斯大林:《列宁主义问题》,第112—113页。
② 《联共布党史简明教程》,第162页。

义时代，发生在马列主义与工人运动结合时代；同时殖民地人民的反帝斗争又与帝国主义国家的无产阶级革命密切配合着！这样，保证了全世界劳动人民革命的全面性的胜利！

第二节　社会主义社会发展诸阶段

社会主义革命以俄国十月革命首开其端，过去各民族的历史上有过不少的革命，但是那些革命和十月革命是完全不同的，就是那些革命都是一些片面的革命，一种剥削的形式由别种剥削的形式来代替，一些剥削者和压迫者由别些剥削者和压迫者来代替，但剥削者和压迫者本身还是依然存在。只有十月革命，才提出了一个任务，要消灭各种剥削和压迫，消灭各种剥削者及压迫者，所以它是历史上的革命典型，是全世界劳动人民的道路。

十月革命最可宝贵的教训，首先昭示人们：从资本主义社会转变到社会主义社会的道路，如同从封建社会过渡到资本主义社会一样，必须经过阶级斗争和武装起义的群众革命的道路。而武装起义又必须在无产阶级先锋队共产党正确领导之下，才能胜利完成。

十月革命后苏维埃政府立即实行没收地主土地，把工业矿山交通银行等收为国家财产，摧毁了地主和资本家的经济基础，消除了旧社会的根本矛盾和民族压迫，在全国范围内开始走向社会主义的国民经济建设与新文化建设。

社会主义制度的建立，并不是一蹴可及的事。就苏联建设社会主义的程序说，从资本主义到社会主义中间经过一个颇长的过渡时期，而且在这一过程中，全面的阶级斗争是异常激烈和紧张的。苏联的工农弟兄在为建立和保护苏维埃政权的斗争中，在反帝国主义干涉和国内战争中，在复兴国民经济和实行几届五年计划的斗争中，都表现了高度的英勇和光辉的成就！

其一，新经济政策：俄国在革命前，原是一个经济落后的国家，又经过长期的七个年头的战争，致国民经济陷于极度疲惫，工农生活困难，当时农民要求流通自由，小私有者经营的自由，并供给他们以商品。政府为改善人民生活，遂毅然采用新经济政策。新经济政策是列宁分析了客观环境，依据革命理论所作成的社会主义过渡期间合理的政策（1921 年 3 月第十次党代表大会通过)。主要是采征收实物税以代余粮征集制,并实行企业租让,以增进工业生产力。

新经济政策是在无产阶级掌握一切经济命脉的条件之下,允许资本主义存在的无产阶级国家的一种特殊政策。这个政策的目标是:使社会主义成分去与资本主义成分斗争,发展社会主义成分的作用,以排斥资本主义的成分,使社会主义成分战胜资本主义,彻底消灭阶级,建设社会主义的经济基础。推行结果,产业工人增加了 64%,大工业生产品增加四倍半以上。工农生活改进之后,大大巩固了工农在新基础上的联盟,苏维埃政府保持了国民经济中的一切指挥阵地:大工业、运输、银行、土地、国内商业、国外商业、并向前发展了!

但是新经济政策的实行,也曾遭受了联共党内不坚定分子的抵抗,一方面是"左"的空喊者(如洛敏拉兹等)认为是回复到资本主义,表示失望;另一方面为投降派(如托洛斯基、布哈林等),主张在国内和国外给私人资本更大的让步。两派都是违反马列主义的,当时受到联共党与人民的坚决的打击。

其二,经济改造政策:从 1926 年至 1928 年,苏维埃政府进一步从事改造企业,主要目标是加强重工业的建立。当时苏联在经济上仍保有落后的工业技术和低度的生活水准,为达成社会主义建设的胜利,必须从根本上革新工业技术,促进工业的迅速发展,才能追上或超过先进资本主义国家。所以那时候的口号是技术决定一切!在新经济政策初期(前四个年头),为巩固工农联盟,为提高国民经济生产力,决定轻重工业应该同时兼顾,因为既已允许农民出售剩余粮食产品,就必须对他们供应工业品,而社会主义的基础又必须是建立在重工业之上,所以自 1921 年至 1925 年间,重工业生产一般是发展 28.3%,轻工业生产发展了 28.9%。到了 1925 年,投资方向主要偏于重工业,1925—1926 年投到生产手段生产事业方面的资金,约当全部工业资金的 70%,其中石油与冶金工业所占比重最大。

因此,工业技术改造发生了划期的进步。如在动力方面加强水力发动机,在采掘煤炭、石油、黑色冶金与机器制造方面,均采用了最新式的技术装配。1928 年工人总数达 300 万,超过战前 30%。

其三,第一届五年计划:经济改造在 1926 年已告完成,于是更要求新的继续发展社会主义工农业的任务,五年经济计划由此产生。第一个五年计划始于1928年,即联共第十六次代表大会通过的社会主义建设五年计划。

第一次五年计划由于全国上下的努力,经过四年零三个月便提前完成了。在第一个五年计划完成后,苏联工业建设纲领完成了9.6%,重工业建设纲领完成了10.9%。工业生产品比1913年超过三倍,比1928年超过2倍。其主要成就为创立了重工业及生产手段制造工业,电力、石油、煤炭生产跃居世界第一位。在东部新建立了煤炭和五金工业,在中央亚细亚和西伯利亚成立了纺织工业。1932年大工业比重为70%。

在第一次五年计划执行期内自1928年起是集体农场突飞猛进的时期。这一年成立集体农场32000个,耕地面积139万公顷,1929年耕地增到426万公顷,1930年增到1500万公顷,1931年集体农场占全国农业比重为80%。

在计划执行期间,当时人民敌人托洛斯基、布哈林派分子企图否认苏联社会主义计划,他们坚持轻工业优势理论,坚持世界资本主义法则,以反对苏联工业化。他们坚持富农路线,企图□农业经济按照资本主义的道路发展,因而反对苏联农业集体化。

但是这些荒谬的思想和反革命行动,遭到人民的反对,并没有达成他们破坏苏维埃经济的企图!

本期集体农庄制度的胜利,曾是农村中的最深刻的革命变革,"按其结果来说,等于1917年十月的革命变革"。这个由苏维埃政权从上面来实行的革命,曾为千百万为反对富农束缚,为自由的集体农庄的生活而斗争的农民从下面来支援。

这个农民革命一举而解决了社会主义建设中的三个根本问题。首先是它取消了苏联国内人数最多的剥削者阶级——富农阶级,即资本主义复辟的支柱。其次它把苏联国内人数最多的劳动者阶级——农民阶级,从产生着资本主义的个体经济的道路上,转移到了集体农庄的社会主义的道路上了。最后它在国民经济最广阔的和为生命所必需的,但同时又是最落后的部门——农业中,替苏维埃政权建立了社会主义的基础。

斯大林在1933年1月联共(布)中央全会上指出了五年计划的下列基本结果即:(一)苏联从农业国家变成了工业国家。(二)在工业中取消了资本主义的成分和社会主义体系成了经济的唯一体系。(三)富农作为一个阶级被消灭了,社会主义体系在农业中胜利了。(四)集体农庄制度消灭了农村中的贫困,将千百万贫农提高到生活有保障的人们的水平。(五)消灭了失业,大部分工厂实行了七小时或六小时工作日。(六)由于社会主义在国民经济的一切领域内的胜利,消灭了人剥削人的现象。由此可见第一次五年计划辉煌的成就了!

其四,第二届五年计划:在 1932 年开始实行,至 1937 年完成。第二届五年计划是在第一届五年计划成功基础上顺利展开的。注重积极发展重工业,放弃"普通"的工业化路线,采用社会主义全国重工业化的方针。在四年又三个月内提前完成了工业技术改造,自新的及完全改造过的工厂所生产的工业品于 1937 年已占全部工业品 80%以上。电站、化学工业、黑色金属冶炼业和机器业等,各达到 90%。此时工业电气化基本上已告完成,工业建设纲领完成以后,生产工具的出品增加 2. 2 倍,消费资料生产增加 2. 4 倍。在集体农场方面,1934 年全国农民经济有 3/4 已被结合在集体农场中,它的耕地占全国耕地总面积的 90%。1937 年加入集体农场的,有 1850 万农户,每年交给国家谷物 17 亿普特,较第一届五年计划时增到 15. 4%。又在第二届五年计划完成的时候,确实完成了消灭阶级的任务,这是值得大书特书的!

其五,第三届五年计划:为完成社会主义建设,1938 年提出第三届五年计划(1938—1942 年)。在这次计划中,需用更多的高级专门人才,因此提出"干部决定一切"的口号。第三届五年计划进行到第三年即 1941 年 6 月,因德国背信攻苏,暂告终止,但已达到很大的成功。工业方面进步迅速,农业方面使机械化更加完备与深入。推进技术作物种植的机械化,改良种子施肥土壤等农艺设施,弥漫着广大农村。

依本届计划成果,就大工业总产量观察:1940 年比 1913 年增加 12 倍,比 1937 年增加 50%,谷物生产 3830 万吨,比 1913 年多 1700 万吨,铁路运输增加了六倍。这样,苏联便成为社会主义强大的工业国,世界最进步的农业国。

苏联计划经济使社会主义国家建设了强大的基础。当第二次世界战争发生的时候,苏联的经济国防力量,比第一次世界战争开始前(1913 年),要大 12 倍,在战争最后 3 年,苏联每年平均生产坦克、自动炮车与装甲车 3 万辆,飞机 4 万架,大炮 10 万尊,步枪 300 万支,自动步枪 200 万支,迫击炮 10 万门,炮弹、枪弹、炸弹70余亿发。这样,在五年爱国战争中,社会主义社会制度,终于战胜了资本帝国主义制度,而取得光荣的胜利!

其六,战后新五年计划:1946—1950年为战后新五年计划时期,它的任务首先是解决战后经济复兴问题,加强社会主义生产,加强社会积累以及国民消费的速度。具体规定是:恢复并发展重工业和铁道运输,加速技术改造,增产更丰富的消费品。新五年计划规定了极大的生产纲领和建设纲领,投资总额为3000亿卢布,1950年工业生产容量规定为2050亿卢布,农产品恢复到1940年的水准,工人增加为3350万,拖拉机驾驶员增加为230万人。

1946—1950年的计划,是实行扩大社会主义再生产的计划,这一计划大大提高了国民经济各部门的生产,并增加国民收入,社会积累和生产基金,巩固集体农庄等。而且生产和积累又是与消费互相促进的,这是社会主义扩大再生产的特征。

据本年(1950年)3月9日马林科夫在列宁格勒选民区报告:1949年全部工业总产量超过1940年水准41%,钢铁、煤炭、石油、电力、机器等生产均已超过1950年预定数字。消费品生产倾向,1950年比较1949年产量,毛织品增加2.7倍,棉织品2.2倍,丝织品2.9倍。农业生产在五年计划中曾经创立了242000多个用拖拉机、康拜因农业机器的大集体农场,1940年全国有拖拉机(每部15马力)52万部,康拜因机18万部,1950年拖拉机可增到70万部,这样已超过战前1940年的水准。人民生活水准也继续提高,1950年与1940年比较,工人收入增加24%,农民收入增加30%,国家给付人民的津贴补助金多出两倍。

总括历次五年经济计划来说,可知苏联每一次五年计划都具有确定的目标、科学的计算的和现实前提条件。在执行计划的时候,又能有组织地动员全国的人力和物资去发挥最大的效率,所以他的成功绝不是偶然的,在资本主义国家是绝对办不到的。

其七,共产主义:苏联在1936年已经在基本上实现了社会主义,随后即进入完成社会主义建设阶段。

马克思把社会主义称为共产主义社会的第一阶段或低级阶段,此时共产主义还不能达到经济上的完全成熟,商品市场还被保留,生产品还不能满足全体人民的需要，同时资本主义社会的私有观念，营利观念仍多残余。直到高级的共产主义阶段时经济生产力才足以供应全体人民的需要，任何阶级的区别都归消失。在那里人们的劳动变成一种高尚的乐趣，城市和乡村的对立没有了，体力劳动和智力劳动的差别消失了。在共产主义社会生产力与消费力互相竞争，将是构成社会继续向前进步的动力。“集体财富的一切源泉以洋溢的巨流奔流着。”此时如共产主义在全世界取得胜利，则商品市场可以完全消灭，全部生产品可实行各取所需了。斯大林对于未来共产主义社会的科学概念认为：“（一）没有任何私产，一切工具与生产资料均归公有。（二）没有阶级，也没有国家政权，全人类都是工农业劳动者，经济上的管理者，完全劳动者的自由组合。（三）有计划的国民经济都是建立在工农业的最高技术基础上的。（四）城市与乡村、工业与农业之间的一切矛盾均已完全消灭。（五）一切物品均按照法国老共产党员的‘各尽所能，各取所需’的原则分配。（六）科学与艺术将利用优越条件来达到它们的完满的发展。（七）人们可以不必顾虑自身的衣食而屈服于‘强力的自然界’，他们可以得到真正的自由”①。由此可见，人类真正的历史时代，将随共产主义社会而降临！

第三节　社会主义经济的特征及其卓越性

社会主义经济制度是历史上空前的产物，它是由生产工具与生产资料的社会主义所有制构成的，这一经济制度的社会主义所有制，是由于铲除了资本主义经济制度，废除了生产工具与生产资料私有制，消灭了人对人的剥削制度的结果巩固起来的②。个别分析起来，社会主义国家的苏联国民经济有下列六个特征：

其一，政权属于苏联人民——工人农民、知识分子。地主资本家的政权已被取消了，作为苏维埃社会先进阶级的工人阶级，在实现着国家对于社会的领导。

---

① 《列宁主义问题》，第 80 页。

② 《苏联斯大林宪法》第四条。

其二,从资本家和地主手里剥夺了生产工具和生产资料,并变为社会主义公有。

其三,生产的发展不是服从于自由竞争和保证资本主义的利润,而是服从着有计划的社会主义领导的原则。《苏联宪法》第十一条明白地指出:苏联的经济生活,受国家的国民经济计划所决定的指导,以期增进社会的财富,不断提高劳动群众的物质及文化水准。所以在社会主义国家的苏联,生产的无政府状态是不存在的。

其四,在苏联国民收入的分配,并不是为了剥削阶级及其寄生阶级发财享乐,而是为了增加人民的财富,为了系统的提高劳动群众底物质及文化生活水准,为了扩大城市及农村的社会主义生产,为了巩固苏维埃的真正人民的国家威力。

其五,系统地改善劳动人民的物质状况,不断提高他们的需要,提高他们的购买力等,成为扩大社会主义生产取之不尽,用之不竭的源泉。这就是摆脱生产过剩和失业的最可靠的保证。

其六,社会主义国家苏联的劳动者已经摆脱了剥削,他们不是为地主,不是为资本家做工,而是为了自己,为了自己的国家,这个国家的主人就是劳动人民自己。

社会主义生产关系的基础既然建立在生产资料公有制的上面,所以他就消灭了生产社会化和资本主义私人占有的形式之间的矛盾,消灭了周期的生产过剩危机的矛盾。

苏联经济的特征表现在国民经济效能方面有三大卓越性:

第一,更高的生产力:资本主义造成了在农奴制度下未曾有过的劳动生产力,社会主义所以能够战胜资本主义,就是因为社会主义造成更高的生产力。在苏联,“生产关系是与生产力状况完全适应的,因为生产过程的公共性是由生产资料的公有制所巩固的。因此,苏联的社会主义生产,也就根本不知道什么是周期的生产过剩的危机。……生产力在这里是加速发展着,因为适合于生产力的生产关系,使生产力有这样发展的充分广泛的余地”。①

① 《列宁主义问题》,中文版,第730页。

劳动生产力不断地增长,是经济发展的决定条件。在第一届五年计划期内苏联劳动生产率比 1913 年计提高 40%,第二届五年计划期内提高 8.2%,第三届五年计划上期提高 14.9%。就具体事例说:苏联每一发电厂电力单位和每公里铁路的运载率,要比资本主义发达国家多 3 倍,每辆拖拉机的效率比美国多 5 倍。反之劳动生产力提高的倾向,在资本主义国家是很迂缓的,而且是有间歇性的,即景气时期劳动生产力上升,恐慌时期下降,可是在苏联,因为没有恐慌,所以劳动生产力有升无降,因此社会积累增加也比较迅速。

十月革命以来,社会主义经济制度与资本主义经济制度互相竞赛,结果是社会主义制度胜利了。在近 32 年间社会主义的苏联国民经济突飞猛进:如以 1940 年和 1913 年比较,大工业生产品增加了 12 倍,欧洲资本主义各国在同期不过增加了 20%—30%,现在苏联经济已跃进到欧洲第一位和世界第二位,若按照工业和农业的生产技术,按照工业先进的技术准备说,苏联已赶上了一切资本主义国家并跃进而居世界第一位。

第二,重工业飞跃性:依照资本主义经济发展规律看,欧美各大国工业建设,大都是长期停滞在轻工业阶段上,如英国在工业发展过程中,轻工业占优势时间约达 100 年(英国轻工业对重工业比例:1851 年为 4.7∶1,1871 年为 3.9∶1,1901 年为 1.7∶1,1924 年为 1.5∶1)。美国工业发展过程中,轻工业优势阶段经过 70 年(美国轻工业对重工业比例:1850 年为 2.4∶1,1860 年为 1.8∶1,1900 年为 1.2∶1)。直到 1914 年重工业才达到优势(0.9∶1)。德国轻工业优势计延长 30 年(德国轻工业对重工业比例:1895 年 2.3∶1,1907 年 1.5∶1,1925 年 1.1∶1)。法国轻工业优势延长 60 年(法国轻工业对重工业比例:1861—1865 年 4.5∶1,1896 年 2.3∶1,1921 年 1.5∶1)。但苏联轻工业对重工业的比例,其变化是飞跃的(1928 年 1.2∶1,1935 年 0.8∶1),在短短 7 年之间,便由轻工业优势转变到重工业的优势①。

第三,高度的国防性:苏联社会主义经济被证明具有高度的国防性,在第二次世界大战期间动员作战时候,苏联国民经济由平时经济转到战时生产是非常迅速的。当时国民经济各部门按照政府计划指示,立即从事军需生产,经

① 科夫列夫教授:《苏联国家工业化之苏维埃方法及农业集体化》。

济动员所需的时间要比美英两国缩短6倍至8倍。这完全证明社会主义经济与国防密切结合的优点，具有不可战胜的卓越性，而且在战争结束后，战后经济复原的情形，也比资本主义国家的转变得更容易更迅速！

综上三点可见，社会主义经济的卓越性是彰明较著不可动摇的了。这都是资本主义望尘莫及的！同时苏联在社会主义革命过程中，更将某些国内经济落后的民族提高到了社会主义的阶段。这是人类历史上光辉的业绩。并且证实了下面的真理：即在一个广大国家范围内，社会发展是按着全社会的经济发展条件联系地向前进行的，而不是按着某一民族的经济条件孤立地发展的，某一民族的经济发展，须与全社会的经济条件联结起来才有可能。这便是说明落后民族跳跃的进步，乃是以整个社会进步为前提的，由是可知某一落后民族的发展基本上是顺从整个社会发展规律的。

第四节　社会主义的国家与意识形态

首先，国家：社会主义苏联的国家制度比较资本主义制度具有巨大的卓越性，社会主义国家是社会进步最伟大的发动机，它这进步作用，是建立在苏维埃制度之上，是建立在广泛的人民积极拥护的，真正的民主基础上面，所以它能为生产力、技术、科学和文化开辟无限广阔的境地。社会主义国家制度如同他的经济组织一样，有种种优良的传统：

（1）民族平等：社会主义国家的苏联消灭了民族压迫，肯定一切民族和一切种族完全平等，就是承认一切民族和种族不论大小强弱，在一切经济的、社会的、国家的、文化的生活范围内，享有同等的权利。每个苏维埃民族都完全自由地创造自己的生活，同时又是构成苏联的不可分割的组成部分。

（2）工农团结：社会主义国家的苏联社会是完全由劳动者的工农与工农队伍出身的知识分子所组成的。其中96%以上的劳动者均在社会主义事业即国家企业及机关或合作社与集体农场的企业里从事工作。所以可以说：社会主义国家的苏联是互相友好的工农组成的。工人与农民在社会主义革命和建设中，曾经共同作战，共同工作，战胜资产阶级和地主富农。在各种基本利害上，他们是完全一致的，目的也是完全相同的，他们和睦友好，团结在共产党

和政府周围，形成苏联人民政治意识的统一，这是苏联国力充沛的强大基础。

(3)社会主义民主——名实相符的民主：社会主义的苏联实现了彻底的社会主义的民主主义，斯大林宪法赋予公民伟大的权利和自由。完全实现了普遍、平等、直接、秘密投票的选举权，一切公民不论民族、种族、性别的平等权。苏联公民保证着劳动权、休息权、教育权及年老或疾病或失去工作力时的物质保障的权利。苏维埃公民的权利，不是简单的一纸宣言就算了事，它以社会主义社会底全部物质条件保障着苏联的基本法，保障着全体劳动者——为着巩固社会主义制度的利益——底言论、出版、集会、结社的自由，个人居室之神圣不可侵犯、通信秘密等。

社会主义苏联自建国到现在32年来，表现了历史上空前未有的强大威力和克服困难的卓越性。在帝国主义武装干涉和内战时期，在1921年窝瓦河流域严重旱灾的时期，苏维埃国家均凭自己的力量把经济恢复并强盛起来。在斯大林五年计划时间，经过很短时间，迅速地把落后的农业国变为工业国。在第二次世界大战期内，由于社会主义国家的卓越性，战退了敌人，得到了光荣的、完全的胜利。这样，可知社会主义苏维埃制度在和平时期，是建设国家经济政治文化的良好楷模，在战争时期，是御侮卫国的强大力量。再则今日社会主义国家的苏联，已成为全世界人民一切民主和进步的革命运动的吸引力，世界加紧地在共产主义和资本主义之间划分了，苏联的社会主义革命与建国的丰富经验，正为其他国家革命运动所取法，在争取社会主义的伟大斗争中造成不断的新的革命高涨，由此可见，社会主义苏联的伟大胜利，同时也就是全世界劳动人民的胜利！

其次，国家衰亡问题：依据马列主义的思想，国家是阶级统治的工具，过去社会存在过的国家，都是少数人阶级统治多数人阶级的工具，资产阶级的国家更是变本加厉的寡头统治。反之，社会主义国家乃多数人阶级统治少数人阶级的合理的新式国家。此种新式国家，恩格斯称之为“公社”，列宁称之为“过渡的国家”，认为这是“半国家”性质，即国家衰亡过程的开端。由此到共产社会时代，国家便自行衰亡(absterben)。

但是国家衰亡是一个迂缓的过程，必须经济基础与各尽所能各取所需完全适应；必须国家真正成为整个社会的代表；必须由人的统治转变到物的管理的时候，国家才会失其存在。这是马列主义对于国家自行衰亡的基本原理。

但同时应注意：在社会主义于一个国家首先胜利的条件下，国家的存在问题，是更与国际环境有关的，所以今日苏联虽然已是完全新的社会主义国家，向共产主义迈进着，当他达到共产主义时期，“如果资本主义包围在那时还未被消灭，如果武装侵犯危险在那时还未被铲除”，苏联的国家是会被保存着的。“如果资本主义包围在那时已被消灭，如果它在那时已由社会主义包围所代替”，那么，国家不会被保存着而会衰亡下去（斯大林在联共党第十八次大会报告）。这是斯大林从马克思主义的实质与苏联社会主义国家的经验，发展了马克思主义关于社会主义国家的发展的学说所作的正确说明。

依据这个新的正确的说明，可知今天苏联的国家机构还在资本主义包围之下仍有其存在的必要；只有在资本主义包围消灭之后，在各大资本主义国家的劳动人民推翻了资本主义之后，即共产主义在世界范围内完全胜利的时候，国家才会衰亡。

最后，意识形态：“社会主义的建设，要求大众的创造性。劳动大众在社会主义建设过程中的独立的活动与创造性，在提高大众的文化水准上尽着决定的义务。”①马克思主义证明在社会主义时代没有到临之前，历史发展最显著的特征是它的自发性。到了资本主义时代，资本主义发展愈高，其盲目混乱愈厉害，所以社会发展的自发性，便达到了最高的限度，完全超出资产阶级控制之外，因而形成昏聩颠倒、黑漆一团的资产阶级意识。资本主义社会的自发的意识，到了社会主义社会，才发生一个重大的变革，关于这个变革，远在百年前科学社会主义的创造者说过下面的话：“共产主义之有别于以前一切社会活动者，因其转变系在所有以前的生产关系及相互关系的基础上完成着。”②因此，只有马列主义才从资产阶级社会关系上揭去它的秘密性和偶像崇拜的外壳，同时把握着人类活动的规律推进历史向前迈进。

社会主义国家的苏联在进行经济文化建设计划的过程中，在教育人民的同时，又向人民学习的密切联系中，确实把握了社会发展的规律，发扬了社会

---

① 李达：《社会学大纲》，第五篇“社会的意识形态”。

② 《马克思恩格斯文集》卷四。

主义意识形态的科学的作用。

社会主义意识包括社会心理和观念形态，前者是指感觉、心情、习惯、嗜好、性质的一定特点、意志的方向等。这些是在社会主义生产关系基础上构成的，与资产阶级，小资产阶级的个人主义的私有制度心理完全不同。社会主义的苏联在城市及乡村改变了群众的物质生活条件，因此在人民的意识中，完成了深刻的转变，改变了旧的资产阶级的及小资产阶级的意识，产生了社会主义的新的意识。人民群众意识的转变首先表现在政治意识方面，资产阶级国家统治的推翻，无产阶级政权的建立等观念是最先完成了。马列主义思想和世界观就是社会主义意识的、综摄的高度形态，在这个高度的形态基础上发展为：苏维埃科学的、政治的、法律的、道德的、文艺的意识。其中如民族平等，互助和友爱思想，新民主制度思想，社会主义民主制度思想，热爱社会主义祖国的新爱国主义和阶级友爱的国际主义等，这一切都是社会主义的新力量，对于社会主义社会的建设，显出了重大的作用。

社会发展的自发性，到了社会主义时代——即新的生产力，新社会物质基础将届成熟的时代，前进的革命阶级的自觉意识作用逐渐加强，“它们反映社会物质生活发展需要愈准确，则它们所显示的意义就愈重大”。① 因而辅导解决新的历史任务，促成新社会的实现。

在我们这个时代中首先出现的，代表劳动阶级意识的科学社会主义便是马列主义。在资本主义制度之下，马列主义是无产阶级革命斗争的旗帜，摧毁资本主义的爆炸力量。在社会主义制度之下，它不仅是指导劳动人民继续与旧制度残余进行斗争，而且是指示建设新社会的指南针，只有依据马恩列斯的理论，去分析阶级力量，了解政治与经济的相互关系，才能实现国家的技术、经济、社会及文化改造的伟大计划。

社会主义的法律，是基于社会经济关系做成的。过去法律是统治阶级意志的表现；反之，社会主义的法律，是基于新的经济关系产生的，充分表现劳动阶级的意志。它是人民的法律，因为在它的各种法规内部，实际保证人民的主权，人民在政治和经济上的权利以及人身上和财产上的权益。所以它是最高

---

① 斯大林：《列宁主义问题》。

类型的法律。斯大林宪法是社会主义国家的基本大法，包含公民全部法律意识，每个公民必须遵守苏维埃社会主义共和国联盟的宪法，遵守劳动纪律，遵守社会职责，尊敬社会主义共同生活的规则，每个苏联公民必须注意保护和巩固公共的社会主义的财产，这是社会主义制度神圣不可侵犯的基础，同时保卫祖国是苏联每个劳动者的神圣的职责①。

马列主义创造了科学的道德理论，同时否定了资产阶级的道德，并且给新的社会主义道德奠定了理论的基础。苏联十月革命以来，大大加速了人民道德上发展的过程，在走向社会主义的过程中，实现了人民道德发展上本质的飞跃。

在社会主义社会建立了人民的新道德，这种新的社会主义的道德，是端正社会主义国家公民间相处的态度和他们对于国际社会、祖国、家庭的态度，提高他们尊敬劳动牺牲互助的自觉性，使遵守社会主义共同生活的规律成为自然的习惯，渐渐定型为一种新道德，和新人道主义。如：1947 年废除死刑，对于没有劳动能力的公民：老病残废孤独无养的人，均由国家予以年金及津贴，便是新人道主义的具体表现。这与资本主义制度下的庸俗的个人主义，自由主义，残忍的利己主义以剥削他人、凌越他人为目的的行径完全相反，这不仅表现在社会主义国家人民的一切关系上，而且渗透着无产阶级的国际主义和政治的一致，这是社会主义胜利的伟大收获。

社会主义国家的科学作用，与资本主义国家的科学作用不同，后者利用科学为剥削与奴役人民的工具，为对外侵略的工具。社会主义国家科学的作用，则在为劳动人民与国家服务。关于这，伟大的革命导师列宁曾先见地说：“以前整个人类智力，整个它的天才创造着，只为的是把所有技术及文化资料给予一部分人，而对于另一部分人却剥夺其最必需的教育与发展。现在一切技术奇迹，一切文化成果，都成为人民共有的资产，并且从今以后，人类智力及天才，再也不会成为暴力的手段和剥削的手段。我们是深知此事的，而为了这种最伟大的任务难道不值得工作，不值得献出一切的力量吗？劳动者自会完成

① 《苏联宪法》，第 130—133 条。

这种巨大的工作,因为他们具有革命、复兴和更新的、潜伏的、伟大的力量。”①社会主义国家的科学,史无前例的飞速的发展,完全证实了列宁上述的名言。32年来科学在积极奖励之下,产生了成千万的新科学家,发明家和合理化倡议人,像生物学界的米丘林,他的学说应用到农业与牧畜(米丘林派贡献冬时种子转为春季种植的方法),每年增产数千万普特的农作物,把苏联农业,把世界生物学推进到了新阶段。同时,在自然科学与社会科学领域内,也产生了许多优秀的科学家。

社会主义的文化教育,是基于马列主义与社会主义的世界观而发展着。它接近全体人民,所以已经不是私人事业,而是成为国家事业的一部分。资本主义国家的文教设施,伪善地被资产阶级的思想所掩盖,致为资产阶级的政治所利用。社会主义的文教,则自觉地为劳动人民服务,充满了胜利信心的乐观精神,继续与落后的资本主义意识残余做坚决的斗争。

第五节　新民主主义社会

一、新民主主义革命的本质及其发展

新民主主义社会,是从半封建半殖民地社会到社会主义的过渡。它是通过新民主主义革命而实现的。在认识这一过渡社会之前,首先应该了解新民主主义革命的本质。

一般说来,新民主主义革命是帝国主义时代——无产阶级革命时代,落后国家的资产阶级民主主义革命。因为在半封建半殖民地社会里,基本上存在着两大矛盾:一是半封建势力与民主势力的阶级矛盾,一是半殖民地民族与帝国主义国家的民族矛盾。由于帝国主义与封建残余是互相联系着,所以这两大矛盾不过是一个问题的两面。正因如此,殖民地半殖民地的民族解放运动(打倒帝国主义)和民主运动(铲除封建残余)必然要汇合为一股巨流,爆发为一种反帝反封建的资产阶级民主革命。但是这种革命,到了第一次帝国主义世界大战和俄国十月革命以后,就起了变化。在这以前,它是旧民主主义革

① 《列宁文集》卷22。

命，在这以后，就“属于新的范畴”，而成为新民主主义革命了。

新民主主义革命有哪些特性呢？第一，这一革命的领导者，既不是投靠帝国主义的买办资产阶级，也不是具有二重性的民族资产阶级，而是有远见、有决心，敢于把革命进行到底的无产阶级。第二，这一革命的基本任务，除了反封建外，更重要的，要把国际垄断资本的控制势力，清除出国土以外，因而，革命的积极任务，是要建立以无产阶级为领导的人民民主政权。第三，“这一革命的对象不是一般的资产阶级”，而是“民族压迫和封建压迫”。① 换句话说，就是反帝反封建反独占。第四，旧时代的各国民主主义革命，“是属于旧的资产阶级民主主义革命的一部分”，而今天半封建半殖民地各国的新民主主义革命，“却改变为属于新的资产阶级民主主义革命的范畴，而在革命的阵线说来，则是属于社会主义革命的一部分了”。②

由此可见，伟大的十月革命标志着新民主主义革命的开始；同时，也正如斯大林所指出的：“十月革命是世界革命的前提和开端”。它扩大了民族问题的范畴，它把东方和西方被压迫民族的解放事业吸收到胜利的反帝国主义的共同轨道上来。它在社会主义的西方和被奴役的东方之间，建筑了一条新的反对帝国主义的阵线。只有在这样世界革命的意义上，新民主主义革命才能保证迅速的胜利和完成。

如果说十月革命创造了新民主主义革命的历史根据，那么，第二次世界大战就使新民主主义社会获得了现实条件。

首先，在这次全世界人民民主力量反法西斯的战争中，一般被压迫劳动人民普遍的觉醒和抬头。他们从反法西斯野兽的残酷斗争中，锻炼出对付国内外一切反动势力的战斗力，这种觉醒和战斗力的强大，就成了实现新民主主义的一个条件。

其次，在第二次世界大战中，在殖民地半殖民地反帝反封建反独占的革命过程中，各国共产党领导着国内的统一战线，保证了国内劳动人民的觉醒和坚强，因而自己变得空前强大了。同时，在人民中的威信，也无比地提高了，这也

① 《论联合政府》。

② 《新民主主义论》。

成为东南欧和中国新民主主义胜利的重要保障。

再次，社会主义苏联是全世界反法西斯侵略战争胜利的决定因素，战后，苏联国力更加强大，国际地位和在全世界的政治威信，大大提高，这就使它能够直接或间接地援助被压迫民族的解放运动，从而保证了各国新民主主义革命的节节胜利。

最后，在第二次世界大战中，打倒了德、意、日三个帝国主义大国，削弱了英法两个帝国主义大国，剩下一个美帝也在内部矛盾百出中，日益动摇起来。这些帝国主义的反动统治，不止根本腐朽，而且完全失去了人民的信任，这又提供了新民主主义胜利以一个有利的条件。

这样，使得世界资本主义总危机日见加深和扩大；同时也使新民主主义社会由可能变成了现实。

中国资产阶级民主革命，从鸦片战争以来，前后经过一百多年，但是从1919年的五四运动以来（亦即俄国十月革命以后），却又属于新民主主义革命了。在五四运动以后，中国资产阶级民主革命的政治指导者，主要的已经不是属于中国资产阶级一个阶级，而有中国无产阶级参加进去了。这时中国无产阶级，由于自己的长成，与俄国革命的影响，已经迅速地变成了一个觉悟了的独立的政治力量。30年来，中国人民团结在中国无产阶级及其政党中国共产党的周围，坚决地进行了五四运动、五卅运动、北伐战争、土地革命、抗日战争，以及最近三年来的人民解放战争，走过了迂回曲折的道路，牺牲了无数优秀的儿女，克服了多少艰难险阻，终于击败了内外的强大敌人，获得了全国规模的革命胜利，中国已由半封建半殖民地的社会进到新民主主义社会。中国人民站起来了。

中国人民革命所以能有这一系列的伟大胜利，并不是偶然的。毛泽东同志昭告我们，这一革命胜利的基本因素，由于我们“有一个有纪律的有马、恩、列、斯的理论武装的采取自我批评方法的联系人民群众的党，一个由这样的党领导的军队。一个由这样的党领导的各革命阶层各革命派别的统一战线”。① 当然，苏联的援助，也是一个有力的因素。

① 《论人民民主专政》。

在第二次世界大战中，东南欧的波兰、罗马尼亚、匈牙利捷克、保加利亚、南斯拉夫等国，由于苏联红军的英勇善战，与它们国内游击队的配合，很快地从希特勒匪徒的魔掌中解放出来，分别产生了新民主国家，走上新民主主义社会。只有南斯拉夫因为铁托集团的叛变革命，把南国人民重新投到帝国主义的铁蹄下了。在东南亚各地方，如越南、印尼、马来亚、朝鲜诸国，均已展开如火如荼的民族解放运动。尽管帝国主义者仍在加紧压迫，加紧摧残这些地区的革命，但是因为中国人民革命的胜利，更鼓舞了他们反帝反封建的决心，最后胜利一定属于人民大众的。

二、人民民主专政——新民主主义国家形式

“一切革命的基本问题，是政权问题。”随着新民主主义革命的胜利，反动政权的被推翻，必然要产生一种新的政权。列宁说：“革命的结局，决定于无产阶级起什么作用。起资产阶级助手的作用……还是起人民革命的领导者的作用。”既然新民主主义革命是由无产阶级领导的，那么，革命的政权形式，绝不会是资产阶级专政的共和国，但同时也不会是无产阶级专政的社会主义共和国。唯一的只能是“几个反对帝国主义的阶级联合起来的共同专政的新民主主义共和国”。[①] 这就是一切革命的殖民地半殖民地国家的形式。

中国人民在打垮了蒋介石匪帮22年的血腥统治政权后，首先在工人阶级及中国共产党的领导下，召开了象征全国人民大团结的“人民政协”，由此制定了《共同纲领》，组织自己的国家，选举自己的政府。1949年10月1日，中华人民共和国宣告成立，中央人民政府也同时产生，实行了“人民民主专政”。

人民是指工人阶级、农民阶级、小资产阶级、民族资产阶级，以及从反动派阶级觉悟过来的某些爱国民主分子。政府对于这些阶级，实行民主制度，给予言论、集会、结社的自由权。但是对于地主阶级、官僚资产阶级以及代表这些阶级的国民党反动派及其帮凶们则实行专政，实行独裁。这些人在改造成为新人以前，“不属人民范围，但仍然是中国的一个国民。暂时不给他们享受人民的权利，却需要他们遵守国民的义务”（周恩来语）。这样，“对人民内部的

① 《新民主主义论》。

民主方面,和对反动派的专政方面,互相结合起来,就是人民民主专政"(毛泽东语)。

以上说明我们的国家属性,即国体问题。以下再说到政府的组织原则,即政体问题。《共同纲领》第十条规定:"各级政权机关一律实行民主集中制。"毛泽东同志说得好:"民主集中制——他是民主的又是集中的,就是说,在民主基础上的集中,在集中指导下的民主。"它的具体表现是人民代表大会制的政府。即各级人民代表大会和各级人民政府,是人民行使国家政权的机关。各级人民代表大会由人民用普选方法产生之。在普选的全国人民代表大会召开以前,由人民政协代行其职权,选出中央人民政府,行使国家的最高政权。现在许多省市县的人民政府,已经各该地的人民代表会议选出。这是中国人民有史以来第一次享受到的真正民主。

我们的民主集中制,绝不同于旧民主主义时代的三权分立制。因为"旧民主主义的议会制度,是资产阶级中当权的一部分人容许另一部分的少数人,所谓反对派,在会议讲台上去说空话,而当权者则紧握着政务柄权,干有利于本身统治的工作。这是剥削阶级在广大人民面前玩弄手段,分取赃物,干出来一种骗人的民主制度。司法名义上是独立,实质上同样是为当权的阶级服务的。我们不要这一套。我们的制度是议行合一的,是一切权力集中于人民代表大会的政府"(董必武)。我们有人民的司法制度,也有人民监察制度,它们不是互相牵制的,而是在民主集中制下有机地联系着。

由此可知,"人民民主专政"和"民主集中制"的主要作用,在于强化人民的国家机器,这里包括了人民的军队、警察、法庭和其他的强制机关,借以保护国防和保护人民利益,进而保证新民主主义社会进到社会主义社会与共产主义社会。

东南欧各民主国家的形式,基本上与中国相同,不过,由于这些国家的经济条件比中国不同,因而它们的国家,是掌握在以工人为领导的工、农、知识分子的联盟手里。波兰的民主联盟,捷克的国民阵线,罗马尼亚的人民民主阵线,保加利亚的祖国阵线,匈牙利的民族统一阵线,都是这一联盟的组织形式。人民阵线产生于反法西斯的民族解放战争时期,组成分子极其复杂,组织既不严密,纪律也不严格。当法西斯势力已被打倒而民主改革逐渐深入时,那些右翼分子就对民主改革采取怠工、敌视的态度，甚至勾结外国帝国主义，阴谋举行政变，但是劳动人民及时地把他们清洗出去，因而更加巩固了人民政权。关于东南欧各民主国家的本质，季米特洛夫屡次指出是无产阶级专政的一种形式。在共产党（工人党）领导之下，团结着城市和乡村的劳动人民，进行各种社会的经济的政治的改革，俾得从资本主义过渡到社会主义。

三、新民主主义经济的构成及其特征

新民主主义经济的构成，因各新民主国家的历史条件不同，在程度上互有差别。在中国，依照《共同纲领》第 26 条至第 31 条规定，我们的经济构成有（1）国营经济，（2）合作经济，（3）农民和手工业者的个体经济，（4）私人资本主义经济，（5）国家资本主义经济，一共 5 种，现在简单的说明于后：

国营经济是社会主义性质的经济。主要是没收四大家族的官僚资本而来的。它的具体内容，是有关国家经济命脉和足以操纵国民生计的事业，譬如国有化的大银行、大工业、大商业，以及私人不能举办的产业，如矿山、铁路、航运、水利等。它的特点是主要的生产手段为国家所有，这里没有劳资对立的剥削关系，所以它是社会主义的。这在整个国家经济中占居领导的地位。

合作经济是半社会主义性质的经济，是整个国家经济中的一个重要组成部分。它的主要任务，是把独立的或个体的小生产者，组织到合作社里去。这种合作社不同于资本主义的，因为后者还有剥削的存在，譬如少数富有社员对大多数社员的剥削，商人的中间剥削，以及资本家利用利息形式榨取剩余生产物等。但也不同于社会主义的合作社，因为那里生产手段和出产品乃是社会主义国家的财产。新民主主义的合作社，基本上“是建立在个体经济基础上（私有财产基础）的集体劳动”，“生产工具根本没有变化，生产的成果也不是归公而是归私的”（毛泽东）。它的发展步骤，首先是生产小组的形式（如扎工、变工），以后将是合作经济的形式（生产合作社），最后是生产合作工厂的形式。

个体经济是指独立的小商品生产经济而言。特别是在农业经济方面，将来全国土改彻底完成后，一定要出现千百万个体的小农生产者，他们大体上是以满足自己生活需要，而不是以利润为目的，因此，一般地说，他们并不以剥削他人劳动为基础。

私人工商业的经济，只要是有利于国计民生者，均在保护之列。这种经济的特点是生产手段私有制，以榨取剩余劳动为基础，自然，剥削关系仍旧存在，不过因为“中国现代工业……只占全国国民经济总生产量的百分之十左右”，所以不得不尽可能的，在一定条件下，去利用那些城乡资本主义因素。

国家资本主义经济是国家资本与私人资本合作的经济。它的种类可能有以下四种：(1)共有国营（参加商股的国营事业），(2)共有共营（公私合营），(3)共有私营（国家监督下的私人经济），(4)国有私营（租让制度）。这种经济的性质，从国家可以操纵产业公司大权这一点看来，好多人认为它是半国有经济的性质。

从以上的经济构成，可以看出新民主主义经济的特征：第一，它有可能实施计划经济去代替资本主义的市场法则。尽管在初期建设时，由于有大量的私人资本主义和小商品生产者，因而盲目的市场法则，还可发生一定作用，可是由于国营经济是领导成分，而且由于人民政权的合理调剂，那么，私有经济将处于辅助地位，市场法则必然会被计划经济所克服。第二，人民政权固然保障私人资本的合法利润，但同时也限制其过度的剥削，防止其否定独立小生产者的积累法则底活跃。把资本主义的积累法则，转用于提高劳动大众生活水准的方向去。第三，资本主义由于生产社会性和生产手段私有制的矛盾，不可避免地要发生周期性的危机，因而它的发展是曲线式的。在新民主主义社会里，这一矛盾势将大大削弱，生产无政府状态也将逐渐消失，经济危机很少可能爆发，所以它的发展路线，基本上是直线的，而非曲线的。第四个特征是从上面而来的。因为要想进行计划经济，提高国民收入，消除曲线发展的危机不是容易办到的。相反，还要经过坚强持久的斗争，要在自觉的斗争中求发展，这表现在政治上的斗争，就是人民国家对于资产阶级的各种有害企图，行为及倾向（如怠工、投机、捣乱市场、破坏金融等的斗争）。在经济上是计划经济跟无政府性的斗争，在文化思想上是无产阶级的大公无私跟资产阶级自私自利的倾向而斗争。没有这样的主要斗争形式，就不能保证新民主主义的胜利建设。

末了，对于新民主主义经济的范畴，简要地说明一下：第一，是不是资本主义的范畴？从它的构成有私人资本个体经济的存在看，似乎是资本主义的。但是资本主义，正如马克思所指出的："是以生产者自己劳动为基础的私有财产的解体"为特点的。而在新民主主义社会里，农民和手工业者的个体经济，将广泛发展，他们的生产手段不会再被剥削，而且受到保障的。至于个体经济，虽然列宁说："每日每时地，自发地大批产生着资本主义和资产阶级的"，然而在人民政权的领导之下，将要有计划的采用合作办法，逐渐地把它们引向集体经济去。第二，是不是社会主义的范畴？国营经济固然是社会主义性的，并且是领导的成分。可是由于一定长时期里，允许资本主义的发展，亦即剥削关系仍旧维持，这就很好地说明，新民主主义经济是与社会主义经济有区别的。由此可见新民主主义经济是资本主义的，同时又非资本主义的。是社会主义的，同时又非社会主义的。归结起来说：它是一个过渡的形式。在过渡期间，"新民主主义不是两个不同社会秩序的静止的共存，而是一种驱逐并逐渐消灭资本主义因素的形式"（贝鲁特——波兰工人党领袖）。既替资本主义扫清了道路，又替社会主义创造了前提。

东南欧各民主国家的经济发展水平，战前一般都要高于中国，而半殖民地半封建性质，却都要低于中国，因此它们的经济构成，就和中国的新民主主义经济有很大的不同。就国家经济说，它们的银行和大工业已全部国有化了。就个体的农村经济说，已经很快地走上了合作化（集体化的初级形态）和集体化的道路。所以合作经济在这些国家内已成为一种独立的经济成分。再就私人资本主义经济说，在这些国家内，这一成分已处于被限制和被排挤的阶段。而在中国，一般地说，还要加以多方的保护和鼓励，并使之"获得广大发展的便利"。所有这些差异，根据于不同的历史条件。但是应当知道的，中国新民主主义的发展，将会达到他们的水准，并且向着社会主义迈进的。

四、新民主主义的建设

新民主主义建设，是新民主主义革命胜利后的首要任务。它要替农业国进到工业国，新民主主义社会进到社会主义社会，准备了物质基础。

我们中国基本上已经全部解放了，"严重的经济建设任务摆在我们面前"，因此，经济建设就成了当前压倒一切的中心工作。但是我们的国家经历

了多年的战争，和蒋匪帮的野蛮压榨，社会经济，凋零已极。这就决定了我们经建工作的方向，不是“百废俱举”，而是“重点恢复”。

我们的恢复重点，首先放在重工业方面。在大陆上军事行动停止不到半年时光，在煤、铁工矿各部门，已经有了显著的进步。华北是煤藏的中心，从北起晋绥，南至豫北的广大地区内，由国家直接开采经营的，计有大同、井陉、阳泉、潞安、焦作等6大矿区，21个矿井，职工两万多人。1949年产煤240余万吨，超过原计划4.89%，比1948年增加150%多。今年预期产量可占全华北产煤总额1/3。东北国营各煤矿总产额虽不得而知，但是那里在管理方面有了很大的改革。就个别的鹤岗煤矿说，由于集中使用机械和人力的生产管理，最近三个月中，增产60%，采掘工人反而节省了17.7%（3月7日《北京人民日报》）。

就钢铁方面说，产量也在增加，同时因为技术的改进，成本在逐渐降低。譬如石景山钢铁厂改用新式的炼焦炉后，创造了一昼夜推出60炉焦的新纪录，月可降低成本两万多斤小米。其他钢铁厂也在着手改善中。

最近重工业部和各有关部门签订的本年重工业产品订货单，总值人民币1.7万亿元，约合小米72万公吨，等于1946年进口机器和工具价值的3.5倍，等于同年出口茶叶价格的2倍。这不过是全国钢铁、电机和化工品的一部分罢了。

在交通方面，铁路成绩最为卓著。1949年修复干支线共约1500余公里，所有全国铁路干线都已修复，现在铁路数多于战前的30%。今年第一季度胜利完成运输计划，全国铁路经营获得盈余，完全改变了过去需要国家贴补的现象。

就地区而论，解放较早的东北，经济建设更是突飞猛进，据高岗同志的报告，1949年仅公营工业生产总值超过原计划的4.2%，今年总值将要高于去年的93%①。工业在全部经济体系中的比重将增至43%。并且今后经济建设是朝着计划方向走，而促进和加强计划性最好的办法是推广合同制。现在东北

① 应为“43%”。——编者注

财政收支已经平衡。“今年以来,东北银行没有发行一张货币”①。物价相当稳定,职工实际工资平均提高 27%。从这些数字中,可以看出东北在全国国民经济地位中的重要性。

和经济建设有密切关联的另一工作,是土地改革,因为这是“发展生产力和国家工业化的必要条件”②。除过老区的土改工作早已完成外,现在华北新区仅绥远只实行减租,其他山西、河北、察哈尔、平原等四省约 1000 余万人口,35500 余村庄,已完成土改的占上数 76%,广大农民翻身了,热烈地投入大生产运动。东北新区,包括长、沈两市市郊,辽西、吉林、热河各省,人口约 700 余万,土地约 3000 余万亩,土改工作全部完成,为大生产运动打下有利的基础。中南区豫、鄂、湘、赣四省迄 3 月底止,已有 4300 万以上人口的地区,进行了减租工作。农民得到的退粮,大概在 2 亿 8000 万斤以上,这样,贫农春荒期的食粮,春耕生产资料大致解决。总之,现在全国已有 1 亿 5000 万人口,和六亿亩土地完成土改。去年粮食生产约略接近日本投降后的常年产量,今年预计要增产 504 万吨,这个数字还比战前低 8.7%,当然,亟待我们的大力生产。

关于财经工作,自从 3 月初开始实行财经统一办法后,1950 年国家收支接近平衡,据陈云同志报告,3 月底公粮入库数和公债实收数各为 70%,赤字已较 1950 年财政概算缩小了 2/5。因此,从 3 月以来,全国各地物价普跌,逐渐趋于稳定。12 年来,人民震撼于物价的暴跳,生活备感困苦,现在可以松口气了。

在短短的期间,经建工作所以能有这样初步的成就,一方面是政府的措施正确;另一方面,也是在中国共产党领导之下,工人阶级,农民阶级,以及一切爱国人民有了高度自觉,认识到国家是自己的,我们有责任把它搞好,所以能够突破美蒋的封锁,大力生产,战胜灾荒。在旧中国的废墟上,建立起新民主主义经济的基础。让幸灾乐祸的内外反动派们,在我们面前发抖吧!

“随着经济建设高潮的到来,不可避免地将要出现一个文化建设的高潮。”因为经济建设是文化建设的物质基础,只有在经济建设高潮基础上的文

---

① 1950 年 4 月 7 日《人民日报》。

② 《共同纲领》二十七条。

化建设高潮才是真正的,有力量的,才能够持久的。为了胜利地进行全面建设,全国工人、农民、人民解放军和其他劳动者的文化程度必须迅速提高;必须广泛的展开民族的、科学的、大众的文化教育,肃清封建的、买办的、法西斯主义的思想,并提高为人民服务的思想,培养新民主主义建设的干部。

现在,全国大学和专科学校约 200 所,学生不超过 15 万人;中等学校约 5000 所,学生约 150 万人;小学约 30 万所,学生约 2000 余万人。这些学校,数量不多,真正的工农子弟极其少。内容、方法、制度基本上不能适应新国家的需要。目前和以后若干年内,各级学校需要向工农劳动人民开门,培养新型的知识分子。实行教育与生产结合,培养大批建设人才。此外要加强对青年学生与旧知识分子的革命政治教育,坚决地和有计划有步骤的改革旧教育。在建设和发展新教育方面,首先,创办中国人民大学,运用苏联各项建设经验,吸收工农和进步知识青年,培养大批新的建设干部。其次普遍举办工农速成中学,吸收工农干部和工农青年,给以中等文化科学知识,使其继续深造,担任艰巨的建设任务。再次,普遍进行工农团体中的业余补习教育给以初等和中等的文化教育。最后,进行工、农、兵和小市民的成人识字教育,以期在若干年内,扫除文盲。现在,中国人民大学已经成立,学生 1600 多人,北京、武汉、东北各地均已办理工农速成中学若干所,在很多地区扫除文盲的工作,也在大力展开。这是新中国文化教育的发轫,同时也是中国文化教育上的重大转变。

争取亿万人签名

（1950.7）

为响应世界拥护和平大会签名拥护世界和平的号召，中国一切的机关、部队、党派和团体，应立即全部实行和平签名，并深入农村和城市，对尚未组织的人民，进行爱国主义与国际主义的教育，劝导他们参加，争取亿万人签名拥护世界持久和平的数字。

（原载1950年7月3日《人民日报》，署名李达）

为保卫远东安全与世界和平而奋斗！

——反对美帝国主义侵略台湾和朝鲜

（1950.7）

以中国为首的亚洲殖民地——朝鲜、越南、缅甸、马来亚、印尼，乃至日本菲律宾的人民，都如火如荼地展开着反帝国主义的斗争了，民族独立和自由的旗帜已经到处树立起来了。这种情势，对于以美国为首的帝国主义侵略阵线，显然是一个最大的威胁。帝国主义者们是以剥削殖民地人民的膏血来苟延残喘的。现在亚洲可供他们剥削的殖民地都将要失去了，可供它们奴役的殖民地人民都拒绝奴役了，它们的残喘也将不能苟延了，特别是美帝国主义者的世界霸权也岌岌可危了。

美帝国主义者企图延续对于全世界的血腥统治起见，不得不于准备欧洲第一战场之外，又开辟了亚洲第二的战场。它利用那事实上已成美政府一个部门的所谓联合国，通过什么决议，直接进攻朝鲜人民，侵略我国领土台湾，干涉越南和菲律宾人民的解放战争。它现在已经统率着它的仆从52国的武力，向朝鲜人民展开着血腥的侵略战争，将来也势将同样的来干涉我中国解放自己领土的台湾的战争，与越南菲律宾人民的解放战争的。所以我们亚洲人民，特别是我们5亿的中国的人民，必须号召反对美帝侵略朝鲜台湾的大运动，来粉碎美帝企图征服亚洲的侵略阴谋。

第一，我全国人民要提高警惕，准备实力，来打破美帝侵略我台湾的恫吓，和蒋匪残余的谣言。我人民的武力，过去已能战胜日帝数百万的侵略军队，歼灭美帝在中国大陆所帮助所武装的蒋匪600多万兵力，这一事实，使我们有十分确信，能够粉碎美帝侵略我台湾的战争。

第二，我们要援助朝鲜人民解放战争，尽可能地给朝鲜人民以有效的援助,使朝鲜人民能够把美帝的势力逐出朝鲜大陆。我们最有效的援助,就是准备解放台湾的工作。

第三,我们要号召越南、菲律宾、日本和亚洲其他被压迫民族,加强反帝的斗争,用力量来击败帝国主义的侵略和新世界战争的阴谋。

为了达到上述的目的,我们全亚洲人民要团结在以苏联为首的世界和平阵营之中,结成巩固的和平统一战线;同时亚洲主要国家之一的中国的人民,更要为这一保卫世界和平与远东安全的伟大工作,加紧和平签名运动,并贡献出无比的力量,领导全亚洲的人民,为完成这一伟大工作而奋斗。

(原载1950年7月27日湖南大学校报《人民湖大》第16期,署名李达)

改进我们的教学工作*

(1950. 10)

各位同学、各位同人、各位同志：

今天是本校1950年秋季始业举行开学典礼的日子，本人来不及赶回参与这一盛典，特以书面向诸位提出本大学今后的教学方针和具体任务，希望我们互相勉励并保证实行，兹分段说明如下：

一、为完成教学方针和具体任务而斗争

本大学的教学方针，就是共同纲领中的文化教育政策，这是我在上学期开学典礼的时候，早已经具体说明的。6月中旬，中央教育部更根据同一政策和全国高教会议决议，正式公布高等学校暂行规程。从而明确地定出高等学校的教学宗旨和具体任务，其内容：

第一条：中华人民共和国高等学校的宗旨，为根据中国人民政治协商会议共同纲领第五章的规定，以理论与实际一致的教育方法，培养具有高级文化水平，掌握现代科学和技术的成就，全心全意为人民服务的高级建设人才。

第二条：高等学校的具体任务如下：

(一)根据中国人民政治协商会议共同纲领，进行革命的政治及思想教育，肃清封建的、买办的、法西斯主义的思想，树立正确的观点和方法，发扬为人民服务的思想。

---

* 本文是1950年9月24日李达在湖南大学秋季学期开学典礼上的报告，原标题为“改进我们的教学工作——李校长在开学典礼上的书面报告”。——编者注

（二）适应国家建设的需要，进行教学工作，培养通晓基本理论，并能实际运用的专门人才：如工程师、教师、医师、农业技师、财政经济干部，语文和艺术工作者。

（三）运用正确的观点和方法，研究自然科学、社会科学、哲学、文学、艺术，以期有切合实际需要的发明，著作等成就。

（四）普及科学的技术的知识，传播文学和艺术的成果。

像这样两条的明确规定，当然便是我校今后唯一的教学方针和具体任务，面对着这样的方针和任务，根据我校的历史条件和现有情况，究竟怎样才能达到很好地掌握和胜利完成，这不是轻易说出的一句话；这需要从实际出发，调查研究，周密计划，团结争取，集合全校所有力量，才能保证获得最后胜利。在这里我不想对这两条做过多的解释，仅愿就“全心全意为人民服务的高级建设人才”一点来说一说，在这一点上，我们应当提高认识，努力做到。所谓高级建设人才，是指精通业务，现在在工作岗位上，能做到精通业务，不是很容易的。譬如搞司法工作，早先能扣法条就够了，现在不能扣，必须同时掌握政策，最重要的还要站稳立场，审判案子一不小心便犯错误，搞财经工作，精通马列主义固不必说，即在业务本身。单只固有的统计会计已不够用，而要精通经济核算制，还要灵活运用。搞自然科学工程，必须有自然辨证法的思想基础，有米邱林、李森科、斯塔哈诺夫的工作精神和经验创造。大家从报纸上可以经常看到，也可能从朋友谈话中听到，一年来的国家建设是有成绩的，单只谈铁路一项，过去涵洞桥梁的破坏，修复中产生了不少的劳动英雄。北京城的地下水道，三海的水，垃圾堆成山，有的几百年了，有的几十年了，没人管；人民当政了，今春同时修，工程师的计划挖三海需要五十几天，而劳动人民在工作中创造方法，竟不足30天完成，在这一点上，科学的工程师竟而不够科学了。所以今天在新民主主义社会里，我们的眼光，“只要向前看，不向后看”，精通业务不是轻易能做到的，因而要想成为一个高级建设人才，如果在学校内不好好努力学习，打下基础，将来到工作岗位上会遭到困难的。

其次讲到全心全意为人民服务，看起来好像很简单，其实做起来最不容易，这是思想问题、人生观问题、立场问题。对于这一点，不要先看哪一句话，而应从自己本身检查起，应从个人立场思想作风检查起。有个人主义思想存在，有家庭小圈子观念存在，有个人英雄主义思想乃至剥削意识存在，有违反实事求是的不老实的作风存在，则根本上谈不上全心全意为人民服务。毛主席引证鲁迅的诗句说："横眉冷对千夫指，俯首甘为孺子牛"，孺子就是指的人民，我们要为人民当"牛"，这若非彻底肃清了落后的思想意识，割掉了小资产阶级的尾巴，建立好了革命人生观，站稳了人民立场，若想完全做到，也是不容易的。今天全国开展学习运动，上大课，谈思想改造，党员整风，归根到底，都是为了这一个问题。我校既为一个革命大熔炉，集教学职工人员达3000之多，论任务，论职责，为国家，为个人，都不能放松这一点。所以我们强调政治课的学习，就是针对这一任务而进行的。

现在干部的任用，讲"德才资"，德就是指的全心全意为人民服务，才资也可以说是指的高级建设人才。德是根本，没有德，才资都没用，有时还有害。事实上全国各地正在实施着这样的工作精神和干部标准。现在我们在学校内学习，倘如不能为"德才"打下良好的基础，那便会主观落后于客观，不但违背学校的教学方针，而且也可以说没有执行教育部具体任务的指示，所以希望大家深深体会"全心全意为人民服务的高级建设人才"这一句话，全面提高思想认识，为完成教学方针和具体任务而斗争。

二、为切合实际需要进行课程改革

精简课程，原来是我校提出的一个重大改革，其目的为的是照顾到教学方面的实际情况，在少而精的原则下，提高教学质量。这一次在北京开高教会议，除确定教学方针与任务，和领导关系及经费问题外对于课程改革一项，也作了原则上的规定，要求"各系课程应密切配合国家经济、政治、国防和文化建设当前与长期的需要，删除那些重复的和不必需的课程和内容"，在这一点上，恰与我们早先提出的精简课程，正是完全一致的。其次"为加强教学与实际结合，高等学校应与政府各业务部门及其所属的企业和机关，建立密切的联系"。在这一点上，今后我们更需要加强。譬如土改在湖南就要开始了，这是全国所注目的，这是土地革命，各方面的青年及民主人士，纷纷想参加学习。去年冬天北京近郊土改，各大学教授和同学也有参加的，现在我们适逢这样的机会，当然也不应放松这一课的学习，但究竟怎样参加？哪些人应参加？如何配合正课？如何在短期内收到大的效果？则需要与政府各有关部门，建立密切联系，会同研究，适当掌握，这是我们从现在起，就要开始准备的。

半年来我们在课程改革上，固然有收获，但也发生了偏差，这首先表现于工学院方面，因为自经提出四年功课三年半学完后，同学们便拼命地赶，上大课，参加会议及课外活动，又不能缺，结果是精简反而不够精简，无形中增加了教授和同学的负担，这需要立刻纠正和警惕防止的。其次表现在正课学习和课外活动的相互关系上，在这方面上我们掌握得也不够好。中共中央和各级领导机关一再指示，要全国各学校适当地抓紧正课学习，而不能片面地强调政治思想教育，忽视正课学习，尤其不能因为会议多，活动多，竟严重地妨碍正课学习。今后我们应当研究适当办法，随时抓紧情况，具体掌握，不要再蹈错误，总要把握着每学期的实际授课时间，以满 17 周为原则，学生每周实际的学习时间(包括自习及实验)，以 44 小时为标准，最多不得超过 50 小时。课外活动时间，每周以不超过 6 小时为原则，再关于政治课方面，由于我校过去没有基础，虽然大课委员会很努力，缺点总是有的，但不能因为有缺点，就看轻这一课的学习，反应提高认识，共同负责，改进努力。要知道这是不容易搞好的一课，这一课进行的本身，就是学习考验的过程。大家想想看，像这样的学习方法，不仅全国各学校如是，即各机关、团体、工场、部队，都采用着同一的方式，从这里要解决思想问题，从这里要培育全心全意为人民服务的思想。所以有些人若以为这是负担，或徒然耽误时间，那是极端错误的。今后的改进办法，我们把大课委员会的组织再度加强，密切小组的联系，注意同学间的思想情况和具体反映，完全根据实际出发，一切提高到思想上来解决。

总之，在课程改革的具体进行当中，半年来缺点总是有的，错课也可能是有的。但我们决不怕缺点和错误，决不在困难面前低头。真正革命者的品质，就在于能从错误中学习，列宁说：只有不工作的人，才不犯错误。我们决不隐瞒错误，勇于承认错误，和改正错误，从而在实践当中，有步骤地、有计划地、有中心地完成课程改革的工作，使它美满地进行切合我们的实际需要。

三、彻底实行理论与实际一致的教学方法

上学期开学的时候，我们曾经提出四种教学方法以改造陈腐的、机械的、教条式的旧方法，其实那四种教学方法，在基本上就是一个贯注于理论与实际一致的教学方法，这一个方法的本身，就是贯穿教育方面的一根红线，它是马列主义的，它是非常合乎辩证唯物主义的。在这一个方法运用基础之上，一方面反对脱离国家实际“为学术而学术”的空洞的教条；另一方面又反对忽视理论学习仅拘于局部经验的狭隘的实用主义或经验主义。理论是什么？理论可以说是许多实际现象舍去其个别的次要的具体特点而抽出来的普遍性的规律，所以它即使是真理，都还有其片面性。经验是什么？经验毕竟仅是经验，它是局部的、零碎的、一时的、过去的；它不可能概括全体，从发展观点看问题。所以，革命的理论与革命经验之所以不被遗弃而且宝贵，乃是建筑在两相结合两相一致的基础之上，而真正的理论是从客观实际抽取出来而又向客观实际得到证明的理论，科学的理论是从生产，阶级和民族斗争中抽出来而又作用于其中的理论。倘若它与实际脱离，便成为空洞的东西，不能发展而死亡。同样的，经验更不能离开理论，它需要凭理论来贯穿发展，像杜威、詹姆斯之流，就是十足的狭隘的实用主义者，经验主义者，专以效用之有无为真理标准，那是抱着“经验的垃圾箱”来概括全体，极端错误的。毛主席把教条主义与经验主义，都叫作主观主义，是唯心的东西，在我们的教学方法中，当然是不取的。

其实这理论与实践的教学方法，运用起来并不太难，用通俗的话说，就是“有的放矢”。譬如说，办教育不能说“为教育而教育”，过去办教育的人，往往看不清这一点，自命清高，坦然自认为脱离实际之外，其实何常如是，仅仅是由于他们政治观点模糊，做了反动的爪牙而不自知而已。在这一点上胡适之到来得干脆，他是最能与反动统治相联系的反动文化头子，开始说：“既然作了过河卒子，只有拼命向前”，以示顽固到底，近来听说在美国又夸什么白俄的光荣了。在今天，我们必须认识，一个教育工作者在阶级社会里是有两极的，一个是联系反动，一个是联系人民。

四、团结互助，自觉地遵守学校纪律

现在是人民的世纪，人民的中国，我们在人民湖大，当然我们就是人民湖大的主人。在旧社会反动统治之下，学校被宰割于反动分子的手里，一切和我们是对立的我们想要学的，他们阻止我们学习；我们不想学的，他们则硬往我们脑筋里灌输，今天不然了，湖大成为一个革命的大熔炉，来校的便是同志，进门的便是主人，学校是大家的，大家都应当发挥高度的革命热情，爱护学校。

在学校的改进期中，表现于教学方面，或者是行政工作上，不可能没有缺点，问题在于怎样对待这些缺点。大家应当不分教师同学工友，都本着湖大人的同一立场，以主人的资格，发挥团结互助的精神，不断地通过各级组织，提出改进意见。有话当面说，一切摆在桌面上来谈，反对背后乱说，和有话不说，或不负责地瞎说，因为那样便失去了人民湖大的性质，和自己是学校主人的本义。

为了保证学习胜利，为了提高教学水平，学校制定生活纪律和各项规约，都是根据实际出发。对于这些规约，大家应当一致地在思想上首先打通，这是巩固团结，加强互助，保证学习胜利的办法，应当自觉自愿地遵守。譬如开学不迟到，上课不旷课，平时学习积极，开展工作能带头，这都是应当主动去做，不一定要学校管理。再有对学校的公物，应当发挥人民道德，自觉地爱惜，电灯用毕就要关上，一点都不要浪费。对于个人的时间支配，也要有条理，每天从早起到晚饭前，有足够的 8 小时要在课堂，图书室，实验室里工作和学习，不要三三两两的自由散漫，或单个人跑回寝室里睡觉。要知道革命的纪律就是建筑在自觉自愿的基础上，绝不同于旧社会的盲目服从，因为那样的管理教育，在思想上是对立的，那在形式上看来，好像是有纪律，在本质上毫无纪律可言。我校颁布规定，事先当然是根据实际情况，经过一番研究。订出后则需要绝对遵守，这是组织观点问题。如另外还有意见，即可通过组织予以反映，经全盘考虑后，或经大多数同意，可以修改。总之，我们一切都要建筑在群众基础之上，同时这也就说明了集中领导下的民主，和民主集中上的领导的真义，希望大家在这上多加体会。

苏联革命成功后，列宁于1920年曾对共产主义青年团这样地号召："老年一代的任务是推翻资产阶级。新起一代的任务，却更加复杂了，你们不只是应当团聚自己一切力量来援助工农政权击退资本家的侵犯；你们应当建成共产主义社会。"毛主席对中国革命的现势也说过这样的话，现在仅是走了"万里长征的第一步"，今后的工作多得很，任务重得很。目前，全国正开展着经济建设文化建设的高潮，我们现在虽仅工作于教学岗位，但也应该愉快地迎接这一高潮，英勇地站在文化建设的前面，为建设新中国而斗争。

（原载1950年10月1日湖南大学校报《人民湖大》第25期）

在湖南长沙市河西区各届人民庆祝首届国庆节大会上的讲演词*

（1950. 10）

各界同志们：

今天是去年毛主席在北京天安门宣布中华人民共和国成立的第一个国庆日，在这一天，全国各地人民都在欢欣鼓舞，以极愉快的心情来庆祝这个伟大的纪念日，我们河西区各界，同样地在这里举行这么一个大规模的庆祝会，当然是很有意义的。

一年来新中国的建设，在毛主席英明领导下，不论在国际关系上，在国内军事推进上，或经济建设上，都是极有成绩的，而且这成绩表现得十分显著。今天在这样的庆祝大会上，的确值得我们提出，值得我们高兴。

首先就国际关系来说，自从中央人民政府成立以后，我们已经同 17 个国家建立了正式外交关系，另外有 8 个国家也已经表示愿与我国建立邦交，这不仅加强了以苏联为首的世界和平民主阵营的力量，壮大了全世界广大人民反对帝国主义的壮阔行列；而且对殖民地被压迫民族的解放斗争，更是给予了莫大兴奋与鼓励。也正因为如此，帝国主义战争贩子们，发抖了！他们嫉妒仇视，像疯狗式的向我们狂吠，造谣中伤，极尽挑拨之能事，他们狗急跳墙，侵据我台湾，玩弄着反动派的小朝廷，企图做垂死的挣扎。这一切都说明着：自从我中央人民政府成立以后，在国际上，一方面是增加了和平民主阵线的力量；另一方面也就削弱了帝国主义对世界和平的威胁，使中国获得了空前巩固的

---

* 这是 1950 年 10 月 1 日李达作为大会主席团主席在湖南长沙市河西区各届人民庆祝首届国庆节大会上的致词，原标题为“李达主席讲演词”。——编者注

国际友谊，和空前重要的国际地位。这更说明着：我中华人民，在世界上，确确实实是站立起来了。

其次就军事上来说，一年来，我们不仅解放了中国西北西南全部大陆，并且很快地解放海南岛，和东起闽粤边境，西至中越国境的沿海岛屿；所有的海岸线，都为我们所控制了，这给蒋匪及其主子美帝以致命打击。另外，在新解放的地区以内，原来残留了不少的国特、土匪、及地霸分子，他们串通一起，为害地方，一年来在我军民良好配合进剿之下，大部歼灭了，多年不平静的地方，也开始平静了。单以中南区来说，一年中歼灭了匪特 61.1 万余人，自新投诚的 10.7 万多，完全粉碎了蒋匪帮所谓"大陆反攻"的狂妄企图。这对于完成国家统一，巩固国防，进行土改，发展经济，都是有着非常重要意义的。

再就经济建设说来，一年来的成绩，更是有目共睹的，这首先表现于财政统一和物价稳定上。在这上面争取到了财经关系的好转。收支平衡，遏止了通货膨胀，物价趋于稳定，出现了 12 年来空前未有的经济安定的奇迹。其次表现于公私工商业的调整上，我们大力发挥了公私兼顾劳资两利的政策，克服了货物滞销的难关。水旱灾荒，本来是相当严重的，但在政府的"生产自救"的号召和具体领导下，胜利渡过了。新解放区的减租退押，为土改打下了良好的基础。这一切都说明着：自从我中央人民政府成立后，国家前途是光明的，虽然我们接收的是个破烂摊子，但政权勃勃地一经掌握到人民的手里，一切就有了办法，一切就有了光明的前途。

我们恰好生在这么一个伟大的时代，亲眼看到人民的胜利，人民的翻身，人民掌握了政权；眼看着新中国生机勃勃一日千里地建设发展，旧有的枷锁打碎了，新生的力量在成长，我们怎能不高兴呢？

国家是我们的了，政府也是我们的了，毛主席是全国人民衷心拥护的领袖。但我们对于这样的国家，这样的政府，这样的人民领袖，单单衷心拥护还是不够的，而要站在具体的工作岗位上，充分发挥新的爱国主义精神；以英勇的实际行动，为建设新中国而奋斗不息。

湖南就要开始土改了，毛主席说这是第二关，我们要保证过好这一关。首先，工人阶级是领导阶级，领导阶级就应该发挥领导的作用。希望我们工人同志们，要发挥这种领导阶级的精神，积极完成生产任务，掌握劳资两利的政策，争取带头,做各阶层的模范。

其次,农民同志们,要特别提高认识,坚决地进行土改,保证胜利完成,从而增加生产,改善经济,为建设新中国打下坚强的基础。

再次,中国不错是胜利了,但西藏和台湾还没有解放,反动派还想凭借这妨害新中国的建设,这需要全国人民继续发挥战斗精神,将革命进行到底,尤其希望今天到会的武装同志们,深入钻研,提高战斗技术,发挥革命的英雄主义,随时准备为解放西藏、台湾而战,造成整个中国的全部解放。

还有潜伏在我领土内的土匪特务及一切破坏分子,一年来大部分被我们肃清了,但这工作到今天还不能轻视,负责公安的同志们,在这上面的责任最大,希望在工作中明确划清界限,一方面耐心地全心全意为人民服务;另一方面则细心地做到使匪特分子绝难在我们国土上存在。

最后说到我们搞文教工作的同志和一般同学们,在这文化建设高潮期中,当然同样需要特别努力,要奋勇地站在革命的前哨,首先改造自己,结合实际加紧学习,以做到思想纯正精通业务的优良地步。

(原载1950年10月7日湖南大学校报《人民湖大》第26期)

办好毛泽东故乡的大学，这是我们最光荣的任务*

（1950.10）

诸位先生：

今天举行茶会欢迎易副校长就任新职，及新任工程学院院长戴桂蕊先生以及新来校的教职员诸位先生，我代表湖大全体师生员工致以热烈的欢迎。

湖大是去年8月湖南解放以后，军管会派余秘书长来接管的，接着又合并民大、克强、国师、音专四校，任务是相当艰巨的，直到今年3月才走上正轨。

我们今天来检讨过去的工作，可能有些不同的看法，进步的与保守的。我们应该站在进步的角度去看。我们的政策是“暂维现状，逐步改进”，一年来是按着这8个字做的。效果如何呢？方向是对的，一般说来稳当，有些进步，但是做法上是有些缺点的。用武力去推翻反动派的政权是容易的，但在经济方面就比较难了，文化教育方面是更难的。学校是一个旧式的大学，刚刚从半封建半殖民地社会中解放过来，要改造成一个新民主主义的学校是一个长期的工作。

我们有哪些方面的缺点呢？第一，团结工作做得不够，行政领导上如此，党团方面也是做得不够的，都没有主动地去做这个团结工作，以致在湖大人中发生一些不必要的隔阂。党的领导，不是个别的党员来领导，而是由政策“共同纲领”来领导的。湖大的党员我可以说都是忠心耿耿的，想把湖大搞好，但是由于团结工作做得不够，就发生一些不必要的误会。

---

* 这是1950年10月7日李达在湖南大学欢迎易鼎新副校长和新教职员的茶会上的讲话，原标题为“办好毛泽东故乡的大学，这是我们最光荣的任务——李校长在欢迎会上的讲话”。——编者注

第二，思想改造方面：知识分子谈思想改造是很难的，有些甚至拒绝改造；同时教职员中存在着一些雇佣观点，清高思想，技术观点，所以工作进行的不够满意。在领导上，也犯了一些形式主义，个别问题上存在一些急性病，命令主义，以致引起不满。

改进的办法是要慢慢地来！尤其文教工作是很细致的工作，毛主席说："拖延时间，不愿改革是不对的；操之过急用粗暴的方法去进行改革也是不对的。"

此外我们也有了一定的成绩，生活学习秩序初步已经安定，如同学们在迫切地要求学习，先生们都很认真地教书，这都是好的表现。

我们应当采取怎样的改进方法呢？

我以为团结第一，把学术上的统一战线，大学的统一战线建立起来，争取共同纲领的文教政策的实现。最近毛主席、刘副主席再三强调建立统一战线；这个工作题要长久做下去，直做到共产主义社会去。但是团结是有原则的，是在共同纲领的总原则下团结，因此必须掌握批评与自我批评的武器。团结是为了进步，只讲团结不讲进步，是不对的，因为进步是为了更好地团结。我想发起在下月内召开一个湖大师生员工的人民代表大会，一块来讨论对学校改进的办法。

第三，改进领导方法，克服事务主义、官僚主义作风；建立请示、报告、汇报等制度；分层负责，集中领导，建立民主集中制。做领导工作的，只做计划、布置、检查、总结工作。

第四，职员整编是要实行的，但整编并不等于开除，而是设法照顾，得到学习的机会，使他们更有很好的前途。现在的生活也要尽量照顾的。

第五，改进教学方法，有重点地搞教学研究组，一年级的政治课，一定要搞好。另外，土改学习是非常重要的，毛主席说土改是革命的第二关，我们准备组织土改学习组，自愿参加，请一些有经验的同志们来做报告。

关于课程改革，每学期实际上课期间为 17 周，每周上课时间 44—50 小时，这不是仅仅减少时间，废除钟点，而最重要的是注意内容，每次上 1 小时课，要自修 2 小时。

理论与实际相结合的教学方法，主要是防止为理论而理论，为学术而学术的教条主义的偏向，和专注意经验而不注意理论的经验主义的偏向。今后各院要与各有关行政部门结合起来，取得密切联系，实现理论与实际联系的教学方法，工学院的教授可以交涉轮流到东北工厂去工作，获得一些实际的经验。

提倡研究学术的风气：准备搞三个刊物，(一)文学方面；(二)社会科学方面的；(三)自然科学方面的。不必出定期刊，先从不定期刊试办。

第六，拟定三年计划：关于这一点，中央有全面的指示，按照高级、中级、低级三种，定出实施的计划来，低级是在1951年内仍维现状，扩展到3000人，中级是情况好转，扩展到5000人，高级是在3年内发展到8000人。

总之，湖大发展前途是光明的、远大的，物质方面虽有困难，但只要大家团结起来，向前看，不向后看，就可以克服的。湖大是全体师生员工的家，希望大家以主人翁的态度，共同努力，负起责来，办好人民的湖大，办好毛泽东故乡的大学，这是我们最光荣的任务。(美媛)

(原载1950年10月12日湖南大学校报《人民湖大》第27期)

在湖南省首届各界人民代表会议上的讲演词*

（1950.10）

诸位代表：

这次湖南省第一次各界人民代表会议在长沙开会，来自各方面、各阶层、各地区的代表，成分如此广泛，人数如此众多，来共同商讨自己的工作，这是湖南解放以来湖南人民进一步掌握政权，行使政权的一件大事，标志着湖南人民在人民民主政治发展的道路上更向前飞跃了一步。中国人民自从去年10月1日建立了自己的国家——中华人民共和国，制定了自己的大宪章——人民政协共同纲领，这个共同纲领是代表着中国人民的意志、思想、感情、共同利益和共同要求；有了这个共同纲领，中国人民已把国家的命运与自己的切身的利益，紧紧地结合在一起。共同纲领第十二条写着："中华人民共和国的政权属于人民。人民行使国家政权的机关为各级人民代表大会和各级人民政府。"召开各界人民代表会议正是人民行使权力管理国家政权的具体步骤。湖南人民今天正式来执行这种权力，这是湖南人民从来未有的光荣。我们要好好地来掌握它，来运用它，把会议开得很好，使各种不同的意见圆满地集中起来，变为各阶层人民大众的共同意志和行动，交给省人民政府坚持下去，以完成我们的工作和我们的革命任务。

湖南是毛主席的故乡，大革命时代，在毛主席亲自领导之下，培养了湖南人民丰富的斗争知识和创造能力，具有高度的革命热情和优良的革命传统，凭

---

* 这是1950年10月李达在湖南省首届各界人民代表会议上的讲话，原标题为"李校长在湖南省首届各界人民代表会议上讲演词"。该文亦以"特聘代表李达讲话"为题发表于《湖南政报》1950年第10期。——编者注

着这股力量，解放一年以来，湖南人民已经有了最辉煌的成绩。我们支援了解放西南广大地区的战争；我们消灭了10万以上的匪特武装，使革命政权得以扩大与巩固。我们战胜了春荒和严重的夏荒，我们修复了700多个堤垸，增加400多万亩的粮食，争取了今年粮食的全面丰收。我们进行了减租退押反霸的合理清算斗争，使广大农民获得了翻身的自觉教育。我们救济了成千成万的失业工人兄弟。我们号召了成千成万的青年男女参加了部队工作，乡村工作和财经建设工作，……这一切的成就，翻开湖南过去的历史是找不出来的。

今冬明春全国要实行大规模的土地改革，湖南有33个县、1700万人口也要实行土改，这不仅在中国的历史上是空前的，在世界革命史上也是空前的，是一件翻天覆地的大事。这是反封建的基本内容，这场战争的胜利，将在实际上结束中国社会的半封建性质。我们要对于这一伟大的工作加紧准备。

另外，土改的最高目的是为了达到“解放农村生产力，发展农业生产，为新中国的工业化开辟道路”；劳动人民的要求就是生产，农民大众要求土改，就是要求在自己的土地上去劳动，去生产。在完成了土改的老解放区，劳动热情的普遍发扬，生产力的普遍提高，随处都可以举出新的范例。以东北来说，东北于1948年基本上完成土改，1949的农业为1320万吨，而1950年则将为1800万吨，农民的购买力也大大提高，1947年东北销售布疋为80万疋，1948年为180万疋，1949年为320万疋，而今年则将为900万疋。1949年东北工业生产占农业生产总值的35%，而今年将上升43%。这与农业发展的作用是分不开的。湖南人口密度比东北大，农民所分得的土地比东北少，农民购买力的增加不会有东北这样快，但总的趋势是一样的。

完成今冬明春这个大规模的土改工作，我们要建立一条壮大的反封建的统一战线。农民阶级当然是主力，农民协会是执行机关。但是工人阶级应当积极领导帮助农民进行这个革命工作，以扩大并巩固工农的联盟。民族资产阶级，小资产阶级也应当参加和赞助农民这一革命行动，不要加以阻碍。民主党派、人民团体、机关、部队、学校都应当积极参加这个工作，不阻碍农民分配地主土地的正义要求。毛主席要我们过好这一关，我们就要好好过这一关。这一关非常重要，我们要站稳立场，倒向农民一边，这个对于我们来说是一个严重的考验，我们要保证经得起这个考验。

最后,我们要积极保卫世界和平。中国人素来是爱好和平的,1 亿 5000 多万中国人已经在斯德哥尔摩的庄严宣言上签上了自己的名字,签上一个名字,就代表一种力量,就代表保卫和平的坚强意志,这个运动在广大的乡村还应该继续扩大深入。很明显,中国人民在解放了自己的全部国土中,需要一个长期的、和平安定的环境,来进行恢复和发展工农业生产和文化建设的工作,这是中国人民的共同要求和共同理想。美国帝国主义者,始终站在反中国人民的立场,与中国人民为敌,到今天更变本加厉,公然占据我台湾,与此同时,更发动对朝鲜大规模的侵略战争,干涉朝鲜人民的解放事业,而且在我国东北境内,实行扫射,实行投弹,杀害我国的同胞,在公海炮轰我国的商船。美国帝国主义者这一连串的侵略行动,证明它是有计划地决心破坏世界和平。中国人民热爱和平,因此更有保卫和平的信念,所以也就从不害怕反抗侵略的战争。我们要坚决地反对美帝这种侵略行为,并坚决地从美帝侵略者手中解放台湾。

湖南人民在反帝运动中早有过英勇的记载,今天更要充分发挥这种英勇的战斗精神。在毛主席、中国共产党的领导之下,将革命进行到底。

(原载 1950 年 10 月 19 日湖南大学校报《人民湖大》第 28 期)

勇敢自信，决心打胜争取和平的战斗！*

（1950.10）

保卫世界和平，反对侵略战争，这是全世界一切爱好和平主持正义的人们的历史任务。这是革命者行动的指标。但我们绝不像和平主义者那样，仅仅是呻吟于和平的呼唤，或无区别的反对战争。我们要以英勇的实际行动为争取和平而斗争；反对侵略战争，同时又支持为获得真正和平而奋斗的正义战争。

一年来中国保卫世界和平运动，始终是根据这一明确任务，结合国际形势而展开的。全国普遍的和平签名运动，已达两亿以上的数字；同时全国人民鉴于美帝在朝鲜和我国台湾一系列的侵略行为，都能以足够的认识、提高警惕。倘如“肮脏的猪嘴闯进我们美丽的菜园”，便以充沛的武力，连头带嘴，给予致命的痛击。

帝国主义者原是吸血鬼，利用飞机、大炮、原子弹屠杀全世界人民。从血肉中提炼黄金，增加利润的数字，以图苟延残喘。但事实上其自掘的坟墓，已经掘好，正等待着全世界和平力量来葬埋。

全世界人民团结起来，为保卫世界和平而进行无间歇的斗争。并且要勇敢自信，决心打胜争取和平的战斗！

（原载1950年10月19日《人民日报》，署名李达）

---

* 本文亦发表于1950年10月26日湖南大学校报《人民湖大》第29期。——编者注

新旧中国的国家机构

（1950.10）

国家是有阶级性的，是阶级矛盾不可调和的产物。它绝不像黑格尔所说的是什么“道德观念的现实”，或“理性的外形和现实”；更不像资产阶级御用学者所说是什么“全民政治的表征”或“三要素的构成”。它乃是一定阶级对于另一个阶级实行专政的工具。国家机构——国家制度正是这样的国家性质、政权性质的具体表现。因而机构的本身，不拘采取何种形态——君主制、共和制、民主制，都是带有阶级性的。这就是说：国家机构若操在少数剥削阶级手里，它便被用为对广大人民进行专政的工具；反之，若操在广大劳动人民的手里，它便是对少数剥削阶级进行专政的工具。资产阶级最怕说穿这一真理，他们总想隐瞒阶级关系和国家机构的真实性质。我们则不然，我们认为这种隐瞒对革命人民毫无益处。“我们则公开声明，恰是为着促使这些东西的消灭而创设条件，而努力奋斗。共产党和人民专政的国家权力，就是这样的条件。不承认这一条真理，就不是共产主义者。”①

中国自1840年鸦片战争后，逐渐地变成为一个半封建半殖民地的社会，这一社会性质可以说是一直保持到人民取得基本胜利之时。在这样的社会里，虽则国家机构会有种种形式上的变化，但基本上国家性质是并未改变的。那一系列的国家机构基本上都是掌握在封建大地主和买办阶级的手里，代表着帝国主义封建主义官僚资本主义的利益，对广大人民进行着强烈的经济剥削和政治统治。像那样的国家机构，远的不必分析，即在全国解放以前，以蒋介石为首的国民党反动派的统治，便是最真切的说明。蒋匪帮于抗战胜利之

① 《论人民民主专政》。

后，为了屠杀人民，请美军驻扎中国，并且签订中美商约，把中国的经济政治命脉断送于美帝国主义。同时结合这样的帝国主义的侵略，通过以四大家族为首的官僚资本，再配合着地主阶级超经济的剥削，在经济上大量发行伪钞，领导囤积居奇，抬高物价，有意识地对中国现有的微弱的经济基础，加以摧毁。其次在政治上一方面以伪国民代表大会和伪宪法的颁布，在圈定贿选种种丑恶的表演下，欺骗广大人民；同时另一方面又以大批军队和特务匪徒向人民进行急剧的进攻和残暴的屠杀。像这样掌握在蒋匪帮手中的国家机构，不管他们怎样地挂着三民主义的招牌，标榜什么实施宪政，而本质上则是结合着封建主义的极其反动的法西斯主义的专政。

由于在伟大的解放战争中，人民取得了基本的胜利，反动的法西斯国家机构被我们摧毁了，代之而起的是以共同纲领为基础的中华人民共和国。这一个崭新的国家机构是根据马列主义的普遍真理，结合中国革命的具体实际，以卓越的毛泽东思想为基础所建立起的中国人民民主专政。它是“中国工人阶级、农民阶级、小资产阶级、民族资产阶级及其他爱国民主分子的人民民主统一战线的政权，而以工农联盟为基础，以工人阶级为领导。由中国共产党、各民主党派、各人民团体、各地区、人民解放军、各少数民族、国外华侨及其他爱国民主分子的代表们所组成的中国人民政治协商会议，就是人民民主统一战线的组织形式”。① 这一新民主主义的国家机构，一方面与旧形式的欧美式的资产阶级专政的、资本主义共和国相区别；另一方面也与苏联式的无产阶级专政的社会主义共和国相区别，这是“在一切革命的殖民地半殖民地国家，在一定历史时期中的国家形式”②，它的国体就是四个朋友对三个敌人的人民民主专政，政体就是在民主基础上的集中和在集中领导下的民主的民主集中制。它的建设任务是发展新民主主义的人民经济而为社会主义创造前提。因而它本质上就是由工人阶级领导，将来要走向社会主义社会的世界革命阵营中的一部分。

像这样的新民主主义的国家机构与旧民主主义的国家机构究竟有什么不

---

① 《共同纲领》。

② 《新民主主义论》。

同,好处又在哪里呢?这是一般青年时常问起的问题,也是应当说清楚的问题。我们现在从四方面来说:(一)在机构的本身上,旧民主主义是三权分立的代议制,而我们则是议行合一的人民代表大会制。代议制的本质,表面上是把国家权力的作用,分为立法、行政、司法三部门,各自独立,不相侵犯,实际这只是一种拟制,而本质上还是以行政权为中心的中央集权。代议制的作用,一方面是资产阶级利用国会来"管理资产阶级的共同事务"以调整他们自己内部的矛盾;另一方面则是解决他们之中由谁来"镇压并压迫人民"比较合适的问题。所以代议制的本身对资产阶级内部来说是"民主",对广大劳动人民则是专政。例如,美国现在有民主党与共和党,英国有工党与保守党,表面上玩弄着党与党争,实际上都是代表资产阶级利益的同一性质的政党,战法虽然常变,而基本上都是维护资本主义生命的。我们的国家机构则不然,人民代表大会制,议的人产生行的人,同时议的人也就是行的人,实事求是,议行合一;采取着民主集中制,一切权力集中于人民代表大会和各级人民政府。(二)在选举方面,旧民主主义表面讲的是全民普选,但实质上对于取得选举权和被选举权,规定着很多的限制,如年龄的、财产的、教育程度的、种族的、性别的以及居住年限的资格等,同时在选举方法上,更利用选举区的伪造(即所谓选举地理学)和投票及计票程序(即所谓选举教学)让人口总数少着若干倍的小区选出同一数额的代表,和故意在选举的各政党中造成差别极大的代表数额。此外更利用新闻言论、广播电台等一切宣传机关的控制,以增加选举的限制。像这样的选举,当然是谈不到什么普选。我们的共同纲领中规定着"中华人民共和国人民依法有选举权和被选举权"(只是"对于一般的反动分子、封建地主、官僚资本家,在解除其武装、消灭其特殊势力后,仍须依法在必要时期内剥夺他们的政治权利,但同时给以生活出路,并强迫他们在劳动中改造自己,成为新人")。而且选举进行的基础是建立在人民已经当政的前提之下,国家机器握在了人民手里。(三)在自由民主一点上来说,旧民主主义国家表面上容许多样的出版物存在,或在公共场合发表攻击政府的演说,但实际上,这种"民主自由"只有资产阶级能够有效地享受。无产阶级及其他劳动人民,受物资条件的种种限制,根本不可能去运用这些民主权利,而且资产阶级国家为了完全剥夺劳动人民的自由权利,更运用法院、警察、特务机关的力量来多方防范,如同美国现在所做的那样。这就使他们所说的民主自由完全成了谎话。今天在我们新民主主义社会里，虽还没进到社会主义，但人民当权了，人民大众在政治上开始获得了真正的自由和民主。最近出版言论上在全国普遍展开的批评与自我批评，就是这种自由和民主的具体表现。（四）在政治性质上来看，旧民主主义的国家机构是以欧美为师，由资产阶级领导，成为帝国主义阵营中的一员。新民主主义则是以苏联为师，工人阶级领导，其前途是社会主义社会，而本身是世界革命阵营中的一部分。

我们新民主主义的国家机构是否与苏联的国家机构完全相同呢？当然也不是的。中国现在是新民主主义国家，苏联是社会主义国家；中国现在是人民民主统一战线的政权，是四个朋友对三个敌人的专政，苏联则是由无产阶级专政发展到“全部政权属于城乡劳动者”。再有表现于政策方面，中国还保护私有财产和民族资产阶级利益，只反对官僚资本主义，不反对一般的资本主义；苏联则废除了生产资料的私有制，根本反对一切资本主义的剥削制度。有了这些不同，当然在政府机关乃至具体设施上也就有了种种差别。除了这些不同的地方之外，是不是还有相同的地方呢？当然也有。那就是革命的领导者、革命的前途都是一致的，同时在民主集中的领导上也是相合的。

总之，新中国的国家机构是从半殖民地半封建社会到社会主义社会去的过渡期的国家形态，既不同于资本主义的旧民主主义国家，也不同于社会主义的苏联，它是根据中国实际情况，代表着广大人民的要求，在摧毁了旧中国的法西斯统治机构之后，建立起的新生的机构。这一机构的建立，不是一件容易的事情，这是经过中国人民百年艰苦摸索和英勇奋斗的结果。在今天，这机构的本身，代表着全体人民的利益，受着全体人民的拥戴，掌握着新中国的发展方向。一年来由于军事胜利的扩张战果，政府法令的顺利推行，经济的稳定与建设，文教工作的展开，外交关系的建立，种种事实都证明了国家机构领导的正确，处处说明只要我们跟着共产党走，服从政府领导，中国是有办法的有前途的。

在今天，我们对这样的国家，应当发扬高度的爱祖国的精神，每一个青年都应当结合自己的具体任务，在现有的岗位上，以革命的英雄行动来报答国家。今天,新中国是站起来了。在国际阵营中,我们的阵线很明显,一方面有千百万万和平民主的人民在欢呼我们的解放;另一方面战争贩子及其走狗们在嫉妒、在仇视,所以,今天我们的爱祖国是与国际主义相结合的。

(原载 1950 年《中国青年》第 50 期,署名李达)

为完成学校教学计划而努力*

（1950.11）

各位工友兄弟们：

湖南大学教育工作者工会在今天正式成立了，这是我们湖大全体教育工作者的光荣，是值得我们兴奋和热烈庆祝的。同时，由于工会的成立，我们更深切地感到自己责任的重大，更要求我们每一个人都要发挥高度的工作热情，来胜利地完成我们所负的任务。

首先，我们知道，工会的任务，是要搞好学习，搞好福利，搞好文娱活动，一般的工会，都要如此。可是，我们湖大是一个高等教育机关，我们是教育工作者，我们最基本的任务，是要把教育办好，把学生教好，为国家培养各种建设人才。因此，我们的工会，不但要搞好福利，搞好文娱活动，而最重要的，是搞好教学工作，保证完成学校的教学计划。教课的人保证自己教得好，学生学得好，要包懂包完。做事务工作的人，要知道不是单纯为办事务而办事务，不要以为只有在教室里讲课或在操场上做体育活动，直接和同学发生关系，才算是教学工作，事实上，学校里任何部门的工作，都是为了教学。譬如搞生产建设的，能够把宿舍教室建设得好，布置得好，让教的人和学的人都能够安心地、愉快地教下去学下去，这样就推动了教学。再如厨房里的工友们，能够把菜饭做好，保持清洁卫生，让大家吃了后，增进身体的营养和健康，这也显然是和教学工作有密切关系的。所以，无论在哪一个部门工作，都要围绕着教学，以教学工作为中心，保证完成自己岗位上的工作任务。

---

* 本文是1950年10月27日李达在湖南大学工会成立会议上的讲话，原标题为“为完成学校教学计划而努力——李校长在工会成立会上的讲话”。——编者注

其次，大家都知道，工人阶级是领导阶级，今天我们组织了工会，我们就都是工人阶级了，因而也都是个领导阶级了。不过，所谓领导，并不是我们哪一个人来领导，而是整个工人阶级来领导，尤其是要通过工人阶级自己的先进部队自己的党来领导。因此，我们对于工人阶级先进部队的党就要相信它，靠近它，爱护它，响应党的号召，完成党给我们的任务。

再进一步说，阶级的领导，不外是政策的领导，就是大家都必须按照党和政府的政策来办事。所以我们必须学好政策，并坚决地执行下去。尤其我们是教育工作者，对于文化教育政策，更应该好好学习。只有这样，我们才能很好地发挥阶级的领导作用。

再次，我们要反对平均主义。我听到有的工友发牢骚，说我们是领导阶级了，可是，今天我们不是照旧在劳动吗？一个教授拿的薪水，不是比一个做单纯工作的拿的薪水多上好几倍吗？是的，在今天是有这样差别，不但在目前如此，就是到了社会主义时代，也还是各尽所能，各取所值，苏联就是一个明例。为什么要这样呢？因为劳动有熟练和不熟练的分别，熟练的劳动，价值大些，不熟练的劳动，价值小些。譬如一个大学教授，他要念过 6 年小学，6 年中学，4 年大学，这就是 16 年，有的还要到外国去学习几年。所以，做一个大学教授，要有 20 年左右的学习培养，他做教授的劳动力价值，是要把 20 年学习时所费的各种价值计算在内的。而做一个单纯工作，是用不着怎样练习的，因此，教授的劳动力价值，同一个做笨工的劳动力的价值是有很大差别的，如果在待遇上，让两者绝对平均起来，那是不公平、不合理的。我们不要以为自己是领导阶级，就要在待遇上同别人争多争少，而是应该在工作上争取模范。

最后，说一说体力劳动与脑力劳动的问题。体力劳动与脑力劳动，原来是没有分离而且是不可能分离的，到了阶级社会出现后，有一部分人脱离了劳动生产，专从事于统治压迫，以及科学艺术等的活动，于是，才有体力劳动与脑力劳动的分别，才有体力劳动者与脑力劳动者的分别。然而，体力劳动与脑力劳动的分离，只是一个过程，将来是一定要合为一体，到了共产主义时代，生产技术大大地提高了，生产力飞跃地发展了，体力劳动与脑力劳动的界限也必然要消除了。

因为在阶级社会里，体力劳动与脑力劳动的分离，便形成了“劳心者治

人，劳力者治于人”的错误思想，一般知识分子大都轻视体力劳动和体力劳动者，而后者又往往形成一种自卑的心理。我们工会里，包括有体力劳动者和脑力劳动者，大家不要存有歧视的念头，脑力劳动者不要看不起体力劳动者，而体力劳动者也不要存在过去残留下来的自卑心理。大家都是劳动人民，都是阶级兄弟，要忠诚坦白，分工合作，紧密团结起来，为保证完成学校教学计划而努力。

（原载 1950 年 11 月 2 日湖南大学校报《人民湖大》第 30 期）

为抗美援朝题词*

（1950.11）

抗美援朝保家卫国是全中国人民神圣的责任

（原载1950年11月16日湖南大学校报《人民湖大》第32期，署名李达）

* 这是1950年11月中旬李达在湖南大学为抗美援朝手书的题词，标题系编者所加。——编者注

时事学习动员报告*

（1950.11）

各位先生、各位同学、各位同志：

本周起全校已普遍展开了时事学习，我在今天来做时事动员报告，这个报告分三部分来讲：

一、为什么要展开时事学习？

（一）我们要把革命进行到底

100多年以来，中国人民多灾多难，饱受着帝国主义和封建主义的压迫和剥削；最近30多年来，又受官僚资本主义的压迫和剥削，由独立自主的国家沦落为半封建半殖民地的国家。整个中国的一部近代史，就是国家地位降低民族地位削弱的历史。同时，100多年以来，从林则徐开始发动了反帝运动以后，中国人民也经过了好多次不断的反帝斗争，中间经过太平天国革命，义和团运动，最后到辛亥革命，这是中国人民革命运动的过程。可是，中国人民自求解放运动的道路，大部分是不正确的，特别是辛亥革命，走了资产阶级旧民主革命的道路。一个被帝国主义侵略的半封建半殖民地的国家，要跟着帝国主义走是走不通的，尤其中国资产阶级没有领导的能力，所以辛亥革命只简单地推翻了满清皇朝，而帝国主义和封建主义的势力分毫未动。20世纪，一方面是资本主义发展成为垂死的帝国主义的时代；另一方面是无产阶级世界革

* 这是1950年11月20日李达在湖南大学全校师生员工时事学习动员大会上的报告，原标题为“时事学习动员报告——一九五零年十一月二十日在全体师生员工大会上”。——编者注

命的时代,在这个时代,要实行资产阶级革命,是断然要失败的。1917 年苏联的十月革命,为全世界被压迫的人民带来了福音,中国人民受了十月革命的影响,找到了苏联十月革命成功的道路。这就是新民主主义革命的道路。这条道路,是中国共产党和领袖毛主席在实际斗争中发现的。30 年来,由于共产党和领袖毛主席领导的正确,所以新民主主义革命,在今天取得了伟大的胜利,中国人民才得从半封建半殖民地的境地解放出来。但是封建势力,在新解放区,还没有彻底肃清;同时残余的蒋介石匪帮,在美帝策动下,企图向大陆进攻,这就是说我们的革命还没有完全成功。为了把新民主主义革命进行到底,就要与帝国主义封建主义继续做坚决的斗争,这就要求我们对时事要有正确的认识,随时准备为祖国的需要而努力。

(二) 目前的形势

从目前的形势来看,我们必须加紧学习时事。

第二次世界大战以后,一方面,德、意、日三个凶猛的帝国主义被打倒了,英法帝国主义被削弱了,只剩下一个最毒辣最凶恶的美帝国主义者,妄想统治全世界,实现其金元帝国的迷梦。但另一方面,在欧洲出现了许多新民主主义国家。在东方、朝鲜、越南、印尼、菲律宾等殖民地半殖民地的民族解放运动都澎湃发展起来,尤其拥有 47500 万人口的中华人民共和国的成立和壮大,更使两个阵营的力量对比,发生了本质的变化,以苏联为首,中苏联盟为基础的世界和平民主阵营,已形成为不可战胜的力量了。这就是目前国际形势的基本特征。在这种情势下,美帝为了挽救它垂死的命运,就加紧地扩大军备,疯狂地制造战争,武装西德,扶植日本,建立了数以千计的战争基地,到处向和平民主堡垒进攻。现在它踏着过去日本帝国主义侵略中国的旧路,第一步占领台湾,随即进攻朝鲜,窥我东北,并想利用蒋介石匪帮残余的武力,乘机进攻大陆;同时在越南帮助法帝打击越南人民军,威胁中国西南边境,这就像三把利刃分别向我们头部、腰部、脚部插入进来。我们受着这样的威胁,还能和平苟安吗?还不应起来抵抗吗?

有人以为我们不必用志愿军去援助朝鲜,去刺激美帝。这种想法是错误的。我们志愿军援助朝鲜,是天经地义的事情,是完全符合国际公法的,因为两个国家交战,另外国家的人民是可以志愿援助的。第二次世界大战以前,英法志愿军援助西班牙的人民战线政府就是一个好例子。其次中朝两国,完全是兄弟关系,在我们解放战争时,有许多朝鲜战士,志愿参加人民解放军作战。现在他们到了危急的时候,在道义上我们是不能不帮助的。再者中国和朝鲜,仅有一江之隔,可说是唇齿相依,唇亡则齿寒,救邻即是自救,我们不能听任帝国主义者对自己的邻人肆行侵略而置之不理。我们要通过时事学习,认清美帝的侵略本质和它的狰狞面目,认清美帝是我们最大最凶恶的敌人。支援朝鲜人民,粉碎美帝各个侵略的阴谋——它一方面集中兵力先征服朝鲜,另一方面用李承晚傀儡军和日本雇佣军驻扎朝鲜境内,把美帝的军队抽调到越南去援助法帝国主义向越南人民作战,它的这种"如意打算"是很显然的。我们支援朝鲜,就是要在朝鲜战场,把美帝陷于泥沼,没有兵可以抽调越南,这是避免美帝各个击破的一个最好的办法,只有这样,才能制止美帝扩大侵略,才能保卫我们的祖国和世界的和平。

(三) 贯彻共同纲领中的文教政策

根据共同纲领中的文教政策,在消极方面,我们要肃清封建的、买办的、法西斯主义的思想;积极方面,我们要提倡爱祖国、爱人民、爱劳动、爱科学、爱护公共财物的公德。要想完成这个任务,就必须搞好政治学习,而时事学习正是政治学习的具体内容。

我们学习过社会发展史,知道资本主义和战争是分不开的,而帝国主义就是掠夺战争。有了这种认识,再与美帝今天侵略朝鲜活生生的时事结合起来,自然就可看出美帝的侵略本质,因而仇视法西斯主义,加强我们的爱国心。也只有这样通过时事政治学习,才能把我们的文教政策贯彻下去。

二、怎样加强时事学习?

(一) 首先要端正学习态度

第一,要有自觉自愿的态度,这是很重要的。有些同学对时事漠不关心,对朝鲜战争采取隔岸观火的态度。因而在时事学习上,完全处于被动,这是要不得的。

第二,我们不是为了学习时事而学习时事,主要的是通过时事学习,提高我们的政治认识和阶级觉悟。

(二)要站在人民的立场

我们学习时事,最重要的是站在人民的立场,绝不是站在第三者的立场,或超阶级的立场,来抽象地客观主义地进行学习。

过去一周来的时事学习中,有些人的立场不明确,以致在某些问题上钻牛角尖。比方说苏联到底有没有原子弹,如果有为什么不拿出来试验试验。这样的提法是没有必要的。还有些人怀疑朝鲜战争,不是美帝指使李承晚匪帮进攻北朝鲜,而是北朝鲜先向南朝鲜进攻的。事实上帝国主义要发动侵略战争,随便什么事都可以作为借口。譬如九一八日本侵略东北,就借口万宝山事件,发动战争。美国要想侵占朝鲜,必然要挑起战争,这是不成问题的。关于美帝侵朝的阴谋资料,报纸上已经很明显地揭露出来了,但是有些人对政府报纸登载的消息不相信,以为不如听听"美国之音",觉得"兼听则明,偏听则暗"。这是站在第三者立场来看问题。他们不了解在敌我之间,是没有第三者的立场的。大家知道,人民的报纸,是实事求是,不说谎话的。而"美国之音"则是美帝收买了一批走狗,专门制造谣言的机关。不相信自己的报纸,愿意听听"美国之音",这就是对人民不信任,对革命不信任,归根结底,还是立场问题。所以我们学习时事,站稳立场是很重要的。

所谓站在人民的立场,不外是要站在工人阶级、农民阶级、小资产阶级、民族资产阶级的立场,只要站在这几个阶级的任何一个阶级上,对美帝必然是极端痛恨的。譬如站在工人阶级的立场,就必然要同美帝拼个你死我活,决不妥协。老解放区的农民是恨透了帝国主义的,新区在实行土改以后,如果美帝来了,地主就要"翻身",农民又要遭受压迫和剥削,所以,他们也是要反抗美帝的。小资产阶级在过去也是吃尽了反动派的苦头的,如果敌人再来了,又会要回到从前的苦难日子里,被人奴役。至于民族资产阶级过去对"美货"的"好处",也是受够了的。所以这四个阶级,会采取同样的态度,敌视美帝国主义是不成问题的。我们学校的教职员工是属于工人阶级,同学们虽然今天没有加入工会，明天毕业后踏上工作岗位，就是工人阶级了。所以同学们也必须站在工人阶级的立场。也许有少数地主阶级出身的同学们，还不能认清时代，对过去多少有点依恋。然而，要知道，旧的时代是已经一去不复返了，太阳是不会从西方出来的。帝国主义和它的走狗如果还要想“卷土重来”，我们一定把它埋葬在我们的土地上。

（三）要从发展的历史的观点看问题

有些人以为朝鲜地小人少，军事装备不如美帝，眼看美帝侵入北朝鲜，便对北朝鲜人民解放战争的前途悲观起来。要知道，朝鲜并没有失败，朝鲜人民在某些条件上虽没有美帝那样优越，比如武装不如美帝强大，然而美帝是一个日趋死亡的力量，朝鲜人民力量虽然薄弱，但它却是一个新生的力量，目前的力量虽较微小，是必然会壮大的，是不可战胜的。

再就历史的观点来看。中国近百年史是一部帝国主义侵略中国的历史。因此帝国主义便是我们革命的最大敌人。但是，由于历史的发展阶段不同，在某一时期，某一帝国主义者成为我们最大的、最凶恶的敌人，到另一时期，另一帝国主义者又会成为我们最大最凶恶的敌人。譬如在1840年的时候，英帝国主义是中国最凶恶的敌人。到了1891—1945年，日本帝国主义却是我们最凶恶的敌人了。美帝从望厦条约起一步步地深入侵略，当它的势力没有其他帝国主义强大的时候，它便提出一连串的“门户开放”，“机会均等”的瓜分政策，来分尝一杯羹。现在日本帝国主义被打垮了，英法削弱了，美帝便企图侵占中国，独霸世界，所以它就成为我们当前最大最凶恶的敌人；同时也是世界上一切爱好和平人民最大的最凶恶的敌人，只有把它打倒，才能保持世界的持久和平。

（四）要认识时事学习的长期性

大家不要以为我们是单纯为了美帝侵略朝鲜，威胁着中国的安全，才来学习时事的。自然，由于局势的严重化，我们对于时事不能不加强加紧学习，这多少带有一些突击的性质，但我们还要把时事学习变为长期性，一句话，就是美帝不死，祸乱不止，在中华人民共和国的政权还受到威胁的时候，我们就要把时事学习坚持下去，绝不能五分钟的热度，一阵紧张过去，便松懈下来。

（五）要认清时事学习与业务学习的关系

有些人抱着纯技术观点，以为只要有技术，就可以为人民服务。因此，只搞业务学习，不搞时事政治学习，这是不对的，而且是非常危险的。因为只有技术，没有政治认识，他的技术是盲目的东西，这种观点发展下去，他的技术固然可以为人民服务，但何尝不可以为反动派服务，甚至为美帝服务呢？

大家都知道，在反动派统治时代，科学家的待遇是很低的，学理工的经常失业，而且有了职业，也是吃不饱穿不暖的。到了人民的时代，科学家的待遇是大大提高了，就拿我们学校来讲，以前理工毕业的同学时常失业。解放以后凡有一技之长的都有了工作，连发了霉的技术家也抬起头来，这说明了只有在人民的时代，科学家才有用处。

大家努力读书，钻研科学，这是应该的，可是这安静的环境是怎么来的？只有在人民的时代我们才有争取读书的机会，过去是没有的。全校一年来学习空气非常浓厚，求知的心理普遍提高，这也只有在人民政权之下才有可能。

所以，我们要把业务学习和时事政治学习结合起来。在社会、财经两院，时事政治学习也就是业务学习。譬如讲中国近代史，可以反美为中心，详细说明美帝侵略中国的事实，使同学们认清美帝的本质。在理、工、农三院，也要把时事政治学习弄清楚，不要专搞业务，尤其业务课的额外负担，应当减免。我们每周有 6 小时的课外活动时间，可以完全拿来搞时事学习。此外各种娱乐时间都可结合起来学习时事。

关于学习时事的领导机构，已经成立了时事学习委员会，我们要在它的领导下，全面展开时事学习。

三、学习时事要达到什么要求？

（一）消除对美帝侵略采取苟安或容忍的态度

全世界的人民是爱和平的，只有帝国主义才爱战争。大家更要知道，共产党是爱和平的，维辛斯基在联合国的和平计划被美帝的表决机器否决了，但他

还是委曲求全地表现了坚强的和平意志。中国人民和共产党也是一样酷爱和平的,可是和平不可得的时候,没有旁的办法,只有不惜牺牲,才能保卫和平。有些人对美帝侵略朝鲜,抱着苟安或容忍的态度,认为美帝还在朝鲜,只要不打到我们头上,便与我们没有关系,不要去刺激它,把战争扩大。这种态度,必须彻底消除。

(二)消除对美帝的任何幻想和恐惧心理

有些人以为过去打日本的时候,美国是我们的同盟国,现在忽然转了180°的弯,说它是敌人,思想上就徘徊起来了。事实上我们抗日的时候,美帝开始还是卖军火给日本,等到日本偷袭了珍珠港才被迫宣战,日本败了,它又想取日本地位而代之,把中国当作殖民地。另外,美帝运来的救济物资,有些人为这糖果政策所迷惑,认为这是美帝的好处,不知道这些都是嗟来之食,它不把这些东西运来,也是要丢到海里去的。跟着糖果政策而来的,就是枪炮,前后装备了反动派几十个师,大批屠杀中国人民。

其次要消除恐美病,最怕的是美国有原子弹。原子弹的杀伤力很大,固然可怕,但若具有高度的忘我精神,为民族的生存而奋斗,就应把个人的牺牲置之度外。这牺牲的最高代价,是中国民族的彻底解放,与帝国主义的完全死亡。我们如能把这点思想搞通,原子弹便不是什么可怕的东西了。

大家要知道,世界上最害怕原子弹的,不是中国人民,而是美帝国主义者。中国地区辽阔,挨100个原子弹,算不了什么。若在美帝,只挨10个原子弹就够受了。美帝的大都市,不过是纽约、华盛顿、落杉矶、芝加哥、西雅图、旧金山、费府、匹兹堡、波士顿,八九个大都市,每一个都市挨一个原子弹,美帝就完蛋。最近的消息,大家知道,美帝首脑杜邦、摩根、范多皮等人,已经到南部抢购房子,准备躲避原子弹了。加里福尼亚州长为了防止原子弹,特别写信到国会里去找防御计划,结果所介绍的38个文件,一个也不着边际,引起人民的责难。现在纽约已经组织了防御原子弹委员会,听说要到英国去找材料。可见怕原子弹的是美帝,而不是中国的人民。

我们还要批判唯武器论的思想。唯武器论在现在是彻底的破产了,第一次世界大战的时候,德国武器优于英法却败于英法。第二次世界大战,德国的武器优于苏联却败于苏联。在抗日战争中,日本的武器优于我解放军,却为我解放军所击败。三年解放战争中,蒋匪军武器优于我解放军,却败于解放军。这一切的事实,都说明了一个真理:武器不是决定战争胜负的因素,拿武器的人才是决定战争胜负的因素。我们要认清我们5亿人民的巨大力量,是不可战胜的力量,而且我们现在都已组织起来,我们有有组织的人民,有百战百胜的500万以上的解放军战士,有全心全意为人民服务的500万共产党员,还有近千万的民兵,这都是保卫祖国的巨大力量。美国有近千个的所谓"军事基地",它的弱点,主要是战线太广、太长,兵源太弱,而且没有人民来支持它,所以叫它纸老虎。我们如果把纸老虎当真老虎去打,一定可把它打倒的。

(三)发扬爱国主义与国际主义的精神

要认清抗美援朝保家卫国,是当前中国人民的重要任务,要高度发挥爱国主义与国际主义的精神,要巩固两个统一战线,即国内的统一战线和国际的统一战线,两者是不可偏废的。

(四)我们要行动起来

我们学习时事,不仅是认识目前局势,更重要的是要把认识化为行动。

第一,防特防谣。美蒋匪特,在这严重局势下,一定要到处钻空子,散布谣言,扰乱秩序,淆惑人心。我们必须提高警惕,严防匪特造谣。听到谣言时,要追根决不放松。

第二,师生员工大团结。我们全湖大人,要更紧密地团结起来,从团结中提高政治认识,搞好业务。

第三,在群众中要广泛宣传。不但我们自己要认清了美帝的侵略,认清抗美援朝是当前最重要的任务,而且要把这种道理,利用各种方式,在群众中去广泛宣传,准备战争。由和平到战争的大转变,是要有广泛的宣传的。

第四,参加土改工作。反封建和反美帝是分不开的,所以在抗美援朝的形势下,为了彻底摧毁美帝在中国的支柱,就必须坚决实行土改,打垮美蒋的供应部。我们要尽可能地去参加土改工作,从实际工作中,提高我们的政治认识和阶级觉悟。

第五，在思想做准备，响应政府号召。不要再有太平观念，苟安心理，准备在政府号召下，拿出每人所有的力量，到祖国需要我们的地方去。

末了，我再说一个譬喻：我们说过，中华人民共和国好比一只大船，载着工人阶级、农民阶级、小资产阶级、民族资产阶级。47500万人民都上了船，都是船上的主人，只要我们同舟共济，任何惊涛骇浪都是不怕的。因为我们这条船是以全国最大多数工农联盟为基础，有很多的英勇水手，有很好的舵师，可以乘长风破万里浪，达到社会主义的彼岸的。

现在，我们来唱国歌：

起来！不愿做奴隶的人们

……

我们的口号是：

准备到祖国需要我们的地方去！

中华人民共和国万岁！

（原载1950年11月24日湖南大学校报《人民湖大》第33期，署名李达，文末注明“杨谦益记录”）

拥护伍修权代表在安理会上的发言

（1950.12）

伍修权代表在安理会上的发言，是100多年以来中国人民在国际会合上第一声狮子吼，是中国人民对全世界的勇敢地、郑重地、庄严地宣告：中国人民已经站起来了！中华民族再也不是受人欺侮的民族了！我们有充分的信心和力量粉碎帝国主义的侵略！

这个宣告，指着美帝说：你这强盗，你这侵略者！你从来对中国不怀好意，现在你侵占我领土台湾，侵占我邻国朝鲜，又援助越南的侵略者。你把国防线扩展到台湾、鸭绿江和镇南关，武装蒋匪，武装日本，向中国人民包围进攻。我中国人民早就警戒着，准备着，用47500万人的力量，来粉碎你这强盗。我们决心要解放我们的领土台湾并援助朝鲜人民的解放。你滚出台湾和朝鲜罢！否则你将自作自受！

这个宣告，指着英法等仆从、喽啰说：你们这些垂死的东西，想依靠美帝做帮凶来复活么？你们有多大本事？你们若果胆敢为美帝火中取栗，你们必定惹火烧身，不得好死！

同时，这个宣告，向全世界人民声明：世界和平阵线的重镇——五亿人民一条心的中国，已经下了极大的决心，为保卫世界和平与远东安定而奋斗。让我们加强并巩固我们的团结，用我们巨大无比的和平力量，来粉碎侵略阵线！

当伍修权代表站在安理会的发言台上，理直气壮地、义正辞严地、侃侃而谈时，我们可以看到座席上美帝色厉内荏、恼羞成怒的狼狈相，看到英法等仆从内心惊悸、张皇失措的尴尬相；另一方面，又可以看到以苏联代表为首各人民国家的代表们的正义共鸣却又安详镇静的庄严相。我们还可以看到，当时会场中的气氛是紧张而严肃的。侵略阵营中的迷乱，惶恐和矛盾，从此滋长；

和平阵营中的镇静、坚定和团结,从此加强。这两种气氛,在双方的代表态度的对比上是很明朗的。从那时起,安理会中,当展开热烈的唇枪舌剑,但和平民主阵营的声势,由于我伍修权代表团的参加,必然加强和提高,因而压倒反动侵略的阵营,这是可以断言的。

我伍修权代表已要求安理会采取三项有效措施:即制裁美帝的侵略罪、使美帝武力退出台湾与朝鲜。安理会中美帝及其英法等仆从代表们,对于我们的要求的态度如何,是不难窥测的。他们阴险狡诈,无所不用其极,或者运用其表决机器,作出不着边际的决议,甚至作出非法的决议。但是我伍修权代表业已声明:我已决心收复台湾并支援朝鲜人民的解放战争;我 47500 万人民,业已万众一心准备“冒着敌人的炮火前进”,那三项有效措施,安理会如果没有积极的答复,我们的决心是绝不动摇的!

伍修权代表在安理会上的发言,代表着我 47500 万人民的共同意志,是中国人民的狮子吼,正如《新湖南报》社论的标题,是一篇“伟大的檄文”,是声讨美帝的“伟大的檄文”。我们为要拥护这一篇“伟大的檄文”,就必须行动起来,各自站在自己的岗位上,努力工作,加强我们的国防力量和经济力量,来支援我们的伍修权代表团,加强他们发言的力量。人民外交的胜利,全靠人民力量来声援!

(原载 1950 年 12 月 5 日《新湖南报》,署名李达)

关于平壤光复与目前形势的报告*

（1950. 12）

各位先生、各位同学、各位同志：

我们今天庆祝平壤解放，有着非常伟大的意义。平壤的解放，是朝鲜人民的胜利，也是中国人民的胜利，也是全亚洲人民的胜利；同时也是全世界人民的胜利。平壤的解放，值得朝鲜人民庆祝，中国人民庆祝，全亚洲和全世界人民庆祝。平壤的解放，扭转了朝鲜的战局，美帝国主义幻想在圣诞节前结束朝鲜战争的无耻荒诞的叫嚣完全破产了，现在它的军队已不能在圣诞节返回“天堂”，两万多人已走进了“地狱”，剩下的，朝鲜的军民和中国人民志愿部队也替他们敲起了“丧钟”。平壤的解放，加强了伍修权代表在安理会上发言的力量，证明了伍修权代表发言的正确。伍代表说：“中国人民已经站起来了，帝国主义侵略中国的时代已经过去了，中国人民从不、也永不害怕反抗侵略战争，中国人民具有充分的信心和力量粉碎帝国主义的侵略。”平壤的解放，证实了毛主席所说美帝是一个外强中干的纸老虎。我们人民解放军同日帝打过八年的苦战，取得了辉煌的胜利；三年来打垮了美帝所装备的蒋匪军。更取得中国人民的彻底解放的辉煌战绩。1948—1949 年美帝见风转舵，从青岛，从上海，把它占驻中国领土的军队仓皇撤走，我们想打它也打不着，现在到朝鲜打它一个痛快，不到几个星期，没打几个硬仗，就把它打得屁滚尿流。平壤的解放，表明了唯武器论的破产。朝鲜人民军和中国人民志愿部队，只用迫击炮、机关枪、步枪等，这么一点武器，就打得美帝狼奔豕突，也给患了恐美病的

* 这是 1950 年 12 月 9 日李达在湖南大学庆祝平壤光复晚会上所作的报告，原标题为“校长报告全文”。——编者注

人们一贴特效药，可以认清美帝纸老虎的本质。持武器的人没有灵魂，则武器只是机械，美帝军队是没有灵魂的，他们到朝鲜来打仗为了什么？自己也不明白，这些家伙都是些行尸走肉。中国人民志愿部队和朝鲜人民军就不同了，他们有崇高的灵魂和高贵的忘我品质，他们懂得热爱祖国和发扬国际主义精神，这样的队伍是无敌于天下的。患恐美病的人，根本是害怕美帝的武器，甚至原子弹之类，现在由于唯武器论的破产，恐美病是可以医好的。

平壤解放与国际形势将发生怎么样的影响？可以从两个方面来说明：世界和平民主阵营和反动侵略阵营。在反帝的革命的和平阵营方面，由于朝鲜人民的胜利，平壤的解放，鼓舞了朝鲜人民和中国人民反帝的信心和勇气，也鼓舞了越南、马来亚菲律宾这一些民族的反帝的勇气和信心，也增强了全世界人民反帝的勇气和信心，我们可以肯定地说：由于朝鲜人民的伟大的胜利，世界和平的力量是增强了。在帝国主义侵略阵营方面，帝国主义集团内部，由于朝鲜战局的失败，彼此互相攻讦，互相埋怨，美帝和它的仆从国家，矛盾更加扩大，就是美帝内部艾奇逊、马歇尔和麦克阿瑟这些战争贩子，也处于相互矛盾的地位，艾奇逊和马歇尔强调欧洲的重要，而麦魔咬定亚洲重要，因此举棋不定，形成了极端分化。美帝的仆从英法帝国主义看到美帝在朝鲜惨败，表现了惊惶失措，一面害怕中国人民的力量；一面唯恐美帝把所有赌本在远东完全输光，欧洲防务空虚，英法仆从的本身就更感到恐惧了。再则如果美帝敢于冒险，进一步同中国人民为敌，英法究竟采取什么样的态度？派军队来充炮灰，这是不可能的。因为没有那样多的本钱也没有好多军队可派。法帝在越南已朝不保夕，英帝在亚洲已经遍体鳞伤，在欧洲更没有力量同和平阵营对抗。另外，那些小喽啰如瑞典、挪威、比利时等国家，正在设法抽腿。英法内部的人民甚至美帝内部的人民，反对美帝的行动也日日增高了。目前的国际形势，和平阵营方面，已经团结得更坚固了，在帝国主义方面，由于相互间的矛盾加深，更加感到惶恐、迷惑、忧惧，这样的形势对我们是有利的。

但是美帝是不是由于在朝鲜的失败，就会终止侵略战争，这是断然不会的。帝国主义的本身，就是掠夺战争。杜鲁门 11 月 30 日对朝鲜战局的声明，标明重建美国的“国际秩序”，大大扩军。艾奇逊发出了“自由战略”荒诞的声明，马歇尔有“局部动员”狂妄的建议，美帝的阴谋，必然会逼迫英法同道，加紧扩大战争，和民主阵营对抗。还有最毒恶的办法，就是武装西德和日本来充当炮灰，可是这个如意算盘是打不通的，西德人民的觉悟已一天一天提高，日本人民更不甘心做美帝的殖民地，美帝武装西德和日本的结果是火山上的跳舞，危险是摆在眼前的。

但是我们不管形势怎么样，我们要加强准备，切不可麻痹大意，以为美帝失败以后就会甘休。帝国主义自己不会自杀，不会自己走进坟墓，是要人民同它挖掘坟墓，来埋葬它们的。

今天我们庆祝平壤的解放，一定要提高警惕，加紧防匪防特，从事于国家军事，经济建设以及其他工作。

特别我们必须把我们的爱国热情化为投身国防建设的实际行动，踊跃投考各种军事干部学校。我们要努力就我们可能的力量，支援朝鲜人民军和我国人民志愿部队，来表示我们对中朝部队的敬礼。（完）

（原载1950年12月11日湖南大学校报《人民湖大》第35期）

一切优秀勇敢的青年们投身到国防建设前线去*

（1950. 12）

全体同学们、同志们：

你们是中国的优秀儿女，是优秀人民的儿女，现在祖国正发出了庄严的号召，要我们到祖国最需要的地方去，到国防建设的工作岗位上去，在这一庄严的号召下，我们湖大已经组织了保送委员会，希望同学们、同志们秉着高度的政治觉悟，发扬高度的爱国精神，踊跃参加国防建设的伟大工作。

同学们！同志们！100多年以来，我们的祖父、父亲一直到我们这一代，都是在帝国主义和封建主义的压迫和剥削中生活过来的；同时也是在革命的斗争中生活过来的，特别是近30年来，全中国人民一直在同反动派进行革命的斗争，中国共产党和中国人民解放军是在这革命的斗争中，成长起来，壮大起来的。由于中国人民的革命的胜利，中华人民共和国的成立，帝国主义和封建主义的势力基本上已被赶出大陆，但是他们是不会甘心失败的，他们随时企图进行复辟的阴谋，这种事实，是很清楚、很明白的。

中国革命的成功，是俄国十月革命以后世界革命史上最伟大的事件，由于新民主主义中国的出现，基本上改变了世界的形势。全世界1/4的人民已经站起来了，以苏联为首的世界和平民主阵营，由于中华人民共和国出现于世界历史舞台，由于5亿中国人民的参加，它的力量已空前壮大，相反地，帝国主义反动派的力量都大大削弱了。但是，毛主席早已再三指出，帝国主义反动派是

---

* 这是1950年12月14日李达在湖南大学投考军事干校动员大会上的报告，原标题为“一切优秀勇敢的青年们投身到国防建设前线去——动员湖大人投考军事干校，李校长在大会的报告”。——编者注

不会甘心失败的,美帝对我们的军事包围,早已布置周密,美帝已经侵略我们的台湾,发动朝鲜的侵略战争,干涉越南的解放,武装日本,准备从朝鲜到台湾以至镇南关,大大包围我们的国家,这个事实大家是很明白的。所以美帝是我们当前最凶恶的敌人。

同学们!同志们!中国向帝国主义磕头作揖求哀乞怜的时代已经过去了。我们在中国共产党的领导下,朋友遍全世界,我们有能力保卫世界和平,和保卫祖国的安全,美帝如果向中国伸出侵略的魔手,我们就要马上打断他。中国革命人民30年来的斗争经验,并接受了十月革命全部苏联人民打破18个帝国主义国家围攻的教训,我们有足够的力量粉碎帝国主义的侵略,现在,朝鲜以美帝为首的所谓52国的联军在朝鲜人民军和我人民志愿部队的强大力量的打击下,已经大部分歼灭了,这证明我们自己已经拥有广大的武力,我们还要吸取苏联革命的宝贵教训,以及中国共产党的革命经验,只有用革命的武装反对反革命的武装,才能保卫祖国和全世界的和平与安全。

中国大陆解放1年多以来,在毛主席的英明领导下,全中国人民组织起来了,经济生活基本安定了,建设文化的事业也有了显著的进步,国际地位也空前地提高了,近百年来,我们是第一次光荣而骄傲地站在世界人民的面前,这是由于我们有力量能够打倒蒋介石匪帮的封建特务统治。

战争究竟扩大与否,这要看我们有没有力量制止它。在这严重的形势下,迅速建立现代化的机械化的国防军,是我们国家当前最首要的任务。

我们新国家的建设,分为政治建设、经济建设、文化建设。国防建设就是政治建设的内容之一,只有搞好国防建设,才能巩固中华人民共和国的胜利成果,才能巩固我们的人民民主专政,如果不先建好国防,那么,经济文化建设都是空中楼阁,所以我们一定要在帝国主义包围的形势下,进一步地进行现代化的国防建设,只有如此,才能粉碎帝国主义的侵略。

我们知道:中国人民解放军的力量是非常强大的,过去曾经击败了日本帝国主义,打垮了美帝所装备的蒋匪军,现在我们的人民志愿部队在朝鲜战场已经取得了辉煌的胜利,可以说我们解放军的力量在世界上是无敌的。不过,我们的军队在装备上还需要进一步提高,海军空军才开始建立,所以中央人民政府决定设立军事干部学校,培养大批的国防建设干部,建设现代国防军,坚决执行反帝反封建的任务。

过去每次帝国主义侵略我们时，反动政府压迫我们革命人民不准说，不准动，那时爱国是有罪的。现在不同了，政府是人民的了，只有人民的政府，才不会反对人民爱国，才会领导人民爱国，只有在人民政府领导之下，才能组织人民的国防军，才能保卫人民祖国的安全和全世界人民的和平。同学们！同志们！祖国现在正在号召我们青年学生，青年工人去参加军事干部学校，参加国防建设工作，这是我们的权利，也是我们光荣的任务，一切具有高度的新爱国主义精神的青年学生，青年工人们，都应当踊跃响应祖国的伟大召唤，把你们的热情化为实际行动，到祖国光荣的岗位上去。

我们湖南是毛主席的故乡，是毛主席初期从事革命的地方，湖南青年具有毛主席革命精神的光荣传统。在抗战时期，很多青年跑到延安，参加八路军和新四军，今天他们都成了革命队伍里的优秀干部。我们湖大人民在解放前同反动派不断做斗争，对于湖南的解放，起了一定的作用，所以湖南大学有着华南民主堡垒的光荣称号，解放后，我们湖大人民参加了各种革命军政工作，表现了高度的爱国热忱，可见湖南学生的运动，是具有全国学生运动的光荣历史传统的。列宁说过："我的位置，在别人前面，在前线上。"湖大青年学生们，青年工人们！我们的位置，应当站在别人前面，站到前线上去，做保卫祖国的战士。我们热爱祖国，为保卫祖国安定而斗争！热爱以苏联为首的一切和平民主友邦，为保卫世界和平而斗争！我们要仇恨美帝和以它为首的侵略集团，为制止侵略战争而斗争！这就是新的爱国主义的精神。我们如果没有强大的国防军，我们的人民就没有和平，我们的国家就没有保障，什么经济建设、文化建设都是要落空的，这一点，同学们是认识到的，但是在思想上，还有一些模糊观念需要加以纠正：

第一，参加军事干部学校，是参加国防建设工作，这是一种最光荣的工作，绝不要以为参加军事干部学校，就是到前线去打仗，这种思想是错误的。

第二，现代化的国防建设，要有高度文化的知识和科学技术的基础，大学生既具备着这些条件，就应该参加到国防建设去，有的认为自己是大学生，觉得参加国防建设有些"可惜"这种思想是不正确的。

第三，有的以为参加军事干校就是当兵，是大材小用。大家要知道：在反动派统治时代，当“兵”是反动派的帮凶，是帮助反动派屠杀人民是反动的，现在是人民的时代，参军是为人民打击反动派，打击压迫者和剥削者，这是很光荣的。

第四，有人认为只有大学才能培养专门人才，轻视革命斗争的锻炼，这是错误的，大家都知道，解放军的指战员们好多是从多年革命的斗争中锻炼成为各种专门人材，解放军就是一所大学校，无所不包。而且，建设新的国防军队，是以科学技术做基础的，我们六院二十五系的同学所学的，完全可以用得着的，参加军事干校，就是想我们所学的东西拿去应用。

第五，还有一点，是家庭顾虑，以为参加军事干校以后，不能照顾父母和自己的亲属，这种顾虑是必须打破的，我们要想到我们还有比家庭更大的顾虑，就是祖国的安全，如果祖国的安全不能保障，家庭是没有安全可言的。青年不仅是各个父母的儿女，也是祖国的儿女，不是父母所私有的，如果祖国不安全，家庭也是顾不了的。八年对日抗战就是很好的例子。

全湖大人民正在开展激烈的思想斗争，是很好的现象，参军不参军，在考验着我们的革命性，测验我们的爱国热情，测量我们的思想水平。

同学们！工友们！教职员们，大家要重视这个思想问题，必须自己互相启发教育，提高认识，各位老师尤其要帮助启发教育，使同学们解除思想包袱，自觉自愿参加军事干部学校，走上国防建设前线。

全体湖大人民要在思想阵线上大规模展开斗争，提高认识，丰富爱国感情发为自觉行动。参军的光荣，不参军的也能立即改变学习工作态度，提高学习工作一步，为祖国继续号召我们做准备。我们必须由此准备这种认识，祖国需要我们做什么就做什么，政府要我们到那里去就到那里去，一切服从人民利益，服从政府决定。

大家行动起来，展开讨论展开思想斗争，一切优秀勇敢的青年们投身到毛主席的周围去，做毛主席的近卫军。在毛主席的领导下，打开祖国的光荣前途；同时也就可以争取到祖国的光荣前导。

（原载1950年12月15日湖南大学校报《人民湖大》第36期）

在抗美援朝保家卫国大会上的报告词*

（1950.12）

同学们！同志们！

我们自从响应各民主党派抗美援朝保家卫国的宣言，展开了时事学习，到现在已有一个多月了，最近又举行了庆祝平壤解放和纪念“一二·九”大会，我们对世界的形势和我们应有的努力，更有了进一步的深刻的认识。

最近中央颁布了招收青年学生青年工人参加各种军事干部学校，我们全体湖大人民，表示了热烈的响应，这是我们把认识表现成为力量化为行动的最高表现。

今天这个抗美援朝保家卫国大会，会场布置得非常庄严，象征前途的光明伟大，这是全体湖大人民抗美援朝保家卫国实际行动的开始。

一、平壤解放后国际形势与杜艾会谈的新侵略阴谋

自从平壤解放，鼓舞了全世界爱好和平人民的胜利信心，表现了朝鲜人民有解放全朝鲜的力量，表现了中国人民志愿部队能够发扬高度的国际主义精神；同时还鼓舞了全世界全亚洲人民的解放运动的信心，世界和平阵营的力量，已经大大地加强了。以美帝为首的反动侵略集团的力量，已大大地削弱了。第二次世界大战以后，帝国主义最大的一次侵略战争，就是这次美帝发动侵略朝鲜的战争，现在美帝及其仆从国家在朝鲜的侵略武力，被朝鲜人民军和

---

* 这是1950年12月16日李达在湖南大学抗美援朝保家卫国大会上的报告，原标题为“校长在抗美援朝保家卫国大会报告词”。——编者注

中国人民志愿部队打得落花流水。帝国主义侵略集团已经狼狈不堪,从杜鲁门、艾德礼会谈所发表的公告可以看得非常明白。

这个公报,说了些什么?显然他们并没有得到应有的教训。他们协议把这个没有希望的冒险,坚持下去。他们的协议,是进一步扩充军队,加紧军火生产;破坏开罗宣言及波茨坦协定,把我国台湾掠为己有;继续扩大侵略朝鲜战争,加紧对我国的军事包围。这是美帝再一度向全世界人民宣布的新的侵略计划。其次,它们企图转移全世界人民的注意力,重申所谓美英两国政府希望以和平方式解决悬而未决的问题,这不过是掩饰事实,加紧侵略中朝的拙劣手法,使人忽略它们的军事冒险计划。再其次,这个公报,进一步暴露了美英集团内部的矛盾,比方说,美英两国政府对于中国在联合国的代表权问题上的分歧意见,这就是说明美英帝国主义在东方矛盾的加强,英帝害怕美帝在东方的武力完全消灭,影响到英帝本身的安全,这是美英帝国主义在平壤解放后无可奈何的供状。

二、奥斯汀的无耻谰言是对全中国人民的重大侮辱

此外我们伍修权代表在联合国提出三项正当要求,要美帝滚出朝鲜和台湾,谴责美帝的侵略罪行,可是美帝开动它的表决机器,竟拒绝了我们的正义要求;同时苏联代表维辛斯基的提案也被扼杀了。却通过了一个所谓六国提案,想以联合国这块盾牌,把美帝侵略中国包围中国的侵略行动合法化起来。而美帝代表奥斯汀在安理会答复美帝侵略中国领土台湾,侵入中国领空领海,轰炸和扫射中国人民的血腥事实,竟然混淆黑白,颠倒是非,发表了荒诞的无耻谰言,居然说出美帝对中国有传统的“友谊”,办了许多学校,开了许多医院,运了许多救济物资。奥斯汀无耻地说:“千千万万的中国人民绝忘不了他们所以有饭吃,有工作,有衣穿,能旅行,大部分是仰给美国援助的结果。”这是侮辱全中国人民。我们有饭吃,有衣穿,是我们自己勤劳生产的结果,这是很明白的。相反的,所谓救济物资包含的毒素,更是大家所知道的。在它背后运来了大批飞机、大炮、军火帮助了它的走狗蒋介石匪帮,屠杀了几百万中国

人民，只有蒋匪帮所接受的是救济，中国人民所得到的只有灾难。其次，奥斯汀又大谈所谓文化方面的联系，他侮蔑了中国30万爱国的知识分子，以为传染了美帝的毒素，一定能替它做剥削中国人民的工具。他没有想到站起来了的中国人民，千千万万受过美帝教育毒害的中国知识分子，正在痛定思痛地控诉它的文化侵略的罪行，所谓"中国和美国人民的一条金线"，完全是丧心病狂的谎言，我们要认识奥斯汀的无耻谰言的真意。如燕京、辅仁、圣约翰、金陵等地的许多教会学校，都发表反侮辱、反诽谤的宣言，痛斥奥斯汀的无耻。同时很多教会纷纷发表宣言，脱离了美帝的束缚，自给自传。

三、报名参加国防建设工作还要深入一步提高一步

最近中央人民政府号召青年学生，青年工人参加国防建设工作，这个庄严的号召，全国广大青年已纷纷行动起来，我们湖大人民正在踊跃报名，到现在为止，已经有了422人，这种现象，表现了新的爱国主义教育收到了一定的效果。我们还要深入一步，提高一步，向北京、上海、武汉各地的大学看齐。

同学们！我们参加国防建设工作，是最光荣的工作，国防的各种学校、海军学校、空军学校、陆军学校，这是红海军、红空军、红陆军大学，是第一等的大学，是造就祖国最需要的人才的地方。中国的优秀儿女们到那里去是会受到国家最优厚的招待的，那里有很好的政治学习和业务学习，还有适当的文娱生活，这是一所中国最大、最好的学校。同学们！我们要把一切不必要的顾虑打破，踊跃地报名参加，同事们也要鼓励自己的子弟报名，参加到国防大学去。

今天这个大会，就是我们行动起来的表示，我们要把我们的决心书，送到毛主席那里去，表示毛泽东故乡的大学，是有着光荣革命传统的大学，是会保证到祖国最需要我们的地方去。末了，我再重复一句话，希望同学们！同志们！勇敢地行动起来，报名参加国防建设工作。

（原载1950年12月19日湖南大学校报《人民湖大》快报第1号）

在现有的学习基础上胜利前进！

——1951 年元旦献词

（1951.1）

1951 年的新年已经在团结进步胜利声中来到了。在这一年，全体湖大人，将要在现有的胜利的基础上，把教学工作更向前推进一步，提高一步。

一年以来的湖南大学，遵循着政府“暂维现状，逐步改进”的原则，实行“肃清封建的、买办的、法西斯主义思想，发展为人民服务的思想”的教育，已把四大家族的湖大摧毁了，改变成为一个人民大众的湖大，为培养新国家政治、经济，及文化建设干部的革命的大学了。

检查一年来的工作，我们有了一些宝贵的成就。

第一，1950 年春季始业后，我们大规模展开了新民主主义的政治学习，以全校师生员工每星期一上午的政治大课，下午的小组讨论和班讨论，作为我们改造旧教育，建设新教育，改造旧思想，建立新思想的中心环节。因为我们要想把一个旧学校，改造成为一个新学校，把从旧社会中成长起来的旧知识分子，改造成为革命的劳动知识分子，就必须先从我们师生员工的思想改造做起。这是一个立场问题、观点问题、方法问题。经过一年来的思想政治教育，大家已经初步建立了理论与实践一致的教学方法、工作方法，初步认识了一切为人民属于人民依靠人民的普遍真理。

到 1950 年下学期，在政治教育中，除一年级同学学习社会发展史外，其他年级同学，以时事学习为主。从 6 月 27 日杜鲁门发表了狂妄的声明，美帝出兵侵略我国的领土——台湾，并向朝鲜发动了侵略战争后，全校即展开了时事学习，接着在 11 月中旬“抗美援朝保家卫国”号召下，更展开了新爱国主义的教育的时事学习。最近政府发出青年学生青年工人，参加军事干部学校的伟大号召，全湖大人马上卷入了这一新爱国主义教育的洪涛中，涌现出不少的优秀儿女，优秀父母，创造出不少人民儿女的光荣典型，参加报名人数超过千名，没有报名的，也都在政治认识上提高了一步。

总之经过一年政治学习，我们初步掌握了马列主义的基本理论，树立了辩证唯物论的社会观和为人民服务的革命人生观；大部分教职员，克服了雇佣观点，大部分同学也克服了纯技术观点，认识政治学习与业务学习的结合，是搞好工作搞好学习的有利条件，培养了认真教认真学的教学风气，为今后教学工作奠定了良好的基础；在参加国防建设的运动中，更表现出爱祖国爱人民的新爱国主义的精神。

第二，关于课程的改革，这是改造旧教育，建设新教育的具体步骤。1950年上学期，我们成立了教学研究部，院和系的教育委员会，集中领导，分层推动，初步依照华北各大学课程暂行规定，取消了含有毒素的课程，添设了社会发展史、辩证唯物论、新民主主义论、政治经济学、政策与法令、社会主义经济建设与新民主主义经济建设、俄文等必要的课程。为了教学计划化，学习组织化，和实施教学检讨，又做了进一步的精简课程，使各课程与系的任务和需要有了较密切的配合，减轻了学生的负担，增加了深入学习的情绪。1950 年下学期，我们根据高等教育会议的决定，又做了第三次的精简，将教学研究部合并于教务处，吸取苏联的教学经验，有重点地成立了各课程的教学研究小组，把教师组织起来，运用集体力量，改进教学和研究工作，实施教员间的集体教学，师生间的共同讨论。同时为了保证完成一学期的教学任务，规定了每期所修课程不得超过 17 学分或 50 学时，每期学习时间不得少于 17 周，这样方针明确、任务明确、课程明确、组织明确，一年以来到今天已初步建立了符合共同纲领中文教政策的新的教育秩序。我们今后要更加巩固这些成果，进一步地加强领导，团结师生，为开展学术研究的工作，创造更有利的条件。在学校行政上，我们也有合理的精简和改进，经过工友整编，教职员整编，科系归并和增设，一切从实际出发，我们已获得了相当的成效，职工的整编，不仅没有降低反而提高了工作效率。

第三，关于团结问题。湖大在解放后，合并国师、克强、音专、民大四校，人数增多，思想情况相当混乱，因而在师生员工之间，多少存在一些不够团结的情况。一年以来,针对这些情况,我们提出了“在团结中求进步,在进步中求团结”的口号,号召湖大人增强团结,搞好工作,搞好教学。本学期开学的时候,我们又提出了“团结第一”的要求,建立“大学的统一战线”的号召。通过了合并原来的教授会、讲师会、助教会、职员会、工友会等割裂的组织,组成了教职员联合会,工友联合会,进而合并成立湖大教育工会,团结和教育了广大的教职员工,学生会通过竞选和改选,贯彻了发动群众的基本任务。经过一系列政治思想教育,提高了大家的政治思想水平,到今天,全体湖大人,已紧紧地携手团结起来了。这首先表现于各系的师生座谈会上,学生对教师的教学内容和教学方法,能够适当地、礼貌地提供意见,教师能够虚心地、谦和地接受意见,力求改进;在这个基础上,不但提高了教学的效能,而且也加强了师生的团结。其次表现在这次参加军事干部学校运动中,各院系教师大都加入学生小组或班系的讨论,为同学解决不少的具体思想问题,增进了师生间的感情和团结。再有现在大家普遍地有了责任心,积极性也一天天提高;组织性和纪律性也慢慢地建立起来。在生活作风上我们也有了初步的改变,这就是我们具备了担负革命工作完成革命任务的起码条件。我们要在这些良好的基础上,加强学习时事,掌握理论的武器,做一个毛主席故乡的大学的光荣的教师、职员、学生和工友。

1951 年开始了,我们应当进行一些什么样的工作呢?

首先,我们应当巩固与提高爱国主义的政治思想教育。更进一步展开抗美援朝保家卫国运动。因为美帝虽然已在朝鲜遭遇了决定性的失败,但它并没有从朝鲜、台湾撤退,并且宣布了所谓紧急动员,积极准备新的世界战争。所以我们对抗美援朝保家卫国的政治思想教育,还应继续深入与提高,加强对美帝仇视、蔑视、鄙视的宣传教育,加强对国防建设的重要性的认识,明确国家利益与个人利益及家庭利益的正确关系,要化认识为行动,这就是时事学习的长期性和重要性,这就是我们 1951 年首要的事情。

其次,加强土改学习,争取参加土改,也是极其重要的。湖大人很多出身地主家庭,在 1950 年减租退押时,有些人临到了自己的头上,就闹情绪,不能安心学习;现在湖南土改业已全面展开,湖大人必须及时加强土改学习,这不仅要求在理论上认清土改的必要性,而且要争取参加土改工作,使理论与实践

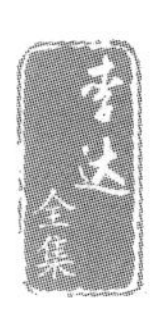

统一、建立劳动人民的情感，从而站稳立场，帮助农民进行土地改革的斗争，减少进行土改的阻力。

此外，我们还要提高学术研究空气，除了学术性的刊物要先后出版外，准备成立社会科学，自然科学研究所，尽量争取与各文化机关与各有关工矿部会技术合作，实行专题研究，以实现我校理论与实际相结合的教学计划并以适应新民主主义经济建设的需要。

新年了，又一个新年度开始了，我们很幸运地生在这么一个伟大的时代，做了毛主席的小学生，做了毛主席故乡的大学的教师、职员、学生和工友。在过去一年，我们已经获得了许多光荣的成绩。新中国是在迅速地进步着，湖大也是在迅速地进步着。1950 年的胜利，比一年以前人们所预料的要大得多，快得多，在 1951 年，我们更有了比 1950 年好得多的条件，因此我们将要得到的成绩，也将会比我们现在所预料的更要大些，更要快些！同学们！同志们！让我们团结一致，在 1951 年完成一个最大的胜利——建设一个新民主主义教育的，毛主席故乡的一所典型的大学，人民的大学！

（原载 1951 年 1 月 1 日湖南大学校报《人民湖大》第 38 期，署名李达）

推动湖大更进一步*

(1951.1)

各位同志：

今天我们人民湖大热烈地举行教职员工新年联欢大会。首先让我恭祝各位新年健康、快乐、胜利和进步。

同志们！1950 年这一年以来，我们的工作已经获得了很大的成绩。

第一，学生的业务学习和政治学习已有了巨大的进步。学习生活秩序，已经走上了正轨。目前这种成绩，已经超越了解放前的水准。

第二，行政方面的整理，教学与生活方面的设备，校舍的建筑，都已表现初步改进的成绩。

第三，工会的成立，学生会工作的开展，表示着湖大人的团结和进步。

湖大一年来的工作成绩，是经得起检查的。比方这次参加军事干部学校，全校报名的有 1000 多人，充分表现出湖大人的高度爱国热情，这是我们全体师生员工的无上光荣。通过这次运动，我们一般师生员工的政治认识，大大提高了一步，认识了个人利益应当服从国家利益，个人的光荣前途，必须寄托于国家的光荣前途，这是湖大思想战线上的一个大胜利。

我们全体同事们要继续巩固并发展这一爱国运动的精神。

教员同事们要在教学方面，精益求精，改进教学内容和教学方法，以赤诚爱国的精神，全心全意为国家培植高级建设人才。

职员工友同事们，要进一步打破雇佣观点，搞好本位工作，发挥主人翁的

---

* 本文是 1951 年李达在湖南大学教职员工新年联欢会上的讲话，原标题为“推动湖大更进一步——李校长在教职员工新年联欢大会的讲话”。——编者注

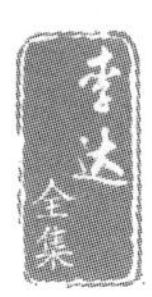

精神。

全体同事们必须从参军爱国运动中,学习同学们克服自私度,加强政治学习,保证搞好自己的工作,推动湖大的进步。

我们的进步,不是像过去在风平浪静的状态中求进步的,而是通过具体事件,通过实际运动去求进步的。现在有两件事情,要同各位谈谈:

一、调整工薪　端正态度

第一,薪资调整问题,这是很早要解决的一个问题,由于忙于参加军干校爱国主义运动而延搁了一些时间。现在 1950 年度已经终结,1951 年已经开始,我们学校的决算书要在最近报告教育部,所以这个问题,必须于本月 20 号以前解决。关于这个问题,首先要谈的就是端正我们对于工薪调整问题的态度。大家不要从自己的利益出发,从自己可以得多少米的看法出发,而要提高到思想政策水平上来。必须清楚地认识到:这不是简单的平均加薪的问题,而是要通过加薪方式,奖励进步,促进改革。我们做这件事,根据目前的条件,只能在现有工薪基础上,稍微普加一点,照顾一般,而着重个别调整,使工作努力的得到表扬。做法必须运用民主评议,工作鉴定的方法,大家做主来做。关于这个问题,另做详细报告,现在提一下,只是希望大家对这件事准备讨论,不要单纯从个人利益出发来考虑这一问题。

二、支持土改　拥护土改

第二,对土改问题,我们现在要简单地报告一下:土改问题是当前多数同事和同学所遭遇的问题。土改是革命第二大关,要过土改关,是有一些痛苦的。大家必须忍痛好好过关,过了这一关,就有光明的前途。

我们大家都是工会会员,都是工人阶级的一分子,必须站在工人阶级立场,无条件地支持土改,拥护土改。

土改是一场激烈的斗争,在斗争中地主家庭在经济上与政治上或多或少要受到打击,这是不成问题的。大家与土地有关系的,要主动了清退押减租,不要存心退避拖延，处于被动。

学校方面，对教职员同事有土地关系的，根据政府指示，适当协助料理，但当事人绝对不可有依赖学校代为负责的心理，希望与土地有关系的同事们，个人自己负责了清这笔剥削债务。

现在本校已经发生几个先生和学生立场不稳，不请假私自逃避的现象，这样就成为逃亡地主，脱离了人民，站在人民政权敌人的方面，做国民都不可能了，必然是走向绝路，自毁前途。学校决即报告教育部处理，政府必以逃亡地主论罪。例如彭汝龙逃避的事情。

关于土改问题，学校和工会准备从星期六(1 月 6 日)起，联合举行座谈会讨论，希望大家重视这一问题。

我们今天约请大家在光天化日之下，聚会一堂，进行联欢，庆祝新年，在热烈的气氛中，大家一定会极其快乐的。

最后，祝贺大家新年快乐！

发挥集体主义精神，做一个好的人民勤务员。

(原载 1951 年 1 月 8 日湖南大学校报《人民湖大》第 39 期)

把爱国热情贯彻到学习和工作上*

（1951.1）

各位同学、各位同志：

这次参加军事干校，报名的已经审查完毕，这115人都是入空军学校的，我预先向空中卫国英雄致以烈热的祝贺。被批准的，马上就要走上国防建设的岗位上去，是非常光荣的，这不仅是被批准的同学们、同志们个人的光荣，同时也是我们全体湖大人的光荣。

被批准的同学们、同志们，在过去这一伟大的祖国号召下，高度地发挥出爱国主义的精神，表现出中华儿女的优秀性。现在既然被批准了，就应该勇敢地、坚决地、非常愉快地、毫无顾虑地走上光荣的国防建设的岗位上去。过去表现出优秀性，现在更要表现出优秀性。我相信湖大的优秀儿女是不会有一个人掉队的。

大家的志愿，有许多是要入海军学校的，这次被批准的，是一律入空军学校。大家不要从个人兴趣出发，而要以国家的需要为转移。

没有被批准的同学们、同志们，主要是因为身体条件不够。其次是因为家庭负担，或者是独生子女，从这点也可以看出政府对于我们的照顾是非常周到的。再就是照顾到工作，这是从全面来看这个问题，处理这个问题。

无论由于什么原因，千万不要闹情绪，灰心消极，相反地，要把我们的爱国热情贯彻到学习和工作上去，搞好三位一体的学习，同时要发挥友爱精神。热

---

* 这是1951年1月14日李达在湖南大学参加军事干校光荣榜揭晓庆祝大会上的致词，原标题为“把爱国热情贯彻到学习和工作上——李校长在大会上致词”。——编者注

烈地来欢送被批准的同学们、同志们，每个人要抱定决心，准备随时再来响应祖国的号召。

（原载1951年1月15日湖南大学校报《人民湖大》第40期）

在欢送参干会上的讲话*

（1951.1）

各位同学、各位同志：

今天我们开会欢送参加军事干校学生到空军学校去。湖大第一批参加空军学校的同志中有115人，这115人都是中国人民优秀的儿女；同时是湖大最优秀的学生，最优秀的同志。今天我们举行欢送，站在湖大的立场，是舍不得这批优秀的同学和同志离去的。但是局部的利益，应当服从全体的利益；我们湖大的要求，应当服从国家的需要，今天你们去参加空军，参加强大的空军的建军工作，是一件最光荣的工作是一项最光荣的任务，因此也是全体湖大人共有的光荣。所以我们非常引为欣慰。

我们湖大有这么多的优秀分子参加空军，这与我们两个月来爱国主义教育的政治学习是分不开的，今天趁着这个机会，把参加军事干校运动向大家做一简单的总结。

一、对这次学习的估价和认识

参加军事干部学校运动，基本上是爱国主义的学习。这次学习，在本校是空前的收获。学习成果之一，表现在90%以上的同学都参加了这个运动，报名的同学，社会科学院443人中，报名的计有202人，占全院人数46%。财经学院476人中，报名的计有188人，占全院人数39%。自然科学院133人中，

* 这是1951年1月15日李达在湖南大学参加军事干校同学欢送大会上的致词，原标题为“李校长在欢送参干会上讲话”。——编者注

报名的计有60人,占全院人数45.1%。工程学院691人中,报名计有319人,占全院人数57.7%。农业学院163人中,报名的计有94人,占全院人数57.7%。文教学院196人中,报名的计有98人,占全院人数50%。总计全校2102人,报名的共计961人,占全校人数49%。外工会会员报名的计22人。

这次同学报名,团员踊跃参加,占团员总数80%,起了光荣的示范作用。取录干校的同学,团员占54%,非团员占46%。

各学院报名人数,以农业学院所占的比例较大,其次是工程学院、社会科学院、自然科学院,以财经学院所占比例较小。

在社、财、自、工、农五院,学生1906人中,其中男生有1694人,女生有212人;报名人数,男生有759人,女生104人,男生占男总人数44.8%,女生占女总人数49%。女同学比男同学的百分比较大。

经过初审和身体检查的共613人,内同学584人,最后批准的有115人。其中工会会员1人,同学计社会科学院21人,财经学院13人,自然科学院12人,工程学院44人,农业学院13人,文教学院11人。工、农、自三学院取录的比例较多,是因为身体条件较好,但为照顾国家经济建设上的需要,因此三四年级的同学取录极少。

二、学习的收获

这次的学习能够有这样好的成就,主要是作为一个政治思想教育过程来进行的。既不是单纯为参加军事干校而动员一些人来参加,也不是单纯地为完成人数上的任务。在同学教职员中,除极少数以外,全校无论报名的或没有报名的,无论一开始就参加到运动中来的或中途才投入到运动中来的,一般都在思想上大大地提高了一步。对美帝的侵略本质问题,国防建设的重要性问题,个人和家庭,学习和工作,个人前途和国家前途各问题,都在这个运动中,互相启发,互相推动,自我反省,自我批判,从思想上获得了解决,这是一年来政治学习更深刻、更生动、更实际的一课。大家清楚地认识了美帝国主义就是战争,必须提高警惕,实行抗美援朝,把战争火焰推向朝鲜海外去,才能制止战争火焰引向中国大陆来。大家明白了国防建设的重要意义。没有国防建设、经济建设、文化建设就没有保障。因此,大家搞通了个人利益必须服从国家利益,个人的前途必须寄托在国家光荣前途之上。这是湖大人民在思想上空前的大胜利。

我们这次成绩之所以获得:

第一,由于中南教育部和湖南招生委员会指示的正确。

第二,由于师生员工在运动开始以后,把久经蕴蓄的爱国热情,充分发挥出来,形成了一个自觉自愿的群众运动。

第三,由于各院系先生,有爱国热情的基础,对同学有深刻的启发。还有,工会、学生会、民主妇联的具体推动,也是很有力的鼓励。

第四,由于党的积极领导,和广大团员起了带头作用。

三、学习中的缺点

但这一次的学习不是没有缺点的。

第一,有极少数的同学和教职员工始终没有从思想上重视这次学习,参加到运动中来,因此感觉空虚,没有什么收获;而以耽搁业务学习来对别人发牢骚,对自己做掩护。个别的甚至不仅漠不关心,而且说怪话,起消极破坏作用,例如,有的说共产党真厉害,党团员只会搞活动啦。有的对于各系讨论借故推诿,避免出席指导。还有个别系在运动高涨时要上课,要肄业证书投考短期学校;现在我们正常上课了,要准备搞好期考了,却又要求到武汉去实习。

第二,一般在思想上虽然解决了许多问题,但仍有些问题没有解决或者解决不彻底,这表现在:

甲、同学报名以后,有个别同学后悔,动摇,改年龄,不填申请表,有的同学说家里土改搞到这个样子,我还去参军吗,没有深刻认识到反帝反封建的革命任务,在自己应该如何来主动参加来统一解决。

乙、教职员工方面有些认为这是同学们的事,所以很多采取旁观态度,参加军事干校,当然主要是同学的事,但爱国则是教职员工共同的责任呀!由于在思想上这点掌握得不够明确,所以配合帮助还是不够紧凑。

丙、领导上对于这次学习动员得不够,同时湖大是孤军作战,不像北京、上海、武汉各大学，可以互相影响，互相推动。

此外还有个别师生，根本还是糊里糊涂，站在地主阶级的立场，受着盲目正统观念的支配，这也看不惯，那也看不顺眼。

以上是这次参加军干运动的优点和缺点，我们要从这些优点和缺点当中，克服缺点，发扬优点，这就是我们今后工作的方向。

四、今后工作的方向

第一，在既得的收获上，应当更提高一步，加强三位一体的新民主主义的学习。教员要感到自己责任的重大，端正教学态度，改进教学方法。职员工友要端正工作态度，打破雇佣观点，走群众路线，向学生负责。同学要端正学习态度，搞好业务学习和政治学习，在提高政治认识的基础上，自动自觉地提高业务知识。共同一致来教好书，读好书，办好事，服好务。

第二，期考在即，教员要在了解同学们在政治学习中的收获的前提之下，照顾同学在这次运动中对业务学习所受到的影响，降低考试所要求的标准，但不是不负责任，让学生放任自流，这是要特别注意的。同学们要以这次参军爱国的热忱和自尊心，保证执行荣誉考试制度，互相勉励，互相监督，不许一人舞弊，作为端正学习态度，搞好学习秩序的具体考验。

期考过后，大家最好不要做回家过年的打算，集中搞土改学习，一部分可以参加土改工作，留校的复习或补习业务课，适当地弥补这次运动中耽误的课程，希望教师们替同学们多辛苦一点。

第三，教职员工要以同学参加军事干校的认识水平，搞好评薪运动。

第四，在当前全面开展土改，抗美援朝胜利的形势之下，我们仍要提高警惕，严防阶级敌人匪特分子的破坏，因此大家要组织起来防奸防特，防匪防盗，共同保护我们自己的生活秩序和人民财产。

五、最后的希望

最后，明天就要出发走上国防建设岗位的这批优秀的同志，这次你们在政治思想打了一个大胜仗，获得了崇高的荣誉，今后应长久保持这种优良品质，继续发扬中国优秀儿女的爱国精神，在群众中争取模范作用。把工作搞好，你们的光荣，就是人民湖大的光荣。

（原载 1951 年 1 月 22 日湖南大学校报《人民湖大》第 41 期）

《实践论》——毛泽东思想的一个基础*

（1951.2）

一、《实践论》——无产阶级实践的哲学

毛泽东同志的《实践论》，是马克思列宁主义实践理论的发展，是毛泽东思想的一个基础，是辩证唯物论的基本原理与中国革命的具体实践的结合，它是中国革命行动的理论，是毛泽东的思想方法与工作方法的科学总结。

《实践论》特别指出辩证唯物论两个最显著的特征，即阶级性与实践性，表明了辩证唯物论是无产阶级革命的哲学。它首先说明实践是辩证唯物论的认识的基础，作为认识主体的人是属于特定历史阶段的社会的人，是属于特定社会的特定阶级的人，而人的实践也是社会的，主要的基本的实践是生产和阶级斗争。人类对于自然和社会的认识（知识），对于阶级社会的规律性的认识，都是在生产和阶级斗争的过程中得到的。毛泽东同志在另一个地方这样指出过："什么是知识？自从有阶级的社会存在以来，世界上的知识只有两门，一门叫作生产斗争知识，一门叫作阶级斗争知识。自然科学、社会科学，就是这两门知识的结晶，哲学则是关于自然知识和社会知识的概括和总结。此外还有什么知识呢？没有了。"所以在阶级社会中，阶级斗争的精神，贯穿于经济的政治的和文化的斗争的领域，因而，关于经济政治及文化领域的知识，

---

* 本文最初发表于1951年2月1日《人民日报》和《福建政报》1951年第2期，略加修改后曾以《〈实践论〉——毛泽东思想的哲学基础》为题发表于《新建设》1951年第3卷第5期。1951年7月，生活·读书·新知三联书店将《〈实践论〉——毛泽东思想的哲学基础》收入作者所著的《〈实践论〉解说》一书中出版。1978年4月，生活·读书·新知三联书店在该书第6版中将《〈实践论〉——毛泽东思想的哲学基础》更换为《〈实践论〉——毛泽东思想的一个基础》，并对书中的文字作了一些必要的删节，对有关引文作了校订。——编者注

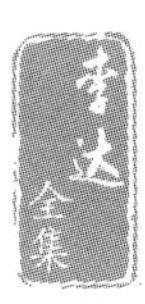

“无不打上阶级的烙印”。人类关于自然和社会的知识的历史,适应于社会实践发展的历史,“一步又一步地由低级向高级发展”。马克思主义的科学是在近代大工业发达而无产阶级展开阶级斗争的时代才形成的。正因为马克思主义是在无产阶级斗争中锻炼起来的,所以成为无产阶级革命的理论,它的真理性,首先由苏联的无产阶级革命的实践证明了。

列宁说过:“认识……认为在自己面前真实存在着的东西就是不以主观意见(设想)为转移的现存的现实(这是纯粹的唯物主义!)。人的意志、人的实践,本身之所以会妨碍自己目的的达成……就是因为意志把自己和认识分隔开来,并且不承认外部现实是真实存在着的东西(是客观真理)。必须把认识和实践结合起来。”毛泽东同志的《实践论》,正是发展了列宁的这一论点,在《实践论》中首先指出认识和实践的关系,就是知和行的关系;“实践、认识、再实践、再认识,这种形式,循环往复以至无穷,而实践和认识之每一循环的内容,都比较地进到了高一级的程度。这就是辩证唯物论的全部认识论,这就是辩证唯物论的知行统一观”。从毛泽东同志这样的结论看来,我们可以知道:人们的认识,是从实践发生而又复归于实践,认识必定不能离开实践,实践又必然地渗透于认识当中。

无产阶级的哲学——辩证唯物论是和无产阶级分不开的。马克思说得好:“哲学把无产阶级当作自己的的物质武器,同样地,无产阶级也把哲学当作自己的精神武器”。所以,这一哲学是当作无产阶级斗争的精神武器,在无产阶级阶级斗争中,由马克思所创造所锻炼出来的,它为着无产阶级,并专属于无产阶级。它是一种既具有实践性又具有阶级性的科学。倘若有人把辩证唯物论单纯地当成一门书本上的学问,那便是根本不懂得无产阶级哲学的物质基础,因而也就永远不会明白辩证唯物论是战斗的唯物论;同样,倘若有人没有站在无产阶级的立场,单是主观地企图盗用无产阶级的武器,那也就是永远做不到的事情。

1947 年,在解放战争期中,毛泽东同志在中共中央会议上发表的《目前形势和我们的任务》的报告里,在指出人民解放军所以打败蒋匪帮的主要方法之后,接着说:“蒋介石匪帮和美国帝国主义的在华军事人员,熟知我们的这些军事方法。……但是所有这些努力,都不能挽救蒋介石匪帮的失败。这是因为我们的战略战术是建立在人民战争这个基础上的,任何反人民的军队都不能利用我们的战略战术。”毛泽东同志这样的论述,正是论证着无产阶级的军略思想有着高度的实践性和阶级性,其他阶级是不能盗用的。

《实践论》正是这样军略思想的哲学基础,因而《实践论》也就必然是无产阶级的实践的哲学。

二、《实践论》——论证了实践是真理的唯一标准

认识是否是真理,要拿什么标准来鉴定呢?这鉴定的标准,只是实践。毛泽东同志在《实践论》里,特别强调了这一点。早年马克思指出过:“关于离开实践的思维是否具有现实性的争论,是一个纯粹**经院哲学**的问题。”企图在实践以外,提出“人的思维是否具有客观的真理性”这一问题,乃是经院哲学,那是资产阶级御用学者的工作,我们不但要鄙弃它,而且要打击它,斗争它。读过了毛泽东同志的《实践论》,便可以透彻地了解,只有实践才能证明认识的真理,纠正认识的错误。列宁曾不断地指出过:“人的和人类的实践是认识的客观性的验证、准绳”,只有“实践才提供着真理的客观标准。”斯大林也指出过:“科学所以叫做科学,就是很仔细地倾听实践的呼声;所以,辩证唯物论的认识论把实践提到第一的地位。”

毛泽东同志在领导中国人民的革命斗争中,用马克思列宁主义的普遍真理,结合中国革命的具体实践,认识了中国由半封建半殖民地社会进入社会主义社会,必须经历新民主主义的阶段。这一认识的真理性,已由中国人民革命的胜利和新中国建设的成就所完全证明了。又如毛泽东同志在领导反帝的斗争中,分析国际间的情势,估计中国人民和世界人民的巨大力量,认识美帝国主义内部各方面的矛盾,就断定美帝国主义是一个纸老虎。这一认识的真理性,也由中国志愿军与朝鲜人民军在朝鲜粉碎美帝国主义侵略军的战争中,完全证明了。所以实践所证明为真理的那种认识,又反过来能够指导实践,在这里也得到了说明。

为什么只有实践才是认识的真理性的唯一标准,除此以外再没有别的标

准呢？这有两个理由：第一，认识从实践发生，为实践服务，是实践的一个因素。我们做某种工作，遇到困难，发生了问题，于是就想办法，认识这困难的症结所在，就依照这一认识的指示去做，困难果然克服了。这一认识便是真理了。我们开始荆江分洪工程时，困难重重，但我们运用科学的知识，定出克服这些困难的方法，照着去做，这伟大的荆江分洪工程便胜利地完成了。这分洪工程的完工，是我们人民实践的产物，而我们对于这工程所运用的知识（认识），就体现于这工程之中。这表示着知识是实践的成分，并与实践相统一。第二，认识离开实践，就失去其社会的意义。认识是意识的活动，是社会生活的一部分。假使人们物质的生产的实践，一经停止，社会生活就跟着停止，意识的活动也失其存在了。所以，真理的标准，只是实践。

马克思说："劳动过程结束时得到的结果，在这个过程开始时就已经在劳动者的表象中存在着，即已经观念地存在着。他不仅使自然物发生形式变化，同时他还在自然物中实现自己的目的，这个目的是他所知道的，是作为规律决定着他的活动的方式和方法的，他必须使他的意志服从这个目的。"这即是说，人要制造某种东西，就必须对操作的对象与工具有充分的研究，预先在头脑中拟好图案，然后按照去实现它。所以，我们要从事于物质的生产，或进行阶级斗争，或做科学的实验，必先就各种客观条件，做详细的研究，有了明确的认识，然后照着去做，以期达到思想中所预想的结果。只有这样，我们的认识才会发生力量，才能指导实践，增加我们胜利的信心和勇气。

但是，人们的认识常有因为不能正确地反映外界事物的规律性，以致引起实践上的失败，不能达到预想的结果。譬如罢工斗争、军队作战、民族革命都不能取得胜利，是什么原因呢？这只是因为人们的认识没有按照外界过程的实况去反映这些过程的规律性，所以在实践活动中都不能达到预想的结果。人们要想在工作中达到预想的结果，必先正确地认识外界的规律性，然后适应于这种规律性去工作，才能胜利地成功，否则便招致失败。但"失败者成功之母"，中国人民革命的战争，曾经历了大小若干次的胜利与失败，而由于人民领袖毛泽东同志能够吸取这些次胜利与失败的经验，逐步认识了这一革命战争的发展规律，创造了适应于这规律的战术与战略，终于取得最后的胜利。

还有，为真理之标准的实践，完全是客观的。我们依据对于某一自然物的认识去改造它的时候，若能达到预想的结果，这认识便是真理，反之便是谬误。真理与谬误，由实践来鉴定，完全是客观的，绝不杂有主观的成分。

总之，真理的标准只能是实践，此外别无标准。毛泽东同志的《实践论》，正是极其精辟地论证了这一点。

三、《实践论》——发展了的马克思列宁主义的认识论

列宁说过："从生动的直观到抽象的思维，并从抽象的思维到实践，这是认识真理、认识客观实在的辩证的途径。"《实践论》发展了列宁这一原理，把由感觉（直觉）到思维和由思维到实践这两个过程，分别做了透辟的说明。在由感觉到思维这一认识发展过程中，指出感觉是认识的低级阶段，思维是认识的高级阶段；前者是感性认识，后者是论理认识或理性认识。在前一阶段，只看到事物的现象、外部联系；在后一阶段，却能认识事物的本质、内部联系。只有从感性认识进到理性认识，人们才能发现事物的规律性，引出论理的结论。但这两个认识阶段，并不互相独立，互相隔绝；两者的差别，只是相对的，不是绝对的；两者互为条件，互相渗透。所以说，"理性认识依赖于感性认识，感性认识有待于发展到理性认识，这就是辩证唯物论的认识论"。哲学上的唯理论和经验论，不懂得感性认识与理性认识的辩证法的联系，把两者割裂开来，各执一偏之见。唯理论只承认理性的实在性，所以它流于主观主义；经验论只承认经验（感觉的重复）的实在性，所以它流于庸俗事务主义。

毛泽东同志指示我们"从实际出发"，"从客观存在的事实出发"，"从客观真实情况出发"，就是从感性认识的材料出发。革命工作者担任某一任务时，必先调查"周围环境"以及和这一任务有关的一切条件，搜集有关的一切材料，吸取群众的经验，详细调查各阶层的生活及其相互关系，即"详细地占有材料"，作为"了解情况"的根据。于是我们来了解这些材料，进入思维过程，运用思考能力，就所有材料，"加以去粗取精、去伪存真、由此及彼、由表及里

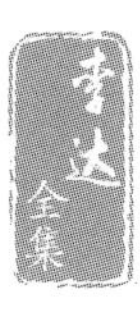

的改造制作功夫”,“找出周围事变的内部联系,作为我们行动的向导”。这便是由感性认识到理性认识的过程。

1925—1927 年大革命时期,毛泽东同志主持农民运动工作,认识到农民问题是中国革命的基础,而广大农民群众是工人阶级的同盟军,他早已建立了革命政权以工人阶级为领导以工农联盟为基础的理论。他于 1927 年 1 月至 2 月,就湘潭、湘乡、衡山、醴陵、长沙 5 个典型县农运情况,做了系统周密的调查,分析了农民各阶层的生活情况及其相互关系,认定农民有莫大的力量,能“冲决一切束缚他们的罗网,朝着解放的路上迅跑”;而没有贫农便没有革命。所以,依靠并发动贫雇农,团结中农,中立富农,消灭地主阶级的反封建主义的革命理论,早在那时候树立了。

《实践论》分析了由感觉到思维的认识过程以后,接着分析由思维到实践的认识过程,即由理论到实践的过程。关于革命具体环境所得的理性的认识,即是革命理论。这种理论只有在革命的实践中得到了证明,才是真理。所以,毛泽东同志说:“真正的理论在世界上只有一种,就是从客观实际抽出来又在客观实际中得到了证明的理论。”在这里,《实践论》发展了马克思所说的“哲学们只是用不同的方式**解释**世界,而问题在于**改变**世界”的这一原理,主张我们的认识不仅以暴露客观的规律性为满足,而十分重要的问题是“在于拿了这种对于客观规律性的认识去能动地改造世界”。接着,《实践论》更进一步发展了列宁“没有革命的理论,就不会有革命的运动”的学说,发挥了理论对于实践的重要性,进而说明理论与实践的统一的问题。理论由实践发生,仍需回到实践中,由实践来证明。由实践证明的理论,才能组织实践,推动实践。所以理论与实践两者形成统一,其统一的基础是实践。

此外,毛泽东同志对于相对真理与绝对真理的关系问题,也做了精辟的论述。从他的论述里,我们可以知道:客观世界是可以完全认识的,这是客观的真理。世界既然可以完全认识,人类就能达到于绝对真理。但客观世界,我们不能一次地、完全地、无条件地认识它,而只能近似地、有条件地、逐渐地去认识它,即只能是相对真理的认识。随着社会实践的世代绵延的发展,人类一步又一步地认识世界的新方面,即由低向高地到达于各阶段的相对真理的认识,这各阶段的相对真理,汇成为“绝对真理的长河”,而绝对真理成为相对真理的总计。

人类社会都要到达于共产主义——这是马克思在百年前认识人类社会所得到的结论。这一结论是客观的绝对的真理。由于全世界劳动人民的努力，已经逐步接近于这一绝对真理了。世界劳动人民在改造世界的斗争中，一面改造世界，一面又改造自己的本性，“改造主观世界同客观世界的关系”，“世界到了全人类都自觉地改造自己和改造世界的时候，那就是世界的共产主义时代”。

四、《实践论》——革命行动的指针

《实践论》在最后对我们特别指出思想与实践的统一联系的问题，本来人类的认识，常是适应于客观世界的变化发展而变化发展的。在特定的历史时期，基于当时革命的具体形势的正确认识而拟订的策略、计划、方案等，在当时革命具体形势没有显著变化时，只要是具备了适当的条件，是可以达到预想的目的的。但到革命的具体形势已经发生了显著的变化时，那就必须分析当前的形势，来决定新的任务，因而从前的策略、计划、方案就必须加以改正，才能达到预想的新结果。

革命的形势是不断发展的。毛泽东同志最善于应用辩证唯物论的武器，对于新鲜事物有敏锐的感觉，不断地从分析新的形势中“找出方针，制定政策，拿出办法来”。中国革命的胜利，正是说明着这一事实。

我们知道：马克思列宁主义的理论，是解决一切问题的钥匙，而作为马克思列宁主义与中国革命实际相结合的毛泽东思想的一个基础——《实践论》，自然就是指导中国革命行动与建设新中国的总方针。在现在，中国人民正面临着一个新兴的时代，一切都随着时代的发展而滋长着。新时代必然带来新事物，因而也就必然产生着新问题。我们为要向前看，为要使主观不落后于客观，为要使思想不落后于实际，为要使思想与实践相结合，那就必然要勇于正确认识新事物，善于解决新问题，不能让认识落后于形势的发展而开倒车，不自觉地堕落为顽固派。毛泽东同志的《实践论》，正是批判了这一点，指示给我们奋斗的方向。

在另一方面，毛泽东同志又批判了左倾冒险主义。这是主观认识超过于客观实践的发展。这和上边所指出的错误，虽然是由不同的两极出发，但在本质上，都同样是唯心的，都不合乎《实践论》。像这样的两种错误，必须加以纠正。毛泽东同志告诉我们："我们的结论是主观和客观、理论和实践、知和行的具体历史的统一，反对一切离开具体历史的'左'的或右的错误思想。"

"客观现实世界的变化运动永远没有完结，人们在实践中对于真理的认识也就永远没有完结。"——这是《实践论》在最后给我们最大的启发和鼓励。当前的国际间的和国内的形势，也确切地说明了这一点。在1950年，中国人民刚一展开抗美援朝的运动的时候，美帝国主义是猖狂得很的，而今天的形势大不相同了。在1950年三四月间，国内的经济情况尚未基本好转，而今天可以开展大规模经济建设了。我们面对着这些新形势、新事物、新发展，那就必然要在实践中把认识不断地提高。因为社会的发展到了今天的时代，正确地认识世界与改造世界的责任，已经历史地落在我们的身上。

在现在，在毛泽东同志领导下的新中国，一切都在飞跃地前进着。这时倘若我们不能掌握《实践论》中所指出的革命原理，对新鲜事物缺乏感觉，或让"胜利冲昏头脑"，那便必然会犯右倾机会主义或左翼空谈主义的错误。这两种错误都是在认识过程中把认识和实践相分裂，其结果对革命是有害的。在领导生产中，不去有系统地总结和推广先进经验，而拘守着习惯了的陈旧的技术标准；在教学工作中，只啃书本不顾时事；那都是不对的，那都是从主观主义出发，那都是违背了《实践论》。所以说，我们为要保持认识与实践经常一致，少犯错误，那就必须透彻地领会《实践论》中的革命原理，掌握《实践论》中的革命原理。

苏联《真理报》郑重指出：毛泽东同志这一著作，是"发展了马克思列宁主义关于辩证唯物论的认识的基本原理，关于实践在认识过程中的作用的基本原理和关于革命理论在实际革命斗争中的意义的基本原理"。我们非常同意这样的指出。的确，《实践论》是一个极其富有指导意义的革命文献，它是毛泽东同志长期革命经验的科学总结，在这里综合了马克思列宁主义哲学的基本理论与中国革命指导原理，在今天中国人民抗美援朝保家卫国的伟大爱国主义运动当中，在全国人民积极从事生产建设和通过自我教育要求改造声中，《实践论》的发表是值得我们欢迎的，我们应当把它当作一个革命行动的指针来学习，应当认真地当作一个任务来学习。

（原载1978年4月生活·读书·新知三联书店出版的《〈实践论〉解说》，署名李达）

关于庆祝中苏盟约周年、抗议美帝劫持联大诬蔑我国、反对美帝单独媾和重新武装日本的报告*

（1951.2）

各位先生、各位同学：

三四个月来我们学校展开了一连串的反帝爱国主义运动，如像打仗一样，一仗接着一仗，大家过得很紧张，事实证明成绩也很好，但我们绝对不可自满，美帝是我们当前最凶恶的敌人，我们必须发挥更高度的爱国热情，保卫我们的祖国。

在反帝战线上，我们的志愿军在前线上进行着艰苦的斗争，我们学校的同学也有百余位参加了人民的空军，在反封建的战线上，我们的老师和同学亦以实际行动踊跃参加土改工作，我们留在学校的同学和老师应该怎样呢？前方后方必须密切配合，所以我们必须加强学习，补修业务，不要浪费时间，最重要的就是需要搞好时事政治学习，本月20日湖南省会各界举行庆祝《中苏友好同盟互助条约》签订一周年纪念及抗议美帝劫持联大诽谤我国和反对美帝单独媾和武装日本大会，我们必须踊跃参加，因为这是一个反帝爱国主义运动，在参加大会以前，我们必须认真研究目前的国内外形势，并广泛地进行宣传，在20日以后我们还要展开各种工作。目前为了展开新的学习高潮打好基础，我们需要广泛地检查上期的教学工作；其次还要设法改善我们的生活，我们可以展开各项生产工作；再其次就是需要我们共同努力，改善我们的学校环境，

---

* 这是1951年2月14日李达在湖南大学庆祝中苏盟约周年大会上的报告，原标题为“李校长关于庆祝中苏盟约周年、抗议美帝劫持联大诬蔑我国、反对美帝单独媾和重新武装日本的报告”。——编者注

把我们的学校在形式上也美化起来。希望全体湖大人精神振作,趁这大好的春天,在各人自己的岗位,加强工作,发挥积极性和创造性,为国家增加财富,为湖大人增进福利,做中华民族的优秀公民。

今天所要说的是:

一、一　庆

就是庆祝《中苏友好同盟互助条约》签订一周年纪念。这个条约的签订,巩固了中苏两大国之间牢不可破的友谊与团结。由于中华人民共和国的成立,大大地改变了世界的面貌,世界人民的力量空前地壮大起来了,尤其是《中苏友好同盟互助条约》的签订,是马列主义,毛泽东思想的胜利,是中苏两国人民的胜利,是全世界人民的胜利。有了这个条约,世界的永久和平与普遍安全就有了保障。

《中苏友好同盟互助条约》,它的主要意义:第一,双方共同制止日本或在侵略行为上与日本相勾结的任何国家进行侵略和破坏和平。第二,双方共同努力促成全面对日和约提早缔结。第三,双方忠诚合作积极参加以确保世界和平为目的之一切国际活动。第四,有关两国共同利益的一切重大问题上彼此协商。第五,双方在经济上及文化上互相给予友好的援助。

一年以来根据这个条约的基本精神,两国并肩地保卫世界和平,反对美帝侵略,以及帮助中国的经济建设,赢得了很大的胜利。

在一切外交问题上所表现出来的,第一,苏联始终为我中华人民共和国在联合国的合法代表权利而斗争;第二,去年6月美帝侵略朝鲜及台湾之后,苏联始终不渝地声援中朝人民,反抗美国侵略者的正义斗争;第三,苏联在联合国提出控诉美国侵略中国案,列入议程,使我国伍修权代表得于去年11月28日重邀出席安理会,控诉了美国侵略中国的丑恶罪行;第四,当美国提出诽谤中国人民志愿军的正义行动的提案时,苏联代表做了很多次的严正斥责,并于11月30日否决了美帝等六国的诽谤案,此后在联合国大会及安理会的代表,又驳斥了去年12月14日及今年1月13日联合国大会所通过的两次欺骗性的决议;第五,最近美帝劫持联大非法通过诬蔑我国的提案,苏联代表又仗义执言，痛斥美帝进一步扩大侵略扩大战争的罪恶企图。

在经济建设上，第一，继中苏友好同盟互助条约之后，去年4月间中苏签订了1950年贸易协定及交换货物协定，都已实施，大大地帮助了中国财政金融的稳定；第二，苏联以各种专家供给中国，无条件地以苏联的科学技术和先进经验贡献给中国的经济建设；第三，苏联依约将大连市苏联所代管的所租用的财产及东北在日本所有者手中获得的财产和北京兵营的房屋，全部无偿地交还了我国；第四，去年3月27日参订的《中苏在新疆创办中苏石油公司的协定》、《有色金属稀有金属股份公司的协定》以及《中苏关于创办中苏民用航空公司的协定》都已开始实施，有利于新疆地下富源及民用航空事业的开发，成绩是肯定了的。

在文化建设上，加强了两国文化的交流，用许多专家来中国讲学帮助新中国培养了许多革命干部，又如著名的《中国人民的胜利》以及《解放了的中国》的电影片子都是苏联专家帮助我们制造出来的。这一切都是《中苏友好同盟互助条约》签订一周年来的工作表现。这些表现，显著地证明了中苏同盟是和平阵营的坚强堡垒，也证实了中苏两国的深厚的友谊。

二、一　抗

即是抗议美帝劫持联大诽谤我国。美帝面对目前和平民主阵营的坚强形势，面对中国人民力量的壮大，愈感不安，因而要扩大侵略，扩大战争，破坏和平，这是必然的。这次在联大利用表决机器非法通过诬蔑中国的决议，含血喷人，一面证明美帝的疯狂，一面证明美帝是和平的死敌。我们对于疯狗，只有迎头痛击；对于疯狂了的美帝，也要像打疯狗一样，不能丝毫留情。我们必须在抗美援朝保家卫国的坚强意志下，依靠自己的力量支援在朝鲜的中国人民志愿军和朝鲜人民解放军，把美帝的队伍消灭得一干二净，粉碎美帝的任何侵略企图。

三、一　反

就是反对美帝重新武装日本。美帝重新武装日本与加强对于中、朝的侵略是分不开的。

由于最近美帝国主义在侵略朝鲜的战争中遭到可耻而惨痛的失败，因而更加紧了片面对日缔结和约和进一步武装日本的阴谋活动，美帝国主义这一阴谋活动的基本目的，是在于重新武装日本复活日本的军国主义，使日本充当美帝国主义侵略中朝、侵略亚洲的新的侵略基地，使日本人民充当美帝的炮灰，我们必须坚决反对美帝重新武装日本并与日本单独媾和的阴谋，我们更需要联合日本的人民，全亚洲的人民，全世界的人民，对美帝这种无耻的企图与罪行，彻底予以粉碎。

我们要更深入、更普遍地开展抗美援朝保家卫国运动，更广大地团结国际友人，巩固中苏友好同盟条约。反帝与爱国主义是一件事情，我们不能把它分开来。我们必须加强民族的自尊心和自信心，发挥高度的爱国主义精神，为彻底粉碎美帝的侵略而奋斗到底。

（原载 1951 年 2 月 19 日湖南大学校报《人民湖大》第 45 期）

在三八妇女节庆祝会上的讲话*

（1951.3）

各界妇女同志们：

三八妇女节是世界劳动妇女最光荣的节日。

解放一年多来，中国妇女已经摆脱了过去被压迫、被奴役的地位，一跃而成为新社会的主人，在政治、文化、经济各方面的平等权利，已在共同纲领上明确地规定下来，获得了最庄严的保障。一般妇女们在获得民主自由的这些权利之后，她们的政治觉悟也空前提高了，积极参加各种实际工作和实际斗争，对国家对人民有很大的贡献，显出了无比力量。

目前，全国正大规模的继续开展抗美援朝的新爱国主义运动，占全国人口1/2的妇女，当然应该在爱国主义的旗帜下，贡献自己一切力量，深入开展抗美援朝保家卫国的斗争，尤其是每个妇女，要把抗美援朝运动和自己的经常工作结合起来，把爱国热忱化为实际行动；一方面加强抗美援朝的实力，一方面也是把妇女解放的工作更推进一步。今天我简单谈谈在抗美援朝的爱国主义运动中，妇女们应该做些什么：

第一，要在扩大和深入抗美援朝的运动中，充分发挥爱国热忱，积极地搞好自己的本位工作，比如工厂妇女要在爱国主义生产竞赛中发挥更大的作用，减低生产成本，提高工作效率。农村的妇女要更勇敢地参加农村的土改工作和农村生产，女学生们要好好学习科学知识，培养进步思想。家庭妇女们除了搞好家务之外，还要鼓励自己的爱人和子女，在爱国主义的旗帜下，一同努力。

---

* 这是1951年3月8日李达在长沙市河西区三八妇女节庆祝大会上的讲话，原标题为“李校长在三八妇女节庆祝会上的讲话”。——编者注

比如夫妻间就可以订立爱国公约，互相协助，互相勉励，互相教育，互相提高，共同为祖国而贡献更大的力量。

第二，要进一步的联系并组织广大妇女群众，使每个妇女都能发挥主人翁的精神，自觉自动地参加各项革命工作，为抗美援朝增加力量。这就需要首先向其余广大的妇女群众，进行宣传，向她们宣传时事，宣传政府的各项政策，宣传爱国主义和国际主义的教育，使她们了解目前的形势和自己的任务。

第三，要经常特别注意防特、防火、防盗等工作。有形的敌人虽然被我们赶出大陆，但无形的敌人，还在四处潜藏，趁机捣乱。妇女们在每个家庭里，在每个村庄里，在每个工作部门里，都占着重要的成分，大家要特别提高警惕，防止坏分子的潜入，破坏我们的家庭，破坏我们的村庄，破坏我们的工作部门，破坏我们的安宁的生活，破坏祖国的财富。至于防盗、防火等工作，只有妇女们大家重视，大家提防，大家小心，动员起来，才能把这些工作真正搞好。

第四，要加强学习，提高自己的觉悟。目前，妇女的文化水平，可能有些还很低。没有学好文化的要努力学习文化，文化水平较高的要努力学习科学技术，提高政治水平。并且要帮助文化水平较低的妇女们，一同进步。只有这样，才能提高自己的工作能力，才能使自己对祖国有更多的贡献，也只有这样，才能使妇女真正获得自由平等与彻底的解放。

（原载 1951 年 3 月 12 日湖南大学校报《人民湖大》第 48 期，文首注明“张玉怀记”）

协助政府贯彻施行“惩治反革命条例”，巩固人民民主专政！

（1951.3）

公开的、有形的敌人虽被我们打倒了，但隐蔽的、无形的敌人却依然存在，而且“必然要和我们做拼死的斗争”（毛主席）。“国家威力越增长，垂死阶级余孽的抵抗也就愈猛烈。”（斯大林）事实证明：美帝国主义，和蒋介石残余匪帮，并不甘心于他们的失败，正在大量指使土匪特务从各方面破坏捣乱，烧毁仓库、烧毁森林、破坏桥梁、杀害干部、组织暴动、甚至炸毁工厂、烧毁城市。比如零陵最近就被匪特纵火，烧毁房屋1000余间，2000多善良人民流离失所。这一切实在是每个革命的人民所不能容忍的！

中央人民政府在2月22日公布“惩治反革命条例”，这完全是适合客观要求，合于人民愿望的。“对敌人的仁慈，就是对人民的残忍。”（列宁）不坚决镇压反革命的活动，人民生活就不能得到安定，人民的胜利，就不能得到保障，各种建设事业，就不能顺利进行。毛主席早就说过：“人民……在工人阶级及共产党的领导之下，团结起来，组成自己的国家，选举自己的政府，向着帝国主义的走狗即地主阶级和官僚资产阶级以及代表这些阶级的国民党反动派及其帮凶们实行专政，实行独裁，压迫这些人，只许他们规规矩矩，不许他们乱说乱动。如要乱说乱动，立即取缔，予以制裁。……为什么理由要这样做？大家很清楚。不这样，革命就要失败，人民就要遭殃，国家就要灭亡。”①。我们知道，革命的基本问题，是政权问题；但所谓政权，并不止于夺取政权而已。“夺取政权，这仅仅是事情开始……全部事情都在于要保持政权、巩固政权，使它成

① 《论人民民主专政》。

为不可战胜的。”①马列主义的国家学说，告诉我们这样一个真理：在我们的敌人还没有消灭的时候，我们的国家机构，必须加强它的作用。为什么？就因为国内外的反动派还存在，还在继续捣乱，还要继续加以镇压。“无产阶级需要国家，不是为着自由，而是为着镇压敌人。”②因此无产阶级专政，或人民民主专政，镇压反革命，是人民革命的基本问题，也是马列主义毛泽东思想在国家与革命问题上的基本内容。现在在中国人民掌握了政权，掌握了国家机器，假如我们对反革命分子，宽大无边，姑息养奸，不就是放松了国家机器的作用么？不就是放松了人民民主专政么？不就是招致革命的最大损失么？不就是违反了马列主义毛泽东思想的基本原则么？因此，从马列主义的国家学说和人民民主专政的基本理论来说，从现在土匪特务横行残害人民的现状来说，政府及时公布并执行“惩治反革命条例”，是完全正确的。

各阶层人民应该如何协助政府贯彻执行这个“惩治反革命条例”，来巩固人民民主专政呢？

第一，在思想上要特别重视这件事情，要充分认识：镇压反革命，是人民民主专政的基本内容。协助政府镇压反革命不仅是保障了个人的身家财产，而且是热爱祖国热爱人民最具体的表现。镇压反革命不单是某部分人或公安机关的事情，而是每个人民共同的责任。因此，需要每个人民，从各方面协助政府，才能把这件事情搞好。

第二，绝不能存在麻痹心理。绝不要以为“反革命很少，闹不出什么大乱子”；或以为“别的地方或许有反革命，我们这里不会有”。必须随时警惕，处处留心，尤其是机关学校工厂，更要加强保卫工作，使反革命无容身余地。

第三，要明确敌我界限，不管是自己的朋友也好，亲戚也好，只要他有反动的行为，我们就应该向政府检举告发，决不能姑息，或置之不理，因为对反革命的纵容，就是对人民的残忍，敌我界限应该明确划分，一点也不能含糊。

第四，要加强防匪、防特的宣传。自己有了基本的认识和具体的行动，还

① 斯大林：《论列宁主义基础》。

② 《恩格斯致伯伯尔的信》。

需要向其他的群众经常做广泛而深入的宣传，使家喻户晓，大家进一步组织起来，协助政府进行这个工作（本文同时发表于新湖南报）。

（原载1951年3月19日湖南大学校报《人民湖大》第49期，署名李达）

在湖南大学学生会第三届代表大会开幕典礼上的讲话*

(1951.4)

各位代表：

今天湖大学生会第三届代表大会胜利地开幕了，我趁这个机会说几句话。

从第二届学代会举行后，已经有半年了，半年来的成就是可以肯定的。

本来学校在去年10月间，准备召开一次全校人民代表大会，讨论本校的教学和行政方面的事情，后来因为抗美援朝运动、参干运动没有举行，今年因为很多先生和同学们下乡参加土改，现在还没有到齐，这个代表会不打算召开了，我今天作一次简单的报告。

一、贯彻抗美援朝爱国主义教育问题爱国主义教育的长期性

抗美援朝爱国主义教育，比较是长期性的。我们新民主主义的革命，就是反对帝国主义、封建主义、官僚资本主义，这三个革命对象，在中国人民革命胜利以后，虽然把它们从中国大陆上赶出去了，可是美帝国主义占据了台湾，侵略了朝鲜，打算以朝鲜为跳板，进攻中国大陆，此外美帝在越南帮助法国进攻越南人民军，准备窥伺我国边境，这是帝国主义指向我们的三把尖刀，因此我们打倒帝国主义，还是一个艰苦的工作。其次对封建主义，就中南区来说，只

* 这是1951年4月21日李达在湖南大学学生会第三届代表大会开幕典礼上的讲话摘要，原标题为“李校长在学生会第三届代表大会开幕典礼上的讲话(摘要)”。——编者注

有5000万人口已经土改，还有8000多万人口尚待土改，我们还要努力才能消灭地主阶级。官僚资本主义，它是帝国主义和封建主义的代表，也尚待彻底肃清它们残余的影响。我们要把革命进行到底，必须继续打倒帝国主义、封建主义、官僚资本主义，这个时间相当长，主要是要把这三个革命对象的大本营世界上头号恶霸美帝国主义打倒。所以抗美援朝是长期的工作，是我们爱国主义教育一个长期的政治任务。

抗美援朝是保卫祖国的安全，保卫东亚的安全，也是保卫世界的持久和平，要结合着镇压反革命，彻底消灭匪特；要结合完成土改，彻底打倒封建势力，这都是抗美援朝的重要内容。

抗美援朝爱国主义教育，是全国教育的总方针，湖大去年抗美援朝运动开展以后，通过时事学习、参干运动、土改学习及最近镇压反革命各项爱国主义学习，每个人对我们伟大的祖国都有了炽烈的热爱。因为今天我们的祖国在工人阶级的领导之下，在工农联盟的基础之上，联合小资产阶级，民族资产阶级的人民民主专政，是有史以来没有过的国家，是第一次属于我们自己的祖国，所以值得我们这样的热爱。

我们从去年实行了“进步思想、健全体魄、科学知识”三位一体的学习，这是新民主主义的教育，就是爱国主义的教育，抗美援朝与三位一体的学习是一致的，进步思想、健全体魄、科学知识是爱国主义教育的中心环节，也就是抗美援朝爱国主义学习的基本内容。

（一）爱国主义教育与业务教育结合的问题

湖大是人民的大学，“教”和“学”是我们的中心工作，在这里，必须贯彻爱国主义的精神，离开了爱国主义的精神，教的学的都是空谈，不切实际，是人民的教育所不需要的。如何教？如何学？首先要解决的问题，就是为什么教？为什么学？教，是要培养具有高级文化水平，掌握现代科学和技术的成就，全心全意为人民服务的高级建设人才；学，也是一样，学习具有高级文化水平，掌握现代科学技术的成就，全心全意为人民服务的高级建设干部，这就是我们的目的，这就是人民大学教育的目的。其次，是怎样教？怎样学？就是爱国主义怎样与业务教育结合的问题。教是为学生服务，把自己所学的传给学生，包懂包完使学生学得好，这是总的原则。

就文教学院方面说，中文系、外文系、教育系都要贯彻科学的内容，民族的形式、大众的方向的教学，像我校最近有 11 位外文系的同学到朝鲜去工作，这在学的方面说基本上是业务与爱国主义结合起来了。社会科学院处处可与爱国主义结合的；财经学院、自然科学院和工程学院是为国家经济建设服务的，如果不与爱国主义相结合，只有单纯的技术观点，就会养成为职业而技术的雇佣观点，不能发挥高度的为人民服务的积极精神的。在人民教育的今天，自然科学应当为政治服务，为生产服务，为国防服务，每门课程应当激起同学对于伟大的祖国的热爱，最近本校林兆倧先生在有机化学内结合了国防化学，这是贯彻爱国主义的最好的教学。过去大学的教本，用的是原文，是殖民地教育的表现。我们能把外国文作研究学问的工具，好好地编写中文教本，恢复民族自尊心和自信心，这就是爱国。其次，把理论与实际结合起来，吸取先进经验，从研究中不断改进，不断提高，进而有所创造发明，这是爱国的最高表现。两年以来，我们很多工人，能够总结过去的经验，提高到理论上来，创造出许多东西，如马恒昌小组、王永祥铁工班，就创造出许多新的东西。我们教育工作者是工人阶级的一部分，就要发挥工人阶级的积极性和创造性，去努力创造发明，这才是与爱国主义相结合。

学生方面，过去在反动时代是读死书、死读书，教本用的是原文，囫囵吞枣，理论是理论，实际是实际，原文是原文，弄成三方面的脱节，今天我们应当死书活读，死书活用，精简不必要的篇幅，加强理论与实际的灵活联系，并且加紧对新鲜事物的强烈认识，灌输到课程中的每页篇幅中去，这才是为人民服务的学习。

（二）把爱国主义精神贯彻到行动上去

首先同学和同事方面，要订立爱国公约，大家遵守。爱国公约不是抽象的，它的具体内容，是把工作和学习结合起来，同学方面，还要包括生活方面的纪律问题。过去编组流于形式，有些同学上课不来，有的到外面工作去了，小组也不向学校方面报告。同学们！我们要把纪律建立起来，大家一律过纪律生活，把爱国主义精神贯彻实行，随时检查，切实遵守。

二、艰苦建校，改进教学环境

湖南大学由于以前饱经反动派的摧残，是个先天不足的大学。现在在人民政府领导之下，一切都需要充实，首先我们要艰苦建校。由于国家的财政状况还没有全面好转，我们不可能有大批的建校经费。今年学校预算没有增加，因此我们要在艰苦中来建设学校，谈到建设，第一是房屋问题，第二还是房屋问题，因此每一个湖大人，要发挥工人阶级的积极性与创造性，以自己的劳动与智慧集合起来艰苦建校。改进学校的环境，改进学校的物质基础。

此外，爱护公共财物，实行精简节约，节省浪费，即使一纸一笔，一草一木，能够撙节的，可以撙节的，就应该极力撙节，把撙节下来的经费，用之于积极的建设，增加我们的建校力量，这是每个湖大人应有的明确认识与应有的实际努力！

同学们！我们要行动起来，把爱国主义的精神贯彻到行动中去，把抗美援朝爱国主义教育与三位一体的学习联系起来，深入下去，开好这次代表会，迎接伟大的“五一”的来临。

（原载1951年4月23日湖南大学校报《人民湖大》第54期）

纪念“五四”运动与订立爱国公约*

（1951.5）

同志们、同学们！

今天我准备从“五四”运动谈到当前我们订立爱国公约的问题。

一、“五四”运动对知识分子和青年学生的教训

大家都知道，1919年的“五四”运动，是中国近代史上空前的一次爱国运动。

我是老青年，那时知道很清楚，“五四”的由来，是中国人民从鸦片战争以后，长期受着帝国主义和封建主义的剥削和压迫，中国人民的爱国运动，从太平天国以至义和团、辛亥革命，在客观上做了反帝爱国的行为，可是没有认识到中国半封建半殖民地的性质；同时没有无产阶级领导，所以过去都失败了，轰轰烈烈的辛亥革命也失败了。在“五四”以前，中国人民的爱国运动没有搞清楚革命的性质、革命的对象和革命的方法，因此每次青年学生运动，客观上是反对帝国主义的，但是没有认识到帝国主义的本质，方法一般是向敌人请愿，或是排斥外货。当日本侵占山东，与袁世凯订立《二十一条》不平等条约的时候，青年学生起来反对，方法主要是向反动政府请愿，但是，请愿有什么用呢？中国人民在当时真是爱国无路，但是革命的热情和思想是很蓬勃的。

“五四”是在第一次世界大战后中国出现了工人阶级，苏联十月革命后送

---

* 本文是1951年5月4日李达在湖南大学纪念“五四”青年节大会上的讲话，原标题为“纪念‘五四’运动与订立爱国公约——李校长在五四纪念大会上讲话”。——编者注

来了马列主义的客观条件之下爆发起来的，反帝反封建的革命运动，开辟了中国新民主主义革命的道路。

“五四”这个运动，是赞成走俄国人道路的革命知识分子领导的，共产党虽然到1921年才成立，不过领导这次运动是这些人，这是不容怀疑的。是不是还有别的知识分子参加哩？这是有的。当时除共产主义的思潮外，还有很多新的思潮，如无政府主义，资产阶级的社会民主主义，帝国主义的实用主义……都送来了。从这次运动以后，知识分子分化成了两条战线：一个就是过激派，就是共产主义派；另外一派包括很多种类，像国家主义派，少年意大利先锋队，资产阶级的无政府主义，还有社会民主党，以及新的文学团体，这些都是资产阶级拿来做幌子的。革命与反革命是分得很清楚了。中国共产党是1920年暑假时发起的，经过一年的筹备时间，于1921年7月1日成立。反帝反封建这个传统，由中共继续下来，所以新民主主义革命史是从五四写起的，其余的那些五花八门的派别，都走了反革命的道路，做了反动派蒋介石的奴才走狗，变成了革命的对象，和反动派一起灭亡。毛主席说：“知识分子不与工农民众相结合，则将一事无成。”不可讳言，知识分子参加革命的很多，但这些都是与工农结合的知识分子，才能把新民主主义胜利向前推进，反之，不与工农结合的知识分子，走到反动派那方面，一事无成，所以这是一条规律，革命的知识分子符合这条规律，因之使中国的新民主主义革命得到显著的成功。

二、发扬“五四”运动的精神订立爱国公约

我们湖大在解放以后，去年在人民政府旗帜之下，举行了一次纪念大会，今年是第二次，去年“五四”的时候，我们学校一般的政治水平还不高，自从去年下半年开始了抗美援朝爱国主义思想教育，通过时事学习，参干运动，参加与参观土改工作，最近举行“五一”大示威游行，全体湖大人的政治水平大大地提高了，进步是很大的。

根据抗美援朝总会的指示：“五一”以后，抗美援朝运动，今后要由普及到深入，总结四月以前的工作经验，把理论化为行动，一句话，把爱国热情变为行动的动力。总结是以前做的爱国运动一种成功的保证，不总结的话，摸不清优

点、缺点的底细，不能在思想与工作上生根，所以我们一定要把过去爱国主义学习运动好好总结起来。

爱国公约是总结抗美援朝爱国主义教育的收获的具体表现。订立爱国公约要联系自己的思想实际，认识当前革命斗争的形势及其发展的方向，站稳立场，积极参加这个斗争，把爱国热情化为力量，从本位工作上的努力，争取对敌人的胜利。这就是说，我们今天不仅要求从口头上，而且要求在行动上表明态度，究竟站在哪一方面，革命或者反革命，爱国或者不爱国，二者必居其一，第三条道路是没有的。我们要求一切革命爱国的人们，在爱国主义推动之下，在现有的思想觉悟基础之上，订立集体性的爱国公约，从本位工作上的努力，来表示自己的热爱祖国与仇恨敌人。

订立爱国公约的目的，就是要充分发挥自己的力量，团结大家的力量，实事求是，从本身做起，来积极支持抗美援朝，坚决向国内外反革命做斗争，人人同仇敌忾，人人贡献自己最大的力量，我们就会无敌于天下。如不认识到这点，还抱冷谈态度，不要求订立爱国公约，过抗美援朝与反革命做斗争的集体生活的，这还是口头革命派或假爱国者。如果反对订立爱国公约的，便很可能变成一个不爱我们新中国的人，凡是抱有这种态度的人，都有利于国内外反动派，而不利于我们革命人民。我们要反对这种错误态度，与抱这种思想的人做斗争，说服他，诱导他，使他服从爱国真理，走上积极爱国的道路。

三、关于订立爱国公约的各种问题

订立爱国公约，是表示我们的爱国热情，同学们、同志们已经订立或正在酝酿订立，准备把爱国的热情化为实际的行动，这是值得表扬的。但是有两种偏向：

第一，把爱国公约订成口号条文，没有与自己具体的工作结合起来，比如拥护共产党毛主席，有的觉得订也拥护，不订也拥护，何必订呢？这不是太空洞太形式吗？确实是的，我们应当订的具体些，和自己工作结合起来，如果这样订就好得多了。拥护共产党一条加上：“服从组织，政府需要我做什么就做什么，组织分配我到哪里就到哪里去。”把拥护毛主席一条加上：“学习马列主

义和毛泽东思想，用无产阶级的立场、观点和方法来研究问题，解决问题，指导自己的实际行动。”如果不结合自己的实际笼统订上几条，这就是教条主义的表现。

还有一种偏向，把爱国公约变成没有政治性思想性的生活公约，单纯规定起早床、搞好正课等，这是做学生的应当做的事情，在反动派时期的学生也可这样的说得上，显示不出新民主主义教育下的中国学生。爱国公约应当要求高一些，如果能像马恒昌小组或王永祥织工班那样，组织学习小组，在爱国公约上订这么一条：“充分发挥爱国主义的精神，组织×××①学习小组，保证成为三位一体全面学习的模范小组。”那就好多了。如果只从生活上考虑，不提高到政治思想原则上来，那就会犯经验主义的错误。

爱国公约的性质，实际就是站稳革命立场，实行抗美援朝的行动纲领，这是抗美援朝爱国主义教育由普及转到深入的一个转折点，我们共同总结个人对抗美援朝的思想认识，统一起来订立爱国公约，指导我们的行动，使我们的行动有一个正确的具体的方向，由此可以提高推动自己，并互相提高推动来搞好本位工作。目前，产业界两三百万工人卷入劳动生产竞赛，就是爱国公约的具体实行。我们要把工人阶级劳动生产竞赛和“五爱”的精神发挥到教与学的工作上来。

有的同学对爱国公约表现着踏实的精神，说要搞就要搞硬的，订学习计划具体些。订学习计划是好事情，假如单以此代替爱国公约，或者认为爱国公约就不是硬的而是软的，而是可行不可行的，或者是行不通的多余的，那也是不正确的看法。爱国公约最基本的是要确定自己的政治态度，很明确地肯定自己拥护什么？反对什么，结合自己的工作实践，如何去拥护，如何去反对，这就是自己做什么与不做什么的问题了。拥护得忠诚不忠诚，反对得彻底不彻底，唯一的标准就看实践，就看是不是朝人民最有利的去做，是不是做得顶好，如果不做对人民不利的事，就看是不是在行动上不做，而且在思想上也能够不胡思乱想，受到动摇。这样爱国公约就不仅是硬功夫，而且要用软功夫。只有把基本的立场、态度确定了，把思想认识统一了，把行动的方向确定了，再在这个

① 原文如此。——编者注

提高了的思想认识基础上订定学习计划或工作计划，这个计划才有灵魂，才会有一个爱国主义的声音经常召唤自己和同组每一个同学或工作同志，发挥潜存的活力，以钢铁战士的精神，使自己成为学习模范或工作模范，不向困难妥协，不旁观，不指手画脚，这样才可以保证把学习工作在现有基础上提高一步。

我们师生职工订立爱国公约，有相同的地方，也有不相同的地方，原则上是相同的，把原则从实际行动上体现出来的方式，则是不相同的。这是因为大家业务性质不相同的缘故。

教员的业务是教学，订爱国公约就要着重理论联系实际，联系思想实际与革命实际，使自己教的东西符合学生的要求，彻底去掉一切封建的、买办的、法西斯的有毒素的影响，而与马列主义毛泽东思想的爱国主义与国际主义的精神相一致。

学生的业务是学习，如何搞好“三位一体”全面发展的学习，贯彻“健康第一”的精神，开展尊师运动，自觉自愿的过组织生活，遵守学习纪律，健全学习小组，防止形式主义的偏向。

职员和工友的业务是事务工作，订爱国公约就要着重以工人阶级的新的劳动精神，经常超额完成工作任务，打破雇佣观点，提高劳动纪律，来表现工人阶级主人翁的态度。

还有一点，爱国公约订立以后，各个人必须就自己的认识写决心书，保证实行，不中途妥协，不做口头上的爱国者。

四、今后抗美援朝爱国主义教育要结合业务深入发展

人民政府新的规定，是要我们好好把业务搞好，节省开会的时间，不要浪费干部的精神和时间。这样可能发生一个偏向，就是以为爱国主义教育结合业务，就只要搞好业务，可以不再搞时事政治学习了，这样的看法是恢复老一套，不是爱国主义教育的深入发展，这是错误的。时事学习明白了自己与国家的关系，政策学习明白了国家的大政方针，理论学习提高立场、观点、方法的修养，这是每一个革命人民终身的事。现在我们通过过去的时事政治教育有了

初步的基础，今后的问题，是如何由无系统的不全面的感性认识提高到系统的全面的理性认识，从而确定自己的革命人生观，结合业务，结合行动表现出来。所以这就不是意味抗美援朝爱国主义的时事政治学习的取消，而是深入加强，多方贯彻，要求大家养成关心国家大事的自学的习惯，每人是一个专业人才，同时又是一位有政治修养的革命战士。

大家进行订爱国公约，必须充分做思想酝酿，结合批评与自我批评，进行思想斗争，割断与美帝、与地主阶级、与蒋匪反革命分子的任何联系，大家要检查自己究竟还有不有亲美、崇美、恐美的做殖民地、做买办的思想，有没有国民党反动思想的残余，是不是确实拥护毛主席，拥护中国共产党，拥护中央人民政府，是不是在行动上来支援在朝鲜的中国人民志愿军，支援土改，镇压反革命。做了这番思想检查工作，明确了自己与中华人民共和国、与工农群众、与抗美援朝的关系，再结合到自己的业务上来，订爱国公约，才不会是空洞的条文，而会是有血有肉的思想觉悟的结晶，才能在行动上起指导作用。这样的爱国公约，就是真正的行动纲领，就可以推动我们学习工作的进步。

同学们！同志们！今天纪念“五四”，要从思想上与帝国主义、地主阶级、蒋匪特务反革命分子彻底分家，在行动上跟“五四”的代表人物毛主席走，跟共产党走，并立即从订爱国公约做起，为国家的国防建设，抗美援朝，解放台湾、西藏，土地改革，生产建设，财政经济基本好转的当前政治任务而奋斗。

末了，希望民主妇联的同志们，同样地订立爱国公约，尤其家庭妇女同志，通过订立爱国公约，努力学习政治，学习文化，参加社会活动，搞好家务，使自己的爱人能够安心工作，为祖国建设服务。

（原载 1951 年 5 月 9 日湖南大学校报《人民湖大》第 56 期）

关于改进《人民湖大》的决定

（1951.5）

人民湖大校刊发行经年，有着一定的成绩，现为配合深入开展抗美援朝爱国主义教育，全面发展三位一体的学习，应进一步在原有基础上加以改进，俾能发挥更大的作用，特作如下决定：

第一，《人民湖大》校刊的中心任务为根据本校教学方针，经常反映教学情况，交流教学经验，提供改进教学的建议，报道课外活动与社会活动，开展学术研究风气，进行思想指导，贯彻爱国主义精神，积极推动并改进以教学为中心的一切工作。

第二，各单位会议的重要决定、工作指示、通报、条例、规章、工作总结等，一般均在校刊发表，为节省人力物力起见，已在校刊及时发表的正式文件，即作为有效的指示，不得另行印发通知。

第三，为了推动改革，鼓动进步，应经常表扬一切模范事迹，使大家向新的旗帜看齐，同时更重要的是开展全校师生职工批评与自我批评的风气，大胆揭发暴露全校各单位和各个人在工作与学习中严重存在的缺点，抱与人为善的态度，惩前毖后，予以建设性的批评和建议，各级工作同志必须重视并虚心接受群众的意见。

第四，为贯彻大家动手办好人民湖大的方针，全校师生职工应予以重视和爱护，定为经常学习的重要参考资料，并主动通讯写稿，应聘为撰稿人和通讯员。各系和各行政单位应尽可能成立通讯组，及时反映学习与工作的情况，提供改进的意见。各级负责领导同志，尤其要亲自动手，带头推动。个个说话，人人写稿，蔚为一新的风气。

（原载1951年5月21日湖南大学校报《人民湖大》第57期，署名校长李达、副校长易鼎新）

怎样学习《实践论》？*

（1951.6）

一、为什么要学习《实践论》？

毛泽东思想，是全国人民的革命与建设的指导思想，是全国人民所服膺与学习的对象。我们要很好地学习毛泽东思想，必须学习《实践论》。《实践论》是毛泽东思想的一个基础，是科学的思想方法与工作方法的总结。我们学习《实践论》，就是要领会毛泽东思想的实质、立场、观点与方法，用以深刻地认识中国革命与建设的实际问题，找出它的发展规律，作为实践的指导。

在我们新中国，当前有两大基本任务，要全国人民担当起来。第一是巩固人民民主专政，保卫祖国安全与世界和平；第二是努力进行建设，包括经济建设、国防建设、政治建设、文化建设等。要完成这两大基本任务，这就要求全国人民站稳立场，大家把意志统一起来，集中起来，提高自己的政策思想水平，随时随地认识国内外的环境及周围事物的变化，好好掌握政策，照政策办事。这就必须学习《实践论》。

自从我们新国家成立后，全国人民在全国范围内和全体规模上，用民主方法，来改造自己，成为新人。成千成万的工作干部和青年，都学习了《共同纲领》、《新民主主义论》、社会发展史、政治经济学和时事政策。毋庸讳言，有许

---

* 本文最初发表于1951年6月5日、19日湖南大学校报《人民湖大》第59、61期，亦发表于《新建设》1951年第4卷第4期，文章第三部分"《实践论》学习提纲"曾发表于1951年8月14日湖南大学校报《人民湖大》第67期。1951年7月，生活·读书·新知三联书店将本文收入作者所著的《〈实践论〉解说》一书中出版。1978年4月，生活·读书·新知三联书店在该书第6版中对包括本文在内的全书文字作了一些必要的删节，对有关引文作了校订。——编者注

多人的政治学习是有缺点的。最严重的缺点,是政治学习不曾改变他们自己的思想。有的思想虽然改变了,而对于实际问题的看法,却感到茫然。例如,关于电影《武训传》,曾有好些人称赞与歌颂,他们大都在读了批判武训的文章后,才明白武训这种彻头彻尾为反动统治者服务、被反动统治阶级所嘉奖的人,是不值得我们称赞和歌颂的。历史上的人物值得我们人民称赞和歌颂的,必须是反抗压迫阶级的革命领袖、保卫祖国的民族英雄,以及人民的科学家、文学家、艺术家和思想家;像武训那样的人,在今天应当是在劳动中被改造的人;他是社会的寄生虫,并不是"劳动人民";他是封建文化的狂热宣传者,并不曾为人民及其文化服务。电影《武训传》的作者,把武训其人其事捏造一番,歌颂为"大哉武训,至勇至仁",称赞他的"勤劳勇敢的、典型的中华民族的崇高品质",说"要学习他全心全意为人民服务的忘我精神",说"让我们把武训做榜样";此外还有人说"武训这个名字应该说是中国历史上伟大的劳动人民企图使本阶级从文化上翻身的一面旗帜"。像这样的称赞和歌颂,是不能承认或容忍的;否则"就是承认或者容忍污蔑农民革命斗争,污蔑中国历史,污蔑中国民族的反动宣传为正当的宣传"①。又如抗美援朝运动开始的时候,一般人对于崇美、亲美思想虽已相当克服,但有些人总觉得美国比中国强,物质文明好,仇美抗美的情绪高涨不起来,这也是政治学习未能联系自己思想实际的表现。为要克服这种缺点,就必须学习马克思列宁主义的认识论,即学习《实践论》,用《实践论》把自己头脑武装起来,提高对实际的认识,改造主观世界(自己头脑)和客观世界。

几百万参加革命建设工作的干部,在毛主席和共产党的领导下,在革命建设的实际斗争中,已经表现出空前伟大的成绩。然而,却不能说每个人都正确地领会了毛泽东思想。在我们干部中,有些犯了官僚主义的偏向,自己坐在办公室里订计划、制表格,以此为满足,而不深入群众,不去检查。有些人犯事务主义的毛病,对主管工作掌握不住中心,东抓一把西抓一把,整天忙忙碌碌,可说是辛辛苦苦的官僚主义。还有些人犯"左"倾急性病,也有些人犯右倾慢性病。无论哪种错误,对革命工作都会发生或大或小的损失;这些错误的根源,

---

① 《人民日报》社论:《应当重视电影〈武训传〉的讨论》。

基本上是主观主义。主观主义表现为两种:一种是教条主义,一种是经验主义。老干部容易犯经验主义的毛病,即不问时间、地点和条件,硬性套用自己的片面经验;新干部容易犯教条主义的毛病,只知死啃教条,满足于文字上的理解,不联系实际,不联系政策。为要克服这些错误,减少工作上的损失,就必须学习马克思列宁主义,学习毛主席的《实践论》,来提高理论水平,研究如何预防和医治教条主义和经验主义的毛病。大家都要学习,才能懂得正确的思想方法和工作方法。

科学、哲学和文艺工作者,也要学习《实践论》。在这伟大的新时代中,科学、文艺、哲学工作者,都能发挥了积极性和创造性;但部分地还存在着缺点。有些自然科学工作者,对发展工业、农业和国防建设不重视;有的则为科学而科学,为研究而研究。学社会科学的,有的思想落后于实际,不能用历史唯物论的观点,去认识和解释经济、政治、法律、文化、历史等问题;研究政治学的,还留恋于资产阶级的"民主";研究法律的,还不能完全肃清旧法观点。根据《共同纲领》,自然科学工作者必须努力发展自然科学,以服务于祖国建设;社会科学工作者必须用历史唯物论观点,研究和解释历史、经济、政治、文化及国际事务。因此,不论自然科学工作者或社会科学工作者,都必须学习《实践论》,用马克思列宁主义的观点方法,去认真研究中国经济、政治、文化各方面的问题,创造出理论。这样创造出来的理论,才能与实际联系,才能为建设服务。

说到文艺工作者,有些作家的作品,还是用各种方式,掩饰其生活上的空虚;所描写的人物是虚构的、臆测的,因为他们没有深入工农群众中去体会生活,而是关在书房里写工农作品,自然创作不出好的东西,这是犯了公式化和教条主义的毛病。另外,还有些人仅是到工厂去看看,便自以为有了经验,便以此代替理论学习,而把这片面的经验夸大起来,这又是犯了经验主义的偏向。为要克服这些毛病,文艺工作者必须学习《实践论》,把《实践论》作为学习和工作的最高标准,从而能够更好地以实践为基础,创造出真正的人民的文学来。

最后,说到哲学工作者,也有不少缺点:对辩证唯物论的宣传不够,对资产阶级的烦琐哲学及各种反动学派没有做革命的批判的斗争;不能把这伟大时代丰富的革命经验用科学方法总结起来,去指导革命实践。我们必须避免空谈,好好学习《实践论》,用科学方法去考查革命建设中的重大问题。从感性认识提高到理性认识,对一切流派的唯心论做无情的斗争。

总之,如果我们能够深入地钻研《实践论》,把它的观点和方法,正确地运用到各方面去,新中国的学术界必能开辟新的一页。

二、怎样学习《实践论》?

《实践论》是论证理论与实践的统一的学说,它发展了马克思列宁主义的认识论;应用马克思列宁主义的理论,结合中国革命的具体实践,综合中国人民长期革命斗争的经验,对教条主义、经验主义、“左”右倾机会主义做坚决斗争,开辟了革命真理的斗争道路,把马克思列宁主义做了精辟的分析和光辉的补充。

《实践论》写于 1937 年,毛主席曾以这篇论文的观点在延安的抗日军事政治大学做过讲演。当时,离中国共产党的诞生有 16 年之久,毛主席总结了 16 年的革命斗争经验,写出了《实践论》。共产党在 1921 年成立时,大家对马克思列宁主义还懂得少,还不能把马克思列宁主义的真理与中国革命的具体实践联系起来,因此犯了许多错误。譬如 1924—1927 年,共产党与国民党建立联合战线,为什么一个无产阶级的党要同资产阶级的党合作呢? 陈独秀不明白这个道理,他以为资产阶级革命应该由资产阶级来领导,无产阶级在革命成功时不过得着一些自由与权力;因而在同国民党的联合中,放弃了领导权,使革命遭受了不必要的损失,这是右倾机会主义的错误。那时,两湖有组织的农民达几千万人,他们迫切要求解放,毛主席到湖南调查了情况,主张放手发动农民群众,依靠贫农,在农村中建立农民政权和农民武装,把革命推向前进。但是由于当时的党是在陈独秀派领导下,仅于 1927 年在武汉开了个座谈会,请一个印度专家同国民党人研究,毫无结果;而对毛主席的正确主张则采取了压制手段,因而没有能够挽救当时的革命。到 1931—1934 年,“左”倾冒险主义在党内得了势,毛主席的意见不被采纳,以致造成了第五次反围剿的不利;当时,如果按照毛主席的意见办事,是不会这样的。毛泽东思想是在长期革命斗争中锻炼出来的，它是百战百胜的革命理论。

在1937年写了《实践论》，就是要提高党的理论水平，使党员能够运用马克思列宁主义的真理同中国革命的具体实践结合起来；而《实践论》本身，也正是在反教条主义经验主义，反“左”右倾机会主义的两条战线的斗争中锻炼出来的。

1950年12月19日《实践论》又重新发表，其意义是非常重大的：因为现在是翻天覆地的时代，是历史的伟大转变时期，在这种情势之下，必须把我们全国人民的意志思想统一起来、集中起来，认清发展前途，才能胜利地建设社会主义；这也就是说，必须把毛泽东思想作为全国人民统一的意志，用马克思列宁主义的哲学，把头脑武装起来。这一次发表《实践论》，虽然距离第一次有14年之久，然而，它是一种具有永久性的真理；所以，现在全国人民必须用它来武装头脑，来搞好建设工作。

我们要怎样才能学好《实践论》呢？我以为应当采取下列的方法：

第一，要端正学习的态度。我们学习《实践论》，首先要站稳工人阶级和革命人民的立场。《实践论》特别强调辩证唯物论的显著特点之一，是它的阶级性；它是为工人阶级与革命人民服务的，它是工人阶级与革命人民的实践的哲学。在阶级社会中，一切学说、文艺和哲学，都不能不贯穿着阶级性，即“各种思想无不打上阶级的烙印”。我们学习《实践论》，为要坚决站在工人阶级和革命人民的立场，就必须克服客观主义的态度。客观主义，是资产阶级哲学的一种倾向，一种虚伪的隐蔽的表现方法。资产阶级企图把本阶级的思想散布于工人阶级之中，来毒害、欺骗与分裂工农大众；他们否认理论的阶级性，宣布自己的理论是超阶级超党派的，是对于全世界人类都适用的。这样的客观主义，是歪曲现实的，是资产阶级理论的伪装。有些人受了客观主义思想的影响，当认识问题、分析问题时，不从工人阶级和革命人民的立场出发，自以为是超阶级、超党派的，完全以第三者或旁观者的姿态出现。他们还抱着作客思想或纯技术观点，对于空前未有的革命建设的新局面，他们熟视无睹，漠不关心，或者姑且站在旁边观望观望；他们对于抗美援朝运动、爱国主义生产竞赛、民主建政等一连串轰轰烈烈的运动，不感兴趣，或者把这些当作戏剧来看，这是客观主义的十足表现。我们要想学好《实践论》，必须反对客观主义的态度，坚决站在工人阶级和革命人民的立场,才能正确地认识客观世界,改造客观世界。

第二,要在实践中去学习。《实践论》强调辩证唯物论的另一显著的特点,是它的实践性。它强调“理论对于实践的依赖关系,理论的基础是实践,又转过来为实践服务”。知识从实践发生,并随实践的发展而发展;在实践中求得的知识,是为了用那些知识在实践中得到证明,并拿来指导实践,发展实践。所以“你要有知识,你就得参加变革现实的实践。你要知道梨子的滋味,你就得变革梨子,亲口吃一吃。你要知道原子的组织同性质,你就得实行物理学和化学的实验,变革原子的情况。你要知道革命的理论和方法,你就得参加革命”。例如科学是科学家在实践中得到的知识,我们学习它,必须在科学的实验中去学习,并且为了变革客观现实的实践而学习。同样,《实践论》是毛主席在领导人民革命的斗争中,运用马克思列宁主义结合中国革命的具体实践所锻炼出来的理论。我们学习它,必须在革命建设的具体工作中去学习,并且为搞好革命建设的工作而学习。这即是说,我们是为实践而学习《实践论》,不是为学习而学习《实践论》。最近有个朋友问我:“《真理报》社论说毛主席的《实践论》发展了马克思列宁主义的认识论,这所谓发展究竟是什么意思?”我说:“《实践论》是毛主席运用马克思列宁主义认识论的根本原理,总结了中国人民革命的经验,解决了半封建半殖民地人民革命实践中所发生的矛盾和问题,克服了教条主义和经验主义、右倾机会主义和‘左’翼冒险主义的偏向,并把辩证唯物论的认识论做了系统的严密的分析和独立的光辉的补充;所以说《实践论》发展了马克思列宁主义的认识论。”在这里,所谓发展,是意味着它的延长、继续和补充,而这种延长、继续和补充,又必定符合于实践。倘若有人不是这样理解,而专在《实践论》中寻章摘句,或者企图发现哪些是马克思列宁主义认识论中所没有的东西,那便是钻牛角尖式的学习方法,那显然是用形而上学的学习方法来学习《实践论》,是为学习而学习,不是为实践而学习。我们必须克服这种为学习而学习的钻牛角尖式的方法,坚持为实践而学习的方法。我们要从《实践论》学习认识运动的唯物辩证法,来理解新国家的革命与建设的各种具体问题,以便很有效地从事于革命建设工作的实践。

第三,从实际出发,了解情况,掌握政策。《共同纲领》是全国人民共同努

力以求其实现的纲领。中央人民政府所发布的政策，都是根据《共同纲领》，从广阔的实际出发来制定的。一切参加革命与建设的工作者的第一任务，就是了解情况与掌握政策，使政策能够有效地顺利地转化为实际。了解情况是认识世界，掌握政策是改造世界。要掌握政策，必先了解情况；要了解情况，必须从实际出发。从实际出发，是一切工作者最基本的工作方法。从实际出发，就是从感性认识的材料出发。所谓实际，就是千百万群众的实践的具体情况。任何工作者，必须调查与自己工作部门有关的一切实际的材料，吸取群众的意见和经验，调查各阶层的生动的生活状况，即是说要“详细地占有材料”；然后根据这些材料，依据辩证的方法，进行思考，引出论理的结论。毛主席说：“我们要从国内外省内外县内外区内外的实际情况出发，从其中引出其固有的而不是臆造的规律性，即找出周围事变的内部联系，作为我们行动的向导。而要这样做，就须不凭主观想象，不凭一时的热情，不凭死的书本，而凭客观存在的事实。详细地占有材料，在马克思列宁主义一般原理的指导下，从这些材料中引出正确的结论。”①这即是说，一切工作者当执行政策时，必须从实际出发，从感性认识发展到理性认识，才能“按照实际情况决定工作方针”，才能把政策转化为实际。倘若“离开了当时当地的实际情况，主观地决定自己的工作方针”，这就犯了教条主义的偏向，结果必招致失败。

第四，总结经验。“使经验带上条理性、综合性，上升为理论”，这也是学习《实践论》的方法之一。任何工作者，不仅要熟悉本岗位的工作情况及其发展趋势，而且要了解其他有关部门的工作情况及发展趋势。在工作过程中，要不断地总结工作经验，上升为理论，即使它由感性认识发展到理性认识。特别是哲学工作者，要总结我国革命和世界劳动人民革命的经验，总结社会主义建设的经验，还要吸取科学上的新发明和成就，借以丰富辩证唯物论的内容。但是经验的总结，必须“将丰富的感觉材料加以去粗取精、去伪存真、由此及彼、由表及里的改造制作工夫，造成概念和理论的系统”，要在那些经验之中，发现问题、分析问题、解决问题，指出贯穿于那些经验之中的规律，作为工作的指南。像这样的总结，才是科学的总结。如果总结经验而不应用《实践论》中所

---

① 《改造我们的学习》。

说的方法,而只是“甲乙丙丁,开中药铺”,“不提出问题,不分析问题,不解决问题,不表示赞成什么,反对什么,说来说去还是一个中药铺,没有什么真切的内容”①,像这样总结经验的方法是形式主义的方法,还不能脱离经验主义的偏向。

第五,坚持真理,修正错误。千百万群众的实践活动的实际情况,是变化的、发展的,有时发展得很快。我们的思想必须与实际保持一致,才能指导实际,使实践向前发展。《实践论》指示我们:根据对于某一阶段的某一具体过程的认识所构成的思想、理论、计划或方案,把它应用于同一过程的实践,若能实现预想的目的,这一认识便是真理。但在实践中如果由于客观条件的限制,发现了前所未料的情况,“原定的思想、理论、计划、方案,部分地或全部地不合于实际,部分错了或全部错了的事,都是有的。许多时候需反复失败过多次,才能纠正错误的认识,才能到达于和客观过程的规律性相符合,因而才能够变主观的东西为客观的东西,即在实践中得到预想的结果”。这便是说,修正错误,得到真理,再坚持下去。所以按照实际情况决定工作方针,是最基本的工作方法。如果犯了错误,遭遇失败,就要吸取失败的教训,研究错误发生的原因,从失败中学习,从错误中学习,不因失败而灰心,不被错误所吓倒;再认识当时当地的实际情况,改正错误,就能够变失败为胜利。

思想要与实际相一致,才能促进实际的发展。一切工作者,对于新鲜事物要有敏锐的感觉,随时针对实际情况,改进自己的工作方针。如果实际情况早已向前发展而自己的思想还停顿在旧阶段,工作方针还是老一套,必然引起工作的失败。这种右倾机会主义的偏向,必须防止。但是思想远远超过于实际,脱离了当前千百万群众的实践,就会犯“左”倾冒险主义的错误,也应极力避免。

毛主席教导我们,做工作要实事求是地深入调查研究,按照具体的时间、地点、条件解决问题。我们新国家的建设事业,突飞猛进,日新月异,而且,各省区的经济与文化的发展水平也不一样,所以今年拟定的工作方针,到明年必有所改进。对于某一政策的执行,在条件欠缺的地方,仍需创造条件,才好推

① 《反对党八股》。

行政策。一切决定于时间、地点与条件。工作者只有学习《实践论》所指示的思想与实际一致的方法，才能很好地完成任务。

第六，自学与集体学习相结合。我们学习《实践论》的目的，是在于提高马克思列宁主义与毛泽东思想的理论水平。《实践论》是以说明认识世界进而改造世界为任务的科学理论。我们学习它，是学习怎样认识世界以及怎样改造世界的方法，学习怎样改造主观世界以及怎样改造客观世界的方法。所以学习的第一步，是学习怎样认识世界，怎样改造主观世界，即怎样改造自己的认识能力。这改造主观世界即改造自己的认识能力的问题，即是学习《实践论》来改造自己思想的问题。学习《实践论》，我们能否采取工人阶级的立场、唯物的观点、辩证的方法去理解一切实际问题？这就要采用自学与集体学习相结合的方法，因而运用批评与自我批评的武器。毛主席说过，批评与自我批评的方法，“是推动大家坚持真理、修正错误的很好的方法，是人民国家内全体革命人民进行自我教育和自我改造的唯一正确的方法”。例如，极力称赞并歌颂过武训的人们，都宣称自己是站在人民的立场，用历史唯物论的观点，评价了历史上的人物；但实际上完全相反。他们把武训这个行乞兴学的乞丐，误认为劳动人民，其实武训的本质是脱离劳动关系的、社会的寄生虫；把武训兴办所谓义学的事实，误认为穷人的文化翻身，而不知所谓义学本质上是为宣传封建文化服务。他们对于武训的这种认识，显然是浮面的、不正确的认识。后来思想战线上展开了关于电影《武训传》的讨论。由于批评与自我批评，思想上的混乱澄清了。批评与自我批评，是新社会发展的原动力，也是全国人民在思想上团结进步的原动力。

第七，学习马、恩、列、斯和毛主席的著作，加强对《实践论》的理解。首先，我们学习《实践论》，还需做有系统的理解的钻研。上面说过，《实践论》是毛泽东思想的一个基础，是科学的思想方法与工作方法的总结。《实践论》的基本原理，贯穿于毛主席的一切著作之中。《实践论》的每一句每一段话的道理，都可以在毛主席的著作中找到说明。我们熟读毛主席的其他著作，就可以体会毛主席在指导革命的过程中，如何发现问题、分析问题、解决问题；如何适应革命形势的变化，提出新的任务和计划，来指导革命的实践；如何纠正“左”右倾的偏向，使革命进行顺利而不致遭受损失。所以熟读毛主席的其他一切著作,更能帮助我们理解《实践论》。

其次,我们还要学习马、恩、列、斯的著作,来帮助我们对于《实践论》的理解。马克思和恩格斯是辩证唯物论的创始人。他们首先把阶级性与实践性作为辩证唯物论的基本观点,使唯物论从自然领域扩张于历史领域,形成无产阶级革命实践的哲学,因而创成理论与实践之统一的马克思主义。列宁和斯大林,发展了马克思主义,创造了帝国主义与无产阶级世界革命时代的马克思主义——列宁主义,把这一时代革命斗争、理论斗争以及科学上的新成就,总结于辩证唯物论,使哲学发展到列宁的阶段。我们如能够多读马、恩、列、斯的著作,就会知道《实践论》发展了马克思列宁主义认识论这一句话的真理。

特别是斯大林的《辩证唯物主义与历史唯物主义》这一著作,我们更应当熟读。因为《实践论》是辩证唯物论的认识论,涉及辩证唯物论与历史唯物论的全部内容,如唯物论与唯心论的区别、辩证唯物论与机械唯物论的区别,以及唯物辩证法的几个基本观点,都应用在《实践论》之中。《实践论》彻底发展了辩证唯物主义与历史唯物主义的原理。我们要懂得辩证法,懂得唯物论,懂得《实践论》如何应用唯物辩证法于历史实际与革命实际,就必须学习斯大林的《辩证唯物主义与历史唯物主义》这一经典著作。

还有《联共(布)党史简明教程》,是一部最好的马克思列宁主义教科书。学习《联共(布)党史简明教程》,就知道它是如何总结十月革命前后革命的经验与建设的经验,以及在一定革命情势之下提出与之相符合的革命的任务等,这很能帮助我们深刻地理解《实践论》。最后,中国近百年革命史和新民主主义革命史,也要用心研究,才能懂得毛主席是如何总结中国革命的经验,进一步了解《实践论》。

三、《实践论》学习提纲

为了大家便于学习《实践论》,特拟定一个学习提纲。这个提纲,完全根据《实践论》原文的次序,依其重点而提出的。

其一,《实践论》首先指出辩证唯物论的认识论是以实践为基础的;认识依赖于社会实践,依赖于生产与阶级斗争。

(1)人的社会实践是劳动,是生产,是阶级斗争,是政治生活,是科学的艺术的活动等;但生产活动是最基本的实践活动。

(2)人的认识主要是依赖于物质的生产活动,并伴随于生产活动的发展而发展。

(3)在阶级社会中,从生产的实践产生出阶级斗争的实践;阶级斗争的,即革命的知识,是在生产与阶级斗争中发生并发展的。

(4)在阶级社会中,一切学说、文艺与哲学,都贯穿着阶级性。

其二,人们的社会实践是人们对于外界认识的真理性的标准。

(1)人的认识正确地反映了客观事物的规律性,即主观符合于客观,便是真理。

(2)认识之是否真理,只有社会的实践能够给以证明。

(3)真理的标准,只能是社会的实践,此外别无标准。思想合于客观外界的规律性,在实践中就能得到预想的结果;如果不合,就会在实践中失败。

(4)实践性和阶级性是辩证唯物论的认识论的两个特点;正因为有这两个特点,所以辩证唯物论才成为无产阶级革命实践的哲学。

其三,认识的过程,是一个总的过程,包括由实践到理论及由理论到实践的过程。

(1)由实践到理论的过程,是由感性认识到理性认识的过程。在这一过程中,感性认识是认识的初级阶段,理性认识是认识的高级阶段。

(2)在感性阶段,人们只能认识各个事物之片面的、现象的外部联系;到了理性阶段,人们才能认识各个事物之全体的、本质的内部联系。

(3)从感性认识到理性认识,是经过抽象思维的结果,是认识过程中的突变。

(4)感性认识与理性认识,形成辩证的统一。两者互为条件,互相补充,互相发展,互相丰富其内容,绝不是各自独立的认识阶段。理性认识依赖于感性认识,感性认识有待于发展到理性认识;理性认识以感性认识为前提,感性认识以理性认识为归结。

(5)理性认识即论理认识或理论,是实践经验之科学的总结。

(6)唯理论否认感性认识而重视理性认识,经验论忽视理性认识而重视感性认识——都是主观主义。

(7)教条主义与唯物论的唯理论相像,经验主义与唯物论的经验论相像。

(8)由理论到实践的过程——由理性认识到实践的过程,也是一个突变。

(9)认识从实践始;经过实践得到理论的认识,仍需再回到实践中去。

(10)理论是否符合于客观的规律性,要把它应用于实践,看它能否达到预想的目的。

革命理论是重要的,“没有革命的理论,就不会有革命的运动”。但理论之所以重要,正因为它能指导革命运动;单有理论而无运动,那种理论就没有意义。

(11)理论与实践是在实践基础上统一的,“理论若不和革命实践联系起来,就会变成无对象的理论;同样,实践若不以革命理论为指南,就会变成盲目的实践”。

教条主义者和经验主义者都割裂了理论与实践的统一。

其四,认识的相对性与绝对性的问题,即相对真理与绝对真理的问题。

(1)认识是运动的、发展的。认识的运动和发展,伴随于客观过程的运动和发展。

认识某一具体过程所构成的思想、理论、计划或方案,如在同一过程的实践中实现了预想的目的,这一认识运动算是完成了。

但一定的思想、理论、计划或方案,全无改变地实现出来的事是很少的。有时由于客观情况的变化,局部改变或全部改变的事是常有的。如果能够适应于客观情况的变化而修改其思想、理论、计划或方案,就能够达到预想的目的。

(2)思想必须联系实际。

客观实际的过程,从一个阶段发展到另一个阶段时,符合于前一阶段的思想、理论、计划或方案,必须适应于后一阶段而有所改变。不能无条件地适用于后一阶段;否则就会变成右倾机会主义。但思想、理论、计划或方案如果远远超过于客观实际情况,或把仅在将来有现实可能性的理想,勉强地放在现时来做,就会变成“左”倾冒险主义。

(3)世界是完全可以认识的,绝对真理是存在的。

(4)真理的相对性与绝对性的关系——无数相对的真理之总合,就是绝对的真理。

(5)真理是一个发展的过程。

其五,改造客观世界,改造主观世界。

(1)认识世界以改造世界,在今天是共产党、工人阶级与革命人民的历史使命。

(2)改造自己主观的世界——改造自己的认识能力,改造主观世界同客观世界的关系。

(3)改造自己主观世界,在人民内部,就是改造思想——肃清落后的乃至反人民的思想,建立起革命的战斗的全心全意为人民服务的人生观。

(4)被改造的客观世界中,包括了一切反对改造的人们。他们的被改造,需要通过强迫的阶段——坚决镇压与劳动改造。

(5)世界改造与思想改造是一个长期过程。

(6)《实践论》是知行关系的唯物辩证法。

(原载 1978 年 4 月生活·读书·新知三联书店出版的《〈实践论〉解说》,署名李达)

关于检查工作的指示

（1951.6）

本校自接管以来，全体师生职工积极努力，不断提高自己的政治思想水平，工作和学习上已经获得显著的进步。为进一步巩固已有的成绩并继续前进，必须坚持按照计划进行工作。在计划决定以后，全靠组织力量去切实执行，其间有无检查督促是能否实现正确计划与决议的最大关键。六月份行政工作计划，其所以决定以检查工作为中心，就是鉴于过去工作只有布置，绝少检查。今后工作必须抓紧计划、执行、检查、总结四个基本环节，目前尤其要抓紧检查督促这个中心的一环，来推动工作，改进工作，彻底实现工作计划。一切怀疑检查工作会触及人事变动的想法是错误的；采取漠不关心的态度，或自己不主动检查自己的工作，单纯等候别人来检查，也是错误的。大规模检查工作，在本校尚属创举，为统一步调起见，特作出如下指示：

其一，检查工作的方针由检查爱国公约入手，领导干部从检查自己的工作做起，然后组织检查组，亲自下去检查各单位正在进行的具体工作，结合批评与自我批评，开展校内民主运动，提高当家做主的思想感情，改进工作方法与工作作风。目的在于了解工作实际情况，发现工作中的缺点，提出纠正的办法，推动大家努力改进工作与学习，完成工作计划与爱国公约所规定的任务。

其二，检查工作的重心摆在各处科，各院系以及馆厂负责干部的领导方法与领导方法与领导作风上，希望工会、学生会等组织均本指示精神，配合进行。检查的原则：(1)是否根据文教政策的规定和工作计划办事，贯彻的程度如何。(2)是否在一定时期分清中心工作与次要工作，抓住重点，依靠群众，有步骤地去进行工作。(3)是否建立了组织观点和工作与学习的纪律，认真负责，遵行五爱公德。根据以上原则进行检查批评，应本“与人为善”、“治病救人"的精神,注意批评的积极性与建设性,防止涉及私人生活琐节和斤斤计较鸡毛蒜皮的小事情。

其三,检查工作的方式和方法:(1)检查工作的方式,采取自上而下的领导检查与自下而上的群众批评相结合的办法。(2)全面着眼,各单位有系统地进行重点检查。(3)检查组不要止于听取形式的报告,应到工作部门实地检查。(4)各级干部对过去工作要做总结性的报告与自我批评,启发下面的自由批评与讨论;一般工作人员应该检查自己的工作,进而对各级领导与工作大胆进行批评讨论。(5)检查出什么工作缺点,就整什么工作缺点,检查出什么不良作风,就整什么不良作风,检查要与改进具体工作相结合。

其四,通过检查工作的具体要求:(1)着重研究政策,提高政策思想水平,从政策思想的一致,统一行动,开展民主合作,一方面要打破互不联系,各自为政,以及闹家派小圈子的倾向;另一方面要打破无原则,无立场,一团和气,敷衍了事的态度。(2)着重经常检查并总结工作,提倡研究问题,掌握原则,改进经验主义和事务主义的领导方法,克服忙乱现象,并与官僚主义,命令主义以及自由散漫的作风做斗争。(3)着重信赖群众,放手让群众工作,充分发挥群众的积极性、主动性与创造性,密切领导和群众的联系,促进团结互助。

其五,具体进行步骤:(1)6 月 12 日至 17 日检查各级负责领导干部的工作,一般应对自己的工作与学习分别自行检查。(2)18 日至 24 日检查组下到各单位,全面展开检查。(3)25 日至 7 月 1 日各单位做出工作检查总结。

(原载 1951 年 6 月 12 日湖南大学校报《人民湖大》第 60 期,署名校长李达、副校长易鼎新)

武训是个反动派*

（1951. 6）

1937 年 5 月，我到泰山，看到冯玉祥在泰山周围，办了 10 多处武训小学。我很纳闷：武训究竟是个什么样的人？后来看了武训的传略，才知道他是一个行乞兴学的乞丐。这乞丐虽然奇怪，却仍是乞丐，值得纪念么？冯玉祥那么崇拜武训，办那么多小学来纪念他，真也奇怪！

近来看到报纸上的广告，知道有《武训传》这部电影已经在全国各地演出了，我不曾看过，内容如何，全不知道。我也有些纳闷：武训其人其事，难道在今天具有教育意义么？难道还要我们人民学做那样的乞丐么？政府文化部门竟审查通过了这部影片么？

直到读了人民日报的社论《应当重视电影〈武训传〉的讨论》以后，才知道这部电影已在全国范围撒播了思想的毒素，并且还有许多"进步"人士写了很多歌颂武训的文章和小说，加强了反动思想的宣传。文化界这种思想混乱的状态，是必须予以澄清和纠正的。

武训虽是奇乞丐（所谓奇，是因为无数乞丐中没有像他那样行乞兴学），却仍是乞丐。乞丐是浮浪无产者，在经济上，他失掉了生产手段，在生产活动

---

* 本文亦发表于《湖南教师》1951 年第 3 期。1951 年年初，描写和歌颂清末武训行乞兴学事迹的电影《武训传》在国内上映，在文艺界引起了激烈的争论。5 月 20 日，《人民日报》发表毛泽东的社论《应当重视电影〈武训传〉的讨论》，认为这部电影宣传了反历史唯物主义的反动思想，必须严肃批判。毛泽东严厉地指出：《武训传》所提出的问题带有根本的性质，承认或者容忍对它的歌颂，"就是承认或者容忍污蔑农民革命斗争，污蔑中国历史，污蔑中国民族的反动宣传为正当的宣传"；"一些号称学好了马克思主义的共产党员……竟至向这种反动思想投降"，"说明了我国文化界的思想混乱达到了何种的程度"，表明"资产阶级思想侵入了战斗的共产党"。尔后，文化思想界开展了对《武训传》和歌颂武训的作品的批判。李达批判武训的文章，就是在这种背景下撰写的。——编者注

之外找生活，脱离了生产关系，脱离了劳动关系，做了社会的寄生虫；在政治上，乞丐大都是反动的势力。乞丐的通性，大都是拥护私有制，拥护剥削制，服从统治，忍受压迫，崇拜功名富贵，崇拜豪绅地主；不但不革命，而且最容易作出反人民反革命的勾当。看看电影《武训传》，可以知道武训对于那些乞丐的通性，是兼而有之的。他为了行乞，极其奴颜婢膝之能事，并且做出了非人性的行为，例如挨打一拳得二文，挨踢一脚得三文，喝脏水，吃瓦片，做马给小孩骑坐之类。他把这样乞得的钱，存在豪绅地主之家，拿去放债，并且还购买了大宗土地，借以剥削人民。他唯一可以被人们原谅的地方，就是把这样弄来的钱，拿出办了义学。但他办义学的动机，是为了他做小孩时得不到读书的机会，所以立志要办义学，收容穷小孩读书；而其目的，是在于要使穷人也能"坐八抬轿"，爬上统治阶级的地位。他那义学是完全交与统治阶级的人去主办的，"义学里念的书还不是三纲五常，君臣父子吗?"（张举人语）办这样的义学，只不过培植一些穷人去做官，做满清皇帝的帮凶，骑在人民的脖子上。所以满清皇朝嘉奖，赏穿"黄马褂"，封为"义学正"，并给造大牌坊。像武训这样为统治阶级效忠的人，当然能获得反动阶级的嘉奖，所以满清皇朝嘉奖他，北洋军阀与蒋介石反动派也嘉奖他。效忠于反动统治阶级的人，难道他可以成为人民模范么?

历史上的人物，值得我们人民称赞与歌颂的，必须是反抗旧制度反抗压迫的革命领袖，保卫祖国的民族英雄，以及人民的科学家、文学家、艺术家和思想家。像武训这样站在反人民方面为统治阶级效忠的人，在今天人民的时代，应当是在劳动中被改造的人，怎能值得称赞与歌颂呢? 电影"武训传"是宣传反动思想的电影，我们必须极力攻击它，反对它。凡是中了这部影片的毒害的，要赶快清醒过来!

（原载1951年6月12日湖南大学校报《人民湖大》第60期，署名李达）

《实践论》解说*

（1951.7）

马克思以前的唯物论，离开人的社会性，离开人的历史发展，去观察认识问题，因此不能了解认识对社会实践的依赖关系，即认识对生产和阶级斗争的依赖关系。

［说明］马克思的唯物论，是辩证法的唯物论；马克思以前的唯物论，例如法国机械唯物论和费尔巴哈的唯物论，是没有辩证观点的唯物论，即是形而上学的，或抽象的唯物论。前者是由自然领域扩张到社会领域的唯物论，后者只是适用于自然领域的唯物论。前者是无产阶级的哲学，后者是资产阶级的哲学。两种哲学的基本差异的分歧点，是在认识论的基础之上。

哲学是世界观。辩证唯物论这一科学的世界观，是人们对于世界（包括自然、社会与思维）的一般发展法则的认识。认识是主体与客体（主观与客

---

* 《〈实践论〉解说》最初分四部分先后在《新建设》1951 年第 3 卷第 6 期、第 4 卷第 1、2、3 期发表，后与作者所撰写的《〈实践论〉——毛泽东思想的哲学基础》和《怎样学习〈实践论〉》汇集在一起，于 1951 年 7 月由生活·读书·新知三联书店仍以《〈实践论〉解说》的书名出版，署名李达，至 1978 年 4 月共印行 6 版。其中，1978 年 4 月版的《〈实践论〉解说》将作者原发表于《新建设》1951 年第 3 卷第 5 期的《〈实践论〉——毛泽东思想的哲学基础》一文更换为作者原发表于 1951 年 2 月 1 日《人民日报》的《〈实践论〉——毛泽东思想的一个基础》，并对书中的文字做了一些必要的删节，对有关引文做了校订。1979 年 3 月，生活·读书·新知三联书店将 1978 年 4 月版的《〈实践论〉解说》与该社 1978 年 4 月版的《〈矛盾论〉解说》合编在一起，以《〈实践论〉〈矛盾论〉解说》的书名出版。1978 年 4 月版的《〈实践论〉解说》曾被收入人民出版社 1988 年 8 月出版的《李达文集》第四卷。李达在撰写《〈实践论〉解说》的过程中，曾将部分文稿寄给毛泽东审阅，毛泽东复信说“这个解说极好”并提出了修改意见，李达后来在该书再版时根据毛泽东的意见做了适当修改。现收入经生活·读书·新知三联书店做过文字删节和引文校订的《〈实践论〉解说》。——编者注

观)的统一。认识的主体是人,认识的客体是外部世界、外界事物。但是作为认识主体的人,究竟是怎样性质的人? 对于这一问题,抽象唯物论与辩证唯物论,各有不同的解答,因而形成两种不同的认识论、不同的唯物论。

在抽象唯物论一方面,作为认识主体的人,只是自然界的生物,是生物学上的人,是人类学上的人,是超越时间空间的人。不论是原始社会的人,奴隶制社会的人,封建社会的人,资本主义社会的人,甚至共产主义社会的人,在其为人的一点是同一的。这样的人,是抽象的人,是一般的人,没有社会性,也没有历史的发展。这样的人,虽好像是超阶级的人,而实际上却隐藏了阶级的真相。所以抽象唯物论的认识主体,实际上是属于资产阶级的人,是资产阶级的代表。抽象唯物论从抽象的人、一般的人去了解认识客体时,只把外部世界或外界事物,看作是可以感觉到的东西,看作是感觉的来源,却不看作是人的行动的对象,可被改造的对象。因而这样的哲学的任务,至多只是说明世界,而不是改造世界。

在辩证唯物论一方面,作为认识主体的人,不单是自然界的生物,而主要的是社会的动物,是政治的动物,是在社会中制造并使用工具以改造自然物为生活资料的高等动物;是一定历史发展阶段上的一定社会中的人,是属于特定阶级的人。他在原始无阶级社会中,是与其他一切人平等的人,他在奴隶制社会中属于奴隶主或奴隶的阶级,在封建社会中属于地主或农民的阶级,在资本主义社会中属于资产阶级或无产阶级,在社会主义社会中是属于工人阶级。这样的人,是实在的人,是具体的人。因而在阶级社会中,作为认识主体的人,是属于特定阶级的人,是特定阶级的代表,所以辩证唯物论的认识主体,是属于无产阶级的人,是无产阶级的代表。辩证唯物论从上述实在的人、具体的人去了解认识客体,就不单把外部世界或外界事物,看作是感觉的源泉,并且看作是人的行动的对象,可被改造的对象。因而,辩证唯物论这一哲学的任务,不单是说明世界,而最重要的是改造世界。

世界—客体,认识—主体,认识了的世界(世界观)——主体与客体的统一。主体与客体如何能够统一? 辩证唯物论者的答复是:由于实践。实践是劳动,是生产,是阶级斗争,是“革命的批判的行动”。社会的人,只有在他们结成一定的社会关系,共同向外部世界采取自然物并改造为生活资料的过程中，即在社会的生产过程中，才能认识外部世界，并把所得的认识（知识）来指导并组织社会的生产。特定社会中被压迫阶级的人们，只有在组织为一个阶级共同对敌对阶级斗争的过程中，才能认识那阶级社会的真相，并根据所得的认识来指导并组织革命，所以主体与客体的统一，是在社会实践的基础上统一的。一架机器是知识与劳动的统一，其统一的基础是劳动。中华人民共和国，是中国革命理论和中国人民革命实践的统一，其统一的基础是人民革命的实践。所以人们对于自然和社会的认识，必须依赖于社会实践，依赖于生产与阶级斗争。毛泽东同志在《整顿党的作风》中说过："什么是知识？自从有阶级的社会存在以来，世界上的知识只有两门：一门叫作生产斗争知识，一门叫作阶级斗争知识。自然科学、社会科学，就是这两门知识的结晶，哲学则是关于自然知识和社会知识的概括和总结。此外还有什么知识呢？没有了。"知识（即认识）之依赖于生产与阶级斗争，是非常明显的。

抽象唯物论者费尔巴哈，虽然也曾经要把实践作为认识的基础，但他把实践只解释为人与自然的斗争。这是抽象的自然主义的实践观。因为人若离开社会，是决不能与自然斗争的。所以，在费尔巴哈说来，认识主体的人是抽象的自然科学上的人，认识客体的世界只是可以感觉的对象，不是可被改造的对象，因而这样的主体与客体的统一，是在消极的、被动的感觉过程中实现的，而不是在实践的基础上实现的。他不能理解人的社会实践之历史的阶级的性质，因而他和马克思以前其他一切唯物论者一样，是离开人的历史发展，离开人的社会性去观察认识问题，因此不能了解认识对社会实践的依赖关系，即认识对生产与阶级斗争的依赖关系。

首先，马克思主义者认为人类的生产活动是最基本的实践活动，是决定其他一切活动的东西。人的认识，主要地依赖于物质的生产活动，逐渐地了解自然的现象、自然的性质、自然的规律性、人和自然的关系；而且经过生产活动，也在各种不同程度上逐渐地认识了人和人的一定的相互关系。一切这些知识，离开生产活动是不能得到的。在没有阶级的社会中，每个人以社会一员的资格，同其他社会成员协力，结成一定的生产关系，从事生产活动，以解决人类物质生活问题。在各种阶级的社会中，各阶级的社会成员，则又以各种不同的

方式，结成一定的生产关系，从事生产活动，以解决人类物质生活问题。这是人的认识发展的基本来源。

［说明］辩证唯物论由自然领域扩张于社会领域，就成为历史唯物论，历史唯物论的总论点是：我们人类生活在社会之中，第一件重要的根本工作，是取得物质生活资料来维持自身的存在。所以人们在从事政治活动及其他各种精神文化的活动之前，必先从事生产的活动，满足衣食住等生活资料的需要。人们为要取得生活资料，必须参加社会的生产。在社会的生产过程中，他们相互间就发生一定的、必然的、不依他们本身意志为转移的关系，即与他们当时的物质生产力发展程度相适合的生产关系。这些生产关系的总和，就组成为社会的基础。社会对于政治法律、宗教、艺术、哲学的观点，以及适合于这些观点的政治法律等制度，则是受基础所规定的上层建筑。所以社会实践虽有很多种类，而马克思主义者却认为人类的生产活动是最基本的实践活动，是决定其他一切活动的东西。

人类由高级人猿进化而来以后，就结成原始人群，共同向自然界采取生活资料以维持生存。他们在采取生活资料的过程中，接触到自然界的无数自然物，首先就知道他们自己是和那些自然物有区别的。他们在长期的生产活动中，逐渐认识水、火、风、雷、云、雨、动、植、飞、潜等自然现象，看到日月的运行、昼夜的交替、植物一年一度的生长和成熟等，于是就了解这些自然物的性质及其规律性，并且顺应它们的性质和规律性，经常地利用自然、克服自然、改造自然，实行和自然界交换其物质，即人类运用其劳动力来作用于自然物，而自然界便把人类所需要的东西交给他们。照这样，人们便知道他们自己是栖息于自然之中，并与自然发生经常的相互关系。并且，在生产活动中，人们知道他们自己必须结成一定的关系，互相交换他们的劳动，才能向自然界取得生活资料。这样的相互关系，是生产关系。基于这生产关系，更发生其他各种社会关系。在长期的生产活动中，人们就能在各种不同的程度上，逐渐地认识了人与人的一定的相互关系，即认识了生产关系以及在生产关系上发展起来的其他各种社会关系。这一切关于人与自然、人与人的关系的知识，都是在生产过程中得到，并用来指导生产活动，促进生产。

在原始无阶级社会中，人人都是劳动者，各人都是自己的主人。他们最初知道按照年龄与性别，分任采集和狩猎工作，取得生活资料。往后由流动生活转入定居生活，由采集经济转入生产经济，知道结成氏族团体，按照一定分工方法，互相交换其劳动，结成平等的生产关系。经营农业与畜牧业，往后又经营手工业，因而生产力逐渐发展，物质生活也比较以前丰富了。但是，随着劳动的分工与私有财产的发生，社会开始发生了奴隶主与奴隶的阶级的分裂，社会便转变为最初的阶级社会，即奴隶制社会了。

阶级社会，经历了奴隶制、封建制和资本主义制的3种形态。这3种阶级社会，都分裂为两大对立的阶级。在这样的社会里的生产关系，基本上都是当作阶级的诸关系而存在的。在奴隶制社会，奴隶主与奴隶结成的生产关系，是奴隶主不仅占有生产手段，而且占有奴隶；在封建制社会，封建主占有土地，农民固定在土地上而为封建主劳动；在资本主义社会，资本家占有机器、工厂、原料，工人们出卖劳动力。像这样的各种阶级社会中，所结成的生产关系，方式虽有不同，但都显示着是剥削关系与被剥削关系。一方是剥削阶级，即奴隶主阶级、地主阶级和资产阶级。他们都独占着社会的生产手段，并不参加生产的劳动，专靠剥削其对立的阶级，过着富裕的生活。他方是被剥削阶级，即奴隶阶级、农民阶级和无产阶级。他们因为被剥夺了生产手段，迫不得已为剥削阶级劳动，取得极少的生活资料，过着非人的生活。剥削阶级，知道对方被剥削阶级占据绝大多数，为了镇压被剥削大众的反抗，便组织国家权力，作为压迫敌对阶级的机关，以维护其赋予法律形式的生产关系——剥削制度。被剥削阶级在其非人生活条件下，也逐渐地认识了那剥削制度，认识了那巩固剥削制度的国家机关，他们就知道团结起来，去推翻那剥削与压迫的阶级，爆发了奴隶革命、农民革命与无产阶级革命。被剥削阶级这样由于认识剥削制度而实行阶级斗争的知识，都是在生产过程中得到的。

人的社会实践，不限于生产活动一种形式，还有多种其他的形式，阶级斗争，政治生活，科学和艺术的活动，总之社会实际生活的一切领域都是社会的人所参加的。因此，人的认识，在物质生活以外，还从政治生活文化生活中（与物质生活密切联系），在各种不同程度上，知道人和人的各种关系。其中，

尤以各种形式的阶级斗争,给予人的认识发展以深刻的影响。在阶级社会中,每一个人都在一定的阶级地位中生活,各种思想无不打上阶级的烙印。

[说明]在阶级社会中,特别是在资本主义社会中,社会生活的方面很多,人参加于这些实际生活的活动也很多。大概说来,除了生产活动这一基本形式之外,还有政治生活、科学和艺术的活动等形式,这些活动形式都是阶级斗争的一种形式。阶级关系,原是生产关系,阶级斗争是在生产过程中发生和发展的。无产阶级因为被剥夺了生产手段,不能不在工资制度之下,出卖劳动力于资本家,为资本家生产剩余价值。但他们在生产过程中认识了资本主义的剥削制度之后,就知道团结起来,对资产阶级进行斗争。这种斗争,首先是经济斗争,即为争取较有利的劳动条件的斗争,更进一步,就进行政治斗争,组织革命。革命必须掌握正确的革命理论。于是阶级斗争的精神,就必须贯穿于一切精神文化的领域,于学说,于艺术,于哲学,形成理论斗争。因为在这些领域中,资产阶级的反动思想,一向独占着支配地位,资产阶级用整套的反动的学说、艺术和哲学,作为统治无产阶级的精神武器,正和他们凭借经济权力和国家权力作为统治无产阶级的物质武器一样。无产阶级为要推翻资本主义社会,建立社会主义社会,就必须建立自己阶级的整套的学说、艺术和哲学,清洗资产阶级的反动思想,扫除敌人伪装的、有害的毒素。所以,在阶级社会中,对立的阶级,各自生活在一定的阶级地位之中,各自有其一套的阶级思想。

中国人民,100多年来,受着封建主义、官僚资本主义、帝国主义的思想毒害,以致革命的人民,在长时期内不能建立正确的革命思想。直到近30年来,人民领袖毛泽东的思想,才在革命的实践中,逐渐锻炼出来,成为全国人民革命的指导思想,并贯穿于政治的经济的及文化的领域,这就是毛泽东思想。现在我们必须根据毛泽东思想,从科学、艺术和哲学的领域中,彻底“肃清封建的、买办的、法西斯主义的思想,发展为人民服务的思想”。尤其是要热爱祖国,热爱人民,树立新爱国主义思想,清除帝国主义者对中国文化侵略的影响,克服民族自卑感,加强民族的自尊心和自信心,表现出中国人民在思想战线上,也同样地站了起来。

马克思主义者认为人类社会的生产活动,是一步又一步地由低级向高级发展,因此,人们的认识,不论对于自然界方面,对于社会方面,也都是一步又一步地由低级向高级发展,即由浅入深,由片面到更多的方面。在很长的历史时期内,大家对于社会的历史只能限于片面的了解,这一方面是由于剥削阶级的偏见经常歪曲社会的历史;另一方面,则由于生产规模的狭小,限制了人们的眼界。人们能够对于社会历史的发展作全面的历史的了解,把对于社会的认识变成了科学,这只是到了伴随巨大生产力——大工业而出现近代无产阶级的时候,这就是马克思主义的科学。

[说明]认识依赖于社会实践,依赖于生产与阶级斗争,这在上文已经说明了。但社会的生产活动是一个发展过程,因而人们的认识也是一个发展过程。认识的历史,伴随于实践的历史。社会的生产活动是一步又一步地由低级向高级发展,因此,人们的认识,也是一步又一步地由低级向高级发展。这个道理,可以从自然科学、社会科学和哲学三方面加以说明。

先从自然科学的知识来说。我中华民族,从传说中的氏族社会以来,劳动人民的祖先,在生产活动中,逐渐地认识了自然的性质、自然的规律性,有过无数的科学上的发明和发现。数千年来,我民族就主要地从事于农业生产,直到现在。在数千年的农业生产过程中,一代一代的,由低级向高级,由浅入深,由片面到更多的方面,都有着很丰富的科学的创造,来为生产服务。在数学上,早就发明了“十进法”和“九九乘法”。春秋秦汉之间,进而有了《周髀算经》和《九章算术》,汉代以来,许多算学家更创造了代数、几何,还有“数书九章”“四元玉鉴”等算学著作。在历法及天文学方面,在夏代氏族社会,即已发明了太阴历。星象的观测,也有许多优秀的天文家努力过。在工程方面,水利灌溉工程学说,自传说中的夏禹治水以后,历代出现了许多伟大的水利工程专家,而且技术一代比一代的提高,一代比一代的优秀。在机械工程方面,春秋时代公输般就以能造机器著名;三国时,诸葛亮做木牛流马;隋代更造出了能容 800 人的大船,明代更提高了,那时能造出多艘能容 4000 多人的大海船,做远程的海洋航行。在纺织业方面,4000 多年前,便有了缫车和机杼,汉代一个女纺织师,进而发明提花机。在军事工业方面,1900 年前,开始发明了火药,以后接着就发明了火炮。在燃料工业方面,汉代就有用煤的记载,宋代四川人更知道用煤气。在造纸及印刷术方面,东汉蔡伦发明了造纸术,接着隋代就发明雕版印刷术,宋代更发明了活字印刷术。这一些伟大的科学的知识,都是从生产活动中一步一步地由低级向高级发展得来,并服务于生产的。但在封建社会里,科学技术的进步是很慢的,最近一两百年来,资本主义的西方就跑在我们前面去了。

其次,说到社会科学的知识。这和自然科学的知识不同。社会科学的领域,完全是涉及社会关系、阶级关系的。在奴隶制、封建制社会中,关于社会方面的各种学说,完全是奴隶主阶级和封建主阶级的人所创造的。这两种社会中的阶级关系和剥削关系,非常单纯而透明。奴隶做工养活奴隶主,农"民出粟米麻丝以事其上"(封建主),这是剥削的定律。反之,奴隶如不做工养活奴隶主就格杀勿论,农"民如不出粟米麻丝以事其上,则诛",这是压迫的定律。所以在很长的历史时期内,关于社会方面的知识,是以上述剥削定律与压迫定律为依据的。中国自周秦以迄鸦片战争的2000余年之间,有不少关于社会方面的学说。在经济领域中,有《管子书》、《商鞅书》、《货殖传》、《平准书》、《盐铁论》、《田赋论》、《租税论》、《理财论》等的著作,这些著作主要的是为封建主讲求剥削术的。在政治的领域中,主要的有儒家的伦理的政治学说和帝王统治术等的著作,这些著作,是巩固专制政治,讲求对农民镇压与欺骗的方法的。在法学领域中,有不少法家学说和历代的法典,规定了很细致的保障封建财产的章程。在历史学的领域中,有不少史学方法论和史论的著作,但大部分是说明如何叙述帝王卿相等封建剥削阶级与统治的事实。在这一类的知识中,虽然也有过一些积极的东西,但也只是对于社会历史的片面了解。这是由于剥削阶级的偏见,经常歪曲社会的历史;另外则由于生产规模的狭小,限制了人们的眼界。在欧洲方面,希腊、罗马奴隶社会时代,奴隶主阶级也曾有一套剥削和压迫奴隶的社会学说,最主要的是罗马法。中世纪黑暗时代,一切知识都受神学所支配,直到资本主义的曙光期,资产阶级的社会科学才逐渐萌芽。随着资本主义商品生产的发展,大工业的出现,阶级与阶级斗争(最初是资产阶级对封建阶级,其后是无产阶级对资产阶级)的发展,社会生活的日趋复杂,于是研究社会现象的政治学、经济学、法律学、历史学,就如雨后春笋一般地出现了。但资产阶级的社会科学，贯穿着资产阶级的偏见，却又伪装超阶级的态度，借以巩固其阶级的剥削与统治，所以资产阶级的社会科学，除了古典经济学较有突出的成就外，其余在实际上并不能称为科学。但是到了19世纪初期，与资产阶级社会科学并行的，有空想社会主义出现了。

最后，再就哲学方面来说。哲学从古就分裂为唯物论与唯心论两个阵营。唯物论常是代表革命的进步的阶级，唯心论常是代表反动的保守的阶级。最初的哲学是唯物论，接着有唯心论出现，往后又有新唯物论起而代之。哲学的历史是唯物论与唯心论斗争的历史。但哲学是世界观，是自然科学与社会科学的概括与总结，在自然科学与社会科学还未发达的时代，哲学所能概括所能总结的那种世界观，必然是片面的，是直观的，是抽象的。18世纪法国机械唯物论，虽然是复活了古代唯物论，形成资产阶级革命的世界观，但当时自然科学除了数学、物理学、力学以外，还不发达，这一唯物论，主要地是综合当时数学、物理学、力学的知识而成的世界观，带有力学的机械的性质，所以成为机械唯物论。这一机械唯物论，当作资产阶级对封建阶级斗争的精神武器来看，是起过很大的作用的，但当作哲学的科学来看，却是形而上学的、抽象的唯物论。当资产阶级爬上了统治阶级地位以后，就放弃了这种唯物论，而采用唯心论了。他们所采取的唯心论，就是德意志唯心的古典哲学，其最高峰是黑格尔的辩证唯心论。

19世纪30、40年代，巨大的生产力——大工业出现，资本主义社会已发展到自我批判的时代。它的内在矛盾，已经充分暴露了出来，其第一个矛盾就是工钱劳动与资本的矛盾。无产者已形成为一个阶级登上政治革命的战场。无产阶级第一个最伟大的领袖马克思，在其领导无产阶级的革命斗争中，锻炼出无产阶级革命的理论，批判地摄取了过去知识的成果，综合了当时自然科学与社会科学的结论，他扬弃了德国古典哲学辩证唯心论，创造了辩证唯物论；扬弃了英国古典经济学，创造了资本论；扬弃了法国空想的社会主义，创造了科学的共产主义。辩证唯物论、资本论和科学共产主义三个构成部分，辩证地综合为一体，构成了马克思主义的体系，所以马克思主义是在资本主义生产方式的矛盾已经暴露而无产阶级出现于世界革命战场的时候，才发生、才形成的。

马克思主义者认为，只有人们的社会实践，才是人们对于外界认识的真理性的标准。实际的情形是这样的，只有在社会实践过程中（物质生产过程中，阶级斗争过程中，科学实验过程中），人们达到了思想中所预想的结果时，人们的认识才被证实了。人们要想得到工作的胜利即得到预想的结果，一定要使自己的思想合于客观外界的规律性，如果不合，就会在实践中失败。人们经过失败之后，也就从失败取得教训，改正自己的思想使之适合于外界的规律性，人们就能变失败为胜利，所谓"失败者成功之母"，"吃一堑长一智"，就是这个道理。辩证唯物论的认识论把实践提到第一的地位，认为人的认识一点也不能离开实践，排斥一切否认实践重要性、使认识离开实践的错误理论。列宁这样说过："实践高于（理论的）认识，因为它不但有普遍性的品格，而且还有直接现实性的品格。"①马克思主义的哲学辩证唯物论有两个最显著的特点：一个是它的阶级性，公然申明辩证唯物论是为无产阶级服务的；再一个是它的实践性，强调理论对于实践的依赖关系，理论的基础是实践，又转过来为实践服务。判定认识或理论之是否真理，不是依主观上觉得如何而定，而是依客观上社会实践的结果如何而定。真理的标准只能是社会的实践。实践的观点是辩证唯物论的认识论之第一的和基本的观点。②

［说明］现在我们来谈认识的真理性的标准问题。所谓真理，是说人们的认识，正确地反映了客观世界的规律性，即是说，主观符合于客观。反之，认识如果不能正确地反映客观世界的规律性，或者歪曲了客观世界的规律性，便是谬误，即是说，主观不符合于客观。这真理与谬误的鉴定的标准是什么？这标准只能是社会实践。我们在生产建设过程中，常就每一产业部门，估计工人们的数目，他们的劳动能力和工作的积极性，调查技术的设备，原料的供给情况，及其他一切的条件，定出一定期间的生产计划，付之实行。到期如果计划完成或者超额完成，这计划便符合该一产业部门发展的规律性，便是真理。"马恒昌生产小组"成功的范例，不消说，完全是这样的。另在农业生产部门，劳动

① 此段引自列宁：《黑格尔〈逻辑学〉一书摘要》。

② 参看马克思：《费尔巴哈论纲》；列宁：《唯物论与经验批判论》第二章第六节。

模范李顺达领导西沟村的农业生产,他计划改良技术以增加产额,该村过去农民没有犁地的习惯,李顺达便首先在自己的一块草地,三年没收成的七分土地上进行实验,他把这块地犁了三遍,做到草尽土松,结果收粮一石七斗。另在推广温汤浸种时,群众不相信,怕烫死种子,经过他两年的钻研实验,证明温汤浸种可以减轻作物病害。像李顺达这些计划实验成功的范例,也正是符合了农业生产的发展规律,便是真理。又如在革命战争的过程中,指导者如果善于了解敌我双方的情况和政治、经济、地理、气候等一切战争环境,"构成判断,定下决心,作出计划",来进行作战,结果取得了胜利。这个作战计划便把握住了客观的战争规律,即主观与客观相融洽,即是真理。所以人们的工作如要达到预想的结果,必须要使主观的思想与客观的规律性相符合,否则必然招致失败。人在社会中的行动,失败原是常事,只要能够吸取失败的教训,正确地再认识行动的对象的规律性,就容易得到成功。科学上的发明者,经过了多少次实验的失败,终于在最后一次得到成功。中国共产党领导的人民革命,也曾遭受过大小若干次的失败,人民领袖毛泽东同志善于吸取这些次失败的教训,应用马克思列宁主义的普遍真理,结合了中国革命的具体实践,锻炼出毛泽东思想作为革命的指针,所以中国的人民革命取得了伟大的胜利。所谓"失败者成功之母"、"吃一堑长一智",正是这个道理。

辩证唯物论的认识论,是建立在社会实践的基础之上的。它认为实践是认识的出发点和源泉,是认识的真理性的标准。人若是离开了实践,就不能得到任何一点的知识。所以实践对于认识,占居第一位,凡属否认实践的重要性,使认识离开实践的理论,都是错误的理论,是辩证唯物论所排斥的。列宁说:"实践高于(理论的)认识,因为它不但有普遍性的品格,而且还有直接现实性的品格。"实践为什么高于认识?这是因为实践是认识的基础,而认识只是实践的要素,并且成为认识的真理性的标准的实践,是社会的实际之综合,对于认识具有普遍性的品格。不单如此,人的实践是直接作用于行动的对象,所以具有直接现实性。至于认识是通过实践的活动去认识对象,并且再通过实践去证明的,它只有媒介的现实性。正因为实践比较认识具有普遍性和直接现实性的品格,所以实践高于认识。

辩证唯物论有两个最显著的特点,即阶级性与实践性。这两者具有有机

的不可分离的关系。本来辩证唯物论这一哲学,是作为无产阶级阶级斗争的精神武器,在无产阶级的阶级斗争中,由马克思、恩格斯所创造、所锻炼而又由列宁、斯大林所发展起来的哲学,它是为着无产阶级,并专属于无产阶级。只有无产阶级敢于面向真理,因为他们不怕被别人推翻。马克思当年创造这一哲学时曾经说过:"哲学把无产阶级当作自己的物质武器,同样地,无产阶级也把哲学当作自己的精神武器。"由此可见,辩证唯物论这一哲学,在它被创造的时候,就和无产阶级分不开的。辩证唯物论所以是战斗的哲学,所以在论战中总是所向无敌,就在于它是和无产阶级的根本利益永远结合着的,它成了无产阶级利益的科学的表现。它是最科学的。因为事实上在现代阶级社会中,根本不可能有所谓超阶级的客观真理,只有无产阶级的哲学,辩证唯物论,才是具有科学性的客观真理。所以马克思主义者公开宣称辩证唯物论是为无产阶级和他们的党服务的,不但公开宣告这一哲学的阶级性、党性,并且还揭露敌对阶级哲学的阶级本质,扯去它的"超阶级性"、"超党性"的虚伪面幕;同时,还对于伪装混入无产阶级阵营的敌人(资产阶级走狗)毁损或歪曲辩证唯物论的任何理论,做坚决无情的斗争,把它们清洗出去。其次,辩证唯物论是革命的哲学、行动的哲学,坚持哲学的实践性、革命性和政治性,并且揭露敌对阶级哲学的欺骗的本质,撕去它的"纯学术性"、"纯客观性"的神秘外壳;同时,还对潜入无产阶级阵营的敌人企图阉割马克思主义的实践性、革命性、政治性的有毒理论,予以无情的打击和扫荡。所以辩证唯物论强调革命理论对于革命斗争的依赖关系。革命理论从革命斗争锻炼出来,又转过来为革命斗争服务。革命的阶级是为革命而要哲学,不是为哲学而要哲学。

还有,作为真理之标准的社会实践,完全是客观的。我们依据对于某一自然物的认识去改造它的时候,若能达到预想的结果,这认识便是真理,反之便是谬误。真理与谬误,由实践来鉴定,完全是客观的,绝不杂有主观的成分。真理的标准,只能是社会实践,此外别无标准。所以,"实践的观点是辩证唯物论的认识论之第一的和基本的观点"。

然而人的认识究竟怎样从实践发生,而又服务于实践呢?这只要看一看认识的发展过程就会明了的。

原来人在实践过程中，开始只是看到过程中各个事物的现象方面，看到各个事物的片面，看到各个事物之间的外部联系。例如有些外面的人们到延安来考察，头一两天，他们看到了延安的地形、街道、屋宇，接触了许多的人，参加了宴会、晚会和群众大会，听到了各种说话，看到了各种文件，这些就是事物的现象，事物的各个片面以及这些事物的外部联系。这叫作认识的感性阶段，就是感觉和印象的阶段。也就是延安这些个别的事物作用于考察团先生们的感官，引起了他们的感觉，在他们的脑子中生起了许多的印象，以及这些印象间的大概的外部的联系，这是认识的第一个阶段。在这个阶段中，人们还不能造成深刻的概念，做出合乎论理（即合乎逻辑）的结论。

［说明］前面已经说明了认识对社会实践的依赖关系，即认识对生产与阶级斗争的依赖关系，现在进而说明人的认识究竟怎样从实践发生，而又服务于实践的问题。要理解这个问题，必须分析认识过程。

在分析认识过程之前，必须说明辩证唯物论的反映论。这一反映论，是辩证唯物论的认识论的核心。我们分析认识过程时，如不能彻底展开这一反映论，就会背离于辩证唯物论，而陷于唯心的不可知论的泥沼。这一反映论，是由马克思、恩格斯所创造，而由列宁发展起来的。马克思说："观念的东西不外是移入人的头脑并在人的头脑中改造过的物质的东西而已"；恩格斯说："我们头脑中的概念"是"现实事物的反映"。这些命题，是唯物论的反映论的古典见解。列宁发展了这一反映论，把认识看作反映，认识就是反映自然。关于客观的认识，即是客观世界的反映，即映像或肖像。凡属认识过程中一系列的因素，如感觉、省悟、印象、概念、判断、推理、思想、法则、结论等，都是客观世界的反映。依据这一反映论，人们是能够完全地认识客观世界的。虽然人们的认识不能一次地完全地反映出客观世界一切的方面、联系和属性，但那些还不曾被反映的方面、联系和属性，人们都能够在认识过程中把它们反映于感觉和概念之中，变为人们所认识的东西。照这样，由于社会实践的发展，人们就能够在认识运动过程中，一步又一步地接近于客观世界之完全的认识。所以，辩证唯物论的反映论，表明了客观世界是可以完全认识的，因而揭破了不可知论之唯心的虚构。还有，反映是一个过程，并且是一个矛盾的运动过程。反映过程中的内在矛盾，是客观世界内在矛盾的反映。如同客体与主体的矛盾、现象与本质的矛盾、感觉与概念的矛盾等，都是反映过程中的矛盾。由于这些矛盾的运动，引起反映过程中的突变，如由现象到本质、由感觉到概念，都是突变。我们必须懂得这种突变，才能理解唯物论的反映论的本质。

关于认识过程的分析，列宁给了辉煌的指示。他说："从生动的直观到抽象的思维，并从抽象的思维到实践，这就是认识真理、认识客观实在的辩证的途径。"这一认识的总过程，可分为两段的过程：一是"从生动的直观到抽象的思维"，即由感觉到思维的过程；一是"从抽象的思维到实践"，即由认识到实践的过程。这两段过程，具有有机的联系，因为在实践中认识外界事物的规律性以后，立即要把这认识通过实践来验证，并用以指导实践。在说明的顺序上，我们先说明由感觉到思维的过程。

由感觉到思维的过程，可分为感觉与思维两个阶段。感觉是初级阶段，思维是高级阶段。前者是感性认识，后者是理性认识或论理认识。感性认识必须以理性认识为归宿，理性认识必须以感性认识为前提。认识必须从感性发展到理性，才能告一段落。所以感性认识与理性认识，不是独立的认识，也不是独立的认识阶段，两者互相渗透，互为条件，其间绝没有不可逾越的界限。

我们认识外界事物，必先通过感觉，我们的思维，把感觉作为材料，抽象出外界事物的规律性。感觉中所有的东西，就是思维的全部内容。感觉中所没有的东西，思维中也是没有的。所以我们认识外界事物，必须从感觉出发。从古以来，一切科学都是从反映外界事物的感觉出发的。外界事物是感觉的源泉，感觉是认识的源泉。

在实践过程中，我们接触于外界事物，外界事物反映于我们的感官，便发生感觉。许多感觉合流在一起之时，我们就得到关于外界事物的知觉。当离开外界事物时，那感性知觉就在我们脑海中记忆下来，我们就感性知觉记忆中所留存的外界事物的各方面、联系和属性等，以一个形象概括起来，就造出了关于外界事物的印象。至于经验，则是感觉的重复和积累。感觉、印象、经验等，都是外界事物的反映或映像。印象之反映外界事物，比较感觉要深刻些、明晰些，这感觉、印象和经验等，都只是感性的认识，是思维的材料。哲学上所说的直观、直感或直觉，都是指这个阶段的认识说的。延安考察团的人们，最初在延安考察所得的感觉和印象，就属于这个认识阶段。在这个阶段上，人们只能认识事物的现象的外部联系，不能认识其本质的内部联系，即是说：还不能造出深刻的概念，做出合乎论理的结论。

毛泽东同志指示我们“从实际出发”，即是从感性认识的阶段出发。担任某一任务的工作者，为要正确地掌握政策，不出偏差，就必须善于了解情况。“要了解情况，唯一的方法是向社会做调查，调查社会各阶级的生动情况”①，搜集有关各方面的资料，听取群众的意见和经验，用一句话说，即“详细占有材料”，作为了解情况的依据。

社会实践的继续，使人们在实践中引起感觉和印象的东西反复了多次，于是在人们的脑子里生起了一个认识过程中的突变（即飞跃），产生了概念。概念这种东西已经不是事物的现象，不是事物的各个片面，不是它们的外部联系，而是抓着了事物的本质、事物的全体、事物的内部联系了。概念同感觉，不但是数量上的差别，而且有了性质上的差别。循此继进，使用判断和推理的方法，就可产生出合乎论理的结论来。《三国演义》上所谓“眉头一皱计上心来”，我们普通说话所谓“让我想一想”，就是人在脑子中运用概念以做判断和推理的功夫。这是认识的第二个阶段。外来的考察团先生们在他们集合了各种材料，加上他们“想了一想”之后，他们就能够作出“共产党的抗日民族统一战线的政策是彻底的、诚恳的和真实的”这样一个判断了。在他们作出这个判断之后，如果他们对于团结救国也是真实的话，那么他们就能够进一步作出这样的结论：“抗日民族统一战线是能够成功的。”这个概念、判断和推理的阶段，在人们对于一个事物的整个认识过程中是更重要的阶段，也就是理性认识的阶段。认识的真正任务在于经过感觉而到达于思维，到达于逐步了解客观事物的内部矛盾，了解它的规律性，了解这一过程和那一过程间的内部联系，即到达于论理的认识。重复地说，论理的认识所以和感性的认识不同，是因为感性的认识是属于事物之片面的、现象的、外部联系的东西，论理的认识则推进了一大步，到达了事物的全体的、本质的、内部联系的东西，到达了暴露周围

① 《〈农村调查〉的“序言”和“跋”》。

世界的内在的矛盾,因而能在周围世界的总体上,在周围世界一切方面的内部联系上去把握周围世界的发展。

[说明]现在进而说明认识的运动过程,即感觉到思维的推移过程,我们说认识是外界事物的反映,正和镜子中的映象是某种对象的反映一样。但人的认识,并不像镜子的反映那样,完全是受动的、不变的。人是积极地能动地改造自然以维持其生存的动物,是从事于物质生产的动物。人们实践的物质的能动性,在观念的形式上反映出来,就成为认识的能动性。所以人在认识上反映外界事物的那种反映,是能动的反映。那认识的能动性,在认识过程中,表现为主体的创造能力,能够把感觉和印象实行论理的加工,把感性的认识提高到论理的认识。认识的这种能动性,是社会的、历史的、实践的因素;认识的深化运动,也是在实践的基础上显现的。在物质的生产过程中,人们经常把各种物质的物体分解又结合,这就促进认识的分析与综合的能力;人们又经常看到各种商品的互相交换,这就促进认识的普遍化的能力;人们经常看到各种现象的反复、各种现象在实践上的再现,一种现象之后接着有他种现象发生,这就促进认识的推理能力(例如由履霜而推论到坚冰至,由月晕而推知将有风,由础润而推知将有雨,由美帝国主义侵略朝鲜而推论到它准备进攻中国等)。所以人们在实践中所得的感觉和印象反复了多次,就"在人们脑子里生起了一个认识过程中的突变(即飞跃),产生了概念"。概念的构成,是人们运用头脑的创造力,就感觉与印象实行论理的加工的结果,即是把感觉普遍化的结果。感觉反映事物的个别性、事物的现象、事物的外部联系,概念反映事物的普遍性、事物的本质、事物的内部联系。像这样由个别到普遍、由现象到本质、由外部联系到内部联系的推移,就是认识运动过程中的突变(即飞跃)。

就哲学上物质这一概念的构成过程举例来说:世界是物质的统一体,物质的种类,千差万别,混沌变动,有物理学领域中的物质,有化学领域中的物质,有生物学领域中的物质,还有社会领域中的物质,即关系(人与人之间的生产关系、阶级关系、政治关系、文化活动的关系等)。辩证唯物论这一哲学,却就感觉上所反映的千差万别而又混沌变动的物质的物体的外部关联中,抽出其最普遍的规定:即他们都是离开我们意识而独立存在的客观实在,而又为我们意识所反映，我们从一切物质的物体中，单把这一方面的属性抽象出来，把其他一切质与量的区别舍象出去，由此就可以到达关于这一切物质的物体之最单纯、最普遍的规定，构成哲学上的物质的概念，即物质是离开我们感觉独立存在，并在感觉上给予我们而又为我们感觉所反映的客观实在性的哲学的范畴。这样看来，关于物质的概念与关于物质的感觉，在数量上、在性质上，都是有差别的。感觉反映物质的个别性、现象、外部联系，概念反映物质的普遍性、本质、内部联系。感觉的内容非常丰富，概念的内容比较贫弱，这是两者在数量上的差别。但概念比较感觉却更深刻地反映了物质，这是两者在性质上的差别。

概念构成以后，我们就开始思维，即进行判断与推理。概念是反映客观事物的思维形式，判断和推理是反映客观事物与人类认识的一般规律的思维形式。判断与推理必须运用概念才能进行，否则便不能思维。延安考察团的人们，把延安考察所得的感觉和印象，实行普遍化的概括，就能得出"共产党的抗日民族统一战线"的概念，因而作出如下判断："共产党的抗日民族统一战线的政策是彻底的、诚恳的和真实的。"他们在下了这个判断之后，如果当时他们真有团结救国的决心，就能够引出这样的结论："抗日民族统一战线是能够成功的。"像这样造概念、下判断、进行推理的阶段，是认识过程中更重要的阶段，也就是理性认识或论理认识的阶段。认识的真正任务，在于经过感觉而到达于思维，引出论理的结论，付之实践。例如毛泽东同志认识中国半封建半殖民地社会，首先了解这一社会的内部矛盾，指出帝国主义，封建主义和官僚资本主义是革命的对象，工人阶级、农民阶级、小资产阶级、民族资产阶级是革命的阶级。必须结成以工人阶级为领导，以工农联盟为基础的革命统一战线，去战胜那三大敌人。他又指出中国人民从半殖民地半封建社会走向社会主义社会，必须经过人民民主专政即指出这一社会的发展规律。同时他还指出中国人民革命是世界无产阶级社会主义革命的一部分，说明这两个革命过程的本质的内部关系。照这样，他创造了新民主主义的革命理论，作为中国革命的指针。这是从感性认识发展到理性认识的辉煌范例。所以我们对于周围世界事物的认识，必须从感性阶段推移到理性阶段，从感觉上所反映的事物之片面的、现象的、外部联系，转变为在理性上所反映的事物之全体的、本质的、内部

联系,暴露那些事物的内在矛盾。因而就能在周围世界的总体上、在周围世界一切方面的内部联系上去把握周围世界的发展。

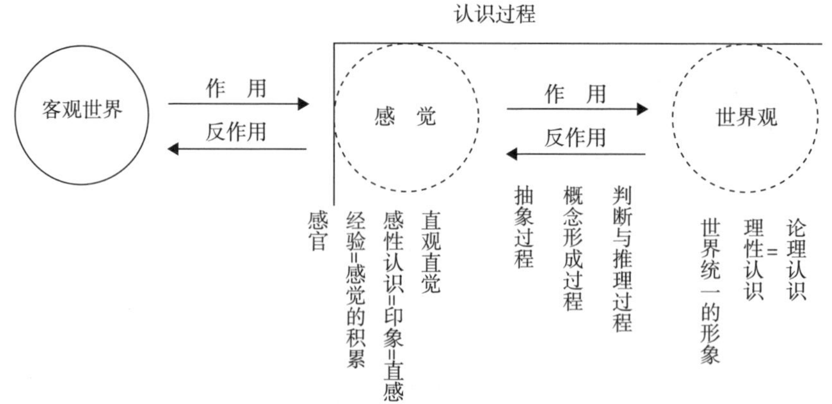

这种基于实践的由浅入深的辩证唯物论的关于认识发展过程的理论,在马克思主义以前,是没有一个人这样解决过的。马克思主义的唯物论,第一次正确地解决了这个问题,唯物地而且辩证地指出了认识的深化的运动,指出了社会的人在他们的生产和阶级斗争的复杂的、经常反复的实践中,由感性认识到论理认识的推移的运动。列宁说过:"物质的抽象,自然规律的抽象,价值的抽象以及其他等等,一句话,一切科学的(正确的,郑重的,非瞎说的)抽象,都更深刻,更正确,更完全地反映着自然。"①马克思列宁主义认为:认识过程中两个阶段的特性,在低级阶段,认识表现为感性的,在高级阶段,认识表现为论理的,但任何阶段,都是统一的认识过程中的阶段。感性和理性两者的性质不同,但又不是互相分离的,它们在实践的基础上统一起来了。我们的实践证明:感觉到了的东西,我们不能立刻理解它,只有理解了的东西才更深刻地感觉它。感觉只解决现象问题,理论才解决本质问题。这些问题的解决,一点也不能离开实践。无论何人要认识什么事物,除了同那个事物接触,即生活于(实践于)那个事物的环境中,是没有法子解决的。不能在封建社会就预先认识资本主义社会的规律,因为资本主义还未出现,还无这种实践。马克思主义

① 此段引自列宁:《黑格尔〈逻辑学〉一书摘要》。

只能是资本主义社会的产物。马克思不能在自由资本主义时代就预先具体地认识帝国主义时代的某些特异的规律，因为帝国主义这个资本主义最后阶段还未到来，还无这种实践，只有列宁和斯大林才能担当此项任务。马克思、恩格斯、列宁、斯大林之所以能够作出他们的理论，除了他们的天才条件之外，主要地是他们亲自参加了当时的阶级斗争和科学实验的实践，没有这后一个条件，任何天才也是不能成功的。“秀才不出门，全知天下事”，在技术不发达的古代只是一句空话，在技术发达的现代虽然可以实现这句话，然而真正亲知的是天下实践着的人，那些人在他们的实践中取得了“知”，经过文字和技术的传达而到达于“秀才”之手，秀才乃能间接地“知天下事”。如果要直接地认识某种或某些事物，便只有亲身参加于变革现实、变革某种或某些事物的实践的斗争中，才能触到那种或那些事物的现象，也只有在亲身参加变革现实的实践的斗争中，才能暴露那种或那些事物的本质而理解它们。这是任何人实际上走着的认识路程，不过有些人故意歪曲地说些反对的话罢了。世上最可笑的是那些“知识里手①”，有了道听途说的一知半解，便自封为“天下第一”，适足见其不自量而已。知识的问题是一个科学问题，来不得半点的虚伪和骄傲，决定地需要的倒是其反面——诚实和谦逊的态度。你要有知识，你就得参加变革现实的实践。你要知道梨子的滋味，你就得变革梨子，亲口吃一吃。你要知道原子的组织同性质，你就得实行物理学和化学的实验，变革原子的情况。你要知道革命的理论和方法，你就得参加革命。一切真知都是从直接经验发源的。但人不能事事直接经验，事实上多数的知识都是间接经验的东西，这就是一切古代的和外域的知识。这些知识在古人在外人是直接经验的东西，如果在古人外人直接经验时是符合于列宁所说的条件：“科学的抽象”，是科学地反映了客观的事物，那么这些知识是可靠的，否则就是不可靠的。所以，一个人的知识，不外直接经验的和间接经验的两部分。而且在我为间接经验者，在人则仍为直接经验。因此，就知识的总体说来，无论何种知识都是不能离开直接经验的。任何知识的来源，在于人的肉体感官对客观外界的感觉，否认了这个感觉，否认了直接经验，否认亲自参加变革现实的实践，他就不是唯物论者。

① 里手，湖南方言，内行的意思。

"知识里手"之所以可笑,原因就是在这个地方。中国人有一句老话:"不入虎穴,焉得虎子。"这句话对于人们的实践是真理,对于认识论也是真理。离开实践的认识是不可能的。

[说明]如上所述,在社会实践的过程中,外界事物作用于人们的感官,便引起感觉,人们就用感觉的材料进行思维,引出论理的结论。像这样由外物到感觉到思维的认识过程之科学的说明,是马克思所首创的伟大的业绩。在马克思以前,关于感性与理性的关系如何的问题,总没有一个哲学家曾经正确地解决它。

首先,就一切唯心论哲学家来看,他们有一个共通的原则,就是主张精神是本源的东西,物质世界及其规律性,都是精神的产物。他们根本否认精神以外还有物质世界存在,因而否认认识是外界事物及其规律性的反映。他们主张认识的各种因素,如感觉、经验、印象、概念等,都是主观意识中所固有的东西。他们以为认识的任务,是在于把那些感觉、经验、印象、概念等加以组织,臆造出物质的事物及其规律性,这样来说明世界。所以这种哲学是否认了物质世界的世界观。他们把认识过程,封锁于纯主观领域中,与外界事物完全隔离,他们把认识当作纯主观的意识的活动,对于感觉与思维的关系如何的问题,各凭自己的主观来解答。有的唯心论者,例如贝克莱,把主观的、内省的、感性的经验,作为认识的唯一对象,否定论理的概念对于认识所具有的意义。有的唯心论者,例如莱卜尼兹,主张只有思维能给人们以正确的知识,而感觉则不能相信。直到黑格尔,才在唯心辩证法上企图解决这一问题,他主张认识的运动是由感性到理性。但他虽然承认感性是认识的始点,却否认感觉是外界事物的反映,不能改造感觉的丰富材料,以到达于论理的认识,他以为认识越是上升到高级阶段,就越发远离于感性,逐渐与感觉的具体性相分离,因而思维与感性就不能保持联系。所以黑格尔对于论理的认识这一阶段,虽然发表过很可贵的思想,但在全体的方向上完全是唯心论的。

其次,就旧唯物论的哲学家来说,他们虽然都主张物质规定精神,承认认识过程中各种因素都是外界事物的映像,却都没有理解感觉与思维的正确关系。有些旧唯物论者,认定感性经验是认识的真实源泉,却轻视思维的意义。

例如洛克认为思维过程中所发生的复杂概念，不反映真实的事物。有的旧唯物论者，例如斯宾诺沙，认为真实的认识由理性所发掘，不需要感性的帮助。直到费尔巴哈，才正确地提起感觉与思维关系的问题。他主张思维依存于感觉，思维的法则依存于感觉的真理性；感觉不单对思维提供材料，并且是对于外界事物的论理认识的基础；思维是在感觉中去发现联系，不是自己去创造联系，这种主张是正确的。可惜他缺乏实践的观点不能理解认识对于社会实践的依赖关系，只知道认识是受动的反映，不知道认识还是能动的反映，所以他虽正确地提起这一问题，却不能现实地解决这一问题。

只有马克思主义的唯物论才第一次正确地解决了这个问题，唯物地而且辩证地说明了人的认识过程是在实践中由感性认识推移到理性认识的过程。感性的认识是属于事物之片面的、现象的、外部联系的东西，为要从感性认识推移于论理认识，就必须就那感性的材料，进行具体的分析，实行抽象。这样抽象出来的东西（论理认识），和感性材料比较起来，其内容是好像比较空虚了，并且距离外界事物也比较远了，但它却“更深刻，更正确，更完全地反映着”事物。例如我们就感性上所反映的千差万别的物质的东西（自然的和社会的），抽象其共通的“物质”这一普遍性（离人类意识独立的客观实在），舍弃其千差万别的个别性，构成“物质的抽象”。又如就感性上所反映的各种个别的自然现象，抽象其共通的规律性（即由一种形态发展到另一种形态的规律性），舍弃其他各种个别的属性，构成“自然规律的抽象”。又如就感性上所反映的商品的现象，抽象一切商品所共通的本质及价值，舍弃其各种物理学的、化学的、生物学的属性，构成“价值的抽象”。这一类的抽象，是“科学的抽象”，即“正确的，郑重的”抽象，不是“瞎说的”任意的抽象，“都更深刻，更正确，更完全地反映着自然”。

感性认识和论理认识，是统一的认识过程中的两个阶段。在感性的阶段，人们只能认识事物之片面的、现象的、外部联系；到论理的阶段，人们才能认识事物之全体的、本质的、内部联系。这两种认识，形成一个统一，即片面与全体、现象与本质、外部联系与内部联系、形成一个统一。这就是感性认识与论理认识的统一。所以这两种认识，绝不是各自独立的认识阶段，两者完全是一脉相通的。我们说，在感性的阶段只能认识事物之片面的、现象的、外部联系，

却不是说我们的感觉只反映事物之片面的、现象的、外部联系，而不反映其全体的、本质的、内部联系（若果这样说，他就会成为不可知论者）。实际上，事物之片面的、现象的、外部联系与其全体的、本质的、内部联系，是同时在感觉上完全给予着的，不过我们在没有实行抽象的思维之前，我们只能有直觉的认识，即只能认识其片面的、现象的、外部联系；而那些全体的、本质的、内部联系，是被片面的、现象的、外部联系隐藏着，必须要我们运用抽象的思维才能发现它（譬如商品中隐藏的价值，要靠抽象才能发现它，不是肉眼所能看出的）。在思维中所有的东西，已在感觉中给予着；感觉中所没有的东西，思维中是不能有的。思维只在感觉中发现本质，发现内部联系，绝不是自己与感觉之外去创造本质，创造内部联系（只有唯心论者才这样做）。所以感性与理性两者的性质虽然不同，却不是互相分离的，它们都是统一的认识过程中的阶段。

感性认识与理性认识的统一的基础，是实践。在实践过程中，人们感触到新的事物时，就开始来理解它。在理解它时，还是要感触它（即实践）。这样，对一种新事物，在实践中感觉了才去理解，在理解时仍要到实践中去感觉，直到完全理解为止。所以感性认识与理性认识两者，是在实践的基础上统一起来的。

感性与理性，互相渗透，互为条件。实践证明：我们对于事物的认识，总是先感觉到它，然后才去理解它，并不能先理解了它，然后才去感觉它。这便是说，理性认识必须以感性认识为前提。只有我们对于事物的感觉随着实践的发展而发展了，我们才能更深刻地理解它。在另一方面，我们对于事物有了理解，才能更正确、更深刻地感觉它。譬如某种自然现象或社会事变发生时，在没有科学知识的人，只能有浅薄的直观的认识，但在科学家看来，却能深刻地感觉到它。1950 年 6 月，美帝国主义侵略朝鲜的事变发生时，在理解了美帝国主义本质的人看来，立刻知道美帝国主义的目的是要占领全朝鲜，作为进攻中国和苏联的基地。但在对美帝国主义本质全无理解的人看来，就说美帝国主义之进攻北朝鲜，只是偶发的事件，实际上做了美帝国主义侵略的辩护人。所以感觉只能认识事物的现象，理性才能认识事物的本质。但现象是本质的现象，本质是现象的本质。在实践过程中，感觉与思维互相发展，互相渗透，本质浮现于现象之上，而现象也转变为本质。于是认识便由感性推移于理性。

由现象的认识进到本质的认识了。在天文学没有发达的时代，人们看到月球是一个发光体（这是现象），但由于科学的研究，就知道月球并非发光体（这是本质），它的光是由于反射的日光。于是现象与本质统一了。又如中了美帝国主义的毒素的人，看到美帝国主义有钱有势，海陆空军，非常强大，还有原子弹，就认美帝国主义是个真老虎（这是现象）。但是，人民领袖毛泽东，多年以前，早就认识了美帝国主义在经济上的腐朽性、寄生性和垂死性，认识了美帝国主义内部无产阶级与资产阶级之尖锐的对立，以及美帝国主义与英法等仆从国家的利害冲突，并且估计了世界人民与中国人民力量之压倒的优势等，就断定美帝国主义是个纸老虎（这是本质）。这个纸老虎，在朝鲜遭受了朝鲜人民军与中国人民志愿军的痛击，已经现出了原形，即本质浮现于现象，而现象转变为本质（表面上的强都只能证明它是纸老虎）。

认识依赖于生产与阶级的斗争，如果没有一定时代的生产与阶级斗争的实况，就不能产生关于那个时代的阶级斗争的革命理论。马克思主义是在资本主义大工业发生而无产阶级对资产阶级斗争的时候才形成的。若在封建社会，既没有资本主义的大工业，无产阶级也没有出现，就不能预先认识资本主义社会的规律，创造出无产阶级革命的理论——马克思主义。马克思所处的时代，是自由资本主义时代，资本主义的最后阶段帝国主义还没有到来，独占资本主义的各种特征还不发达，资本主义发展的不平衡性、单独一国建成社会主义的可能性还不显著，所以还是处在“准备无产者去进行革命的时期，无产阶级革命还没有成为必不可免的直接实践问题的时期”①，他当然不能预先具体地认识帝国主义时代的某些特异的规律，提出世界无产阶级革命的具体指示。只有列宁和斯大林才能担当此项任务，因为他们“在帝国主义充分发展的时期，无产阶级革命开展起来的时期，无产阶级革命已经在一个国家内获得了胜利、打破了资产阶级民主制、开辟了无产阶级民主制纪元即苏维埃纪元的时期”。② 马克思和恩格斯所以创造了马克思主义，列宁和斯大林所以创造了“帝国主义与无产阶级世界革命时代的马克思主义”“列宁主义”，一方面固然

① 斯大林：《论列宁主义基础》。

② 斯大林：《论列宁主义基础》。

是由于他们的天才条件，而主要地是他们亲自参加了当时的阶级斗争与科学研究的实践。另一方面，中国在第一次世界大战与俄国十月革命以前，也不可能有毛泽东思想。“灾难深重的中华民族，一百年来，其优秀人物奋斗牺牲，前仆后继，摸索救国救民的真理，是可歌可泣的。但是直到第一次世界大战和俄国十月革命之后，才找到马克思列宁主义这个最好的真理，作为解放我们民族的最好的武器，而中国共产党则是拿起这个武器的倡导者、宣传者和组织者。马克思列宁主义的普遍真理一经和中国革命的具体实践相结合，就使中国革命的面目为之一新。”①而马克思列宁主义的普遍真理与中国革命的具体实践之结合，正是毛泽东思想。毛泽东思想之所以锻炼成功，除了毛泽东同志的天才条件之外，主要地是从中华民族与中国人民长期革命斗争中生长和发展起来的。所以伟大的革命领袖的革命理论，都是在长期的革命斗争中创造与发展的。

可是，中国有句古话：“秀才不出门，全知天下事。”这岂不是说，知识与实践没有关系了么？“秀才”不参加于社会实践也可以得到知识么？那句古话，在交通和技术不发达，文化传播不便利的时代，只是一句空话。“秀才”只不过从一些古书上“知”道一点天文、地理和人事，至于当时的新事变与新知识，却不一定能够知道。到了近代，交通发达，技术进步，文化传播也很便利，“不出门”的“秀才”当然可以多读一点书，多“知”一些“天下事”，但那些知识，是天下真正实践着的人在实践中取得的“知”识，不过经由文字与通信工具的传达，“秀才”才能间接地“知天下事”。“秀才”从书本上得到的知识，原是别人在实践中得到的知识。知识仍是离不开实践。所以人们要直接认识某种自然物，只有在改造自然的过程中，亲自接触那自然物，才能认识它的规律性；人们要认识某一社会事变，只有在社会斗争过程中，亲自接触那一事变，才能认识那事变的真相。这是任何人实际上走着的认识路程。可是有些“知识里手”，却故意歪曲地说些反对的话，以为知识与实践无关。他们从别人那里得到一知半解，便自以为无所不知。或者从马克思列宁主义书籍中，摘取片言只语，拿来吓唬人们，自以为是百分之百的马克思主义者。这样的人，否认了参加变

---

① 《改造我们的学习》。

革现实的实践，正是十足的教条主义者。“马克思列宁主义是科学，科学是老老实实的学问，任何一点调皮都是不行的，我们还是老实一点罢！”①

一切真知都是从直接经验发源的。人要求得知识，就必须参加变革现实的实践。只有在实践中才能接触到外界事物，发生感觉，积累经验，然后依据经验来思维，才能认识外界事物的性质和规律，并且还要通过实践证明了这一认识的正确，才算是真实的知识。所以人们要知道自然物之物理学和化学的性质和规律，就必须实行物理学和化学的实验；要知道革命的理论和方法，就必须到革命工作岗位上去锻炼。日常生活中也有“眼过千遍，不如手过一遍”的说法。

所说知识发源于直接经验，这是就认识与实践的历史性说的。事实上，我们不能事事都是直接经验，我们的知识多半是间接的东西。我们学习马克思列宁主义、毛泽东思想，就要阅读马克思、恩格斯、列宁、斯大林和毛泽东的著作。这些革命领袖的著作，都是他们革命经验的科学总结，都是无产阶级世界革命的正确理论，都是由革命的实践证明了的真理。我们从他们的著作中学得的知识，是完全可靠的，问题是在于我们能不能把这些知识实际应用到革命建设的工作罢了。所以我们的知识，不外乎直接经验的和间接经验的两部分。马、恩、列、斯和毛主席的革命经验，在我们是间接经验，在他们却是直接经验。归结起来，一切知识，都不能离开直接经验的。依辩证唯物论的认识说来，一切知识的来源，都在于外界事物所引起的感觉，而感觉的积累便是经验。人们如果否认感觉，否认经验，否认亲自参加生产与阶级斗争的实践，他就不是唯物论者，而是唯心论者，是教条主义者。“知识里手”（即教条主义者）之所以可笑，原因就在这个地方。中国有句老话：“不入虎穴，焉得虎子。”“虎子”是在“虎穴”之中的，你“不入虎穴”，当然不能得到“虎子”。同样，革命的知识是从革命的实践得到的，你不去参加革命，当然不能得到革命的知识。纵然你从书本上学的马克思列宁主义知识，如果不拿到革命工作中去应用，或应用不得当，就将成为一个教条主义者。

---

① 《改造我们的学习》。

为了明了基于变革现实的实践而产生的辩证唯物论的认识运动——认识的逐渐深化的运动，下面再举出几个具体的例子。

无产阶级对于资本主义社会的认识，在其实践的初期——破坏机器和自发斗争时期，他们还只是在感性认识的阶段，只认识资本主义各个现象的片面及其外部的联系。这时，他们还是一个所谓"自在的阶级"。但是到了他们实践的第二个时期——有意识有组织的经济斗争和政治斗争的时期，由于实践，由于长期斗争的经验，经过马克思、恩格斯用科学的方法把这种种经验总结起来，产生了马克思主义的理论，用以教育无产阶级，这样就使无产阶级理解了资本主义社会的本质，理解了社会阶级的剥削关系，理解了无产阶级的历史任务，这时他们就变成了一个"自为的阶级"。

［说明］现在举出几个具体的实例，说明基于实践而产生的辩证唯物论的认识运动——认识的深化运动。

无产阶级在其实践的初期，对于资本主义的认识，还是感性认识。他们看到了多少手工业工场，都依次采用了机器生产；看到了采用机器的工场，一方面解雇了大批男工，一方面又添雇了一些女工和童工；看到已被解雇了的工人失了业，未被解雇的工人的工资降低了。他们所感受的压迫和剥削日益加重，他们的生活水平都被降低到饥饿线上。但他们不知道在资本主义的生产关系当中去寻找自己贫困的原因，只知道在工场的机器当中寻找那个原因。他们不能把机器和机器之资本主义的利用分别开来，只知道恼恨自己的工场企业家，不知道那企业家原是剥削者阶级的代表。他们基于在奴隶生活条件下所得的体验和知觉，被迫起来向个别企业家做斗争。"最初是个别的工人，然后是某一工厂的工人，然后是某一个地方（的）某一劳动部门的工人，同直接剥削他们的个别资产者做斗争。他们不仅仅攻击资产阶级的生产关系，他们攻击生产工具本身；他们毁坏那些来竞争的外国商品，捣毁机器，烧毁工厂，力图恢复已经失去的中世纪工人的地位。"①这样的自发的斗争，是初期无产阶级斗争史上所常见的。他们因为还不曾理解资本主义的本质，所以还不能对资

① 《共产党宣言》。

产阶级做有意识的斗争。他们还是“自在的阶级”，即还是没有阶级意识的阶级。他们还不能了解自己整个阶级的任务，不能把那些企业家当作一个阶级来斗争。

“但是，随着工业的发展，无产阶级不仅人数增加了，而且它结合成更大的集体，它的力量日益增长，它愈来愈感觉到自己的力量。机器使劳动的差别愈来愈小，使工资几乎到处都降到同样低的水平，因而无产阶级的利益和生活状况也愈来愈趋于一致。资产者彼此间日益加剧的竞争以及由此引起的商业危机，使工人的工资愈来愈不稳定；机器的日益迅速的和继续不断的改良，使工人的整个生活地位愈来愈没有保障；个别工人和个别资产者之间的冲突愈来愈具有两个阶级的冲突的性质。工人开始成立反对资产者的同盟；他们联合起来保卫自己的工资。他们甚至建立了经常性的团体，以便一旦发生冲突在生活上有所保障。有些地方，斗争转变为起义。”①

“工人有时也得到胜利，但这种胜利只是暂时的。他们斗争的真正成果并不是直接取得的成功，而是工人的愈来愈扩大的团结。这种团结由于大工业所造成的日益发达的交通工具而得到发展，这种交通工具把各地的工人彼此联系起来。只要有了这种联系，就能把许多性质相同的地方性的斗争汇合成全国性的斗争，汇合成阶级斗争。而一切阶级斗争都是政治斗争。”②

从这个时候起，马克思和恩格斯，用科学方法综合了无产阶级的阶级斗争经验，创造了马克思主义理论，作为无产阶级革命的指导。无产阶级基于斗争的经验，接受了马克思主义的教育，把自己组织成为一个阶级，组成革命的政党，去准备推翻资产阶级的国家机关，企图建设共产主义的社会了。无产阶级就由“自在的阶级”转变为“自为的阶级”了。这是无产阶级对于资本主义社会的认识过程，即由感性到理性到实践的过程。

中国人民对于帝国主义的认识也是这样。第一阶段是表面的、感性的认识阶段，表现在太平天国运动和义和团运动等笼统的排外主义的斗争上。第

① 《共产党宣言》。

② 《共产党宣言》。

二阶段才进到理性的认识阶段，看出了帝国主义内部和外部的各种矛盾，并看出了帝国主义联合中国买办阶级和封建阶级以压榨中国人民大众的实质，这种认识是从一九一九年，五四运动前后才开始的。

［说明］就中国人民对于帝国主义的认识过程举例来说。中国自从1840年鸦片战争失败以后，就陷入了殖民地化的过程，但中国人民对于帝国主义的认识，直到“五四”运动以前（或俄国十月革命以前），还停顿在感性认识的阶段。历年来，他们亲眼看到外国人夺取我国的领土，在中国境内设置租借地，开辟租界，增开商埠，驻扎军队，把持海关，行使领事裁判权，夺取内河航行权、筑路权和开矿权，划分势力范围，以及洋货充斥国内，利权外溢，国内农业、手工业因而破产。此外，外国人还在中国传教，办学校，作为侵略工具。这一连串的事实，使得我国人民感受到列强的侵略和剥削，觉得中国要被瓜分豆剖，国亡无日了。中国人民基于这样的认识，就起来做救亡运动了。但是救亡运动如何进行？靠政府的力量么？当时的清王朝被列强征服以后，已向列强投降，做了列强的伥鬼，帮助列强压迫着人民。于是只有对列强做自发的斗争。这斗争的方式，就是排外主义，即排斥外国人，排斥外国货。中国人民那时还不知道应当把外国的政府和人民、资本家和工人、地主和农民加以区别，还不知道应当反对侵略中国的外国大资本家及其政府，他们是帝国主义者，但另一方面要争取外国人民，并不是一切外国人都是坏人，都要排斥。这即是说，那时的中国人不知道帝国主义的本质，以为只要洋人和洋货排斥了，中国就可以得救。所以每逢某国对中国加紧侵略时，就往往排斥那个国家的一切。基于这种自发斗争的经验，我国人民就认为所有来到中国的洋人都是虎狼，都是侵略者，要把它们斩尽杀绝，中国才能免于灭亡。义和团运动，就是依照这种认识才发动的。这一类排外主义运动，无疑的是反帝的民族斗争，只因为当时不能理解帝国主义的本质，更理解不到帝国主义与中国封建主义互相勾结压迫中国人民的连锁性，所以采用了错误的斗争方法，致使像义和团那样轰轰烈烈的民族革命运动终于失败。但在这一类运动中，可以看出一个特点，就是参加这一类斗争的人，主要地是农民群众和小资产阶级知识分子，而当时的大资产阶级却不曾参加过。孙中山当初所倡导的民族主义，也单纯以清王朝为革命

对象,从未把反对帝国主义作为自己的任务。虽然辛亥革命实际上起了反对帝国主义的作用,因为推翻了帝国主义走狗——清政府,当然就带着反帝的作用,因而引起了帝国主义对于辛亥革命的不满,不帮助孙中山而帮助袁世凯,但是当时的革命党人并没有认识这一点,单纯认为清政府一经推倒,民族主义已经实现了(直到1924年孙中山改组中国国民党之时,接受了中国共产党的主张,才在民族主义里加上了反帝国主义的内容)。

1914年第一次世界大战发生以后,欧美帝国主义者忙着在欧洲打仗去了,中国在当时有被日本帝国主义者独吞的危险,它首先夺去了山东,还夺取了许多特权。从这个时候起,中国人民在首先是反日的斗争中,民族意识增强了。直到十月革命给了我们启示,中国人民才在革命斗争中,学习了马克思列宁主义,知道反帝反封建的斗争是中华民族求解放的唯一道路。五四运动,正是反帝反封建的斗争的序幕。从这个时候起,中国人民对帝国主义的认识,就从感性阶段进到了理性的阶段。革命的先驱者已经知道了:帝国主义是最后阶段的资本主义,是垂死的资本主义,是社会主义革命的前夜;帝国主义国家内部的无产阶级革命的危机已经尖锐化;第一次世界大战是帝国主义者相互间重新分割殖民地的战争,而中国正是它们宰割的对象;世界殖民地半殖民地十数亿人民与少数帝国主义者和反动统治者的斗争已经开始了,而中国人民已经到了与帝国主义者短兵相接的地步了。依据这些基本的认识,中国人民就从一次一次的反帝和反封建的实践运动当中,逐渐地认识了帝国主义勾结封建阶级及买办资本家压迫和剥削中国人民大众的实质,于是就得到了一个结论:中国人民只有打倒帝国主义与封建主义,才能获得解放。中国共产党就是在这种形势之下诞生和成长的。

我们再来看战争。战争的领导者,如果他们是一些没有战争经验的人,对于一个具体的战争(例如我们过去十年的土地革命战争)的深刻的指导规律,在开始阶段是不了解的。他们在开始阶段只是身历了许多作战的经验,而且败仗是打得很多的。然而由于这些经验(胜仗,特别是败仗的经验),使他们能够理解贯穿整个战争的内部的东西,即那个具体战争的规律性,懂得了战略和战术,因而能够有把握地去指导战争。此时,如果改换一个无经验的人去指

导，又会要在吃了一些败仗之后（有了经验之后）才能理会战争的正确的规律。

［说明］再就军事规律的认识过程举例来说。战争的领导者，必须学习军事规律，以便应用这规律于战争。

“军事的规律，和其他事物的规律一样，是客观实际对于我们头脑的反映，除了我们的头脑以外，一切都是客观实际的东西。因此，学习和认识的对象，包括敌我两方面，这两方面都应该看成研究的对象，只有我们的头脑（思想）才是研究的主体。”①战争的领导者，如果他们是初出茅庐临阵作战的人，他们对于敌我双方的情况和当时的战争环境，只能有感性的认识，还不能理解一个具体战争的深刻的指导规律。他们根据感性的认识，拟定作战计划，一定是胜战打得很少，败仗打得很多。但他们在战争中学习战争，经历多次败仗和胜仗的经验以后，就从那些经验中吸取教训。他们知道“使用一切可能的和必要的侦查手段”，侦查敌方的情况，“将侦查得来的敌方情况的各种材料加以去粗取精、去伪存真、由此及彼、由表及里的思索，然后将自己方面的情况加上去，研究双方的对比和相互的关系，因而构成判断，定下决心，作出计划”。像这样去“指导战争或作战，就比较地有把握，比较地能打胜仗。这是在长时间内认识了敌我双方的情况，找出了行动的规律，解决了主观和客观的矛盾的结果。这一认识过程是非常重要的，没有这一种长时间的经验，要了解和把握整个战争的规律是困难的”。②

中国人民在过去十年土地革命战争中，是有过这样的经验的。“我们的战争是从一九二七年秋天开始的，当时根本没有经验。南昌起义、广州起义是失败了，秋收起义在湘鄂赣边界地区的红军，也打了几个败仗，转移到湘赣边界的井冈山地区。第二年四月，南昌起义失败后保存的部队，经过湘南也转到了井冈山。然而从一九二八年五月开始，适应当时情况的带着朴素性质的游击战争基本原则，已经产生出来了，那就是所谓‘敌进我退，敌驻我扰，敌疲我

① 《中国革命战争的战略问题》。

② 以上引号中的语句均见《中国革命战争的战略问题》。

打，敌退我追’的十六字诀”①。这十六字诀的原则，在敌强我弱的十年土地革命战争中，是合乎军事规律的。但从 1932 年 1 月开始，那十六字诀的原则被错误的“新原则”所代替，“反‘游击主义’的空气，统治了整整的三个年头。其第一阶段是军事冒险主义，第二阶段转到军事保守主义，第三阶段，变成了逃跑主义。直到党中央 1935 年 1 月在贵州的遵义召开扩大的政治局会议的时候，才宣告这个错误路线的破产，重新承认过去路线的正确性。这是费了何等大的代价才得来的呵！”②

所以战争的领导者，必须理解那个具体战争的规律性，懂得了战略与战术，才能有把握地去指导战争。在这种时候，如果又改换一个初出茅庐的领导者去指导战争，又必须在战争中历练一番，学习一番，才能理解战争的正确规律。

常常听到一些同志在不能勇敢接受工作任务时说出来的一句话：没有把握。为什么没有把握呢？因为他对于这项工作的内容和环境没有规律性的了解，或者他从来就没有接触过这类工作，或者接触的不多，因而无从谈到这类工作的规律性。及至把工作的情况和环境给以详细分析之后，他就觉得比较地有了把握，愿意去做这项工作。如果这个人在这项工作中经过了一个时期，他有了这项工作的经验了，而他又是一个肯虚心体察情况的人，不是一个主观地、片面地、表面地看问题的人，他就能够自己作出应该怎样进行工作的结论，他的工作勇气也就可以大大地提高了。只有那些主观地、片面地和表面地看问题的人，跑到一个地方，不问环境的情况，不看事情的全体（事情的历史和全部现状），也不触到事情的本质（事情的性质及此一事情和其他事情的内部联系），就自以为是地发号施令起来，这样的人是没有不跌跤子的。

[说明]再就工作同志对于新工作任务的认识过程举例来说。某些工作同志们，当他们接受新的工作任务时，总觉得没有把握。因为他们对于这一新

---

① 《中国革命战争的战略问题》。

② 《中国革命战争的战略问题》。

的工作，没有经验，或者经验不多，不能懂得这一工作的规律性。等到有人把这一工作的情况和环境给以分析之后，他就觉得比较有把握，接受这一工作了。他在这一工作中，积累了经验以后，如果能够虚心学习，善于体察工作的情况，能够客观地、全面地、深入地去看问题，他就能理解这一工作的规律性，完成这一工作的任务。例如湖南大学的学生，在报名参加土地改革工作之时，他们对于这一工作是全无把握的。后来进行土地改革学习，学习土地改革法令和政策，学习《关于划分农村阶级成分的决定》，又听取了老干部、同志们关于土地改革工作的报告，从他们学习土地改革工作的经验。经过了这一番学习之后，他们就觉得有了一些把握。他们下乡参加工作以后，多数都能坚决地站在农民的立场，端正工作的态度，虚心地向老干部学习，向农民学习。他们在工作中积累了一些经验，能够分清敌、友、我三方面。他们体会了下述的步骤，即首先访问贫雇农，实行同吃、同住、同劳动，在日常生活上和他们打成一片，然后进行“扎根”、“串联”，在思想上把他们发动起来，接着成立贫雇农主席团，进行反霸斗争，组织或整理农民协会，团结中农，中立富农，打垮地主当权派，再进一步是划分阶级成分，没收和征收土地，然后分土地，分果实，最后是帮助农民组织政权，实行对地主专政。如果他们虚心学习，善于体察工作情况，不是主观地、片面地、表面地去看问题，是能够理解土地改革工作的规律性的。

犯有主观主义毛病的人，跑到一个工作岗位，常是主观地、片面地、表面地去看问题，不肯虚心体察客观的情况，看不到工作的全体，不触到那一工作的性质，以及这一工作和别一工作的联系，用一句话说，就是不懂得那一工作的规律性，便自以为是地发号施令起来，结果一定要招致失败。例如有个别参加土地改革工作的新干部，跑到一个乡村去，也不个别地访问贫雇农，就召开贫雇农大会，以致地主的狗腿子都混了进去。于是他对那些群众讲一些土地改革政策和法令，也不在群众的思想已被发动起来的基础上去进行反霸斗争，便出一个划阶级成分的榜，实行分田。像这样实行土地改革，在农民看来，和没有实行土地改革一样，他们并不曾翻身，封建势力并不曾推翻。像这样“和平分田”，正是土地改革工作的失败。所以“和平分田”的乡村，还得重新再来一次土地改革，彻底消灭封建势力，农民才得翻身，土地改革的目的才能实现

（湖南有几个乡在最初是这样实行“和平分田”的，后来已经改正过来了）。

由此看来，认识的过程，第一步，是开始接触外界事情，属于感觉的阶段。第二步，是综合感觉的材料加以整理和改造，属于概念、判断和推理的阶段。只有感觉的材料十分丰富（不是零碎不全）和合于实际（不是错觉），才能根据这样的材料造出正确的概念和论理来。

［说明］从上文看来，可以知道，认识过程的第一步，属于感觉的阶段。我们的认识是从感觉开始的。即是说，在生产与阶级斗争中，外界事情引起我们的感觉，因而发生知觉，构成印象。这感觉、知觉、印象等，都是感觉的材料，是思维的源泉。于是认识就进到第二步，即进到论理的阶段。我们就感觉的材料，实行分析与综合，抽象与概括，就造出反映外界事情的普遍性的概念。概念是思维形式，有了概念之后，我们就可以进行思维，就概念进行判断，表现外界事情的性质，于是就从一个判断或几个判断，引出新的判断，作成论理的结论。所以感觉的材料，必须是完全可靠的东西，然后才能作出正确的论理的结论。因为论理的东西，完全是从感觉的东西抽象出来的，绝不能在感觉的东西以外，任意添加什么东西进去（如果这样做，便是唯心论者）。感觉的东西如果是不完全的，或者是不正确的，是错觉的，不合于实际的，那就不能从这样的感觉材料抽象出科学的结论。我们考察任何一个问题，必须尽量搜集对于这一问题的材料，并且还要辨别其中某些不正确的材料，把它剔除出去，然后才能从这些完全而正确的材料，运用唯物的辩证的思维方法，正确地解决这一问题。

这里有两个要点必须着重指明。第一个，在前面已经说过的，这里再重复说一说，就是理性认识依赖于感性认识的问题。如果以为理性认识可以不从感性认识得来，他就是一个唯心论者。哲学史上有所谓“唯理论”一派，就是只承认理性的实在性，不承认经验的实在性，以为只有理性靠得住，而感觉的经验是靠不住的，这一派的错误在于颠倒了事实。理性的东西所以靠得住，正是由于它来源于感性，否则理性的东西就成了无源之水，无本之木，而只是主

观自生的靠不住的东西了。从认识过程的秩序说来,感觉经验是第一的东西,我们强调社会实践在认识过程中的意义,就在于只有社会实践才能使人的认识开始发生,开始从客观外界得到感觉经验。一个闭目塞听、同客观外界根本绝缘的人,是无所谓认识的。认识开始于经验——这就是认识论的唯物论。

[说明]前面说过,认识过程,是在实践基础上从感性认识到理性认识的统一过程,感性认识以理性认识为归结,理性认识以感性认识为前提。两者互为条件,互相补充,互相发展,互相丰富其内容。两者具有有机的、不可分离的关系,绝不是各自独立的认识阶段,其间绝没有不可逾越的界限。用一句话说,感性认识有待于发展到理性认识,理性认识依赖于感性认识。人们如果割裂感性认识与理性认识,把两者分离开来,或者专重理性认识而无视或轻视感性认识,或者专重感性认识而无视或轻视理性认识,就背离于辩证唯物论的认识论,而陷入于主观主义,陷入于“唯理论”或“经验论”。这里先指出“唯理论”的错误。

哲学上的“唯理论”有唯心论与唯物论的两派。这两派的错误有两个共通点:其一是切断认识过程的两个阶段,只承认理性的实在性,不承认经验的实在性,以为只有理性靠得住,而感觉的经验是靠不住的。其二是切断认识与实践的关系,只有认识,没有实践,因为感性的东西是从实践发源的。唯心论的唯理论,例如前面所述的莱卜尼兹的唯理论,主张认识是主观的心理活动,根本否认外界事物的存在,他主张只有思维能给人们以正确的知识,而感觉是不能相信的。唯物论的唯理论,例如斯宾诺莎的唯理论,虽然主张精神是从物质发生的,但他认为真实的知识由理性所发掘,不需要感性的帮助。这两种“唯理论”,从认识过程中,割去感性的阶段,只采取理性的阶段,虽然有唯心的与唯物的区别,却都是主观主义的。理性认识是从感性认识发源的,如果否认了感性的东西,就等于否认了理性认识的来源,这理性的东西,就变为无源之水,无本之木,而只是主观的自生的靠不住的东西了。唯心论的唯理论,是辩证唯物论的死敌,我们固然要坚决地打击它;就是唯物论的唯理论,也是辩证唯物论的大敌,我们也绝不能轻易放过。因为唯物论的唯理论虽是唯物论的,却又是唯理论的,它轻视感性认识,就等于轻视认识是外界事物的反映,等于轻视社会实践的重要性。因为感性认识是在社会实践中用五官四肢感触到外界事物的结果，否认感性认识的人，就是不参加社会实践的人，是闭着眼睛塞着耳朵不接触外界事物的人，这样的人，正是教条主义者，他与唯物论的唯理论者有血统的关系。

教条主义者因为否认了感性认识即否认了经验，脱离了社会实践，所以他们谈学习，谈问题，做文章，做工作，总是从主观的见解出发，从定义出发，从教条出发。谈学习，他们是为学习而学习，“抽象地无目的地去研究马克思列宁主义的理论，不是为了要解决中国革命的理论问题、策略问题而到马克思、恩格斯、列宁、斯大林那里找立场，找观点，找方法，而是为了单纯地学理论而去学理论”①。谈问题，他们总是主观地看问题，他们的思想，“不根据和不符合于客观事实，是空想，是假道理，如果照了做去，就要失败”。② 做文章，他们总是向马、恩、列、斯的著作，寻章摘句，夸夸其谈。“下笔千言，离题万里。”做工作，他们自以为是，“老子天下第一，钦差大臣满天飞”，他们“‘下车伊始’，就哇啦哇啦地发议论，提意见，这也批评，那也指责，其实这种人十个有十个要失败。因为这种议论或批评，没有经过周密调查，不过是无知妄说”。③ 总起来说，教条主义者脱离了实践，所以没有感性认识，没有经验，因而也不能有理性认识。

认识开始于经验——这是认识论的唯物论。人们要求得革命的知识，必须参加于革命的实践，取得革命的经验，然后用科学的方法，把革命的经验总结为革命的知识。所以革命的知识，依存于革命的实践，从革命的经验出发。教条主义者的认识，从教条出发，其必然的归结，是陷于认识论的唯心论，即是主观主义。

第二是认识有待于深化，认识的感性阶段有待于发展到理性阶段——这

① 《改造我们的学习》。

② 《论持久战》。

③ 《〈农村调查〉的序言和跋》。

就是认识论的辩证法①。如果以为认识可以停顿在低级的感性阶段，以为只有感性认识可靠，而理性认识是靠不住的，这便是重复了历史上的“经验论”的错误。这种理论的错误，在于不知道感觉材料固然是客观外界某些真实性的反映（我这里不来说经验只是所谓内省体验的那种唯心的经验论），但它们仅是片面的和表面的东西，这种反映是不完全的，是没有反映事物本质的。要完全地反映整个的事物，反映事物的本质，反映事物的内部规律性，就必须经过思考作用，将丰富的感觉材料加以去粗取精、去伪存真、由此及彼、由表及里的改造制作功夫，造成概念及理论的系统，就必须从感性认识跃进到理性认识。这种改造过的认识，不是更空虚了更不可靠了的认识，相反，只要是在认识过程中根据于实践基础而科学地改造过的东西，正如列宁所说乃是更深刻、更正确、更完全地反映客观事物的东西。庸俗的事务主义家不是这样，他们尊重经验而看轻理论，因而不能通观客观过程的全体，缺乏明确的方针，没有远大的前途，沾沾自喜于一得之功和一孔之见。这种人如果指导革命，就会引导革命走上碰壁的地步。

［说明］列宁在《黑格尔〈逻辑学〉一书摘要》中说：“为了理解，必须在经验上开始理解、研究，从经验升高到一般。”这便是说，我们为要认识一个对象或一个问题，必先就关于那对象或问题所得的一切感性的经验，用科学的方法加以分析，作出总结，“然后才可以使经验带上条理性、综合性，上升成为理论”（即一般）。所以认识有待于深化，认识的感性阶段有待于发展到理性阶段——这就是认识论的辩证法。如果以为认识可以停顿在低级的感性阶段，以为只有感性认识可靠，而理性认识是靠不住的，这便是重复了历史上的“经验论”的错误。

哲学史上的经验论，有唯心论的与唯物论的两种。唯心论的经验论和唯物论的经验论不同，它根本否认经验是客观事物的反映，反而主张客观事物是精神所创造的东西。它主张经验是主观意识中所固有的东西，是主观的内省

---

① 参看列宁在《黑格尔〈逻辑学〉一书摘要》所说：“为了理解，必须在经验上开始理解、研究，从经验升高到一般。”

的东西，它把这种主观的经验，作为认识的唯一对象，并否定理性的认识。例如巴克莱、休谟、马赫与波格达诺夫等，都是唯心论的经验论者，他们都否定论理的概念对于认识所具有的意义。至于唯物论的经验论，例如培根、洛克等的经验论，都主张感性的认识是外界事物的映像，是人类知识的来源，这是正确的。但在它重视感性的经验而轻视理性认识这一点，却是片面的认识。唯心论的经验论，是唯物论的死敌，我们应对它做无情的斗争。唯物论的经验论，在其对感性经验作唯物论的说明这一点是正确的，但它从整个认识过程中分割感性与理性两个阶段，重视感性经验而轻视理性认识这一点，却是辩证唯物论所排斥的。因为感性的经验虽然是客观事物的反映，但只是直观阶段的反映，人们所能认识的只是片面的、现象的、外部联系。而事物之全面的、本质的、内部联系，仍然是隐藏着，不是感性所能发现的。为要认识事物之全面的、本质的、内部联系，就必须应用科学的方法，就丰富的感觉材料即感性经验做一番思索的功夫。这就是说，要就那些经验，辨别一番，分析一番，剔除那些不合于实际的东西，保存那些合于实际的东西；除去那些粗糙的东西，取出那些精华的东西，于是从那些完全而合乎实际的材料，分别研究，由一部分进到别一部分，比较对照，发现矛盾，提出问题。为要解决问题，更要做系统的周密的分析，从外部联系进到内部联系，暴露其基本的矛盾。指出矛盾的主导的方面，由此进行综合，实行概括，对于那一事物就能得到明晰的概念与论理的系统，即到达于论理的认识了。

论理的认识是把感性经验改造过了的认识，是关于客观事物的规律性的认识。这种规律性的认识的内容，比较感性阶段上所反映的混沌复杂的现象，好像是贫弱了，空虚了，但是只要它是在认识过程中，在实践基础上，用科学的方法改造过了，它便是可靠的认识，正如列宁所说，乃是更深刻、更正确、更完全地反映客观事物的东西。毛泽东同志研究半殖民地半封建的中国社会，得到一个结论：中国社会在其发展过程中，必须经过新民主主义的革命，才能到达共产主义。这种规律性的认识和感性阶段上所反映的中国社会的复杂现象比较起来，好像是非常空虚了，但它却更深刻、更正确、更完全地反映了中国社会，这是非常明白的。

人在实践过程中，积蓄了一定的经验之后，必须做个科学的总结，使经验

上升为理论，然后才能促进实践的向前发展。如果长此停顿在经验的阶段，不去分析经验，总结经验，他做起工作来，只能敷衍了事，甚至坏事，更谈不到使事业发展了。

经验，尤其是革命的经验，原是至可宝贵的。马克思列宁主义、毛泽东思想，都是革命领袖们的无产阶级世界革命的经验的科学总结啊！但是革命的工作者，绝不能仅以经验为满足，不能把认识停滞在经验的阶段而故步自封。如果是这样，他就会变成庸俗的事务主义者、经验主义者。重视经验而看轻理论，对于一种客观事件如何发生？现状怎样？将来如何演变？是不能有通盘的理解的。因此他不能把握这一事件发展的规律，不能有计划、有步骤地完成任务或指导工作。所以犯有经验主义毛病的人，常常满足于局部工作的零细杂多的经验而沾沾自喜，不肯苦心思索，也不肯虚心学习，甚至以为学习马克思列宁主义就会变成教条主义者。他写文章，做报告，常是"甲乙丙丁，开中药铺"。他谈问题时，则常是不假思索，"不去思考事物的本质，而满足于甲乙丙丁的现象罗列"。[①] 至于担任某一工作时，他不受时间、地点与条件的限制，常把局部的经验套用于全部，把一时一地的经验，套用于异时异地，而不考虑当时当地具体的主观条件和客观条件。例如把游击战争环境中的农村工作方式套用于全国胜利后的城市工作上；把内战时期老解放区土地改革的工作方法，套用于今日的晚解放区。经验主义者像这样只凭经验，轻视理论，若担任工作，必出偏差，若指导革命，必招失败。经验主义者"否认理性认识所必然引出的逻辑的结果，就是限制感性认识，并使感性认识归于无用"[②]。

理性认识依赖于感性认识，感性认识有待于发展到理性认识，这就是辩证唯物论的认识论。哲学上的"唯理论"和"经验论"都不懂得认识的历史性或辩证性，虽然各有片面的真理（对于唯物的唯理论和经验论而言，非指唯心的唯理论和经验论），但在认识论的全体上则都是错误的。由感性到理性之辩证唯物论的认识运动，对于一个小的认识过程（例如对于一个事物或一件工

① 以上引号中的话均见《反对党八股》。

② 《人民日报》社论：《学习毛泽东同志的〈实践论〉》。

作的认识)是如此,对于一个大的认识过程(例如对于一个社会或一个革命的认识)也是如此。

[说明]概括以上所说,理性认识依赖于感性认识,感性认识有待于发展到理性认识,这就是辩证唯物论的认识论。哲学上的"唯理论"与"经验论",有一个共通的缺点,就是它们都不懂得认识的历史性或辩证性。任何事物或对象,都具有历史性,都有其发生、发展和转变的过程,因而反映那事物或对象的认识,也有其发生、发展和转变的过程。在实践中,认识从反映外界事物的感觉发生,随着实践的发展,认识也发展起来,以至于引起突变,由感性阶段跃进到理性阶段。这种认识的历史性或辩证性,在"唯理论"和"经验论"都是不能懂得的。

唯心论的"唯理论"与"经验论",如上文所述,都是唯物论的敌人,姑且不去说它们。在这里,只以唯物论的"唯理论"与"经验论"为问题,因为唯物论的"唯理论"与今日所说教条主义相像,唯物论的"经验论"与今日所说经验主义相像。教条主义注重理论而看轻经验,经验主义注重经验而看轻理论;前者从统一的认识过程剥夺去经验,后者则剥夺去理论。两者虽然各有片面的真理,但在认识论的全体上则都是错误的。

所以教条主义与经验主义,是两种不完全的知识,"一种是现成书本上的知识,一种是偏于感性和局部的知识,这两者都有片面性。只有使两者互相结合,才会产生好的比较完全的知识"。"有书本知识的人向实际方面发展,然后才可以不停止在书本上,才可以不犯教条主义的错误。有工作经验的人,要向理论方面学习,要认真读书,然后才可以使经验带上条理性、综合性,上升成为理论,然后才可以不把局部经验误认为即是普遍真理,才可不犯经验主义的错误。"①

由感性到理性的辩证唯物论的认识运动,对于一个小的认识过程,例如对于一个事物或一件工作的认识过程,对于一个大的认识过程,例如对于一个社会或一个革命的认识过程,都必须由感性认识发展到理性认识。

① 《整顿党的作风》。

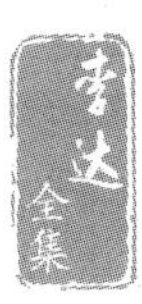

现在就一个事物或一件工作的认识过程举例来说。我志愿军郭忠田英雄排,在朝鲜北部参加对美帝国主义匪军作战一星期以后,积累了一些经验。当他们奉令到龙源里截击向北增援与向南溃退的美帝国主义匪军时,他们从经验上知道了美帝国主义匪军的伎俩(最初是用飞机轰炸,其次用大炮轰击,最后是步兵冲锋),知道了自己部队的战斗能力,于是选择有利地形,修筑工事。匪军到来以后,一经接触,果然旧技重演,我郭忠田英雄排,等匪军冲上山腰时,就给以歼灭性的猛击。如此连续三次,终于把敌人打败,全排无一人伤亡。于是郭忠田英雄排,总结了作战的经验,得到了这样的结论:“以前光听说美国兵是纸老虎,但是心里没有底,现在总算把纸老虎打破了。美国兵飞机多,大炮多,坦克多,汽车多,跑得快,这些算是他们的特点。但是他们缺乏牺牲精神,一个比一个怕死;他们怕近战,怕夜战,怕包围,怕迂回,怕机关枪,怕手榴弹;他们既不能攻,又不能守,是一群怕死鬼。”①

至于大的认识过程,则毛泽东同志在其《中国革命和中国共产党》及其他许多著作中,对于中国社会的研究,对于中国革命的研究,十足地体现了由感性到理性之辩证唯物论的认识运动,给了我们极其辉煌的范例,我们必须认真地去学习,去体会,这里不再撮要复述了。

然而认识运动至此还没有完结。辩证唯物论的认识运动,如果只到理性认识为止,那么还只说到问题的一半。而且对于马克思主义的哲学说来,还只说到非十分重要的那一半。马克思主义的哲学认为十分重要的问题,不再于懂得了客观世界的规律性,因而能够解释世界,而在于拿了这种对于客观规律性的认识去能动地改造世界。在马克思主义看来,理论是重要的,它的重要性充分地表现在列宁说过的一句话:“没有革命的理论,就不会有革命的运动。”②然而马克思主义看重理论,正是,也仅仅是,因为它能够指导行动。如果有了正确的理论,只是把它空谈一阵,束之高阁,并不实行,那么,这种理论再好也是没有意义的。认识从实践始,经过实践得到了理论的认识,还需再回

① 见志愿军归国代表柴川若广播词:《郭忠田英雄排》,收集在人民出版社出版的《光荣属于伟大的祖国和人民》一书中。

② 列宁:《做什么?》第一章第四节。

到实践去。认识的能动作用，不但表现于从感性的认识到理性的认识之能动的飞跃，更重要的还须表现于从理性的认识到革命的实践这一个飞跃。抓着了世界的规律性的认识，必须把它再回到改造世界的实践中去，再用到生产的实践、革命的阶级斗争和民族斗争的实践以及科学实验的实践中去。这就是检验理论和发展理论的过程，是整个认识过程的继续。理论的东西之是否符合于客观真理性这个问题，在前面说的由感性到理性之认识运动中是没有完全解决的，也不能完全解决的。要完全地解决这个问题，只有把理性的认识再回到社会实践中去；应用理论于实践，看它是否能够达到预想的目的。许多自然科学理论之所以被称为真理，不但在于自然科学家们创立这些学说的时候，而且在于为尔后的科学实践所证实的时候。马克思列宁主义之所以被称为真理，也不但在于马克思、恩格斯、列宁、斯大林等人科学地构成这些学说的时候，而且在于为尔后革命的阶级斗争和民族斗争的实践所证实的时候。辩证唯物论之所以为普遍真理，在于经过无论什么人的实践都不能逃出它的范围。人类认识的历史告诉我们，许多理论的真理性是不完全的，经过实践的检验而纠正了它们的不完全性。许多理论是错误的，经过实践的检验而纠正其错误。所谓实践是真理的标准，所谓"生活、实践底观点，应该是认识论底首先的和基本的观点"①，理由就在这个地方。斯大林说得好："理论若不和革命实践联系起来，就会变成无对象的理论，同样，实践若不以革命理论为指南，就会变成盲目的实践。"②

[说明]由感性认识到理性认识的过程，在上面虽然说明过了，但认识的运动，到这里还没有完结。前文中我们曾经引用列宁的指示："认识客观实在的辩证的途径"，是由感觉到思维，由思维到实践。依照这一指示，可以知道，认识的总过程，包括由感觉到思维的过程和由思维到实践的过程。上面所展开的由感性到理性的认识过程，只说到问题的一半，并且对于马克思主义的哲学说来，还只说到非十分重要的那一半。至于十分重要的那一半，则是由思维

① 列宁：《唯物论与经验批判论》，参看该书第二章第六节。
② 斯大林：《论列宁主义基础》，参看该书第三个部分。

到实践的过程。因为认识是从实践发生的，人在实践中，遇到了困难，发生了问题，就要认识那困难，解决那问题，于是就形成了理论（即论理的认识）。然后依据所得的理论，组织实践，指导实践，实践就可以继续发展下去。如果得到了理论而不去组织实践，指导实践，则实践势必停顿了。所以马克思说："哲学家们只是用不同的方式**解释**世界，而问题在于**改变**世界。"这便是说，马克思主义哲学认为十分重要的问题，不在于懂得了客观世界的规律性，因而能够解释世界，而在于拿了这种对于客观规律性的认识去能动地改造世界。由理论到实践的过程，是一个统一的过程。理论与实践，具有有机的不可分离的联系，实践是理论的基础，理论是实践的因素，由实践证明为真理的理论，能够组织实践，指导实践。所以在马克思主义看来，理论是重要的。列宁说："没有革命的理论，就不会有革命的运动。"理论对于革命的重要性，由这一句话充分地表现了出来。斯大林发展了这一句话的真理，他说："理论如果是在和革命实践密切联系中形成的，那么它就能成为工人运动的极伟大的力量；因为理论，而且只有理论，才能使运动具有信心，使它有确定方针的能力，使它能了解周围事变的内部联系；因为理论，而且只有理论，才能使实践不仅了解各阶级在目前如何行进和向哪里行进，而且了解这些阶级在最近的将来会如何行进和向哪里行进。"①灾难深重的中华民族，一百多年来，无数先烈为了民族的解放而流血而奋斗，其英勇事迹是可歌可泣的，但他们不能摸索出救国救民的革命理论。直到十月革命一声炮响，给我们送来了马克思列宁主义以后，毛泽东同志才在领导人民革命的斗争中，应用马克思列宁主义的普遍真理，综合一百多年来中国革命的经验，结合中国革命的具体实践，形成了中国革命的理论——毛泽东思想。毛泽东思想已经指导我国人民得到了胜利和解放，并将使我国民族经由社会主义而到达于共产主义。毛泽东思想——中国革命理论的重要性，已经充分地表现出来了。

毛泽东同志本人非常重视革命的理论。毛泽东思想——中国革命理论的创造，是一件极其伟大而又非常艰巨的劳作。毛主席对于无产阶级的事业、人民的事业，具有百折不挠、移山填海的无限忠心。他对于历史、社会有非常丰

---

① 《论列宁主义基础》。

富的知识；对于领导革命有极其丰富的经验。他善于运用马克思列宁主义的方法，对中国社会和中国革命做精确的科学（的）分析；他善于集中群众的经验、意志和思想，又应用到群众中去。因此，他能依据历史进程中每个特殊时期和中国具体的经济、政治环境及条件，对于马克思列宁主义做独立的、光辉的补充和发挥，并用中国人民通俗语言的形式表达出来，使之适合于新的历史环境和中国的特殊条件，成为中国无产阶级群众与全体劳动人民群众战斗的思想武器。中国民族，由于有了毛泽东思想，不但是能够战斗的民族，而且是一个有近代科学的革命理论的民族了。

毛泽东同志不单自己重视革命理论的创造，还经常劝告党员重视理论，学习理论。他说："一般地说，一切有相当研究能力的共产党员，都要研究马克思、恩格斯、列宁、斯大林的理论，都要研究我们民族的历史，都要研究当前运动的情况和趋势；并经过他们去教育那些文化水准较低的党员。特殊地说，干部应当着重地研究这些，中央委员和高级干部尤其应当加紧研究。指导一个伟大的革命运动的政党，如果没有革命理论，没有历史知识，没有对于实际运动的深刻的了解，要取得胜利是不可能的。"①在今日革命建设的过程中，一切党与非党的干部，一切工作者，都要重视马克思列宁主义与毛泽东思想的学习，特别是要依据毛泽东思想的立场、观点与方法，"正确地解释历史中和革命中所发生的实际问题，能够在中国的经济、政治、军事、文化种种问题上给予科学的解释，给予理论的说明"②。

然而理论之所以重要，并不是因为它有什么神秘，或因为它好看，而是因为它能够指导行动。毛泽东思想之所以重要，是因为能够知道中国人民的革命取得胜利，使中国能够得到独立、民主、和平与统一，并将由社会主义的阶段而走向共产主义的美好的将来。所以重视理论，学习理论，必须采取"有的放矢"的态度。仿照毛泽东同志的话来说，"的"就是中国革命与建设，"矢"就是马克思列宁主义与毛泽东思想。我们所以寻找这根"矢"，就是要射中中国革命与建设之"的"。如果真能运用毛泽东思想的立场、观点与方法去解决实际

① 《中国共产党在民族战争中的地位》。

② 《整顿党的作风》。

问题,得到了正确的理论之后,而只是把它空谈一阵,束之高阁,并不实行,那么,这种理论再好也是没有意义的,正像一个人得到了真箭(不是芦苇),却“把箭拿在手里搓来搓去,连声赞曰:‘好箭! 好箭!’,却老是不愿意放出去。这样的人就是古董鉴赏家,几乎和革命不发生关系”①。革命的理论而不应用到革命的实践中,那种理论就没有什么意义。理论是解答实践中所提起的问题的,解答了问题的理论,必须应用到实践中去,才能使实践继续发展。所以认识从实践始,经过实践得到了理论的认识,必须把它运用到实践中去。

认识有两种作用:一是受动作用,一是能动作用。两者都是物质生产过程中的受动作用与能动作用之反映。人在生产过程中,经常地受到外界物质的事物之刺激,这是受动作用;同时又经常地改造、处理外界事物,使它合乎我们利用的目的,这是能动作用。物质生产上这两种作用在观念的形式上反映出来,就成为认识中的受动作用与能动作用。认识中的这两种作用,形成辩证的统一,但认识的能动作用,比较受动作用占居主导的地位(正如物质生产上的改造物质的能动作用,对接受物质刺激的受动作用占居主导地位一样)。认识的能动作用,表现为思维的创造能力,能够改造感性认识的材料,引起认识过程的突变,即感性认识飞跃到理性认识。认识的能动作用,不但表现于从感性认识到理性认识之能动的飞跃,更重要的还需表现于从理性认识到革命实践的飞跃,即从理论到实践的飞跃。在中国革命历史的过程中,毛泽东思想一经形成,即“马克思列宁主义的普遍真理一经和中国革命的具体实践相结合,就使中国革命的面目为之一新”。② 这就是从理论飞跃到实践的良好例证。马克思所说“理论一经掌握群众,也会变成物质力量”,这就是意味着理论到实践的飞跃。我们可以这样说,一切能在实践中正确地解决问题的理论,都可使实践提高一步,这就是飞跃的变化。

理论所以能够飞跃到实践,是因为理论能够指导实践,组织实践。但这样的理论必须经由实践以证明其为正确的理论,不正确的理论,不但不能指导实践,组织实践,反而会引起实践的失败,即经不起实践的检验。所以抓住了世

---

① 《整顿党的作风》。

② 《改造我们的学习》。

界的规律性的认识，必须把它再回到改造世界的实践中去，检验一番。譬如关于生产的规律性的认识，必须用到生产的实践去检验；关于阶级斗争与民族斗争的规律性的认识，必须用到阶级斗争与民族斗争的实践去检验；关于自然物的规律性的认识，必须用到科学实验的实践去检验。通过实践去检验理论，然后才能发展理论，这是认识过程的继续，即是从理论到实践的过程。理论的东西是否符合于客观真理性？这一问题，在由感性到理性的认识运动中，因为没有经过实践的检验，是没有完全解决的，也不能完全解决的。要完全解决这个问题，只有把理论用到实践中去，看它是否能够达到预想的目的，如果能够达到预想的目的，这理论便合乎客观的真理性，否则便是错误。

任何一种理论，必须通过实践才能证明它的真理性。许多自然科学的理论，之所以被称为真理，不仅是在自然科学家创立那些理论时有充分的无可辩驳的实际根据，而且在经过许多次科学实验和科学实践之后得到了证实。如哥白尼“太阳系”学说，经过多年之后，由天文学的实验证明了它的真理性；物理学家关于原子能放射的学说，多年前已经发明，近年更证明了它的真理性。马克思和恩格斯所创造的马克思主义，列宁在帝国主义和无产阶级世界革命时代发展而为“列宁主义”，也是由于后来各国的阶级斗争与民族革命的实践，证明了它们的真理性。又如辩证唯物论这一哲学所以被称为普遍真理，是任何人的实践从正的方面或反的方面所能证明的。无论是谁，只要站在无产阶级立场，正确地应用辩证唯物论的方法，解决实际问题，就能使实践顺利前进。

认识的历史对我们表明了：有许多理论的真理性是不完全的，经过了实践的检验而纠正了它们的不完全性。例如空想的社会主义，虽含有真理的成分，但经过无产阶级阶级斗争的实践，暴露了它的片面性，而为马克思主义所扬弃了。又有许多理论是错误的，经过实践的检验而纠正其错误。例如，共产党阵营中曾经有过的教条主义和经验主义，“左”和右的机会主义，经过无产阶级革命斗争的检验，纠正了它们的错误。由此可知，任何理论、必须通过实践，才能完全证明其真理性，才能纠正其不符合于、或不完全符合于变化、发展着的客观世界的缺点或错误。前面所说实践是检验真理的标准，其理由就在这个地方，所以列宁指示我们说：“生活、实践的观点，应该是认识论的首先的和基本的观点。”

理论与实践，有不可分离的联系。理论与实践的联系，是无产阶级的党性的最高表现，马克思列宁主义与毛泽东思想，是革命理论与革命实践之唯物辩证的统一。在马克思列宁主义与毛泽东思想的旗帜下，如果有人分裂理论与实践，那便是党性不纯的表现。斯大林说得对："离开革命实践的理论是空洞的理论，而不以革命理论为指南的实践是盲目的实践。"这两句话的意思，最好借用斯大林自己在别的地方所说的话来说明。他说："什么是没有工人运动的科学社会主义呢？——这好像是放在船上不用的罗盘，只会生锈，结果只好把它扔到海里去。什么是没有社会主义的工人运动呢？——这好像一只没有罗盘的大船，虽然也能驶到彼岸，但是有了罗盘，到达彼岸就会快得多，危险也会少一些。把这两件东西(即社会主义的理论与工人运动的实践——引用者)结合起来就会有一只很好的大船，它会一直驶向彼岸，安然靠近码头。"①

说到这里，认识运动就算完成了吗？我们的答复是完成了，又没有完成。社会的人们投身于变革在某一发展阶段内的某一客观过程的实践中(不论是关于变革某一自然过程的实践，或变革某一社会过程的实践)，由于客观过程的反映和主观能动性的作用，使得人们的认识由感性的推移到了理性的，造成了大体上相应于该客观过程的法则性的思想、理论、计划或方案，然后再应用这种思想、理论、计划或方案于该同一客观过程的实践，如果能够实现预想的目的，即将预定的思想、理论、计划、方案在该同一过程的实践中变为事实，或者大体上变为事实，那么，对于这一具体过程的认识运动算是完成了。例如，在变革自然的过程中，某一工程计划的实现，某一科学假想的证实，某一器物的制成，某一农产的收获，在变革社会过程中某一罢工的胜利，某一战争的胜利，某一教育计划的实现，都算实现了预想的目的。然而一般地说来，不论在变革自然或变革社会的实践中，人们原定的思想、理论、计划、方案，毫无改变地实现出来的事，是很少的。这是因为从事变革现实的人们，常常受着许多的限制，不但常常受着科学条件和技术条件的限制，而且也受着客观过程的发展及其表现程度的限制(客观过程的方面及本质尚未充分暴露)。在这种情形

① 斯大林:《略论党内的意见纷歧》。

之下，由于实践中发现前所未料的情况，因而部分地改变思想、理论、计划、方案的事是常有的，全部地改变的事也是有的。即是说，原定的思想、理论、计划、方案、部分地或全部地不合于实际，部分错了或全部错了的事，都是有的。许多时候需反复失败过多次，才能纠正错误的认识，才能到达于和客观过程的规律性相符合，因而才能够变主观的东西为客观的东西，即在实践中得到预想的结果。但是不管怎样，到了这种时候，人们对于在某一发展阶段内的某一客观过程的认识运动，算是完成了。

［说明］由感性认识到理性认识，由理性认识到实践的过程，在前面已经说明了。但是说到这里，认识运动就算完成了么？我们的答复是完成了，又没有完成。

为什么说是完成了呢？这是就变革某一对象的发展阶段内的某一过程得到成功的情形说的。譬如就变革某一自然过程来说，我们要兴办一个工程，要解决一个科学问题，要制造一种器物，要增进农业生产；或者就变革某一社会过程来说，人们要发动一次斗争，要指导一次战役，要改造一种教育。在从事这一类实践时，某一对象的具体过程，就反映于人们意识之中，形成感性的经验，人们的主观的能动性就发挥作用，把那些感性的经验实行论理的加工，能够发现那一对象的具体过程的法则，适应于这一具体的法则，就能够概括那些关于这一对象的意识内容，形成思想，得出有系统的知识（即理论），根据理论，拟定计划或方案，然后应用这种思想、理论、计划或方案，来改造同一对象的同一具体过程。如果这预定的思想、理论、计划或方案，在改造那一具体过程中成为事实，或者大体上成为事实，这就算是实现了预想的目的，对于这一具体过程的认识运动，算是完成了。即是说，某一工程计划的实现，某一科学假想的证实，某一器物的制成，某一农业生产计划的完成；某一斗争的胜利，某一战役的胜利，某一教育计划的实现，都算是实现了预想的目的。但是在实践的过程中，人们原定的思想、理论、计划或方案，常常受着许多的限制，毫无改变地实现出来的事，是很少的。例如在战争中，指挥员的正确的部署来源于正确的决心，正确的决心来源于正确的判断，正确的判断来源于周到的和必要的侦察，和对于各种侦察材料连贯起来的思索。指挥员经过这番思索，加上自己的情况，就研究出军事行动的计划。但在战斗进行之中，“如果计划和情况不符合，或者不完全符合，就必须依照新的认识，构成新的判断，定下新的决心，把已定计划加以改变，使之适合于新的情况。部分地改变的事差不多每一作战都是有的，全部地改变的事也是间或有的。”①所以，在由理论到实践的过程中，依据所得的理论，拟定实践的计划去实践的时候，遇到失败，并不是奇怪的事。人们往往基于失败的教训，去检验所得的理论，改正原来的错误，然后再去实践。有的时候，要经过多次的失败，才能纠正错误的认识，使认识与客观过程的规律性相符合，因而才能变主观的东西为客观的东西，即是说，主观上预想的结果，变为客观的事实。这便是理论与实践的统一。但不管怎样，到了在实践中得到预想的结果时，人们对于某一发展阶段内的某一客观过程的认识运动，算是完成了。

然而对于过程的推移而言，人们的认识运动是没有完成的。任何过程，不论是属于自然界的和属于社会的，由于内部的矛盾和斗争，都是向前推移向前发展的，人们的认识运动也应跟着推移和发展。依社会运动来说，真正的革命的指导者，不但在于当自己的思想、理论、计划、方案有错误时须得善于改正，如同上面已经说到的，而且在于当某一客观过程已经从某一发展阶段向另一发展阶段推移转变的时候，需得善于使自己和参加革命的一切人员在主观认识上也跟着推移转变，即是要使新的革命任务和新的工作方案的提出，适合于新的情况的变化。革命时期情况的变化是很急速的，如果革命党人的认识不能随之而急速变化，就不能引导革命走向胜利。

[说明]根据对于某一过程的认识去改造某一过程，如果实现了预想的目的，人们对于这一过程的认识运动算是完成了。但是当着一个过程在其发展中，推移于另一过程时，人们的认识运动是没有完成的。认识是对于自然过程或社会过程的反映，这反映本身也是一个过程，并且是一个辩证法的过程。任何自然过程或社会过程，都有其内在的矛盾，因矛盾而引起斗争，由于斗争的

① 《中国革命战争的战略问题》。

发展,那自然过程或社会过程就从一种形态转变为他种形态,即从一个阶段转变到另一阶段,开始了新的过程。这新的过程又孕育着新的矛盾,开始其新的发展。自然过程和社会过程既然向前推移和发展了,人们对于过程的反映,必然也跟着推移与发展。所以,真正的革命指导者,在指导革命的过程中,当自己的思想、理论、计划或方案,如果发现了有与客观形势不相符合时,固然要随时善于改正,并且在某一客观过程已经从某一发展阶段向另一发展阶段推移转变的时候,须得善于使自己及参加革命的一切人员在主观认识上也跟着推移转变,即是要使新的革命任务与新的工作方案的提出,适合于新的情况的变化。毛泽东同志在指导中国武装革命过程中,最善于适应过程的推移与转变,制订出正确的革命战略。他在 1938 年发表的《战争和战略问题》中,在 1939 年发表的《〈共产党人〉发刊词》中,综合了中国共产党 18 年间武装斗争的经验,得出武装斗争是中国革命的特点与优点的正确结论。他指出:对于中国共产党,在帝国主义没有武装进攻之时,或者是联合资产阶级,进行反对军阀(帝国主义走狗)的国内战争,例如 1924—1927 年的广东战争与北伐战争。或者是联合农民与小资产阶级,进行反对地主资产阶级(同样是帝国主义走狗)的国内战争,例如第二次国内革命战争。在帝国主义举行武装进攻时,则是联合国内一切抗敌阶层;同时也即是联合资产阶级,进行对外的民族战争,例如抗日战争。北伐战争是第一阶段,第二次国内革命战争是第二阶段,抗日战争是第三阶段。这三阶段的战争"都是革命战争,战争所反对的对象都是反革命,参加战争的主要成分都是革命的人民。不同的只在或者是国内战争,或者是民族战争,或者是共产党单独进行的战争,或者是国共两党联合进行的战争,当然,这些区别是重要的。这些表示了战争主体有广狭的区别(工农联合或工农资产阶级联合),战争对象有内外的区别(反对国内敌人,或反对国外敌人;国内敌人又分北洋军阀或国民党),表示了中国革命战争在其历史进程的各个时期有不相同的内容。"基于各个时期不同的内容,军事战略也随着转变了。在第二次国内革命战争的前期,主要的是游击战争,在后期主要的是"中国型的正规战争",即提高了的游击战争。在抗日战争的前期,主要的是游击战争,是用正规性的八路军去分散执行的游击战争,在后期主要的是正规战争,是世界型的正规战争。至于 1946 年以后的三年多的解放战争,已进到革命形势的新阶段,革命的对象是帝国主义、封建主义加上官僚资本主义,革命的主体是工人阶级、农民阶级、小资产阶级与民族资产阶级。基于革命的新形势,毛泽东同志决定了十大军事原则①,作为打败蒋介石匪帮的方法,结果果然把蒋介石匪帮打败,中国人民取得了完全的胜利。以上的说明,是随着武装革命战争的过程的推移与转变而改变革命战略的很好的例证。

革命时期情况的变化非常急速,革命党人的认识必须追随于变化了的新形势而急速变化,才能引导革命走向胜利。毛泽东同志对于新鲜事物有敏锐的感觉,每逢革命形势发生变化时,总是依照新的形势,规定新的任务,指示全党去实行。如1947年12月所报告的《目前形势和我们的任务》,就是辉煌的范例。特别是1948年下半年以后,蒋介石匪帮势力在基本上已被击溃,革命势力进入了工商业的大城市,一切事物对于在老解放区工作的许多同志们,都是新鲜的东西。毛泽东同志指示我们要"克服困难,我们必须学会自己不懂的东西,我们必须向一切内行的人们(不管什么人)学经济工作。拜他们做老师,恭恭敬敬地学,老老实实地学。不懂就是不懂,不要装懂。不要摆官僚架子。钻进去,几个月,一年两年,三年五年,总可以学会的"②。这便是说,革命形势起了新的大变化,革命工作者从前在老解放区所"熟习的东西有些快要闲起来了,我们不熟悉的东西正在强迫我们去做",所以必须学习做新的经济建设的工作,使新的工作方案的提出,适合于新的情况的变化,才能从胜利走向胜利。

然而思想落后于实际的事是常有的,这是因为人的认识受了许多社会条件的限制的缘故。我们反对革命队伍中的顽固派,他们的思想不能随变化了的客观情况而前进,在历史上表现为右倾机会主义。这些人看不出矛盾的斗争已将客观过程推向前进了,而他们的认识仍然停止在旧阶段。一切顽固党的思想都有这样的特征。他们的思想离开了社会的实践,他们不能站在社会车轮的前头充任向导的工作,他们只知跟在车子后面怨恨车子走得太快了,企

---

① 《目前形势和我们的任务》。

② 《论人民民主专政》。

图把它向后拉，开倒车。

［说明］说到思想与实际的关系，可能有三种情形。第一种情形，是思想能正确地指导实际。马、恩、列、斯和毛主席这些革命导师，能够总结人民革命的经验，通观革命过程的全体，指出过程的推移与转变的法则，对革命的发展提出科学的预见，指导革命的阶级不仅能了解在目前如何行进和向哪里行进，而且能了解在将来会如何行进和向哪里行进。第二种情形，是思想能与实际相配合，这虽不能像革命导师们那样有远大的科学的预见，但还能正确地针对革命的新形势，提出新的办法来，不致与实际脱节。第三种情形，是思想落后于实际，因为人们的认识，受了许多社会条件的限制，思想落后于实际的事是常有的。最显著的是古今中外的一切顽固党，他们为着保持自己阶级的利益，想把社会拉到过去的时代去，想拉着历史开倒车。毛泽东同志在《新民主主义的宪政》中所说的顽固分子，就是这类人。“什么叫顽固？固者硬也，顽者，今天、明天、后天都不进步之谓也。这样的人，就叫作顽固分子。但是从来的顽固派，所得的结果，总是和他们的愿望相反。他们总是以损人开始，以害己告终。”在我们革命队伍中也有顽固分子。其思想落后于实际，有很多的原因，或者是非无产阶级思想在作祟，或者是没有受过革命的锻炼，或者受了局部工作的限制，以致思想追不上实际。革命队伍中顽固派的思想，不能随变化了的客观情况而前进，在历史上便表现为右倾机会主义。他们看不出矛盾的斗争已将客观过程推向前进了，而他们的认识仍然停止在旧阶段。例如在1924年至1927年革命时，组织起来的农民已有数千万，土地革命的要求已被提了出来，民众武装的需要已是非常迫切，但右倾机会主义者陈独秀，却认为共产党只应帮助资产阶级实行民主革命，公然做了资产阶级的尾巴，不主张实行土地革命，不去认真准备武装斗争，而只是“片面的着重于民众运动，其结果，国民党一旦反动，一切民众运动都塌台了”。① 这是右倾机会主义引导革命走向失败的实例。右倾机会主义者们的思想，总是落后于实际的。他们不但不能站在社会车轮的前头充任向导工作，也不能跟着社会车轮前进，而只怨

① 《战争和战略问题》。

恨车子走得太快,想把车子向后拉。革命队伍中的顽固派,虽然和反革命队伍中的顽固派不同,但在思想落后于实际这一点却是相同的。

我们也反对"左"翼空谈主义。他们的思想超过客观过程的一定发展阶段,有些把幻想看作真理,有些则把仅在将来有现实可能性的理想,勉强地放在现时来做,离开了当前大多数人的实践,离开了当前的现实性,在行动上表现为冒险主义。

[说明]思想落后于实际,固然要陷入右倾机会主义,但思想若远远超过于实际,超过于客观过程的一定发展阶段,就会陷入于"左"翼空谈主义。"左"翼空谈主义者,不从中国历史的实际和革命的实际出发,而从主观的愿望或抽象的原则出发。有的人把幻想看作真理,例如,虽有第一次国内革命战争失败及其以后种种事变的教训,在中国共产党的第六次大会以后,党的领导机关仍然设在反革命中心的上海,党的领导仍然没有以红军战争为中心,仍然没有以毛泽东同志为中心。抱着小资产阶级急躁情绪,不了解红军战争的意义和规律、幻想着在反革命白色恐怖下举行城市起义的"左"倾机会主义分子,继续占据着党中央的领导地位。在1930年6月至9月间,党中央以李立三为首,曾经要求组织全国中心城市的总起义和全国红军向中心城市的总进攻。这种从幻想出发的错误计划,在实行时就成为冒险主义,给党的事业造成了严重损失(但在红军中,因毛泽东同志坚持正确的方针而未发生大的影响)。

教条主义者是从抽象的原则出发而不从实际出发的。例如,中国共产党中央在纠正了李立三的错误后,出现了以王明和博古为首的、以教条主义为特征的一个新的"左"倾派别,他们"完全否认由日本侵略所引起的国内政治的重大变化,而认为国民党各派和各中间派别都是一样的反革命,要求党向他们一律进行'决死斗争'。这个'左'倾派别在红军战争的问题上反对毛泽东同志关于游击战运动战的思想,继续要求红军夺取中心城市"①。这一新的

① 胡乔木:《中国共产党的三十年》第二版,第34—35页。

“左”倾派别的错误，一直继续到1935年1月的遵义会议时，才在毛泽东同志领导下得到了纠正。

唯心论和机械唯物论，机会主义和冒险主义，都是以主观和客观相分裂，以认识和实践相脱离为特征的。以科学的社会实践为特征的马克思列宁主义的认识论，不能不坚决反对这些错误思想。马克思主义者承认，在绝对的总的宇宙发展过程中，各个具体过程的发展都是相对的，因而在绝对真理的长河中，人们对于在各个一定发展阶段上的具体过程的认识只具有相对的真理性。无数相对的真理之总和，就是绝对的真理①。客观过程的发展是充满着矛盾和斗争的发展。人的认识运动的发展也是充满着矛盾和斗争的发展。一切客观世界的辩证法的运动，都或先或后地能够反映到人的认识中来。社会实践中的发生、发展和消灭的过程是无穷的，人的认识的发生、发展和消灭的过程也是无穷的。根据于一定的思想、理论、计划、方案以从事于变革客观现实的实践，一次又一次地向前，人们对于客观现实的认识也就一次又一次地深化。客观现实世界的变化运动永远没有完结，人们在实践中对于真理的认识也就永远没有完结。马克思列宁主义并没有结束真理，而是在实践中不断地开辟认识真理的道路。我们的结论是主观和客观、理论和实践、知和行的具体的历史的统一，反对一切离开具体历史的“左”的或右的错误思想。

[说明]现在进而说到绝对真理与相对真理的关系的问题。

如前所述，辩证唯物论的认识论，主张认识要从反映客观的感觉出发，由感性认识进到论理认识，再由论理认识进到社会实践——这是认识真理之唯物的辩证的路程。论理的认识，如果反映了客观过程的规律性，就能得到实践的证明，指导实践，组织实践，实现预想的目的。这样的认识，便是客观的真理。所谓客观真理，是指人的认识之客观的内容说的。这客观的内容，就是离开人的意识独立的客观世界的内容。用一句话说，客观的真理，就是人的认识正确地反映了客观世界。

---

① 参看列宁：《唯物论与经验批判论》第二章第五节。

但是，人的知识虽然表现客观真理，而这种表现客观真理的知识，“能否立即地、完全地、无条件地、绝对地表现它，或者只能近似地、相对地表现它?”这一问题，“就是关于绝对真理和相对真理的相互关系问题”，①辩证唯物论认定绝对的总的宇宙发展过程，是可以完全认识的，即是说，客观的绝对真理是存在的。但绝对的总的宇宙发展过程，是非常广大、非常复杂的过程，在这绝对的总体的过程中，各个具体过程的发展都是相对的。各个发展阶段上的具体过程，都是绝对的总体的过程中的一部分。若把人类对于绝对的总体的宇宙发展过程的认识，叫作绝对真理，那么，人们对于各个具体过程的认识，只能叫作相对真理。绝对的总体的过程是各个具体过程的总和，绝对真理就是无数相对真理的总和。绝对真理犹如长河，相对真理犹如支流，无数相对真理的支流，汇成为绝对真理的长河。所以相对真理与绝对真理的关系，是一个辩证法的关系，两者之间并没有不可逾越的界限。人类对于客观世界的认识，是从相对真理逐步走向绝对真理去的过程，社会实践的历史、科学与技术发展的历史，都给予了充分的证明。例如自然科学上关于物质构成的认识，最初是分子说，以后由分子说发展到原子说，由原子说又发展到电子说，最近更发展到原子核论。所以“物质”这概念，表现着人类对于客观的物质世界的认识的发展阶段。“物质”这概念发展的历史，概括了关于客观的物质世界的认识的科学史，至于“分子”、“原子”、“电子”、“原子核”等概念，又是表现着“物质”这概念的发展的各个阶段，反映着客观的物质世界各方面的新属性。分子说、原子说、电子说、原子核论(将来还会有新的发现)等，虽然都是相对的认识，但每一个新的学说都比较前一学说进到了高一级的程度，它们表现着一步又一步地接近于物质世界的完全的认识，即逐步接近于客观的绝对真理。所以列宁说:“人类思维按其本性是能够给我们提供并且正在提供由相对真理的总和所构成的绝对真理的。科学发展的每一阶段，都在给这个绝对真理的总和增添新的一粟。”②上述分子、原子、电子、原子核等学说，都是逐步添加于绝对真理那个总和上的各个真理的颗粒。这即是说，它们是顺次汇入绝对真理的长

① 列宁:《唯物论与经验批判论》。

② 《唯物论与经验批判论》。

河中的各个支流。

关于客观真理、相对真理与绝对真理之辩证法的理解，具有重大的科学的和实践的意义。它在对唯心论与机械唯物论的斗争中，在对机会主义与冒险主义的斗争中，是一个强有力的武器。一切流派的唯心论，都否认物质世界离人类意识而独立存在，即否认客观真理，而主张主观真理。其中客观唯心论者黑格尔虽也承认客观真理，但他所说的客观真理乃是由“绝对精神”发生的，结局仍是主观真理。其次，机械唯物论者虽然主张物质世界离开人的意识而存在，却主张物质世界都是机械的构成，其运动都是机械的运动。他们主张人也是一架机器，不过是具有思想的机器；人是禀赋着等于白纸一样的意识而诞生的，这张白纸像照相机里的胶片一样，外物作用于感官而发生感觉，完全是受动的。他们不知道人的意识是在生产与阶级斗争中得来的，也不知道人的意识还具有能动性；他们把机械运动的法则当作全部自然界的法则，所以他们所说的客观真理是与物质世界的内容不符的，结局仍然是主观真理。机械唯物论仍然和唯心论一样，以主观与客观相分裂、认识与实践相脱离为特征的。

对于相对真理与绝对真理的关系的问题，一些流派的唯心论与机械唯物论，各有片面的主张。机械唯物论的代表们是承认绝对真理的。他们主张物质世界和人类意识都是不变的，不变的人类意识能够一次地完全地认识不变的物质世界(即到达于绝对真理)。他们不懂得物质世界发展的历史和人类知识发展的历史，因而把真理看成没有发展的东西。他们认为真理只有绝对性，而不知绝对真理是在人类对于客观世界的认识过程中开辟出来的，绝对的总体的发展过程中每一具体过程的认识，虽然表现着绝对真理的一部分，却仍只具有相对的真理性。

另一个片面的见解，是不可知论与经验批判论。它们对于真理的看法，都主张相对论。相对论一方面主张真理的主观性，一方面只承认知识的相对性，而否认绝对真理。这种见解也是错误的。因为单只主张认识的相对性，还不能区别真理与错误。依据相对论的见解，一切科学的知识都只是相对的真理，因而也只是相对的错误；反之，一切非科学的知识(例如宗教)，都只是相对的错误，因而也是相对的真理。照这样，在科学与宗教、真理与错误之间，就没有什么区别了。这种见解显然是诡辩，不过是替那些荒唐无稽之谈做辩护罢了。

认识之是否真理，不是依主观上觉得如何而定，而是依客观上社会实践的结果如何而定。相对论者（例如波格达诺夫）主张真理是人类经验的组织形态，显然否定了真理之客观标准，变成了不可知论者和主观主义者。辩证唯物论虽也承认认识之相对的真理性，却不还原于相对论。“这就是说，它不是在否定客观真理的意义上，而是在我们的知识向客观真理接近的界限受历史条件制约的意义上，承认我们一切知识的相对性。”①但是人的认识之接近于客观的绝对真理的界限虽为历史所决定，而客观的绝对真理之存在却是无条件的，人的认识之接近于绝对真理也是无条件的。科学上的每一发现，都表现着向绝对真理前进了一步，则是无条件的。所以辩证唯物论，在相对的东西中看出绝对的东西，而相对论却在相对的东西中，只承认相对而排除绝对，这就无异于把相对看成绝对，即把相对的认识看成绝对的认识，把科学变成了独断论或化石般的东西。相对论这种见解，显然是反动的。

以上两种极端的见解，都是错误的，都不能解决相对真理与绝对真理的相互关系的问题。只有辩证唯物论，才正确地解决了这个问题。它承认客观的真理，承认绝对真理是由相对真理构成的，随着认识的发展，人们就逐步接近于绝对真理。

绝对的总体的宇宙发展过程，由于人类世代绵延的实践，是可以逐步认识的。但我们现在所处的时代，只是绝对的总体的过程中的一个发展阶段，即处在无产阶级世界革命的时代。我们是在这个大时代中实践着，认识着。

真理的发展过程，在某一具体过程中的各个小阶段，也同样的显现着。例如中国共产党所领导的统一战线的过程，在第一次国内革命战争时期，工、农、小资产阶级与民族资产阶级组成反帝反封建的统一战线；在第二次国内革命战争时期，工人阶级与农民阶级和小资产阶级建立反蒋介石匪帮、反帝反封建的统一战线；在抗日战争时期，工农阶级又与其他的抗日阶层和党派建立抗日的统一战线；在第三次国内革命战争时期，工人阶级领导农民阶级、小资产阶级、民族资产阶级，成立了反帝反封建反官僚资本的最广大的统一战线。这四个时期的统一战线的构成，表现着革命真理的各个顺次发展的阶段，这是中国

① 《唯物论与经验批判论》。

人民革命的胜利所证明了的。并且,这统一战线的发展过程,对我们表明了:前一阶段的真理不能无条件地适合于后一阶段,因为各个阶段的革命的形势是各不相同的。

从相对真理顺次接近于绝对真理的过程,真理的发展过程,在机会主义者和冒险主义者也是完全不理解的。机会主义者,思想落后于实际,把前一阶段的真理无条件地移用于新的阶段;冒险主义者,思想超越于实际,把幻想当作真理。他们也和唯心论者或机械唯物论者一样,同是分裂主观与客观,分裂认识与实践。这些错误思想,是马克思列宁主义的认识论所要坚决反对的。

客观世界是充满着矛盾与斗争的发展过程,因而反映客观世界的认识,也是充满着矛盾与斗争的发展过程。一切客观世界的辩证法的运动,都或先或后地能够反映到人的认识中来。因为人的认识随着客观世界的发展而发展,随着社会实践的发展而发展。在社会实践的过程中,人的认识到达了一定发展阶段时,客观世界就把那用当时的知识所不能把握的新矛盾、新联系、新属性和新方面显现出来了。于是客观世界就与主观世界发生矛盾。这个矛盾促起认识的运动,使认识进到反映客观世界发展的新阶段的新阶段,更深刻地、更完全地、更具体地把握客观世界的新矛盾、新联系、新属性和新方面,因而社会的实践更进一步地、积极地、能动地变革客观世界。在社会的实践中,发生、发展和消灭的过程是无穷的,因而人的认识的发生、发展与消灭的过程也是无穷的,根据一定的思想、理论、计划、方案以从事于变革现实的实践,一次又一次地向前,人们对于客观现实的认识也就一次又一次地深化。就中国人民寻找革命真理的过程来说,中国人民在近百年来的革命实践中,由太平天国的革命理论,到孙中山的革命理论,到毛泽东思想,表现着对于中国革命问题的认识一次又一次地深化的良好例证。毛泽东思想是关于中国历史与中国革命的全部有系统的科学理论,指导着中国人民得到胜利和解放,并将由社会主义时代进到共产主义时代去。

真理是一个发展的过程,人对于客观世界的认识,是由相对真理走向绝对真理的过程,客观现实世界的变化运动永远没有完结,人们在实践中对于真理的认识也就永远没有完结。马克思列宁主义并没有结束真理,而是在实践中不断地开辟真理的道路。世界一切的民族都将到达于共产主义——这是马克

思列宁主义的客观真理。但是各个民族发展的水平各不相同,各自有其特殊的革命形势,所以各个民族的无产阶级如何领导人民革命以走向于共产主义,必须经历各种不同的具体过程。马克思列宁主义为世界无产阶级开辟了认识真理的道路,而无产阶级为要应用马克思列宁主义于具体的过程,就必须把马克思列宁主义的立场、观点与方法应用于自己的国家,认真研究自己国家的历史实际与革命实际,才能创造出具体的革命理论,指导革命的实践,取得革命的胜利。毛泽东思想是马克思列宁主义的普遍真理与中国革命具体的实践的结合,所以它是具体的真理,是主观与客观、理论与实践、知与行的具体的统一。

社会的发展到了今天的时代,正确地认识世界和改造世界的责任,已经历史地落在无产阶级及其政党的肩上。这种根据科学认识而定下来的改造世界的实践过程,在世界、在中国均已到达了一个历史的时节——自有历史以来未曾有过的重大时节,这就是整个儿地推翻世界和中国的黑暗面,把它们转变过来成为前所未有的光明世界。无产阶级和革命人民改造世界的斗争,包括实现下述的任务:改造客观世界,也改造自己的主观世界——改造自己的认识能力,改造主观世界同客观世界的关系。地球上已经有一部分实行了这种改造,这就是苏联。他们还正在促进这种改造过程。中国人民和世界人民也都正在或将要通过这样的改造过程。所谓被改造的客观世界,其中包括了一切反对改造的人们,他们的被改造,需要通过强迫的阶段,然后才能进入自觉的阶段。世界到了全人类都自觉地改造自己和改造世界的时候,那就是世界的共产主义时代。

[说明]社会的发展,早已进到了无产阶级世界革命的时代,正确地认识世界与改造世界的责任,是由无产阶级及其政党来担任的。资产阶级世界革命的时代早已过去了,垂死的资本主义——帝国主义,早已踏入它自己的世界的末日。特别是帝国主义国家的资产阶级,在自己的坟墓面前,为了妄图恢复一去不复返的黄金时代,变得像恶魔和野兽一样,到处吮吸人民的膏血,做垂死的挣扎,它们不能也不愿认识这个世界。因为这世界是将要埋葬他们,他们只是希望延缓或阻止无产阶级改造这个世界。但是无产阶级根据马克思列宁

主义来改造世界的实践过程，在世界，在中国，都已到达了一个历史的时节——有史以来未曾有过的重大时节，这就是整个儿地推翻世界的帝国主义，推翻中国人民的三大敌人——帝国主义、封建主义、官僚资本主义，建设社会主义的世界，从黑暗世界进到前所未有的光明世界。无产阶级及革命人民改造世界的斗争，包括实现下述的任务：改造客观世界，也改造自己的主观世界——改造自己的认识能力，改造主观世界同客观世界的关系。中国人民与世界人民一道，都正在或将要通过这样的改造过程。中国人民在中国共产党与毛主席的正确领导之下，取得了革命的胜利，打倒了蒋介石匪帮，于 1949 年 10 月 1 日建立了中华人民共和国，把半殖民地半封建的旧中国，改造为社会主义的新中国。同时，中国人民学习毛泽东思想，要用毛泽东思想来武装自己的头脑，加紧清除封建的、买办的、法西斯主义的思想的毒素，发展为人民服务的思想。思想的改造虽是长期的过程，但由于中国共产党的教育与启发，在很短的时间内，已有显著的进步。首先，工人们采取了主人翁的态度，很快地改变了旧社会中劳动的消极态度，发挥了劳动的积极性与创造性。最前进的分子已能总结多年来的劳动经验，使之上升为理论，用以改造劳动工具，提高劳动的效能，并制订出生产计划，实行爱国主义的生产竞赛，涌现了大批劳动模范和工作模范。其次，农民在土地改革翻身之后，大都能订出爱国增产的计划，涌现了大批的农业劳动模范和广泛地组织了起来。再次，小资产阶级、知识分子，也正在接受毛泽东思想，进行思想改造。全国人民都服膺于毛泽东思想，放弃旧的立场、观点和方法，学习用毛泽东思想的立场、观点与方法，去认识中国与世界，提高自己的认识能力。全国人民都已投入这个改造的过程中，并且有了显著的进步，这是可以断言的。所以说："人民的国家是保护人民的。有了人民的国家，人民才有可能，在全国范围内和全体规模上，用民主的方法，教育自己和改造自己，使自己脱离内外反动派的影响（这个影响现在还是很大的，并将在长时期内存在着，不能很快地消灭），改造自己从旧社会得来的坏习惯和坏思想，不使自己走入反动派指引的错误路上去，并继续前进，向着社会主义社会和共产主义社会前进。"①

---

① 《论人民民主专政》。

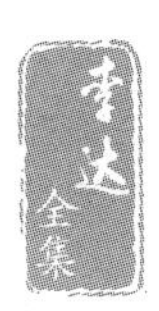

无产阶级改造世界，不单是摧毁资本主义世界的人剥削人、人压迫人的那些制度。改造世界为共产主义的世界，同时还要改造那些反对改造的人们、以剥削和压迫的制度为有利的人们，就我们中国来说，就是要改造那些已经缴械了的帝国主义走狗、地主阶级、官僚资产阶级，以及代表这些阶级的国民党反动派及其帮凶们。“对于反动阶级和反动派的人们，在他们的政权被推翻以后，只要他们不造反，不破坏，不捣乱，也给土地，给工作，让他们活下去，让他们在劳动中改造自己，成为新人。他们如果不愿意劳动，人民的国家就要强迫他们劳动。也对他们做宣传教育工作，并且做得很用心，很充分，像我们对俘虏军官们已经做过的那样。”①

世界改造与思想改造，是一个长期的过程。世界到了全人类都自觉地改造主观世界与客观世界的时候，那就是世界的共产主义时代了。

通过实践而发现真理，又通过实践而证实真理和发展真理。从感性认识而能动地发展到理性认识，又从理性认识而能动地指导革命实践，改造主观世界和客观世界。实践、认识、再实践、再认识，这种形式，循环往复以至无穷，而实践和认识之每一循环的内容，都比较地进到了高一级的程度。这就是辩证唯物论的全部认识论，这就是辩证唯物论的知行统一观。

[说明]总括起来说，在生产活动或阶级斗争的实践中，认识了自然或社会的具体过程的规律性，这便是发现了真理。这真理得到实践的证明，便能促进实践的发展，因而对于真理的认识也随着发展起来。真理的认识过程，首先是从感性认识到理性认识，其次是从理性认识到实践。我们认识客观的革命形势，必先搜集有关的一切资料，吸取各方面的经验，即尽量地占有材料，然后运用科学的思维方法，来推知客观形势发展的法则，就能得到革命的理论。这是从感性认识到理性认识之能动的飞跃。接着就用所得的革命理论，去指导革命的实践，这是从理性认识到革命的实践之能动的飞跃。革命胜利以后，把社会实行根本的改造，因而主观世界的人的思想也一同改造了。所以关于客

---

① 《论人民民主专政》。

观世界的认识的形式是:实践、认识、再实践、再认识,循环往复,以至无穷。但实践与认识之每一循环的内容,都比较地进到了高一级的程度。这即是说,实践与认识的循环,并不是平面圆形循环,而是螺旋状的循环,逐步由低级形式进到高级形式,即逐步由相对真理走近于绝对真理。这就是辩证唯物论的全部认识论,这就是辩证唯物论的知行统一观。

毛泽东思想的伟大胜利[*]

——为纪念中国共产党成立的三十周年和《论人民民主专政》发表两周年而作

（1951.7）

一

1951年7月1日，是中国共产党成立的30周年纪念日，人有所谓“三十而立”，党也恰好是这个样子。党在今天不仅是壮年了，而且获得了胜利，取得了政权，掌握了国家机器。党领导着工人阶级和全国人民“在世界上站立起来了”。

党的建设过程，党的发展、巩固与布尔塞维克化的过程，是经过了艰苦奋斗和迂回曲折的道路的。党在成立之初，党还是一个“小孩子”，但当时毛泽东同志的思想作风，表现绝不像那些机会主义分子那样“华而不实”，“夸夸其谈”。他对于党的理论和政策的研究，是“实事求是”，“好学深思”；对于马列主义的学习，总是联系中国的国情，切合革命的实践，所以当时全国各地的党之中，以长沙的党最有成绩。30年来，毛泽东同志自始即用马列主义真理与中国革命实践之统一的理论，来领导党的行动，并与机会主义分子做斗争。1927年，右倾机会主义者陈独秀派，招致了革命的失败，毛泽东同志吸收了前一时期的经验，克服右倾机会主义的偏向，党开始在毛泽东思想的直接领导之下，进行新的革命斗争。这时由于对中国革命的特点、中国革命的规律、中国

* 本文亦发表于1951年7月2日《长江日报》，并在略加修改后发表于1951年7月13日《人民日报》。——编者注

的历史知识与社会知识的进一步的了解，由于对于马克思列宁主义的理论与中国革命的实践之间有了进一步的联系，就使得党能够进行了胜利的十年苏维埃斗争，这时期的党，紧紧地依靠着农民，结成了工农与小资产阶级的统一战线，对官僚资产阶级和地主做坚强的长期斗争，党的组织不但重新发展了，而且得到了巩固。党开辟了人民政权的道路，因此也学会了治国安民的艺术；党创造了坚强的武装部队，因此也就学会了战争的艺术。所有这些，都是党的重大进步与重大成功。但在当时还不免有一部分党员受了苏区内外左倾机会主义的危害，招来了革命的损失。然而这一切，后来是在毛泽东同志及其思想指导下，在党的遵义会议这个历史的会议中所战胜了，及至遵义会议以后，党就彻底走上布尔塞维克的道路，奠定了后来战胜张国焘右倾机会主义与建立抗日民族统一战线的基础。

党在彻底走上布尔塞维克的道路以后，进到了八年抗日战争的初期，党凭借着过去两个革命阶段中的经验，凭借着党的组织力量与武装力量，凭借着党在全国人民中间的很高的政治信仰，凭借着党对于马克思列宁主义的理论与中国革命的实践之更加深入的更加统一的理解，不但建立了抗日民族统一战线，而且进行了伟大的抗日战争。党的组织已经从狭小的圈子中走了出来，变成了全国的大党。党的武装力量，也在同日寇的斗争中重新壮大起来与进一步坚强起来了。党在全国人民中的影响，更加扩大了。这些都是伟大的成功。但从这时起，由于党员人数的大批增加，党员间的马列主义与毛泽东思想的理论水平，很不一致，教条主义、经验主义、宗派主义与党八股的影响，在党内还相当严重，所以毛泽东同志在 1937 年 7 月初次发表了《实践论》，用马克思主义认识论的观点去揭露党内的教条主义与经验主义——特别是教条主义的错误思想。这《实践论》，是具有极大历史意义的整风运动的思想基础。1942 年 2 月，毛泽东同志又发表了《整顿学风党风文风》①和《反对党八股》等作为全党的整风文献。经过了这一次整风运动，全党的马列主义与毛泽东思想的理论水平是普遍地提高了。直到现在，我们的党已经发展到成为一个“全国范围的广大群众性的，思想上、政治上、组织上完全巩固的布尔塞维克的中国共

① 即《整顿党的作风》。——编者注。

产党"了。30年来,许多历史事实证明:"当着革命是在毛泽东同志及其思想指导下,革命就胜利,就发展;而当着革命是脱离了毛泽东同志及其思想的指导时,革命就失败,就后退。"①所以党在毛泽东同志及其思想的领导之下,发展到了今天,已经成长壮大起来了。"一个有纪律的有马、恩、列、斯的理论武装的、采取自我批评方法的、联系人民群众的党,一个由这样的党领导的军队,一个由这样的党领导的各革命阶层各革命派别的统一战线,这三件是主要的经验,这些都是我们区别于前人的。依靠这三件,使我们取得了基本的胜利。"②这一胜利,是毛泽东思想的伟大胜利。

二

"一切革命的最主要的问题,是国家权力的问题。"(列宁)革命的人民推翻反革命阶级的目的,就是要打碎反动阶级的国家机器,重新组织人民自己的国家机器,来镇压国内外的反动派,保障自己的胜利,实行经济的与文化的建设。当1949年我们人民已经打垮了蒋介石匪帮军事势力,取得了决定性胜利的时候,胜利了的人民如何组织自己国家权力一问题,已被列入了日程。毛泽东同志适时的趁党的28周年纪念日,发表了《论人民民主专政》的著作,指示了革命建国的道路,作为全国人民的向导。

《论人民民主专政》总结了百年来中国革命的经验,引出了中国革命"走俄国人的路"的结论。这即是说,中国人民革命,必须应用马列主义的普遍真理,结合中国革命的实践,针对半封建半殖民地的国情,联系无产阶级的世界革命,认定革命的动力是工人阶级、农民阶级、小资产阶级与民族资产阶级;而革命的对象是帝国主义者、封建阶级和官僚资产阶级。中国人民在中国共产党领导之下,在驱逐了日本帝国主义、打垮美蒋匪帮势力之后,只有首先实行以工人阶级为领导的人民民主主义,建立人民共和国,"经过人民共和国到达社会主义和共产主义,到达阶级的消灭和世界的大同",这是毛泽东同志在

① 《论党》。

② 《论人民民主专政》。

《论人民民主专政》上特别指出的。30年来,中国革命的理论与实践,在毛泽东同志及其思想领导之下,“中国人民取得了重要的和基本的经验,就是两件事”:(一)结成国内的统一战线,“并由此发展到建立工人阶级领导的以工农联盟为基础的人民民主专政的国家”;(二)“联合苏联、联合各新民主国家,联合欧洲其他各国的无产阶级广大人民,结成国际的统一战线”。因为中国革命是无产阶级世界革命的一部分,所以国内的统一战线,必须与国际的统一战线密切结合,中国革命才能取得胜利,巩固胜利。

《论人民民主专政》,是新中国政治建设基本原理,是中国人民共同遵守的“共同纲领”的基础理论,它是马列主义国家学说的发展,它是科学的国家观在殖民地、半殖民地、半封建的人民革命的民族中的应用与扩张。人民民主专政的国家,是这些民族到达于社会主义与共产主义的过渡期的国家形态。这人民民主专政的学说,是毛泽东思想的具体表现。

人民民主专政的国家的主要任务,总括起来有下列几项。

(一)强化国家机器(“这主要是指人民的军队、人民的警察和人民的法庭”),对付帝国主义的进攻,消灭官僚资产阶级与地主阶级。

(二)对人民内部实行民主制度。

(三)对帝国主义走狗、地主阶级、官僚资产阶级,以及代表这些阶级的国民党及其帮凶们,实行专政。

(四)加强工人阶级的领导,扩大与巩固工农联盟,树立人民民主专政的基础。

(五)建设新民主主义经济,发展以国有企业为主体的强大的工业,以期促进农业的社会化,创造社会主义的前提条件。

(六)加强工人阶级的社会主义的训练,促进一般人民的思想改造。

总之《论人民民主专政》是我们新国家革命建国的指导原理,是中国人民政协制定共同纲领时的最高准绳。它的出版,刻画着中国历史的一个新时代;它标志着毛泽东思想从胜利更走向胜利。所以,1949年10月1日,人民民主专政的国家,中华人民共和国宣告成立了。这新中国的国体与政体,正是《论人民民主专政》理论的具体实践。

三

人民民主专政，是人民革命的新形式。列宁说过："无产阶级专政，不是阶级斗争的结束，而是阶级斗争在新形势中的继续。"我们的人民民主专政，虽然不是无产阶级专政，但也是阶级斗争的继续，是人民革命在新形式中的继续，是"向着帝国主义的走狗及地主阶级和官僚资产阶级以及代表这些阶级的国民党反动派及其帮凶们实行专政，实行独裁，压迫这些人，只许他们规规矩矩，不许他们乱说乱动，如要乱说乱动，立即取缔，予以制裁"。因为"不这样，革命就要失败，人民就要遭殃，国家就要灭亡"。根据苏联革命的经验和我们新国家成立以来的事实，被人民革命推翻了的反动阶级，是不甘心于失败的，他们企图结成反革命的联合战线，以公开或秘密的武装叛乱或其他各种形式的阴谋活动，来颠覆革命政权，进行复辟。我们为了保障人民革命的胜利果实，就只有实行对反动阶级的专政，严厉镇压反革命。首先，我们为了抵抗美帝国主义者的进攻，全国进行着轰轰烈烈的伟大的抗美援朝大斗争，给予了也正在给予着美帝侵略势力以无情的打击。同时，在另一方面，我们粉碎了帝国主义者在中国的许多间谍机关，清除了帝国主义者在中国设立的，假借文化、宗教和救济事业名义而阴谋反革命的暗害分子，并接办了那些学校、医院、教会和所谓慈善机关，而宗教界的人士，也都起来实行"三自"①运动，宣告与帝国主义者断绝关系。

其次，为了彻底消灭封建制度，拔除美蒋匪帮在大陆上的根子即地主阶级，我们进行着土地改革，现在全国已有2亿7千万农业人口的地区完成了土改，其他地区的土改，也准备着在1952年完成。镇压反革命的工作，在发动群众依靠群众的原则下，正在大张旗鼓，雷厉风行。在一年多的时间内，全国一百多万的土匪已被肃清。对美蒋匪帮策动的特务、恶霸及其他反革命分子，都加以严厉的镇压。现在全国人民都已提高了警惕，残余的反动分子必不能逃

① "三自"运动是指1949年中华人民共和国成立以后，中国基督教开展了大规模的"三自"（"自养"、"自治"、"自传"）爱国运动，真正实现了独立发展。——编者注

出人民的铁掌。由此可见,抗美援朝,反抗帝国主义的侵略;土地改革,消灭地主阶级;镇压反革命,巩固革命秩序,——都是人民革命的新形式,都是阶级斗争的继续。

人民民主专政的另一方面,是对人民内部实行民主制度,由人民自己管理国家机器,人民代表会议与人民代表大会制度,就是人民民主专政的基本制度,是人民政权最好的基本的组织形式。一年多以来,全国最大多数的地区都召开了人民代表会议。根据谢觉哉部长的报告,目前召开了人民代表会议的地区,有 24 个省、7 个行政区、90 个市,有 23 个县已开过人民代表大会。在少数民族聚居地区,大都召开了各族各界人民代表会议或民族联谊会,或成立了民族自治政府。通过人民代表会议,把全国人民意志集中起来,把行动统一起来,大家紧密地团结在各级人民政府的周围,在中央人民政府统一领导下,形成一个强大的力量,顺利地开展各项革命和建设工作。这就充分证明了:我们人民民主专政的政权是无比优越的。

四

人民民主专政的国家成立以来,一切政治上、经济上和文化上的伟大的成就,都是和工人阶级的领导分不开的。“工人阶级最有远见,大公无私,最富于革命的彻底性。”他们在其先锋队——中国共产党的教育之下,接受共产主义的熏陶,最能发挥其组织性、纪律性和创造性,所以他们在解放以后,首先以主人翁的态度,在生产事业上起了带头作用,出现了许多的劳动模范和工作模范。1950 年,工人们发起了爱国主义的生产竞赛,得到了显著成绩。今年一月马恒昌小组向全国职工群众提出挑战后,立即得到全国各地职工群众的热烈响应,参加竞赛的厂矿单位已有 2811 个,参加竞赛的人数有 223 万余人,全国已有 5522 个小组向马恒昌小组应了战。由于职工群众在劳动竞赛中发挥了高度的爱国热情和创造智慧,惊人的纪录不断地涌现了出来。这些事实,说明着工人阶级在毛泽东思想的领导之下,发挥了当家做主的思想,表现了工人阶级高贵的品质。由于工人阶级的阶级意识的提高,党也随着阶级的壮大而壮大,在群众中的威信和声望日益提高,党的领导力量也日益加强了。

其次,工农联盟的基础也扩大了,巩固了。农民问题原是新民主主义革命中的主要问题,党所领导的武装斗争“实质上即是农民战争,党同农民战争的密切关系,即是党同农民的关系”。在中国,工人阶级“同广大农民有一种天然的关系,便利于他们结成亲密的革命同盟”①,这是大家所知道的。所以为了巩固人民民主专政,必须扩大工农联盟。现在事实上,由于土改政策的成功,中国大部分农民免除了封建的剥削,在自己的土地上努力生产,因而也能够发挥其积极性,与工人阶级的力量汇合一起,为建设新中国而努力着,也出现了李顺达、刘聚宝、高贯斗成百成千的农业劳模。今年 3 月,农民李顺达互助组,追随工人马恒昌小组之后,向全国农民群众,提出了农业生产战线上的爱国主义的挑战,到现在全国各地区应战的农民互助组,已有 1938 个,在全国范围内争取超过 1950 年农业生产计划的实现。这些事实,显示着农民阶级能够接受工人阶级的领导,提高农业劳动的积极性,为工农联盟基础的扩大,添加了亲密团结的力量。人民民主专政的基础,“主要是工人和农民的联盟,因为这两个阶级占了中国人口的 80%—90%,推翻帝国主义与国民党反动派,主要是这两个阶级的力量,由新民主主义到社会主义,主要依靠这两个阶级联盟”。工人阶级领导的加强与工农联盟的基础的扩大与巩固,在今天已经显出了很好的成就,这就是毛泽东思想又一伟大的胜利。

五

由于工人阶级领导的加强与工农联盟的扩大,中国社会的阶级构成,起了显著的变化。首先,工人阶级已是领导阶级,他们已从旧社会的被压迫的地位彻底翻身,成了新社会的主人,不是旧社会中那种无产阶级了。中国革命的历史进程是分作两步走的,第一步是新民主主义革命,第二步是社会主义革命,只有先完成新民主主义革命,然后才有可能去完成社会主义革命。新民主主义革命是社会主义革命的必要准备,因而新民主主义经济就是社会主义经济的必要准备。这即是说,新民主主义经济是创造社会主义经济的前提条件。

① 《共产党人发刊词》。

中国本是一个农业国,现代工业在整个国民经济的比重上是最小的。为要使中国由农业国变为工业国,就必先"发展生产繁荣经济"。因此,民族资产阶级在新民主主义阶段上,有其很大的重要性。我们"为了对付帝国主义的压迫,为了使落后的经济地位提高一步,中国必须利用一切于国计民生有利而不是有害的城乡资本主义因素,团结民族资产阶级,共同奋斗"。① 因此共同纲领第四章第十三条规定:"凡有利于国计民生的私营经济事业,人民政府应鼓励其经营的积极性,并扶助其发展。"由此可见,扶助正当的私人资本企业的发展,是工人阶级所领导的新国家的经济政策,因而新国家的工人阶级,绝不是旧时代那样的无产阶级了。分析起来说,在社会主义性质的国营企业中的工人,是劳动者,又是企业的共有者,而不是无产者。在私人资本主义企业中的工人虽还是受剥削的无产者,但他们为了发展生产,繁荣经济,创造社会主义的条件,不但有自觉地甘受剥削,而且发挥了主人翁的积极性,为发展企业多多生产。他们是为了社会主义的前途在劳动着。所以新国家的工人阶级,是人类历史上未曾有过的工人阶级。这可以说是新中国社会的阶级构成的第一个大变化。

其次,在土改后的农民阶级,也不是旧日的农民阶级了。他们在经济上耕种着自己所分得的土地,再没有地主来剥削他们,他们已经铲除了压在自己身上的三座大山——即三大敌人:在政治上他们参加于国家的管理,是农村民主建政的支柱。他们已是新的农民阶级,虽然距离苏联那种农民阶级的地步还很远,但在工人阶级的领导与教育之下,将来是可以随同工人阶级进到社会主义的。就阶级构成来说,这是一个大变化。这个变化,大大地扩大了工农联盟,巩固了人民民主专政。

再次,旧时代小资产阶级中的职员,在人民政权下。由于同样参与了国家的管理。通过一般的思想改造,也起着质的变化,这变化就是:"凡受雇于国家的、合作社的、或私人的机关、企业、学校等,为其中办事人员,取得工资以为生活之全部或主要来源的人,称为职员,职员为工人阶级的一部分。"(政务院:关于农村阶级成分的决定)这又是阶级构成的一种变化。这一变化不仅

① 《论人民民主专政》。

开辟了中国知识分子的新道路，同时也壮大着工人阶级的队伍。

复次，“动摇的阶层”游民，在旧社会占有一个相当的数字，今天在人民政权之下，正在大量地减少着，消灭着。他们向来是不事生产的寄生者，像乞丐、娼妓、和尚、尼姑、道士和占卦一类的人，到今天他们都在纷纷改业，参加了生产。这是由于他们在身体上或精神上得到了解放，受了毛泽东思想的影响，所以都自觉地脱离了寄生生活，而积极地做生产的活动。这可以说是中国历史上的奇迹，只有在人民政权下才可能看到的成就。这也给新中国的阶级构成带来了极大的变化。

最后，对于反动阶级的消灭，更是不容忽视，由于国有化政策、土改政策和镇压反革命条例的实行，反动的官僚资产阶级和地主阶级正在大量地消灭着。官僚资产阶级中的最反动的上层是被消灭了或者逃亡了，其中下层也在消灭着。地主阶级中，在土改完成地区，恶霸分子是被镇压了，其余都在劳动改造中；在土改尚未完成地区，恶霸分子受到了镇压，其余也曾在劳动中被改造的。这些剥削者群的逐渐消灭，标志着阶级构成变化的新方向。

总之，新社会的阶级构成，和旧时代的阶级构成比较起来，发生着新的大变化，这种新变化表现中国阶级力量的新的对比，是与新社会发展的方向相适应的。由于工人阶级领导加强和工农联盟的扩大与巩固，对于反动阶级的改造工作，必能做得很好，剩下一个民族资产阶级，只要对他们进行适当的教育工作，等到实行社会主义即实行私人企业国有化的时候，是不会发生什么阻力的。像我们新中国阶级构成的这种新变化，这种阶级力量新的对比，是毛泽东思想的伟大胜利的成就，这样的成就，不仅巩固了人民的政权；同时也为新中国的将来，开辟着顺利通过的道路。

六

人民民主专政的一个基本任务和目的，是建设新民主主义经济，准备社会主义经济的条件。中国原是一个农业国，现代工业在全国国民经济的总生产量，只占10%左右。没有农业社会化，就不能进到社会主义，“而欲农业社会化，必须发展以国有企业为主体的强大的工业。人民民主专政的国家，必须有步骤地解决这个国家工业化的问题”。因此，共同纲领规定要以“公私兼顾，劳资两利，城乡互助，内外交流”这个四面八方政策，达到发展生产繁荣经济的目的。两年以来，由于毛主席和中央人民政府正确的领导，由于各级干部能够很好地掌握政策，由于工人阶级发挥了积极性与创造性而起了带头作用，由于农民阶级取得了土地而努力生产发家致富，所以工农业的生产，显出了突飞猛进的成绩。就其最主要的方面来说，在工业上，去年一年中，“全国国营煤矿的生产量完成了全年任务的 100.26%；国营电力工业全年的发电量，比前一年增加了 13.13%，售电量增加了 47.12%，充分供应了各地工业和民生的需要。尤其在东北，到 1950 年年底，东北大部分主要工业的设备能力，已比前年提高了 10%—60%，有的提高了 500%或 880%以上。一年中修复与新建的厂房、仓库及职工福利建筑，共达 2448556 平方公尺。地下富源的采勘，不仅发现了更多的煤铁和铜的矿藏，而且新发现了白钨矿和镍矿。”①我们若更结合各地国营企业巨大的进步来看，就可以知道国营经济已具有领导其他四种经济的能力。其次，在农业上，1950 年，全国生产粮食共达 2402 亿斤，比前一年增产 202 亿斤；生产棉花共 1421 万市担（皮棉）比前一年增产 533 万市担②。在反动统治时代，中国人年年要吃外国米和美国面粉，现在粮食不但不仰给于外国，反而有大宗粮食输出到印度去，这不能不说是两年来农业生产的伟大的成就。在财政金融上，终结了 12 年的通货膨胀，出现了财政上的奇迹。对外贸易方面，“赶走了帝国主义势力后的新中国海关，在保护新中国经济的发展上起着重大的作用，去年对外贸易出超占进口总值 9.34%，这是我国自 1877 年以来的 73 年中从来没有的情况”。③ 在银行货币方面，这不仅全国币制业已统一，而且由现金管理已进入货币管理，国家通过现金管理，划拨清算，集中短期信用，监督基本建设投资，使得中国人民银行就成为全国现金结算及信贷的中心并成为全国生产的总监督，这样新民主主义经济越发趋于计划化。此外在交通事业上，水利建设上，都有极大成就。两年以来，中国的经济与财政能有这样大的成绩，完全是人民民主专政所发挥的优越作用；同时也是毛泽

① 新华社:《东北一九五〇年工业基本建设的成就和经验》。

② 见李书城:《一九五〇年农业生产中的一些体验》。

③ 《人民日报》1951 年 5 月 7 日。

东思想在经济建设上的伟大胜利。所以刘少奇同志说:“新民主主义的经济建设,必须有新民主主义的政权来领导和保障,没有新民主主义的政治,不能有新民主主义的经济。”①

七

“人民的国家是保护人民的。有了人民的国家,人民才有可能在全国范围内和全体规模上,用民主的方法教育自己和改造自己,使自己脱离内外反动派的影响……不使自己走入反动派指引的错误路上去,并继续前进,向着社会主义社会和共产主义社会发展,完成消灭阶级和进入大同的历史任务。”自从1949年全国各省区先后解放以后,使得“很多人感到突然,感到要重新学习”。特别是新国家成立以后,在共产党与人民政府领导之下,人民在全国范围内和全体规模上,展开了时事和政治学习运动的高潮。学习的内容,主要地是新民主主义论、社会发展史、政治经济学、共同纲领、政策与法令以及时事问题之类。学习的方法,是自学与集体学习相结合,理论与实践相结合,并展开批评与自我批评。工人在业余学校学习,农民在冬季里学习,机关和部队的干部在干训班学习,在革命大学、人民大学里学习,各级学校教师,组织暑假与寒假学习。各种普通高等学校和中学的学生,都经常地学习政治课。通过各种各样的学习方式,使得中国人民在思想上普遍提高,逐渐地树立全心全意为人民服务的人生观。同时辩证唯物论、历史唯物论、自然辩证法,在学术界已被公认为治学的最科学的方法。特别是抗美援朝、土地改革和镇压反革命这三大运动的宣传,在全国展开以后,无论在城市或在乡村,都消灭了空白点,一切人民都提高了政治的自觉,都纷纷订立了爱国公约,并且在行动上表现为今年五一节的全国规模的空前大示威运动。这些都是人民“在全国范围和全体规模上用民主的方法教育自己和改造自己,使自己脱离内外反动派影响”的一种表现。人民的思想改造虽是长期的过程,但在总的倾向上,“肃清封建的、买办的、法西斯主义的思想,发展为人民服务的思想”,这确是全国人民一致的要

① 《在北京第三届人民代表会议上的讲话》。

求。全国人民在思想上和政治上的统一,已经有了初步的表现。从此继续前进,是可以向着社会主义和共产主义的方向发展的。像这样全国人民在思想上的伟大胜利,正是毛泽东思想战胜其他一切反人民的思想的伟大胜利。

八

中国革命是世界无产阶级社会主义革命的一部分。30 年来,中国共产党领导人民革命,始终是走着国际路线,倒在以苏联为首的社会主义阵线一方面的。因为在帝国主义存在的时代,任何国家的真正人民革命,如果没有国际革命力量在各种不同方式的援助,要取得自己的胜利是不可能的,胜利了,要巩固,也是不可能的。所以毛泽东同志当中国人民取得基本胜利之后,在人民政协第一届会议时,特别号召我们说:“我们的人民民主专政的国家制度,是保障人民革命的胜利成果和反对内外敌人的复辟阴谋的有力武器,我们必须牢牢掌握这个武器。在国际上,我们必须和一切爱好和平自由的国家和人民团结在一起,使我们的保障人民革命胜利成果和反对内外敌人复辟阴谋的斗争,不致处于孤立地位。只要我们坚持人民民主专政和团结国际友人,我们就会是永远胜利的”,所以中国人民必须“一面倒”,一直倒向社会主义一边。

30 年来的革命经验,证明这个路线是极其正确的。特别是新国家成立以后,这一正确的路线。已经具体地规定为人民的外交政策,这就使得国际和平民主的阵线,增加了五万万人的巨大力量。大大地压倒了反动侵略阵线。两年来事实告诉我们:由于中国人民打倒了国内外的反动派,赶走了帝国主义,所以我们能够建立起自己的政权,加速了经济上文化上的建设,并在抗美援朝革命战争中取得了伟大的胜利。因此,中国人民在世界人民心目中引起了无限的敬佩,“乌拉,毛泽东”的欢呼声,洋溢到全世界人民住处的每一个角落。中国人民雄赳赳气昂昂地在世界上站立起来了。

半封建半殖民地的旧中国,饱受过帝国主义的压迫,中国人民从来在帝国主义者的心目中是落伍者。今天不同了!特别是中国人民抗美援朝运动展开以后,帝国主义战争贩子们在朝鲜亲身受到了中国人民志愿军的打击,更其发抖了。他们在惊慌混乱之中,不得不亲口吐出“中国人民的力量是强大无比

的”。“毛泽东是不可战胜的。”他们争吵着要改变战略，直到今天还是哀鸣着：“朝鲜战争是无底洞。”

1950年年底，我伍修权代表在联合国大会上做了狮子吼，即席叱责美帝国主义者及其仆从们的侵略罪行，公开宣告我中国人民有足够反抗美帝侵略的力量和决心。这是中国人民在国际统一战线上获得的伟大的、胜利的成果之一。中国人民通过这一行动，获得了全世界人民的真切认识和热烈拥护，同时又打击了帝国主义侵略集团，使得有些美帝国主义的仆从国动摇起来，有些中立国则开始倾向我们了。现在我全国人民还正在竭尽全力做着抗美援朝的工作，增强着和平民主阵线的力量，削弱着反动侵略阵线的力量，每一个人民都是爱国主义者和国际主义者，为保卫远东安全与世界和平，尽着最大的努力。中国人民像这样在国际地位上的提高，中国人民的力量像这样能使得帝国主义发抖，这是中国历史上所未曾有过的事情。这只能出现在我们现在生存着的毛泽东时代，也就是中国人民大翻身的时代。这样时代的到来，是毛泽东思想的伟大胜利。

总结以上所说，当此党30周年纪念日，我们回忆过去，瞻望现在，中国从一个支离破碎的半封建半殖民地的国家，一跃而成为强大的新民主主义国家，这完全是由于有了中国共产党和毛主席的领导。中国人民有着这样全心全意为人民服务的党，有着这样的英明的革命导师，就永远是胜利的。

现在，敌人还在做最后挣扎，我们的革命工作正在新形式中展开。我们要积极地继续展开抗美援朝、土地改革和镇压反革命的三大运动，在中国共产党的领导下，在毛泽东胜利的旗帜下，勇敢前进，为建设我们的新国家而奋斗。

（原载1951年7月1日湖南大学校报《人民湖大》第63期，署名李达）

答李宏文问*

（1951.8）

【问】为什么我们说武训是为封建阶级的文化服务的？对于历史上的人物和事变我们应该采取怎样的立场、观点和方法来评论它们？

【答】武训虽是满清末年一个“行乞兴学”的乞丐，但仍是乞丐，乞丐在经济上失掉了生产手段，脱离了生产活动的实践，靠行乞来过寄生虫的生活；在政治上，是归属于反动阵营的，所以乞丐的通性大都是：拥护私有制，剥削制，崇拜豪绅地主，功名富贵，服从统治，忍受压迫，不但不革命，而且有时反革命。“武训传”中所描写的武训，对于乞丐的通性是兼而有之的。他极其奴颜婢膝之能事，并且做出非人性的行为，例如挨打一拳得二文，挨踢一脚得三文，喝脏水，吃瓦片之类。他把这样乞得的钱存入豪绅地主之家，放债生息，还买过很多的田出佃，去剥削人民。他容易使人感到奇怪的地方，就是拿所弄的钱财去办了“义学”。但他办“义学”的动机，是由于他做穷小孩时得不到读书机会，所以立志要办“义学”收容穷小孩读书，他办“义学”的目的，是要使穷小子读书可以“出人头地”，可以“坐八抬大轿”，做大官，骑在人民的脖子上，做满清皇帝的帮凶，他这个“义学”是交由达官贵人去办的，“义学”中所“念的书，还不是三纲五常，君臣父子吗”？（张举人语）像武训这样行乞兴学为封建阶级文化服务，当然能博得统治阶级的嘉奖。所以当时满清皇朝“钦赐黄马褂”，封为“义学正”，并给造入牌坊。后来的北洋军阀和蒋介石也都嘉奖他，这种为反动统治阶级所嘉奖的人，值得我们人民的称赞和歌颂吗？历史上的人物值得我们人民称赞和歌颂的，必须是反抗压迫阶级的革命领袖、保卫祖国的民

---

* 这是李达在《新建设》“学术问答”栏目中对于开封读者李宏文所提问题的回答，标题系编者所加。——编者注

族英雄,以及人民的科学家、文学家、艺术家和思想家。像武训那样的人,在今天应当是在劳动中被改造的人,他是社会的寄生虫,并不是“劳动人民”;他为封建阶级及其文化服务,并不曾为人民及其文化服务。不料电影《武训传》的作者,把武训其人其事捏造一番,歌颂“大哉武训,至勇至仁”。称赞他的“勤劳勇敢的、典型的中华民族的崇高品质”。说“要学习他全心全意为人民服务的忘我精神”,说“让我们把武训做榜样”。此外还有人说“武训这个名字应该说是中国历史上伟大的劳动人民企图使本阶级从文化上翻身的一面旗帜”(董渭川语)。像这样的称赞和歌颂,是我们所不能承认或容忍的。否则“就是承认或者容忍污蔑农民革命斗争,污蔑中国历史,污蔑中国民族的反动宣传为正当的宣传”①。像那样的反动思想的宣传:要我们人民学做武训那样兴学的乞丐,好让穷人得到读书机会,也污蔑了人民革命与人民的国家。这样的宣传,如果是故意的,那便是把反革命的思想伪装为“为人民服务的思想”。企图败坏人民革命建设的斗志,我们必须对它做无情的斗争;如果是无意的,那便是做了敌人思想的俘虏,是政治学习未能改变自己的旧思想,或者思想虽然改变而对实际问题感到茫然的表现。

我们学习马列主义与毛泽东思想,主要地是要采取人民的立场、唯物的观点与辩证的方法,去考察实际问题或评论历史上的人物与事变。歌颂武训其人其事的人们,虽也曾宣称站在人民的立场,用历史唯物论的观点,评价了武训这个人,却是得出了那样错误的结论。实际上,他们并不曾站在劳动人民的立场,而是站在非劳动人民(即乞丐)的立场;不曾采取唯物的观点与辩证的方法,而是采取唯心的观点与形而上学的方法,他们受了教育救国那种改良主义思想的影响,拘泥于武训行乞兴学那种浮面上的事实,停顿于感性认识的阶段,不能深入地理解武训其人其事的本质,上升到理性认识的阶段。因此我们必须努力学习毛主席的《实践论》,学习《实践论》的深刻的思想,展开思想战线上的斗争,来澄清思想上的混乱状态。

(原载1951年《新建设》第4卷第5期,署名李达答)

---

① 人民日报社论:《应当重视电影武训传的讨论》。

读毛泽东同志在1926年至1929年的四篇著作

（1951.8）

一

中国共产党的历史，是领导工人阶级和广大人民争取解放斗争的历史，是马列主义普遍真理与中国革命具体实践相结合而取得胜利的历史，是毛泽东思想的形成、发展及其指导革命百战百胜的历史。

早在革命初期，毛泽东同志所发表的各种重要论文，就表现了他的马克思列宁主义的造诣和革命的天才。如所周知，1922年党的第二次代表大会，已经宣言中国革命是反帝国主义反封建主义的民主革命；1923年党的第三次代表大会，决定与国民党合作，实行国民革命。由于国共合作的实现，革命的统一战线的成立，因而爆发了1924年至1927年的大革命。但是这个统一战线的领导者是那一个阶级？是工人阶级还是资产阶级？工人阶级的同盟军是农民阶级还是资产阶级？民主革命政权是工农民主政权还是资产阶级政权？这一革命胜利的保障，是否需要武装工农群众来预防前线和后方的溃散，预防叛变和倒戈？这些革命的基本问题，在当时党的领导者右倾机会主义陈独秀派，是完全没有想到的。他们认为当时的民主革命应该由资产阶级来领导，"一切工作归国民党"，"民主革命成功了，无产阶级不过得着一些自由与权利"。因此他们承认资产阶级是当时统一战线的领导者，承认革命的前途是资产阶级共和国，他们忽视农民问题，并且接受了蒋介石匪帮的要求，命令共产党员退出了军队。同时左倾机会主义者张国焘等，也只注意工人运动，忘记了农民。像这样的形势，早就预伏了革命的危机。

这样，在中国革命的第一个紧要关头，毛泽东同志在1926年3月首先发表了他的不朽杰作《中国社会各阶级的分析》。这一著作的目的，是在于解决革命的首要问题，即分辨革命的敌人和革命的朋友，解决革命统一战线的问题。它运用马列主义的阶级论，具体地分析半殖民地半封建的中国社会的各阶级。毛泽东同志的论文指出中国的资产阶级是与资本主义国家的资产阶级不同的。中国的资产阶级有两种不同的类型：一是买办阶级，一是中产阶级即民族资产阶级。买办阶级是帝国主义在中国的代理人，它和地主阶级同是帝国主义的附庸，都代表着反动的生产关系。中产阶级即民族资产阶级，则具有革命性与妥协性的两面性，这一阶级抱着以其本阶级为主体"独立"进行革命，以建立资产阶级国家的思想，但在世界无产阶级社会主义革命的时代，这种思想，只是一个幻想。这就是说，在帝国主义与无产阶级世界革命的时代，半殖民地的民族资产阶级绝不能领导民主革命取得胜利。毛泽东同志这一精辟论断，是马克思列宁主义在中国的具体环境中的活的运用。在1926年的中国革命阵营中，这是一个伟大的卓见。因为当时分析中国社会阶级构成的人们，大都采用分析18世纪欧洲的民主主义革命的公式，而确认中国资产阶级有领导民主革命的能力，却不知道帝国主义统治着的半殖民地的资产阶级的软弱性和两面性。毛泽东同志的论文又分析小资产阶级，指出其中的左、中、右三派，因其经济地位不同，决定了他们对于革命的态度也各有不同，但大体上都可能成为革命的朋友。特别是半无产阶级，包括了大多数贫农阶层，能成为革命的广大的同盟军。至于无产阶级，因为身受着资产阶级、封建主义和帝国主义三重的压迫和剥削，是最富于革命彻底性的进步的阶级，在历年的革命斗争中，做了革命的领导力量。这是在1922年到1926年间在各地举行的大罢工运动所证明了的。

基于上述的分析，就可以辨别谁是我们的敌人、谁是我们的朋友，因而就能团结我们真正的朋友，去攻击我们真正的敌人。毛泽东同志的结论说："综上所述，可知一切勾结帝国主义的军阀、官僚、买办阶级、大地主阶级以及附属于他们的一部分反动知识界，是我们的敌人。工业无产阶级是我们革命的领导力量，一切半无产阶级、小资产阶级是我们最接近的朋友。那动摇不定的中产阶级，其右翼可能是我们的敌人，其左翼可能是我们的朋友！但我们要时常提防他们，不要让他们扰乱了我们的阵线。"这是完全正确的论断。

毛泽东同志对中国社会各阶级做了马克思列宁主义的分析,就奠定了中国革命的最根本的路线,即工人阶级领导农民阶级、小资产阶级、民族资产阶级的革命的统一战线。毛泽东同志这一伟大著作,就马列主义阶级理论与中国革命具体实践相结合的一点看来,是发展了马列主义的阶级理论的。因为在1926年中国革命时期,一般人都不懂得半封建半殖民地的国家阶级构成与阶级诸关系,绝不同于一般资本主义国家的阶级构成与阶级诸关系,他们完全不会分析当时中国阶级诸关系,而仅能生硬地、教条式地搬弄他国的经验或公式,因而发生左右倾机会主义的错误。独有毛泽东同志早年就具有这样伟大的卓见,做了这样精辟的分析。

二

毛泽东同志认定,在工人阶级领导的革命统一战线中,农民阶级是工人阶级的最主要的同盟军。他在早期革命活动时,就注意到农民问题是中国革命的中心问题。他在1923年自修大学的"补习班"的国文课中,特别讲授了依据湖南情况写成的农民问题的文章,指出农民的出路只有从地主手中夺回土地。1925年春季,他从上海回到故乡湖南韶山村,住了一个短的时候,一面养病,一面实际从事农民运动。以后他到广州主办"农民运动讲习所",对受训的工作干部讲解《中国社会各阶级的分析》,来进行阶级教育,指导干部的思想和行动。同时他搜集了与农民运动有关的丰富的资料。从1926年下期起,湖南农民运动发展得异常迅速,爆发了轰轰烈烈的农村大革命。对于这一农村革命运动,国民党右派是极力反对的,国民党左派也表示不满;甚至一部分共产党人如陈独秀、张国焘等也认为"过火"。毛泽东同志为了支持这一农民革命运动,于1927年3月发表了《湖南农民运动考察报告》,指出党内外反对农民革命运动的见解是反革命的。这一著作着重指出:农村革命运动"乃是广大的农民群众起来完成他们的历史使命,乃是乡村的民主势力起来打翻乡村的封建势力。宗法封建性的土豪劣绅、不法地主阶级,是几千年专制政治的基础,帝国主义、军阀、贪官污吏的墙脚。打翻这个封建势力,乃是国民革命的真正目标"。当时国民党人反对反封建主义的农村革命,就是反对革命;共产

党人陈独秀派害怕农民卷入革命会破坏统一战线，就是向国民党反动派投降。毛泽东同志这一报告，在当时的共产党内部也是一声怒吼，可惜这一声怒吼，不曾惊醒陈独秀派的机会主义集团，最终没能挽救当时革命的危机。

毛泽东同志这一报告，建立了工农联盟的理论基础，确定了党与农民的关系。占全国人口80%的农民，是革命的最广大的同盟军。后来的土地革命政策、红军战争和农村根据地的其他各种政策，在这一报告中都已经提出了一个轮廓。报告指出，占农村人口70%的贫农，是农村政权的支柱，是农村革命的领导；占20%的中农，可以团结到农会中来；占百分之几的富农虽然态度游移，却可以保持中立。像这样，依靠并发动贫雇农，团结中农，中立富农，消灭地主的反封建斗争的策略思想，早在这时候树立了。报告指出，湖南农村革命的步骤是：农民们首先组成农会，接着用大众的力量，从政治上打击地主，然后从经济上打击地主，于是推翻地主政权，一切权力归农会；同时推翻地主武装，建立农民武装，来保障农民政权，并攻击各种宗法的思想、制度和乡村的恶劣习惯，开展文化运动。当时农民革命的过程，为后来的土地革命，提供了良好的经验。特别是农民武装和农村政权，在农村革命中是最重要的机关，没有农民武装不能保障农民政权，没有农民政权不能推行农村革命，这是当时的经验所证明了的。这一宝贵的经验，对第二次国内革命战争，给了很好的启示，红军战争和农村根据地的各项政策，就是从这里出发的。

《中国社会各阶级的分析》和《湖南农民运动考察报告》，同是大革命时期中国共产党的布尔塞维克路线，是马克思列宁主义普遍真理与中国革命具体实践的结合，是公开反对右倾机会主义陈独秀派和"左"倾机会主义张国焘等的错误思想的重要文献。这一布尔塞维克路线，在当时虽被陈独秀机会主义领导集团所拒绝采纳，因而招致革命的失败，但它却成为毛泽东思想的基本内容，成为后来中国革命的指导思想。

三

1927年革命的失败，还有一个主要原因，是不懂得武装斗争在中国的极端重要性，不去认真地准备战争与组织军队，不去注重军事的战略战术的研究。在北伐过程中，忽视了军队工作，片面着重于民众运动，其结果，国民党一旦反动，什么民众运动也塌台了。毛泽东同志总结大革命时期的经验，指出了“枪杆子里出政权”的真理。他认为半殖民地半封建国家的人民革命，和资本主义国家的无产阶级革命不同。在中国，对内没有民主制度，而受封建制度压迫；对外没有民族独立，而受帝国主义压迫。所以，人民主要的斗争形式是战争，而主要的组织形式是军队。当蒋介石匪帮背叛革命之时，中国共产党只有领导人民实行武装斗争，建立红色政权，才能打开革命的道路。毛泽东同志在八七会议以后，就到江西西部和湖南东部一带地区，领导两省的工人、农民和北伐军一部分举行了起义，成立了工农革命军，在井冈山区域，建立了湘赣边区工农政府，并开始了土地革命。以后又与南昌起义部队相会合，成立了中国工农红军第四军。在同一时期内，党在领导江西、湖南、湖北、广西等地的游击战争和土地斗争中，陆续成立了几支红军和几处革命根据地。这些红色军队和红色政权的建立，重整了革命阵容，威胁着蒋介石匪帮的统治，维系着全国革命人民的希望。

几支红军和几个小块的红色政权，在当时反动武力非常庞大的时候，诚然是很微小的，但它是新生的力量，必然要成长壮大起来。白色反动武力虽然庞大，却是腐朽的力量，必然要没落下去。这是马克思列宁主义的普遍真理。但当时党内一部分同志却怀疑红色政权能够长期存在。因此，毛泽东同志在1928年10月5日发表了《中国的红色政权为什么能够存在》的重要著作，坚定同志们的信心。这一著作，指出了红色政权能够存在的5个条件。第一，地方性的农业经济和帝国主义划分势力范围的分裂剥削政策，使得各个勾结帝国主义的新旧军阀之间互相火并。白色政权间的长期分裂和战争，就给革命力量以机会，使红色政权能够在白色政权的包围中坚持下来，并能得到发展。第二，红色政权存在的湖南、江西、湖北、广东等地区，工农士兵都受过民主革命的影响，他们组织过工会和农会，对地主资产阶级做过政治的经济的斗争，所以他们能支持红色政权。第三，全国革命形势继续发展，能使红色政权长期存在。第四，红军的存在和发展，可以保障红色政权。第五，共产党组织的有力量和它的政策的正确，能够保证红色政权的存在和发展。

毛泽东同志这一精辟的分析和论断，完全是根据当时中国特有的实际情况,从矛盾中、从发展中,综合全面,获得了的一个天才的独特的结论。这样的结论,也可以说是这样的科学预见,正是掌握与运用辩证唯物主义的结果。就是靠了毛泽东同志这样的科学思想和预见,中国革命在第一次国内战争失败以后才获得复苏与发展,以致造成今天这样伟大的胜利。

马克思和恩格斯在帝国主义以前的资本主义条件下得出结论说:社会主义革命不能单独在一个国家中取得胜利,它只能在一切或者大多数文明国家同时革命的条件下取得胜利。到了帝国主义时代,资本主义已由上升的变为垂死的了。这时,列宁发现了各资本主义国家在经济上政治上不平衡发展的规律,结果使得各帝国主义国家间的军事冲突成为绝对不可避免的事情,因而获得社会主义能够首先在一个国家内取得胜利的天才的结论。由于这一发现,列宁以新的理论丰富了马克思主义,发展了马克思主义,并以这个理论指导俄国的革命,建立了全世界第一个社会主义国家。

正如苏联十月革命,突破了帝国主义战线链条最薄弱的地方,取得了胜利,在其不平衡发展规律当中,建立了苏维埃政权一样;中国人民的革命,"因为有了白色政权间的长期的分裂和战争",也就"使一小块或若干小块的共产党领导的红色区域,能够在四围白色政权包围的中间发生和坚持下来"。同时,正如苏联的存在是全世界人民的灯塔一样,红色政权的存在是当年中国人民革命的灯塔。有了它,处于白色区域的广大人民,就能随时响应红色政权的号召,加紧斗争,扩大革命的势力。有了它,中国人民就能把武装斗争这个主要斗争形式与其他必要的斗争形式,在全国范围内,直接或间接地、有机地、灵活地配合起来。

所以,毛泽东同志关于中国革命中的武装斗争和革命根据地的理论是毛泽东思想的主要内容之一。这个理论是根据中国的具体条件而丰富了和发展了马克思列宁主义。

四

红色政权能够存在的条件之一,是"共产党组织的有力量和它的政策不错误"。"我们要打倒敌人,我们的队伍就要整齐,我们的脚步就要一致。兵要精，武器要好。如果不具备这些条件，敌人就不会被我们打倒”。当红色政权已经巩固而正在与强大的敌人蒋介石匪帮搏战的时候，党的布尔塞维克化的问题被提上了日程。因此，毛泽东同志综合第一次国内战争时期的党的建设的经验，针对当时党内的偏向，在 1929 年 12 月写成了《关于纠正党内的错误思想》的决议。这一决议的基本精神，是使党走上布尔塞维克化的道路，其内容可综括为下列四项：

第一，建立党的纪律。规定红军是执行革命的政治任务的武装集团，必须受党的领导。单纯的军事观点必须纠正。民主集中制是党的组织原则，极端民主化、绝对平均主义、非组织观点、个人主义、宗派主义等偏向必须纠正。

第二，马列主义普遍真理与中国革命具体实践之统一的理解。教育党员用马克思列宁主义的方法去做政治形势的分析和阶级力量的估计，以代替主观主义的分析和估计；使党员注意社会经济的调查和研究，由此来决定斗争的策略和工作的方法。主观主义和由它产生的机会主义与盲动主义，必须克服。

第三，党内要善于应用批评和自我批评的武器，巩固党的组织，增强党的战斗力量。但批评和自我批评要防止主观武断和庸俗化，说话要有证据，批评要是政治性的。

第四，联系群众。红军必须负担宣传群众、组织群众、武装群众、帮助群众建立政权以至于建立共产党的组织等项重大的任务，避免脱离群众、脱离无产阶级领导的危机。

总起来说，无产阶级政党——共产党，必须成为“一个有纪律的有马恩列斯的理论武装的、采取批评与自我批评方法的、联系人民群众的党”，能如是，才能够领导广大人民的革命取得胜利。

毛泽东同志这一篇著作，在党的建设上，是占着极其重要的地位的。它彻底揭发了那时存在于党内的各种非无产阶级思想的严重错误，明白地论证了那些思想对革命事业的危害，并进而提出纠正的办法；它把党的领导理论提到了应有的高度；它为党的正确思想打下了良好的基础；它的原理，自然而然地后来就发挥成为党的布尔塞维克化的思想体系。

列宁在其有名的著作《进一步，退两步》一书中，亦即在马克思主义历史中破天荒第一次阐明关于党的学说的时候，就曾经这样说：“无产阶级之能够

成为而且必然会成为不可战胜的力量，就只是因为它由马克思主义原则所造成的思想统一，有组织的物质统一把它巩固起来，这个组织把千百万劳动者团结成为工人阶级的大军。”毛泽东同志在当年发觉党内各种有害思想的时候，立刻提出“关于纠正党内的错误思想”的决议而加以纠正，这正是列宁的建党思想的有力发挥。在中国党的建设文献当中，毛泽东同志这一篇著作，是具有首要的特殊的历史意义的。

毛泽东同志自1926年至1929年所发表的《中国社会各阶级的分析》、《湖南农民运动考察报告》、《中国的红色政权为什么能够存在》和《关于纠正党内的错误思想》4篇著作，无疑地都是中国人民革命的千古不朽的文献。从这4个文献当中，我们很清晰地可以看到，在革命的当年，毛泽东思想即在不断地胜利中逐渐形成。显然地，《中国社会各阶级的分析》，建立了工人阶级领导的革命的统一战线的理论。《湖南农民运动考察报告》，确定了农民阶级是中国工人阶级最可靠的、最广大的同盟军，建立了工农联盟的理论基础。《中国的红色政权为什么能够存在》，说明了半殖民地半封建的中国人民革命，只有进行武装斗争，才能争取民族的与社会的解放；指出了武装革命只有先在农村建立工农政权和革命根据地，然后夺取反革命所占据的都市。《关于纠正党内的错误思想》，指示了党的布尔塞维克化的方针。统一战线、武装斗争、党的建设，是中国共产党在中国革命中战胜敌人的三个法宝，三个主要的法宝。而这三个主要的法宝，也就是毛泽东思想的伟大结晶。毛泽东同志早年发表的这四个文献，已经给这三个方面的重要问题奠定了基础。

关于中国革命的基本问题，斯大林同志在1926年和1927年，给了很多的重要的指示。他指斥了托洛茨基分子的左倾机会主义，根据列宁主义，考虑到中国民族特点与民族特殊性，考虑到中国经济、中国政治制度、中国文化、中国道德、中国传统的民族特点，分析当时中国革命的形势，指出中国革命是反帝国主义反封建主义的民主革命，而这个革命的领导者必须是无产阶级，而不是资产阶级，因为半殖民地的中国民族资产阶级是软弱的。他认为这一革命的最广大的同盟军是农民阶级，主张放手展开农村革命，农民卷入革命越快越彻底，则中国反帝国主义的统一战线，亦将越强大越有力量。因此，他主张为农民解决土地问题。他着重指出革命军队在中国的特殊意义，说中国革命的特点与优点，是武装的革命反对武装的反革命，因而主张中国共产党人应特别注意军队中的工作，要在革命军队中占据领导职位，以保证革命的前进。至于中国未来政权的性质，他认为是类似于工农民主专政以反帝国主义为主的政权，这将是走向社会主义的过渡政权。斯大林同志这些重要的指示，总起来说就是：中国革命是工人阶级领导农民阶级、小资产阶级、民族资产阶级反帝国主义反封建主义的民主革命，这个革命，要用武装的革命反对武装的反革命，建立走向社会主义去的过渡政权。这些指示，是百分之百正确的（也是后来中国革命的实践所证明了的）。当时陈独秀派机会主义领导集团，不能也不愿执行斯大林的指示，终于招致了大革命的失败。

斯大林在1926—1927年所作的关于指导中国革命的各种文献，如陈伯达同志在《斯大林与中国革命》一文中所说，曾经在很长的时候，即在1927年以前及其以后的一个时期，被机会主义者有意或无意地阻碍其在中国党内的传播，又因为文字的条件和反革命的隔离，以致毛泽东同志及其他许多同志不能有系统地阅读斯大林的著作。“但虽然这样，毛泽东同志在许多根本问题上，却能根据马、恩、列、斯的革命基本科学，以自己独立的思考达到了与斯大林相同的结论，因而保持了自己和他的战友们的正确。”这正足以表示毛泽东同志马克思列宁主义的高深的造诣和伟大的革命天才。

（原载1951年8月30日《人民日报》，署名李达）

纪念九三，要向美帝国主义清算，斗争！

（1951.9）

一

今天是9月3日，是中国人民及其他有关国家的人民战胜日本帝国主义的纪念日。在6年前的今天，侵犯中国、侵犯东南亚各国的凶恶的日本帝国主义，在全世界人民强大威力之下，宣布投降了。这个日子不是容易到来的。这是中国人民经历了八年抗战，毁坏了无数的田园和家屋，牺牲了无数的头颅和热血，才换来的；这是东南亚各国人民，像中国一样，组织革命武装，发动游击斗争得来的；这是伟大的友邦苏联，以强大的红军出兵东北，摧毁了日本帝国主义"作战的后方"所造成的。没有中国人民的"持久战"，不经过中国八年的长期抗战，不能在战争中消耗了日本帝国主义的物质力量和兵力，不可能造成当年的胜利；没有东南亚各国人民，像中国一样地、普遍地发动游击战争，拖着日本帝国主义的后腿，使它陷于"战争的泥沼"，也不可能造成当年的胜利；没有苏联出兵东北，以排山倒海之势，攻占了日本帝国主义"战略据点"的东北，消灭了"关东军"，使其失掉了作战的屏障，更不可能造成当年的胜利。

我们知道：在当年中国人民开始进行抗日战争的时候，美帝国主义是"扶日"的，他不仅不帮助中国，而且每年都供给日本很多的军火和物质。那时在全世界敢挺身而起，帮助中国抗战的，只有苏联，苏联不求丝毫回报地供给了中国一些飞机大炮，并帮助了不少的空军战斗员和其他的军事人员。及至1941年太平洋战争发生了，美帝国主义这才很狼狈地被迫作战，由珍珠港被袭，到菲律宾失守，一直到南洋各地的沦陷，美帝国主义在战场上所表现的，一直是节节败退，消极抵抗。后来苏联出兵东北了，日本帝国主义表示要投降了，战争将要胜利地结束了，美帝国主义就恰在这作战尾声当中，看准了有机可乘，在日本广岛长崎投下两颗原子弹，借以炫耀世界，盗得战争成果，这就是美帝国主义在当年对日作战整个过程中自始至终的一般真实情况，这就是美帝国主义在当年对日作战一副卑鄙龌龊的嘴脸。

所以，我们必须特别明确：当年对日作战的胜利，不仅不应该为美帝国主义所侵吞、所独占；相反的，它应该是特别属于中国人民，属于东南亚各国人民和苏联。而“九三”胜利纪念日的光荣，也不仅不应该为美帝国主义所强行盗取；相反地，它乃是牺牲最大、贡献最多和对战争胜利起了决定作用的中国人民、东南亚各国人民和苏联的光荣。

二

当年的对日战争，谁都知道是正义的。这正义完全是因为它是反侵略、反法西斯战争，而不是帝国主义分赃的战争，或帝国主义企图盗取战争成果的战争；这正义完全是因为他要通过这一战争消灭侵略，打倒一个帝国主义，而不是换来另一侵略，或让希特勒在东方“借尸还魂”。这是当年全世界人民共同知道的作战目的，这也是战争中和战后一切国际协定与宣言所规定了的，这更是今天全世界人民一致深信不渝的真理。

但六年来美帝国主义在对日问题上的一切措施，却完全违反了这一作战目的，竟将自己签过字的一切宣言和协定，扯得粉碎；它违反了国际信义，做尽了一切破坏协定和危害人民的事情。

在战后，对日本“解除武装和废弃军备，乃军事占领之初步任务，应迅速而决然地予以完成”。但美帝国主义所做的，却完全相反，而是以扩充警察达21.8万余人（战前仅6.1万余人），保留了日本的陆军；以“海上保安队”的名义，保留下了日本的海军；借“航空保安厅”名义的掩护，保留下了日本的空军。

在战后，对日本“一切战犯，包括虐待战俘及联合国各会员国之人民，应严加审判”。但美帝国主义所做的，是迟迟不逮捕，不加惩治。即在民情沸腾下不得不给予逮捕的，在狱中反赐予优待，最后是一批一批的释放，像侵略中

国领土、屠杀中国人的刽子手，西尾寿造、多田骏、谷正之，以及冈村宁次等都已释放了。

在战后，对“日本军事力量之现存经济基础必须摧毁，并不准其复活”。但美帝国主义所做的，是对日本军事工业迟不查封，即在查封的845家当中，没多久就发还了685家，并且满满地都开工了，恢复了军火生产。

在战后，对日本应当准其“参加世界贸易关系”，尤其必须在“先满足曾经参加对日作战各国人民需要条件下”进行。但美帝国主义所做的，是一手包办日本贸易，不准其单独与其他国家来往。

在战后，对日本应当“从速树立一民主和平之政府”，并且“此项政府应依日本人民自由表达之意志而建立之”。但美帝国主义所做的，是一味地玩弄着一个吉田反动政府，反民主、反和平。不仅日本人民自由意志不得表达，而且身家性命都受着无限的迫害。

在战后，对日本应当将其掠夺或强买的中国人民或其他国家人民的财产“应迅速悉数归还”。但美帝国主义所做的，是佯作不知，使着不放；或据为己有，满载而去。

在战后，对日本应当将其所窃取中国之领土，如台湾、澎湖群岛等归还中国；库页岛南部及千岛群岛交还苏联。但美帝国主义所做的，是迟迟不交出，或强行霸占。

在战后，对日本应当是“在于制止及惩罚日本之侵略，决不为自身图利，亦无拓展领土之意”。但美帝国主义所做的，正是变日本为其殖民地，把美国国界划到中国大陆上。

总上一切，无一不显现着美帝国主义反国际协定，做尽了一切危害人民的事情。这些事情，当此“九三”胜利6周年纪念日之时，当此美帝国主义正操纵对日和约之时，我们必须向它清算。在全世界人民之前，在各个爱好和平具有正义的国家面前，向它清算！

三

就在这胜利纪念日的次一天，也就是明天，美帝国主义竟然排斥中华人民共和国在外，在旧金山强制召开对日合约会议了。让全世界的人们来看啊，让全世界公正人士来想一想啊，对日和约的准备、拟制和签订，如果没有代表牺牲大、贡献最多的五万万人民的中华人民共和国的代表参加，那还能是个会吗？那还能是合法的吗？那还能有效吗？我们想想，除了美帝自己丧心病狂，硬闭上眼睛不看这一真理和事实以外，全世界每一个人民都会看得很清楚的。所以我们坚决拥护周外长代表全中国人民的声明，即“将于9月4日由美国政府强制召开，公然将中华人民共和国排斥在外的旧金山会议，是一个背弃国际义务，基本上不能承认的会议”。

尤其可耻的是，美帝国主义在长期拒绝实施波茨坦协定的原则以拖延对日和约准备之后，最近经一手包办，在英帝国主义附和之下，竟擅自制定了《对日和约草案》。这草案公然将战争期间规定为：“由1941年12月7日起至1945年9月2日止，而将1941年12月7日以前中国人民独立进行抗日战争那一段时期完全抹杀”；这草案公然“将台湾和澎湖列岛归还中华人民共和国及将千岛群岛和库页岛南部及其附近一切岛屿交与和交还苏联的协定，却一字不提”；这草案公然企图在狡猾的词句下，避谈“关于赔偿问题”；这草案公然“在安全和政治条款上，对于日本军队没有任何限制，对于残存的和复活的军国主义的团体没有规定取缔，对于人民民主权利没有没有任何保障”。这叫什么对日和约？“实际上这是一个准备新的战争的条约，并非真正的和平的条约”。这也真称得起是美帝国主义一手排定的“花旗牌的对日和约”。这合约草案让我们觉到的，统统是有利于美帝国主义自己的、片面的、单独的、充满了火药气息的肮脏东西，根本上没有一点和平气息，所以我们坚决拥护周外长代表全国人民的声明，即“美英两国政府所提出的对日和约草案，是一件破坏国际协定，基本上不能被接受的草案”。

美帝国主义之所以制定这样的合约草案，并强制召集旧金山会议，是有它的阴谋的。它企图通过这一举动，公开的武装日本，并把日本变成为它的殖民地和侵略亚洲的军事根据地；它企图借此再进一步地缔结“美日军事同盟”，使日本做它的侵略的有力的帮凶；它企图由此立刻扩大，在早已秘密制定的美国、澳大利亚、新西兰的所谓三边安全条约的掩饰下，组成新的侵略集团，以镇压东南亚各国人民的革命势力和侵略新中国与苏联。美帝国主义这一连串的

狂妄无耻阴谋，早在杜勒斯的嘴里吐露过，也完全显现在这次制定的合约草案和召集旧金山会议的目的上，我们必须揭穿它这一连串的阴谋，粉碎它这一连串的阴谋。站立起来了的中国人民，不能让美帝国主义这样横行无忌，中国人民有权利和义务，阻止美帝国主义侵略势力的这样野蛮的扩张。

四

毫不偶然地，在美制的《对日和约草案》公布以后，果然在全世界就掀起了普遍的指责声和反对声，尤其是东南亚各个国家。这些国家都亲身受过日本帝国主义的迫害，毕竟不能完全听从美帝国主义的愚弄与欺骗。它们一致对美制的合约草案表示不满，政府发表声明或建议，报纸纷纷发出批评社论。有的这样指出说："签的合约是东南亚各国及日本的邻国所不能接受的，该合约完全是保障美国在远东的利益。"更有的这样指出说："美国和英国把联合国当作它的私产，随意摆布，民主世界对于这种情形已经渐渐感到有点不耐烦了。"所以像印度缅甸这些国家，直率的通知美帝不参加这样非法的对日和会。

即在帝国主义内部，也掀起了很多的指责声和反对声，英国工党政府现在正因此遭受了人民的攻击，法国人民也喊出了反对的呼声。

在日本，日本人民同样地和世界人民站在一起，坚决地反对在美帝国主义操纵下，缔结片面的，准备拿日本人民做美帝国主义炮灰的美制的对日和约，它们和我们一样地争取全面的对日和约。

总之，帝国主义愚弄世界人民的时代过去了，凶狠的阴谋与非法的条约，在人民面前永远是不能通过的。站立起来了的中国人民，在伟大领袖毛主席领导之下，更有着新的认识与觉悟，今天适在抗战胜利 6 周年纪念日，又适逢美帝国主义正在玩弄着一套美制的对日和约，这无异于给我们一个新的政治斗争任务，这任务就是我们每一个中国人民，首先必须在思想上动员起来，主动地参加这一斗争，在每个人具体的工作岗位上，用革命的行动保证这一斗争的胜利。最后让我们高呼：

纪念"九三"，要反对美英单独制定的对日和约！

纪念“九三”,要拥护周外长的对外声明!

纪念“九三”,要争取全面的对日和约!

纪念“九三”,要向美帝国主义清算,斗争!

(原载1951年9月6日湖南大学校报《人民湖大》第70期,署名李达)

再论武训是个反动派

——读了《武训历史调查记》以后

(1951.9)

6月间,全国初步展开电影《武训传》讨论的时候,我曾写过一篇短文——《武训是个反动派》,发表于《长江日报》和《新湖南报》。同时,在《新建设》杂志上谈到思想问题时,也曾有两次涉及电影《武训传》的批判。但当时所根据的材料,也就是许多人所引用过的材料。那些材料都记载着武训是个穷人出身,为了使穷人得到读书机会而行乞兴学。根据那样的材料去做批判,只能局限于乞丐通性的分析,指出武训行乞兴学的反动效果,说明他如何以非人性的行为,骗取钱财,终于变成了大债主和大地主的事实。因为这个批判不够全面,不够深入,就留下了一个缺口。例如我说:武训"容易使人感到奇怪的地方,就是拿所弄的钱财去办了义学。但他办义学的动机,是由于他做穷小孩时得不到读书机会,所以立志要办义学收容穷小孩读书;而其目的,是在于使穷人也能坐八抬轿,爬上统治阶级的地位"。这批判虽没有肯定他的动机是好的,但批判所根据的材料,是出于那些做武训传记的人的虚构,这是《武训历史调查记》所纠正了的。

根据《武训历史调查记》,武训生在贫农家庭,幼年曾随母亲要过饭,因而养成了不劳而食的游民习惯,觉得讨饭比劳动来得轻松。成年以后,他虽曾在李变征家做过一年的轻微劳动,却连豆子和棉花都分不清。他对于这类轻微的劳动,都感到厌倦,感到不自由,觉得"不如讨饭随自己"的好。于是他拒绝了母亲和哥哥的劝阻,决心干乞丐的勾当,叛离了自己的阶级。他虽是贫农,但在他自己的名下,还可以分得四亩地,只要肯努力耕种,该不至于饿饭。他偏不肯劳动,而宁愿去做乞丐。一个身强力壮的20岁的青年,"腰有案板那样粗”，行乞时怕人家笑骂他不肯施舍，他便“装疯卖傻”来掩饰他的卑劣行为。以后他更异想天开，打起“兴义学”的招牌，作为行乞的手段。由此可见，那些武训传记所说武训为兴学而行乞的话，只是一种捏造。

当武训要流氓手段行乞的次年，当地兴起了宋景诗所领导的农民革命的黑旗军。武训对于这一革命不但不肯参加，而且倒在与黑旗军为敌的柳林镇恶霸地主的阵营里，成了人民的敌人。他一心一意做流氓头子，把用流氓手段弄到的钱财去放高利贷。他放债比一般地主豪富还要厉害，利息必定要三分，要“驴打滚”，“认钱不认人”，要“够三辈”的人使，富人却可减息为二分二，“穷的使，富的保”，还不起债就立刻没收欠债人的房子，或者夺去家具。他买的地，单只在堂邑、馆陶和临清三县，就买了三百多亩。买的时候，都是乘人之危，从农民手里夺来的，土地一到他手之后，便用种种苛刻条件进行剥削，并假借与官府勾结的特权，比一般地主的剥削还要毒辣。

51 岁那一年，他已是积有一万多吊钱的大债主和大地主了，却还不肯兴学。小地主郭芬不相信他真能兴学，特地质问他，他推说“没地盖房子”。郭芬偏赌气捐块地基给他，他向郭芬磕个头走了，也不曾说起兴学。一直等到大恶霸杨树坊和他谈起兴学的话，他不得已才和杨树坊合办那所崇贤义塾，其实他早已成了大地主，难道连一块盖房子的地基都不能买么？这可见他并没有兴学的诚意。假使郭芬不捐地基，杨树坊不对他施点压力（因为武训大部分钱财由杨树坊掌管着），那义学是不会办起来的。这正是所谓“刘备招亲，弄假成真”。但他却因此得到满清皇朝的赏识，终于以大地主而兼充统治阶级的一名小卒。这于他可说是名利双收了。

不但所谓武训“为兴学而行乞”的话是假的，就连所谓“为穷人办义学”的话也是假的。那所崇贤义塾中的老师都是些举人翰林，教的是“三纲五常，君臣父子”；所招收的学生都是些能作全篇八股文章的地主商人的子弟，穷人是不能进去的。这完全是为地主商人服务的义学，实与穷人无关（武训死前一年，那义学为适应商人的要求，虽曾开办过蒙班，但穷人子弟入学的很少，还要为老师送礼，甚至穷小子因为送不起礼而挨打，并且这蒙班只办了四年就停办了）。

歌颂武训的人说武训有“孝行”和“苦行”，也不是事实。武训要流氓手段行乞不久，就已积有高利贷的资本，而对于穷苦的母亲，从不曾予以接济，他35岁那一年，母亲死了也不回去，假说是“没有哭钱”。这种人有什么孝行?!他虽不曾娶过妻，却认拜了许多年轻寡妇做干妈，吃她们的奶子，还曾和干妈生过儿子。这算是什么“苦行”?!

根据《武训历史调查记》，武训只是披着乞丐外衣的大流氓、大地主兼高利贷者，是封建秩序的顽强的拥护者。我们说他是个反动派，是不会错的。

《武训历史调查记》，对于武训其人其事，提供了证据确凿的宝贵史料，给予了一个“不能翻案的论定”。我们阅读了这一史料，除了完全可以认识武训的真面目以外，同时深刻地理解到认识问题时“实践”的必要。《实践论》中“真理的标准只能是社会的实践”这句名言，从这里更得到辉煌的例证。

毛主席说：“没有调查，就没有发言权”；又说：“要了解情况，唯一的方法是向社会做调查，调查各阶层的生动情况。普遍的调查是不可能的，也不必要的，有意识有计划的抓住几个城市，几个乡村，用马克思的根本观点——阶级分析的方法，做几次周密的调查，乃是了解情况的最基本方法。”①“武训历史调查团”的工作，正是执行了毛主席这一指示；《武训历史调查记》的记述与批判，正是运用了“马克思的根本观点——阶级分析的方法”。这标志着中国人民在伟大的毛泽东思想的领导下，开辟着史学研究的新道路，我们要在这新道路上努力学习，向前迈进！

（原载1951年9月14日《长江日报》，署名李达）

① 《〈农村调查〉序言二》。

怎样学习党史[*]

（1951.9）

一、学习党史的重要性

中国共产党的历史，是领导工人阶级与广大人民争取解放的斗争历史，是马列主义普遍真理与中国革命实践日益互相结合的历史，是毛泽东思想的形成、发展及其指导革命百战百胜的历史。

中国共产党自1921年成立，到现在整整30年了。30年来，党自始就领导着中国人民，向帝国主义、封建主义和官僚资本主义进行着坚强的斗争。党的历史说明：中国革命的道路是曲折的、复杂的，有其特自的发展规律。党在30年的斗争过程中，通过经济、政治、军事、文化各方面的斗争，通过"统一战线"、"武装斗争"、"党的建设"各项工作，前仆后继，百折不回，终于战胜了帝国主义、封建主义和官僚资本主义，解放了中国大陆，建立了中华人民共和国，这真是中国人民史无前例的第一件大事。中国人民革命这样伟大的胜利，完全是归功于中国共产党的英勇奋斗与毛主席的正确领导。"没有共产党，就没有新中国"，这已成为全国人民一致的定评了。

中国人民革命的伟大胜利，说明了中国共产党是一个有着高度马列主义修养，有着丰富斗争经验，有着毛泽东思想指导的伟大的政党。它的的确确是"一支生气勃勃、智勇兼备、百战百胜"的政党。对这样一个伟大政党的历史，全中国人民都应该认真地来学习。只有通过这样的学习，才可以体会到党的

---

* 本文第一部分曾以"我们为什么要学习党史？"为题发表于1951年11月9日湖南大学校报《人民湖大》第74期。——编者注

光荣、正确而伟大：只有通过这样的学习，才真正能认识到中国社会发展的规律和中国革命发展的规律。同时，只有通过这样的学习，才真能学习到毛主席如何应用马列主义的普遍真理决定中国革命的总路线？如何分析各阶段的革命形势，提出问题、解决问题，指示斗争的策略，使革命事业能够顺利发展？如何在复杂的形势中，展开两条战线的斗争，克服"左"右倾机会主义、教条主义与经验主义的偏向，保持党的正确领导？因而能使我们提高马列主义毛泽东思想的理论水平，在政治上和工作上不致冒犯错误，能够担负起新国家的革命与建设的任务。

对一些较老的党员同志说来，学习党史，是极有意义的，借此回忆过去斗争的历史，以今天提高了的思想水平，检查当年的思想和行动。正确的，合乎革命规律的，把它很好地巩固起来；不正确的，错误的，深刻地给予分析批判，这样自能把自己思想再度提高，把自己工作能力和领导能力再度加强。这样自会教育自己增强革命信心和不再重复历史的错误，这对于革命，对于党，对于人民，都是有好处的。

对于一些新的党员同志说来，学习党史，更是极有意义的。因为这些同志毕竟缺乏早一期革命实践的经验；或者在入党之后，即长期投入紧张战争环境或白色恐怖的地下环境中工作，很少有系统地对党史进行学习，以致对党的认识不够充实，做起工作来，有时则难以达到应有干练的地步。如今学习党史，在丰富的党史教材中，在伟大的革命史事的感召下，使自己认识到党是经过无数的曲折、复杂、艰苦斗争，才获得今天这样的胜利，从而提高阶级觉悟，培养革命斗志，增强胜利的信心，所以，认真学习党史，是极其必要的。

对一些非党员而愿为共产主义事业奋斗的，乃至全中国人民说来，学习党史，也是非常重要的。30 年来，中国共产党的奋斗历史，不仅显示着中国革命的道路，而且也显示着中国人民的伟大智慧、高贵品质和勤苦、朴实、勇敢、善战的精神。从这里不仅可以学习到中国革命的理论、毛泽东思想，而且也可以学习到无数的英模事迹，鼓励着革命的信心和勇气。我们知道：中国人民都庆贺今天这样的胜利，都热爱自己的祖国，都热爱自己的人民，但追忆人民这种胜利是不易得来的。学习党史，即可帮助我们了解祖国人民真正伟大的所在，即可帮助我们了解祖国人民在中国共产党的英明领导下，30 年来，有无数的可歌可泣的英勇事迹。因而使我们更坚定地意识到：中国人民为要获得彻底解放，为要发挥中华民族的优良传统，从胜利更走向胜利，就必须“永远跟着毛主席走”，“永远跟着共产党走”！

总之，在今天胜利的中国，大家学习党史，都是很必要的。尤其在当前抗美援朝、土地改革、镇压反革命和进行各种建设的伟大任务之下，中国人民的革命工作，并不是比取得胜利以前减少了，单纯了，而且更加繁重与复杂了。工作任务之多有如海浪，前浪未落，后浪又起；工作进程之速有如赛跑，跌了下来，赶不上去；工作任务和时间都不允许我们再像过去一样对每件工作摸索前进，反复实验，不允许我们跌了跤子再站起来了。这样，学习党史，深切地吸收过去的经验，学习毛主席当年在每一历史阶段的工作方法和领导艺术，从而培育自己对新鲜事物的高度敏感，有预见性，这对于革命事业，是极其有益的。

二、学习党史必读的几篇重要著作

学习党史，首先要解决的是读物的问题。今年七一前后，毛主席和党的许多领袖们，发表了好几篇重要著作，其中胡乔木同志所作《中国共产党的三十年》和陈伯达同志所作《毛泽东思想是马克思列宁主义与中国革命的结合》，应该是学习党史的基本读物。我们应当先学习这两篇基本的读物，把它们当成学习时自始至终的一个基本的提纲，随时结合各个历史阶段中毛主席当年的著作，再配合其他领袖们在七一所发表的有关论文而进行有计划的学习。

“中国共产党30年”，是按照年代的顺序，说明党的成立、发展及其领导中国革命斗争的过程；说明毛泽东思想的形成、发展及其领导全党、工人阶级和广大人民“向帝国主义侵略者及其走狗英勇奋斗，通过许多艰难曲折，克服自己队伍中各种机会主义倾向和各种错误缺点，终于战胜敌人而取得胜利”的过程。乔木同志把党的30年，划分为4个时期，对于每一个时期，都有扼要清晰的叙述与说明，最后还有一个总结性的分析。学习了这一著作，当可深刻地理解到党的历史是光荣的、正确的、伟大的。

其次，陈伯达同志的著作，是论证毛泽东思想是马克思列宁主义在半殖民地中国革命中的应用与扩张，是马克思列宁主义的发展。这一著作综合毛泽东同志的一切著作和他指导中国革命的路线与策略，系统地阐明了毛泽东思想的精神实质，表明了毛泽东思想是在中国革命的实践中，在反对党外的反动思想与党内的各种偏向的斗争中锻炼出来、成长起来的。毛泽东思想的每一个组成部分，如关于中国革命是无产阶级世界革命一部分的学说，关于无产阶级领导农民及其他革命阶级的学说，关于从农村革命根据地到全国的革命胜利的学说，关于团结资产阶级而又联合又斗争的学说，关于从民主革命到社会主义转变的学说，关于党的建设的学说，——这一切都是列宁斯大林关于世界革命与中国革命的指导理论的发展，并且还做了光辉的独立的补充。学习了陈伯达同志的这一著作，当然可以深切地领会到 30 年来中国共产党领导着广大的中国人民争取解放的道路：更可以体会出党史就是毛泽东思想指导中国革命百战百胜的历史。

进行了以上两篇基本读物的阅读与钻研，最要紧的是进一步结合毛主席在每一时期的著作进行学习。毛主席自 1926 年到 1935 年的著作，最近在报上发表出来的已有 7 篇。这 7 篇著作，都是有关中国革命问题的经典著作，都是中国革命史中的辉煌文献，每一篇都刻画着中国革命的道路，和标志着当时革命的方向。

1926 年所写的《中国社会各阶级的分析》和 1927 年所写的《湖南农民运动考察报告》，是毛泽东思想的最初的表现。前一著作，对于中国社会各阶级做了马克思列宁主义的分析，奠定了中国革命的最根本的路线，即无产阶级领导农民阶级、小资产阶级和民族资产阶级的统一战线。后一著作，用“马克思主义的观点——阶级分析的方法”，研究了农民革命问题，指出农民阶级是革命的最可靠的广大的同盟军，建立了工农联盟的理论基础，对于后来的土地革命政策、武装斗争和农村政权根据地的政策，已经指出了一个轮廓，这两篇著作，同是大革命时期中国共产党的布尔什维克路线，是马克思列宁主义与中国革命的结合。

1928 年所写的《中国的红色政权为什么能够存在?》和 1930 年所写的《星星之火，可以燎原》这两篇著作，发展了列宁斯大林关于世界革命与中国革命的学说。指出了中国革命的特点与优点，是武装的人民反对武装的反革命。说明了半殖民地中国人民的革命，只有进行武装斗争，才能争取民族的与社会的解放；只有先在农村建立红军与红色政权根据地，由农村包围城市进而夺取反革命所占据的城市,才能取得胜利。这完全是具体地应用马克思列宁主义,从矛盾中,从发展中,综合全面所得到的科学结论。30 年来党的革命史,证明它是完全正确的。

1929 年所写的《关于纠正党内的错误思想》和 1934 年所写的《关心群众生活,注意工作方法》,这两篇著作,是列宁斯大林式的建党理论,是党的布尔什维克化的指针,这为后来一系列地整风建党打下了极良好的基础。

1935 年写的《论反对日本帝国主义的策略》,这一著作,是在“九一八”以后指出当时政治形势的特点,指出党的基本策略任务——建立广泛的民族革命统一战线。通过这基本策略的决定与实行,促成了中国人民坚持了八年抗战,终于战胜了日本帝国主义。所以,毛主席的这篇著作,更是富有历史意义的革命文献。

综上 7 篇著作所说明的主要内容,是统一战线、武装斗争与党的建设,这三件是党的主要的法宝;同时也就是毛泽东思想的基本的组成部分。当我们学习第一次和第二次国内革命时期的党史时,必须结合学习毛主席的前 6 篇著作;学习抗日时期的党史时,则又必须结合学习第 7 篇著作,必要时也要参读《新民主主义论》和《论联合政府》。至于学习第三次国内革命战争时期的党史时,参读毛主席《论目前形势与我们的任务》和《论人民民主专政》等著作,也是有必要的。

此外,七一前后党的一些领袖们所发表的论文,也是值得参考的。譬如学习到中国革命在世界上所发生的影响时,就要学习陆定一同志所作的《中国革命的世界意义》。学习到在党的领导下新中国的成就时,就要学习陈云同志所作的《中国共产党领导着国家建设》。学习到解放军建军的历史及党的武装斗争的历史时,就要学习朱德同志的《中国人民怎样击败了美帝国主义武装的蒋介石反动派》、陈毅同志的《学习毛主席的马克思列宁主义的创造作风》和聂荣臻同志的《中国人民怎样战胜了日本法西斯侵略者》。

三、学习党史的方式与方法

学习党史的方式与方法,是进行学习时的一个具体的问题。因为不论在

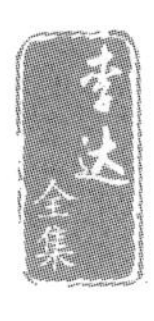

党员与非党员之间，或在任何机关，部门，工厂，学校内，学习的人员或同学，文化程度与政治水平各不相同，学习的方式与方法，就必须根据不同的情况出发。

具有高级文化理论水平的党员干部的学习，应当划为一组。学习过程中以自学为主，讨论为辅。在自学中应该根据集体拟定的学习提纲，深入钻研。阅读的文件也无妨多一些。学习的重点，应当是根据党的30年来具体的、丰富的、生动的奋斗史实来学习中国革命的基本原理和革命斗争规律，学习每一个时期党的策略路线问题。在这里反对脱离党的斗争史来空洞地推论政治原理，同时也反对单纯地追述事实而不加分析。“理性认识依赖于感性认识，感性认识有待于发展到理性认识，这就是辩证唯物论的认识论。”①我们学习党史，当然只有应用辩证唯物论的立场、观点与方法，才能学习好；同时，也就是只有应用毛主席给我们的思想武器——《实践论》，才能学习好，这是在学习过程中要时时刻刻掌握住的。还有，中国共产党30年来斗争的历史，从城市打入农村，从农村又包围城市，走进城市；经过了文化战线、经济战线、政治军事战线多方面的斗争，终于战胜帝国主义及其走狗，取得了伟大的胜利。这期间历尽艰难曲折，其斗争知识与经验是丰富无比的。在这一点上，党史可以说是蕴储了中国人民智慧的总汇，可以说是斗争知识的锦囊。可是，对这样一个伟大的史实，因为过去我们忙于战斗，没有时机把它编纂出来，今天仅仅是注意的开端，学习的开始。因此，一般具有高级文化理论水平而又有着一些斗争经验的党员干部，在学习党史的过程中，无形中就担负着搜集资料提供资料的义务。因此，学习时，要做笔记，要写心得，而且要认真负责，联系思想实际，运用批评与自我批评的武器，保证写得好，这样对于自己思想理论水平的提高，是极有帮助的，而对于革命事业，更是有益的。

具有普通文化理论水平的党员干部的学习，也应当划为一组，学习的过程中同样以自学为主，讨论为辅，不过仍得要听报告，讨论的次数也可能增多。在自学中应该照学委会规定的学习提纲，阅读文件。学习的重点，应该侧重从党史的丰富史实中，彻底认识中国革命的特点及其宝贵的经验教训，从而能够

---

① 《实践论》。

抓着中国革命的规律,学会了“从感性认识而能动地发展到理性认识,又从理性认识而能动地指导革命实践”的思想方法与工作方法。党史对这些同志说来,是极好的马列主义教材,党史才是活生生的马列主义,行动中的马列主义。我们从党史所载毛主席历年的著作当中,每一处都可以学习到辩证唯物主义、历史唯物主义和其他一切革命知识;学习到与实践密切相连、切实解决问题的活生生的马列主义,行动中的马列主义。

文化理论水平较低的党员与工作干部的学习,也应该划为一组。学习的过程中,上课或听取报告是主要的方式,但亦必须结合自修与适当的集体讨论,因为单只上课听报告,不经过自己深思钻研,还是不够的。学习的重点应该是结合党史的一般知识,侧重在彻底认识党的性质和党的基本策略与任务,从而提高阶级觉悟,加强对党的认识与信仰。我们知道:一直到现在,有许多工农干部,虽然为革命做了些事情,但对党的认识还是缺乏的。有的农民干部,因为长久居于农村,单纯地仅仅看到了农民参加党为革命工作的一面,就误认为“共产党是农民的党”;另有工人干部,因为在反动统治时代,常看见学生游行示威,就误认为“共产党也是学生的党”。所有这些认识模糊的现象,都需要通过学习党史把它纠正过来。要求正确认识中国共产党是工人阶级的政党,要求认识党是在什么情况下产生的,它在30年来怎样代表着工人阶级,领导着广大中国农民、小资产阶级和民族资产阶级向反动派作斗争;并且更要求认识党将怎样领导着中国人民走向未来远大的胜利,从这些学习重点中,以培育和巩固他们对党的革命事业坚定的信仰,和对新民主主义建设事业胜利的信心。

最后,非党员干部的学习,在现在一般地还未展开,但也是很需要的。这种理由,前面已经说过。展开这种学习时,主要地在方式上也要照顾到文化水平。文化水平较高的,一般均具有自行阅读的能力,这当然就减少了辅导的功夫;一般文化水平较低的干部,自行阅读的能力很差,这便需要加强辅导的工作。但一般地说来,非党员干部的政治水平,却是比较低的,这样在学习过程中,就必须多听报告,加强领导。我们知道:党史不是普通历史,它不是单纯的书本子知识,它是行动中的马列主义。假如一个没有相当的政治水平而单只具有文化水平的人自修党史,或自名“研究党史”,那是一定要发生偏差的。

所以,在全国党员普遍开展学习党史的热潮中,帮助非党员干部用端正的态度学习党史,乃是首要的工作。

四、学习党史的目的与要求

学习党史,必须明确学习的目的,同时在学习的过程中,也必须根据不同的文化理论水平,掌握住不同的要求。但一般地说来,在今天初步开展学习党史的时候,不论是党员与非党员,不论文化理论水平的高低,总的目的与要求,应该是这样的:着重在彻底认识党的性质;学习党在领导中国人民艰苦斗争中的宝贵经验,学习毛泽东同志在每个时期为中国革命所规划的策略与路线,从而领会革命的艰苦过程,认识党对中国人民的伟大贡献;坚定对党对毛主席的更深的信仰,坚定对中国革命与建设事业更大的信心。围绕着这样的目的与要求,在学习的过程中,至少应该掌握着下列两点:

第一,学习党史,不是单纯地向后看,正是向前看,正是为着将来。工作要有计划,领导要有预见,这是谁都知道的。斯大林说过:“领导的艺术是一件严重的事情。不可落在运动后面,因为落在后面,就是脱离群众。可是,也不可跑得太前,因为跑得太前,就是丧失自己与群众的联系。谁愿意领导运动,同时又愿意保持自己与千百万群众的联系,那他就应该进行两条战线上的斗争:既反对落在后面的分子,又反对跑得太前的分子。”①在我们的党史中,30年来,毛主席的领导永远是具有科学的预见性的,他是根据时间地点与条件提出问题,解决问题,并且不断地与革命阵营内“落在后面的分子”和“跑得太前的分子”做斗争。我们学习党史,就是要学习这些,就是要从这些宝贵教训中,培养我们的历史唯物主义的观点,培养我们工作的计划性和领导的预见性,并且为了“在政治上不犯错误,便要向前看,而不要向后看”。党斗争了30年,取得了今天这样伟大的胜利,但这“只不过像万里长征走完了第一步,残余的敌人尚待我们扫灭,严重的经济建设任务摆在我们面前”。现在正在进行着抗美援朝、土地改革和镇压反革命的三大政治运动,今后要大力进行新民

① 《胜利冲昏头脑》。

主主义建设,逐渐地向着社会主义共产主义前途迈进。像这样伟大的历史任务,对于一个党员的工作要求更为重大而迫切,对全中国人民的要求也是很大的。所以,现在我们学习党史,是党对我们的启发,绝不应当是引起安乐与麻痹,相反地,是加倍努力。尤其是新中国的一切,都在飞跃式的前进,倘如自己不能站在群众的前面,便必然为群众所遗弃,这是在学习党史当中,要时时刻刻加深体会与警惕努力的。

第二,在学习党史过程中,为了要确实地做到使自己思想提高,就是要联系实际,联系自己的思想和行动去学习。反对不开动脑筋,而空谈理论地去学习。党史是中国共产党人领导着中国人民斗争的历史,是革命实践的历史。在这里边,不仅完全包括了在各个阶段对反动派斗争的策略与路线,同时亦完全包括了各个时期对党内"左"右倾机会主义思想斗争的事实。斯大林特别指出过:"党是靠清除自身中间的机会主义分子而巩固起来的。"①刘少奇副主席更这样具体地指出过:"不管是由非无产阶级出身的新党员,就是老党员以及由无产阶级出身的党员,锻炼与修养都很重要。因为我们共产党不是天上掉下来的,而是从中国社会中产生的。""一个比较幼稚的革命者,由于他:(一)是从旧社会中生长教养出来的,他总带有社会中各种思想意识及成见习惯的传统之残余;(二)他还幼稚,没有经过长期的革命的实践,因此,他还不能真正深刻地认识敌人,认识自己,认识社会发展与革命的规律性。要改变这种情形,他除开学习历史上革命的经验(前人的实践)而外,他必须亲自参加到当时的革命的实践中去,即是在和反革命的各种成分的斗争中,发扬他主观的能动性,加紧学习和修养,然后他才能够逐渐深刻地体验和认识社会发展与革命的规律性,认识敌人和自己,并发现他自己原来的思想习惯成见之不正确而加以改正,提高自己觉悟的程度、革命的品质并改善革命的方法等。"②所以,毛主席总是谆谆告诫我们:要经常洗脸,要照镜子。什么是最好的镜子呢?这无疑就是党史。党史中有多少鲜明的实例,正可照出自己思想上的污点,帮助解除包袱而再度提高。譬如有的人在抗美援朝的问题上,一直到现在对自

① 《论列宁主义基础》。
② 《论共产党员的修养》。

己的力量还认识不够，那就请看党史罢，请好好读读毛主席的《星星之火，可以燎原》罢！从党的幼小一直发展到今天这样的胜利史实中，针对自己思想上的模糊观点，好好想一想，必能帮助自己提高的。再如有的人，动不动就显出“功臣思想”，总觉得自己今天似乎应该享受些，那也请看党史罢！党史会告诉我们，今天的胜利是怎样换来的；同时也请好好读读毛主席的著作罢！毛主席的著作所告诉我们，今天的胜利才是万里长征的第一步。这样，对每一个自己思想上或行动上存在的问题，都能好好地联系实际，仔细检查一番，我想也一定可以帮助自己提高的。

总之，正如前面已经指出过的，党史是马克思列宁主义真理与中国革命实践日益密切结合的历史，是毛泽东思想的形成、发展及其指导革命百战百胜的历史。我们对于这一个伟大的革命知识的百科全书的学习，的确是只有通过明确学习的目的与要求，以极端正的学习态度，掌握好学习的方法，才能做到帮助自己思想提高的地步。明确了这些，就让我们进一步热烈地加强对党史的学习吧！

（原载 1951 年《新建设》第 4 卷第 6 期，署名李达）

帮助学习党史的几篇重要著作

（1951.9）

今年七一节前后，毛主席和党的许多领袖们，发表了好几篇重要著作。其中乔木同志所作《中国共产党的三十年》，精细地叙述了毛主席领导中国共产党、工人阶级和广大人民，“向帝国主义侵略者及其走狗英勇奋斗，通过许多艰难曲折，克服自己队伍中的各种机会主义倾向和各种错误缺点，终于战胜敌人而取得胜利”的历史。这一著作，现已成为学习党史的基本读物了。但是还有其他各种重要著作，对于学习党史的，是有很大的帮助的，我们必须学习它们。

首先，毛主席的著作，是党史的最正确的教科书。我们知道，党史是马克思列宁主义真理与中国革命实践日益密切结合的历史，是毛泽东思想的形成、发展及其指导革命百战百胜的历史。我们学习毛主席的著作，就容易理解中国社会与中国革命发展的规律；学习毛主席如何应用马克思列宁主义决定中国革命的总路线？如何分析各阶段的革命形势，提出问题、解决问题，指示斗争的策略，促进革命事业的顺利发展？如何在各种复杂的情况中，展开两条战线上的斗争，克服左右倾的倾向，保持党的正确领导？因而能使我们提高马克思列宁主义与毛泽东思想的理论水平，在政治上与工作上不致冒犯错误，能够担负起新国家的革命与建设的任务。

毛主席在1926—1934年的著作，最近在报上发表出来的已有6篇。1926年所写的《中国社会各阶级的分析》和1927年所写的《湖南农民运动考察报告》，是毛泽东思想的最初的表现。前一著作，对于中国社会各阶级做了马克思列宁主义的分析，就奠定了中国革命的最根本的路线，即无产阶级领导农民阶级、小资产阶级和民族资产阶级的统一战线。后一著作，“用马克思主义的观点——阶级分析的方法”，研究了农民革命问题，指出农民阶级是革命的最

可靠的广大的同盟军，建立了工农联盟的理论基础，对于后来的土地革命政策、武装斗争和农村政权根据地的政策，已经指出了一个轮廓。这两个著作，同是大革命时期中国共产党的布尔什维克路线，是马克思列宁主义与中国革命的结合。

毛主席在1928年所写的《中国的红色政权为什么能够存在?》和1930年所写的《星星之火可以燎原》——这两个著作，发展了列宁、斯大林关于世界革命与中国革命的学说，指出了中国革命的特点与优点，是武装的人民反对武装的反革命，说明了半殖民地中国人民的革命，只有进行武装斗争，才能争取民族的与社会的解放，只有先在农村建立红军与红色政权根据地，由农村包围城市进而夺取反革命所占据的城市，才能取得胜利。这完全是具体地应用马克思列宁主义，从矛盾中，从发展中，综合全面所得到的结论。30年来的革命史证明它是完全正确的。

毛主席在1929年所写的《关于纠正党内的错误思想》和1934年所写的《关心群众生活，注意工作方法》——这两本著作，是列宁、斯大林式的建党的理论，是党的布尔什维克化的指针，毛主席这6个著作所说明的最主要内容，是统一战线、武装斗争与党的建设。这三件是党的主要的法宝，同时是毛泽东思想的基本的组成部分。当我们学习第一次和第二次国内革命时期的党史时，必须结合学习毛主席这6个著作，才能对党史有深切的理解。至于毛主席在其他年代所写的著作，也必须结合当时的党史去学习。

其次，陈伯达同志所作《毛泽东思想是马克思列宁主义与中国革命的结合》这一论文，主要地是论证毛泽东思想是马克思列宁主义在半殖民地中国革命中的应用与扩张，是马克思列宁主义的发展。这一论文，综合毛主席的一切著作和他指导革命的路线与策略，系统地阐明了毛泽东思想的精神与实质，表明了毛泽东思想是在革命的实践中，在两条战线的斗争中，锻炼出来，成长起来的。毛泽东思想的每一个组成部分，如关于中国革命是无产阶级世界革命一部分的学说，关于无产阶级领导农民及其他革命阶级的学说，关于从农村革命根据地到全国的革命胜利的学说，关于团结资产阶级而又联合又斗争的学说，关于从民主革命到社会主义的转变的学说，关于党的建设的学说……这一切都是列宁斯大林关于世界革命与中国革命的指导理论的发展，并且还做了光辉的独立的补充。我们学习了陈伯达同志这一论文,便可以深切地了解党史是毛泽东思想指导中国革命百战百胜的历史。

其次,彭真同志所作《马克思列宁主义在中国的胜利》这一论文,主要地说明了中国人民革命的胜利,证实了马克思列宁主义是"放之四海而皆准的真理",因此中外发动派所说马克思列宁主义不适合于中国国情的胡说乱道,完全破产了。这一论文对于驳斥反动派指说中国共产党与民族资产阶级结成统一战线的非难,对于解释"好心肠人"怀疑中国共产党农民党员过多会影响的党的纯洁的疑难,均有精辟的论断。我们学习统一战线和党的建设的历史时,必须结合学习彭真同志这一论文。

再次,陆定一同志所作《中国革命的世界意义》一文,阐明了中国革命是殖民地半殖民地国家里的革命的典型,正和十月革命是帝国主义国家里的革命的典型一样,同具有世界的意义,中国革命的榜样和经验能增加一切殖民地半殖民地国家的人民革命的胜利信心和战斗意志;同样,马克思列宁主义的普遍真理与本国革命的具体实践相结合的毛泽东思想,能成为这些国家里的人民革命的指导。我们学习了这一论文,必更能理解我们党史的光荣正确而伟大。

还有,朱德同志所作《中国人民怎样击败了美帝国主义武装的蒋介石反动派》一文,是一部反击美蒋匪帮的武装斗争史;聂荣臻同志所作《中国人民怎样战胜了日本法西斯侵略者》一文,这是反击日本帝国主义者的武装斗争史。两者都是党史的重要部分。中国共产党与工人阶级所以能有伟大的胜利,是与武装斗争分不开的。我们结合党史来学习这两个著作,就能够理解人民解放军是战胜敌人建立中华人民共和国的主要工具。人民解放军的胜利,是毛主席的马克思列宁主义军事科学的胜利。

还有,陈云同志所作《中国共产党领导着国家建设》一文,叙述了新国家成立两年来政治、经济与文化各方面的成绩,这是新国家成立两年来的党史的一部分,应当作党史来学习。这一论文,展望着新民主主义经济的前途,指示着工人阶级所领导的人民民主专政,保证着社会主义性质的国营经济的领导,将顺利地变农业国为工业国,向着社会主义前途迈进,这是党史发展的倾向。

(原载1951年9月15日《广西日报》,署名李达)

本期教学与行政工作的总方针*

(1951.10)

今天我们举行开学典礼，我想在这里讲一讲本期教学与行政工作的总方针与实施办法。

一、充分发挥爱国主义思想教育

首先要提出的，就是从本期起，我们要充分发挥爱国主义思想教育，这就是我们本期教学与行政工作的总方针。过去我们对民主的自我改造工作做得很多，特别从去年抗美援朝运动开始以来，全体湖大人轰轰烈烈地卷入了参干运动；七百多师生先后下乡参加土改工作或农村访问，并且成绩都很好。五一劳动节时，更热烈展开了时事政治宣传；暑假开始时，又掀起镇压反革命的学习高潮。通过这一系列的爱国主义学习，我们的政治水平和阶级觉悟都普遍提高了一步。现在我们要在现有的基础上再度提高把爱国主义思想贯彻到每一门课程中去。

毛主席早就指出，我们虽然把美帝国主义赶出了中国大陆，但是，它是不会甘心失败的。美帝国主义去年发动了侵朝战争，企图进一步侵略中国，因此我们必须坚决抗美援朝。最近它又召开旧金山会议，签订单独对日和约，自然，这个会议由于没有亚洲几个大国，特别是抗日最久出力最大牺牲最多的中华人民共和国参加，它所签订的和约是无效的、非法的，可是，美帝国主义却借

* 本文是1951年9月17日李达在湖南大学开学典礼上的报告，原标题为“本期教学与行政工作的总方针——李校长九月十七日在开学典礼报告”。——编者注

此来加紧武装日本,以日本为侵略亚洲的军事基地,把日本人送到朝鲜战场上去当炮灰。这就是说美帝国主义在朝鲜战场上虽然受到了沉重的打击,但它并没有接受失败的教训,反而破坏和谈,企图扩大战争。因此,我们抗美援朝就不是一个突击性的短时期的任务,而是要长期化,从而我们的爱国主义思想教育也是长期性的,是要正规化的。

说到正规化,也许有些同学认为以后可以专搞业务学习不搞政治学习了,这是错误的。我们说的正规化,不是复古,不是要像过去那样的读死书,不是放松而是加强政治思想教育,即是把爱国主义思想贯彻到每一门课程中去。不但政治课要贯彻爱国主义思想,其他任何业务课都必须贯彻爱国主义思想。在这种意义上说,政治课就是业务课,业务课就是政治课。一切服从于教学,教学服从于政治。

此外,教育部规定每周还有固定的3小时的时事学习,这是很重要的。我们要学习时事,学习政策。现在苏联学校还有时事学习的课程。我们学校规定本期每周有固定的3小时的时事学习,全校师生员工都要参加。

二、坚决执行政务院关于改进学生健康的决定

毛主席号召健康第一,最近政务院又发出关于改进学生健康的决定,可见今天政府对同学们的健康问题是怎样重视了。保健的目的是为了使学生有健全的体格,很好地学习保卫祖国建设祖国的本领,掌握现代的科学知识与技术,成为全心全意为人民服务的高级建设人才,即成为保卫祖国建设祖国的人才。因为要爱国,就必须有健强的身体,所以锻炼体格和保健工作的目的是为保卫祖国建设祖国而服务。

根据政务院的决定,学生学习时间,每人每天以9小时为限,实习实验都包括在内。对于这个决定,我们必须坚决执行。过去理工两院的功课有的太繁重,对学生的身体健康是有损害的。今后希望教师要考虑学生的学习时间,不要加重学生的负担。至于文社财三院,我觉得虽然每天上课也是3小时,但较理工方面的负担轻些,所以,对上课以外的时间要好好利用。希望同学们除上课外,要很好地善于利用学习时间,多到图书馆去看参考书。

社团活动,在可能的范围内一定要减少,学生参加社团会议的时间每人每周不能超过3小时,社团负责人的开会时间不能超过6小时。因此,我们必须精简社团会议,按月排定会议次数,由校长召集会议通过,坚决执行。各级干部以一人一职为原则,最多不能超过二职。

关于保健工作,我们已经做了一些,而且有些成绩,但还不够,今后必须加强。根据政务院的决定,我们要成立保健委员会,统一领导搞好保健工作。文体活动也要加强,决定在教务处领导下,设立文娱体育委员会,增进文体活动。我们买了一部电影机,过去放映过几次电影,租费问题一直没有解决,现在打算工会方面每人每月收电影费2000元,同学方面如何筹办,由学生会研究后再做决定。

此外,为了改进同学的伙食,减轻同学的工作负担,我们已经由总务处成立了膳食委员会,由行政上派人主持,学生会派代表参加,共同研究如何改进伙食问题。关于劳动生产,今后要做到计划化、企业化,这个问题对保健关系极大,同学生产劳动时间每日以一小时为限,并且不应该做过于繁重的劳动。

三、培养学术研究风气,提高教学水平

过去一两年来,我们学校的社团活动时间较多,研究风气是不够的,同学们不大喜欢买书,也不大喜欢看书,一切依靠先生,这种学习态度和方法是不对的,这就是缺乏自学钻研的精神。今后我们要创造条件,不断提高学术研究风气,我们要把提倡新学术的风气作为校风,以毛泽东思想为领导,理论联系实际,把爱国主义思想贯彻到各种业务课中去。希望教师们不要以单纯教课为满足,而更要有高深的研究,多钻研,多著作。同学们要以自学作基础,同时发挥集体学习的精神,互相研究,多进图书馆去看参考书,特别是文、社、财三院的同学,必须这样做。从本期起,我们决定出版几种学术性刊物,以便养成学术研究风气,提高教学水平。

四、修订爱国公约,保证贯彻以上各项决定

爱国公约是我们的行动纲领,有了爱国公约,可以依据它去推动工作,进

行学习。但是，我们过去所订的爱国公约，有的小组执行的情况还好，一般是流于形式，现在需要普遍重新修订。修订的基本精神要实事求是，要具体，要切合实际，保证能够实行。其次，不要把学习公约生活公约同爱国公约对立起来，以为在爱国公约之外，再来一套学习生活公约，而是要把学习生活规律订入在爱国公约中去。在这个基础上，来保证贯彻以上各项的决定。

现在行政机构已经改组，秘书处撤销了，成立了校长办公室，加强教务处，统一领导教学工作；同时设立院系联合办公室，加强院系的作用。从今以后，保证一切都要制度化，关系某部门的报告须送交该有关部门。做到集体领导，分工负责的优良地步。此外，我们的原则和各行政单位的办事细则也都要从速定订。

最后，新的年度开始了，我们要以新的决心迎接新的学习高潮。教师们对于教课已有了充分的准备，同学们要彻底坚持所学，不要学着这，又想着那。俗话说："三百六十行，行行出状元"，现在每一个部门都出劳动英雄。尤其新同学，要认清在毛泽东时代进入毛泽东故乡的大学是非常光荣的，必须服从教育部的统一分配，不要见异思迁，这山看着那山高，要把学习情绪安定下来，保证搞好三位一体的学习。四年级同学要早做精神准备，毕业时绝对服从政府统一分配。

全体湖大人要根据上述教学与行政工作的总方针与实施办法，统一意志，统一步伐，为贯彻这总方针，为搞好人民湖大而共同努力！

（原载1951年10月8日湖南大学校报《人民湖大》第71期）

关于大学教师思想改造问题

（1951.11）

毛主席说："思想改造，首先是各种知识分子的思想改造，是我国在各方面彻底实现民主改革和逐步实行工业化的重要条件之一。"这一指示，从大学教师这方面的知识分子来理解，就是说，大学教师的思想改造，是在高等教育方面彻底实现民主改革的重要条件，同时也是逐步实行工业化的重要条件。

为什么高等教育必须彻底实现民主改革，并以大学教师的思想改造为重要条件呢？这是因为现在的高等教育制度，是从反动统治时代继承下来的。旧时代的高等教育制度，是从欧美日本等帝国主义国家搬运过来的，是半封建半殖民地的教育制度。大学的教师们，大多数也是直接或间接地受了欧美日本等资产阶级的高等教育的熏陶，他们的教学内容和教学方法，也都是帝国主义国家的舶来品。高等学校的设立和院系的扩充，并不都是配合实际的需要，而是由主持高等教育的某一群人或某一宗派，依照自己的愿望设计的。例如扩充系数而成院，扩充院数而成大学，只是为了扩充而扩充，不是为了实际的需要而扩充。在同一地区，可能有多数性质相同的大学，各校的院系数字，也大略是相同的。过去反动的政府，特别是蒋介石匪帮政府，只把高等学校看作是装点门面的东西，并且害怕大学生会相信共产党而造反，因而限制各校招生的人数，学生愈少愈好。因此，有些学系的教师人数超过了学生人数，甚至某些学系的学生只有 1 人或 2 人。像这样浪费人力财力的殖民地式的教育制度，在反动统治时代，是为许多高等学校教师所支持的，并且是习惯了的。因为他们多数是出身于小资产阶级、资产阶级或地主阶级的家庭，生活于半封建半殖民地社会，又直接或间接地受了帝国主义国家的高等教育，难免不感受封建的、买办的、法西斯主义的思想的影响。所以从来的高等学校教师中，除了极少数同情于人民革命的人以外，有的人做了反动派的御用学者，充当文化特务,在学生中进行反人民反革命的工作;有的人则抱着民主个人主义思想,自命是站在超阶级的立场,认为科学与政治无关,标榜学术自由的口号,"为学术而学术"。这类反人民派或中间派的教师们,还有一个特点,就是民族的自卑感。他们所用的教材,都是外国文的教本,其中有90%以上是美国的教本,他们用英语教,还要学生用英语学,甚至师生间的对答都用英语,十足地表现了殖民地的奴性。这是过去的高等学校教师!这是过去的高等教育制度!

共同纲领第五章,对于教育制度的民主改革,已有明确具体的规定,但教育行政当局,最初却试行了"暂维现状,逐步改革"的方针,其主要原因,是由于高等学校教师的思想改造这个重要条件尚未具备。所以两年来高等教育的民主改革,其进度是很慢的,这和政治经济各方面之革命的变革比较起来是相差太远了。为了改革高等教育,以配合新国家建设的需要,高等学校教师的思想改造,是刻不容缓的事情。

新国家成立两年多以来,高等学校教师们,也和各阶层的人民一样,进行了政治学习,成绩当然是有的,但是思想改造的进度很慢,其发展也是不平衡的。就我们湖南大学来说,从1950年的春季起,教师们也和学生们一道,参加了政治学习,学习《共同纲领》,学习《社会发展史》和《新民主主义论》,但除了少数教师以外,多数教师的学习是不够积极的,甚至有一小部分人抱着好奇的心理去学习,浅尝辄止。总结起来,这一时期学习的效果,并不太好。直到去年冬季,情况有了改变,全体教师都参加了抗美援朝的时事学习,并且颇为热烈,许多留学过美国的教师,还举行过控诉会,控诉当年留学美国时所遭受的轻蔑的待遇,控诉美帝国主义在华的暴行,还发表了反抗美帝国主义侵略的宣言,这表示着教师们的崇美、亲美的观念,已经有了改变了。接着,教师们发起了动员学生参加军事干校的运动,为时约有一个月,他们不但动员学生去参军,并且鼓励自己的儿女去参军,某老教授不惜把自己的独子送去参军。这一运动,显示着教师们已经发挥了爱国主义和国际主义的精神。1951年春季,许多位教师,率领六七百名学生,下乡参加了土地改革工作,他们在40天春雨连绵的日子里,协助农民进行土地改革,博得了老干部和农民们的称誉。本年五一节前后,教师们下乡宣传抗美援朝,六七十岁的老教授们,撑着雨伞去参加,毫无倦容。暑假前后,他们又进行了镇压反革命运动的学习,并且互相交代了自己的历史,做得很平稳而又认真。在课程改革方面,大体上已经遵照中央教育部的指示做到了,各学系的目的与任务已经明确了,教师们都已摒弃英文教本而自编中文教本了,还有些先生能在教学中贯穿着爱国主义的精神。这一切都表现着教师们在学习政治,改造思想方面,有了初步的成就,这种成就,我想其他各大学的教师们,也必有相类似的情形。

但是教师们思想改造上的初步成就,还是不够的,还远远赶不上新国家建设上的伟大的成就,必须进一步继续加强学习政治,特别是学习马克思列宁主义,学习毛泽东思想,来彻底改造自己的思想。就一般情况来说,多数教师们对于新国家新社会的认识,还只是停顿在感性认识的阶段,这正如汤用彤先生在《高等学校教师应抓紧时机积极学习》一文中所说,教师们思想改造上的那种进步,"主要的是由于形势的要求,使我们不能不有进步。我们的思想由于被新形势牵着鼻子走,而未能积极地领导新社会的发展"。教师们为要积极地领导新社会的发展,对于新社会的认识,就不能停顿在感性认识的阶段,而必须提高到理性认识的阶段,即必须努力学习马克思列宁主义和毛泽东思想,深刻地认识中国社会发展的规律——由半封建半殖民地社会经过新民主主义社会进到社会主义共产主义社会的必然性,献身于领导新社会发展的事业,全心全意为人民的高等教育服务。

教师们现在已经加入了工人阶级的队伍,享有着领导阶级的光荣,但在思想改造的进度上,和各地厂矿的工友兄弟们比较起来,我们却瞠乎其后了。他们在各地厂矿之中,发挥了高度的积极性和创造性,努力发展生产,并且能够总结多年来的经验,有了新的发明和创造。他们已经能够自造汽车,自造全部纺纱机器,自造许多工作母机,还创造了各种新的工作方法,增加了生产力。这些都是他们发挥领导阶级能力的辉煌范例。我们教师们是学有专长的,假使也能像他们那样,充分地用其所学,以服务于工业农业和国防建设;改进教学内容,用理论与实际一致的教育方法,培养出大批的建设人才,以服务于新国家的建设,其成就绝不会落在厂矿中工友兄弟们之后,这是可以断言的。

钱俊瑞副部长说:"在今后五六年内,全国高等学校必须为祖国培养出工业、农业、交通运输、医业等方面的高级建设干部15万至20万人。"这是高等学校教师所必须担负的巨大而光荣的任务。教师们只有努力学习马克思列宁主义和毛泽东思想,彻底肃清旧思想,发展为人民服务的思想,然后才能改革教育内容和教育方法,担负得起上述巨大而光荣的任务。

有人这样说,学习马克思列宁主义和毛泽东思想这一任务,社会科学的教师们容易接受,而自然科学的教师们则难于接受。这话也未必尽然。自然科学家,凡事总是注重科学的证据的,而马克思列宁主义和毛泽东思想在中国人民革命中的伟大胜利,这就是自然科学家所看到的科学的证据。所以他们是容易接受马克思列宁主义和毛泽东思想的。我们看到,许多医务工作者,去到朝鲜前线服务,发挥了爱国主义与国际主义的精神;许多科学家参加根治淮河的工作;许多地质学家、植物学家,爬山越岭,探测矿藏,采取标本;还有许多教师,积极地参与各种建设工作。这些都是他们全心全意为人民服务的表现。我们能够说自然科学的教师不容易接受马克思列宁主义和毛泽东思想。但是当作例外看,自然科学教师中,不免也有人感到学习政治,学习马克思列宁主义和毛泽东思想,是一种额外的负担,他以为学习与否,同样可以教书,只要自己把书教好就行,何必学习?这种为教学而教学的想法,显然是作客思想,是纯技术的观点,若不自行纠正,他所教的东西一定不切合于实际,他教出的学生也一定不适合于建设的需要。新国家要求大学教师们培养出站在工人阶级立场、有共产主义思想,掌握现代科学与技术而全心全意为人民服务的高级建设人才,假若教师们自己没有那种立场,没有那种思想、没有全心全意为人民服务的人生观,又怎能够培养出国家所需要的那种人才呢?教师们要学习马克思列宁主义和毛泽东思想,这和旧时代比较起来,诚然是一种新的负担。但作为新时代的人民的大学教师,却必须担负起这种新的任务,必须站在工人阶级的立场,学习马克思列宁主义和毛泽东思想,采用批评与自我批评的方法,联系自己的思想与专门业务,抛弃个人主义、自由主义和欧美反动资产阶级的思想,树立无产阶级的思想,并改正旧的教学方法与教学内容,密切配合国家当前的需要,才能担负起教育青年一代的光荣任务,才能领导新社会的发展。

用马克思列宁主义和毛泽东思想把自己的头脑武装起来,这是今日大学教师的新任务!

(原载1951年《学习》第5卷第2期,署名李达)

努力思想改造，积极参加土改*

（1951.12）

湖大本学期来，教学与行政工作，都有不少的改进。这和开学时在教学与行政座谈会上，发挥了批评与自我批评的精神，及我们重视和接受了各位先生所提供的意见而力求改进，是分不开的。现在将本学期的工作情况及今后工作方向简单地报告如下。

一、本学期的工作情况

本学期的工作情况：（一）教学和学习方面，比上期都有很大的进步，并且初步实现了教学与行政工作座谈会上所提出的要求，走上了新的正规化的道路。先生教课，一般的都很负责，按照教学计划进行教学。学生学习，也非常认真，并且都制订了学习计划。同时，由于师生的团结，由于政治时事学习的加强，先生和同学都划清了敌我思想界限，并联系自己的教学与思想实际，进行检讨和自我批评，更证明了政治认识的提高，是搞好业务的基础。（二）学生的生活，因为执行了政务院关于健康的决定，已有了改善。文娱体育活动，也在全校普遍地开展。（三）建设方面：工程馆、六宿舍、胜利斋及职员宿舍都已落成，但还有大礼堂、七宿舍正在继续修建中，今后本校的房子问题，将会逐渐得到解决。

上面是一些好的情况，但也还有不好的情况，应该加以批判和努力改进

* 本文是1951年12月7日李达在湖南大学第六次扩大校务会议上的报告的摘要，原标题为“努力思想改造，积极参加土改——李校长在第六次扩大校务会议席上的报告摘要”。——编者注

的。(一)有些先生已经贯彻爱国主义思想教育,但有些先生还存在着旧民主主义和客观主义的残余思想,具体的表现在对学校的工作从个人利益出发的多,从整体利益出发的少。(二)有的先生有的系,已能运用批评与自我批评的武器,大力肃清反动思想。但有的先生有的系,还不能运用这一武器或运用得不够,以致在教学上、在思想作风上,还不能达到应有的进步。

总起来说:湖大在全校师生员工一致的努力下,一期比一期进步。与全国其他大学比,虽不能说顶好,但也不顶坏。一方面要肯定我们的进步和成绩;另一方面要认识这些进步和成绩,还远赶不上国家建设的需要。因此,我们要更进一步发挥团结一致力求改进的精神。

二、今后的工作方向

这次全国政治协商会议,毛主席号召明年全国三大中心工作。首先,根据我校的情况,贯彻抗美援朝的爱国主义思想教育与思想改造,是今后的中心工作。其次是增加生产,厉行节约。但思想改造是基本工作,是改进一切的关键。因为我校明年还要进一步改革课程和改进行政工作。建筑设备也要在节约的原则下做得更好些。这一切都必须通过思想改造来进行。只有经过了思想改造,大家才能认识一致,团结一致,发挥爱国主义的积极性与创造性。

或者有人怀疑我们是大学教员,还要思想改造吗?毛主席在"论人民民主专政"中说:"有了人民的国家,人民才有可能在全国范围内和全体规模上,用民主的方法,教育自己,改造自己,使自己脱离内外反动派的影响,改造自己从旧社会得来的坏习惯和坏思想,不使自己走入反动派所指引的错误路上去,并继续前进向着社会主义和共产主义社会发展。"毛主席这一段话,指出了整个思想建设工作中最根本的任务。《共同纲领》虽然规定了是四个阶级的政权,但作为领导思想的,是马克思、列宁主义与中国革命实践相结合的毛泽东思想,而不是别的思想。固然资产阶级、小资产阶级的思想是合法的,但不是正确的和领导的思想,所以思想改造是全国性的。中共580万党员里面,每年都要整风,整风就是思想改造。因此,这个党年年进步,不会腐化,他们经历了长期的考验和斗争,还要进行思想改造,我们有什么理由可以不接受改造?以前我们的政治学习，还没有明白地提出思想改造，现在教育部已经把高等学校教师的思想改造作为中心工作。我们必须认清革命前途和人民交给的任务，坚决地来迎接这一政治学习运动。

同时，我们的学校，是要发展的，明年工学院计划招1010人，文、社、财、理也可能要招1500人，全校可能达到3500人以上，为了适应国家建设的需要，大量培养各种建设人才，首先必须改造自己，才能改造青年。

三、努力思想改造，积极参加土改

迎接思想改造，就要参加土改工作。因为思想改造，不应该被理解为只是一种单纯的理论认识，必须到实际的工作中去体验，到严肃的斗争中去锻炼。不可讳言，我们的教员多数与土地有关系；学生有70%以上是出身地主家庭。土改是新民主主义革命的基本内容，是国家工业化的前提。参加土改，是知识分子与农民结合，为农民服务的最好机会。同时，也是思想改造的一个重要步骤。这样，才能彻底从原来的阶级思想背叛过来，全心全力为人民的教育事业服务。我校已经得到教育部和省府的同意，做了全校师生员工参加土改工作的决定。全湖大人对这一重要的决定，一般地都很高兴，但有些先生和同学可能存在一些顾虑。

（一）怕冷怕苦。冷和苦，都是事实。但这个冷和苦，是有意义的。到朝鲜的志愿军，在零下二三十度作战。全国有几十万人都参加了土改，我们有什么理由可以不参加或自愿落后呢？

（二）怕耽误功课，要准备讲义。大家知道，只有思想改造了，立场站稳了，功课才能搞好，讲义才能编好。现在耽误一点功课和时间，将来会有很大的收获的。

（三）怕受考验，站不稳立场。我们参加土改的目的，就是要到严肃的阶级斗争中去考验自己，看是不是彻头彻尾，彻里彻外，从思想感情上倒向人民这边来了。毛主席说："区别知识分子的真革命与假革命，就在能否与工农兵结合。"我们全校师生都是革命的，相信都愿意接受这一考验，通过和群众的结合，完成自我改造的工作。

(四)认为参加土改,只与文、社、财三院的业务有关系,自工两院可以不参加。这种看法是错误的。自然科学本身没有阶级性,但自然科学家是有阶级性的。尤其是在阶级社会里,由于自然科学是替经济上占统治地位的阶级服务的。这样,就使自然科学家打上了阶级的烙印,过去自然科学家把研究科学的成果给统治阶级和资产阶级作为危害人类的武器,为他们的阶级利益而服务。如达尔文的进化论,有进步的一面,也有落后的一面,“优胜劣败”就是被资产阶级利用为掠夺的理论根据。也有些自然科学家,在研究物质时是唯物论者,但是当他们解释社会或面临阶级斗争时,就是唯心论者了,如翁文灏是研究地质的,他主张发行金圆券,替蒋介石搜刮了很多黄金。这些事实,充分说明了如果自然科学家不把脚跟站到人民方面来,就不可能从自然科学上服务于人民。参加土改,正是改变立场和认识为谁服务的最好方法。

(五)认为去冬今春参加过,这次不必再参加了。思想改造是长期的过程,我们应当一次一次地到群众中去,到火热的斗争中去,锻炼和改造自己。即便过去参加过,现在还是有参加的必要的。

土改是全国的一件大事。参加土改,又是我们全校的一件大事。过去我校有很多先生和同学参加或参观了土改,都有很大的收获。这次,我们全校参加,不仅是校史上一件大事;同时是推动全校改进教学的一个重要环节,是为以后的思想改造打下坚固的基础。

(原载1951年12月17日湖南大学校报《人民湖大》第78期)

读《为争取千百万群众进入抗日民族统一战线而斗争》

（1951.12）

《为争取千百万群众进入抗日民族统一战线而斗争》这篇著作，是毛泽东同志在 1937 年 5 月 7 日，在党的全国代表会议上，提出的一篇有关抗日民族统一战线的总结报告。在这篇报告里，毛泽东同志首先解说了个别同志所疑虑的问题，随即提出今后党的工作方针。我们学习了这篇报告，至少应该认识到这样几点。

一、抗日民族统一战线是当年中国人民发动抗战并取得抗战胜利唯一的正确的政治路线

1937—1945 年中国人民所进行的抗日战争，是中国人民空前的、伟大的民族革命战争，是中国人民以劣势装备战胜日本帝国主义的光荣战争。这一战争的胜利，是和当年抗日民族统一战线的提出与建立分不开的；是和毛主席、中国共产党的领导分不开的。这一战争的胜利，是中国人民的胜利；是中国共产党政治路线的胜利；是毛泽东思想的胜利。

自从 1931 年“九一八”事件发生，一直到 1935 年华北事变，日本帝国主义对中国一连串的侵略行动，特别惊醒了中国人民，也逐渐震撼着国民党的反动统治。当年中国人民的抗日情绪是极其高涨的。但就在这高涨的情绪之下，究竟应当怎样抗法？从哪里抗起？如何组织抗战？如何才能发动抗战？一般人民则又是不大清楚的。加以当年国民党反动统治者，经常散布着各种分散抗战力量和转移人民视线的有毒宣传，因而在人民素朴的爱国心情上，更增添

了混乱。毛泽东同志在这样的时期,很好地分析了当时的政治形势,指出了中国共产党和全国人民的新任务,是"适当的调整国内国际在现时可能和必须调整的矛盾,使之适合于团结抗日的总任务",亦即必须执行"中国的抗日民族统一战线和世界和平阵线相结合的任务"。

毛泽东同志这一伟大号召,是分析了当年的政治形势所获得的唯一正确的结论。它正是代表了当年中国人民一致的要求。所以自从1935年中国共产党发表《八一宣言》,1936年放弃"反蒋"口号,8月致国民党书,12月坚持和平解决西安事变,一直到1937年2月发表致国民党三中全会电,统统获得广大人民的热烈支持与拥护,并且从中打动了国民党的进步分子和中间分子,孤立了汉奸和投降顽固派,以致抗日民族统一战线得以形成,而抗日战争也才得以发动。在当年,倘若没有毛泽东同志的领导,没有抗日民族统一战线的提出与形成,全面抗战的局面是没有的,而后来的抗战胜利也不会获得的。所以说,抗日民族统一战线,是当年中国人民发动抗战,并且取得抗战胜利的唯一的正确的政治路线,而毛泽东同志适时地提出这一政治路线,正是说明毛泽东同志的伟大。这是我们在读这篇著作当中,首先要认清的一点。

二、和平、民主是当年建立抗日民族统一战线的中心环节

"要抗日就要和平,无和平不能抗日,和平是抗日的条件。"这说明和平无疑的是建立抗日民族统一战线的前提性的基本环节。这一点在当时党内和一般民众间,是都有了认识的。但后来形势发展了,即在1937年2月国民党三中全会后,和平已经取得,"争取和平"的阶段已经过去,新的任务是"巩固和平","争取民主","实现抗战"。那时对这一新阶段的新任务,亦即对以"争取民主"为新阶段的抗日民族统一战线的基本环节这一点,有些同志是认识得不够的,他们一则说:"日本后退了,南京更动摇了,民族矛盾下降,国内矛盾上升",因而无所谓新阶段和新任务,再则说:"强调民主是错误的,仅仅应该强调抗日,没有抗日的直接行动,就不能有民主运动;多数人只要抗日不要民主,再来一个'一二·九'就对了。"

毛泽东同志对持有这些看法的人,指出他们是不对的。而后来的事实,也恰好证明了这一点。

毛泽东同志在批判这些错误看法当中,天才地运用了辩证唯物主义的观点。他说:“一时的后退现象,不能代替总的历史规律”,而我们分析时事,不允许从局部和一时的现象出发,必须从“根本之点”出发。这就是说:我们看问题,要看全面、看发展、看客观存在,同时要结合主动的能动作用;而不是机械地、片面地、静止地拿个别来概括全体。可是当时那些个别不明白时事真相的同志,恰恰是没有把握着这一点,自己的思想落后于实际。

毛泽东同志说:“抗日与民主互为条件,同抗日与和平互为条件一样。民主是抗日的保证。”这就是说:要抗日就必定民主;不民主便没法抗日。因为人民固然要抗日,也更要民主,不民主人民则不得起来,抗日民族统一战线不得形成,而抗日也无法得以实现。毛泽东同志这一指示是非常重要的。在抗战期间,中国共产党自始至终是贯彻着这一方针,而且就凭这一点使得抗日民族统一战线,在党的正确领导下,日益扩大与巩固,并从此战胜国民党顽固派,战胜日本帝国主义者。所以说:在当年和平条件取得之后,要彻底认识“争取民主”,是建立抗日民族统一战线中新阶段的中心环节,是非常重要的,这是我们学习毛泽东同志这篇著作,要特别认清的第二点。

三、在抗日民族统一战线中,联合资产阶级抗日派,正是走向社会主义必经的桥梁

随着抗日民族统一战线的提出,资产阶级抗日派也参加民族统一战线,引起一个新的问题。这个新问题,就是革命前途的问题。有的个别同志,对这一问题,没有充分地认识和了解。毛泽东同志对这一问题,在这篇报告中做了简洁的解答。他说:“坚决的领导民主革命,是争取社会主义胜利的条件”,“现在的努力是朝着将来的大目标,失掉这个大目标,就不是共产党员。然而放松今日的努力,也就不是共产党员”。毛泽东同志精辟地指出,就是说:“今天在抗日民族统一战线中联合资产阶级抗日派,和将来走向社会主义的大目标,不仅丝毫不相抵触,而且正是走向社会主义的必经桥梁。”

共产党员是有远大目标的，而且到任何时候都不能忘掉远大目标，但到达远大目标的过程，绝不是简单、一蹴而就的，它乃是一个长期复杂的斗争过程，尤其在中国。中国半封建半殖民地的社会性质决定了中国的革命性质，中国革命发展的规律是由“民主革命转变到社会主义革命”。共产党员在认识上必定要看清这一历史前提，在工作上也必定要从这样的实际出发。不这样，便不是马克思主义者；不这样，便不是共产党员了。在中国，资产阶级虽然有其不革命的一面，但同时也有其革命的一面，忽略了这一点，而在抗战中不联合资产阶级，甚至指联合为投降主义，那是托派分子陈独秀和张慕陶等的说法，他们那时企图破坏统一战线，使中国革命不得成功，所以他们是我们的敌人。

毛泽东同志在这一段里的精辟论断，是充分地运用着历史唯物主义的观点，精确地解决中国的实际问题。这才是真正的科学的马列主义，这就叫作毛泽东思想的伟大创造，事实也确切证明了，在抗战期间，毛泽东同志这一论断，形诸实践，立刻就使革命势力飞跃前进，即至现在，在人民民主统一战线中，这一论断，仍然发挥着积极的革命指导作用。

所以在学习毛泽东同志这一篇著作之后，要彻底认识到在当年抗日民族统一战线中，联合资产阶级抗日派，正是走向社会主义必经的桥梁，并从此加深体会，要认识到在中国革命当中，统一战线是革命中的“三大法宝”之一，是非常必要的。这是我们在学习这篇著作当中，要认清的第三点。

四、全党团结和争取千百万群众进入抗日民族统一战线是发动抗战并取得抗战胜利的唯一保证

“团强就是力量”，团结是搞好一切革命工作的基础，共产党人面临着发动抗战的伟大的历史任务，毛泽东同志号召全党同志们，在新的认识下，团结前进。因为只有这样，才能促成全阶级、全民族、全国人民的大团结，只有这样，才能战胜敌人。

在团结工作中，党内要大量培养干部，发扬民主，发挥全党的积极性，“团结全党像钢铁一样”。在民众方面，则争取千百万群众进入抗日民族统一战线，“把党的方针变为群众的方针”。因为只有这样，才能形成巨大的抗战力

量，才能发动抗战并导致抗战胜利。

毛泽东同志在这一方面的指示，不消说，尤其是正确的。因为党是革命的先锋队，党必须团结，党在团结中要起积极的指导作用。同时抗日战争是革命的战争，革命的战争是群众的战争，只有动员群众才能发动战争，只有动员群众才能进行战争。

从此，我们完全可以认识到：毛泽东同志这一篇著作，是有着伟大历史意义的革命文献。它的本身，就刻画着一个革命时期的转折点，即由第二次国内革命战争时期转进到抗日战争时期。它告诉了我们：在中国革命中统一战线的本质及其重要性。它更告诉了我们：分析时事的思想方法和指导革命的工作方法。所以，毛泽东同志的这一篇著作，是和他的其他著作一样，同样是毛泽东思想伟大的结晶之一，是中国人民革命的财富之一。

附注：括弧中引句，统见毛泽东同志著原文。

（原载 1951 年武汉《新青年报》第 127、128 期，署名李达）

关于《实践论解说》的几点修正

（1952.1）

《实践论解说》出版以后，读者同志们曾经给我提了一些意见，现在我把那些意见综合起来，加上我自己的体会，作如下几点修正。

一、第1页——

“实践论——毛泽东思想的哲学基础”，其中“哲学”两字删去，改为：

“实践论——毛泽东思想的基础”

二、第23页第2行、27页第10、13行——

“科学”二字之上①，均加添“社会”二字。

三、第30页第3行起——

“自从传说中的燧人氏发明用火，伏羲氏发明畜牧，神农氏发明耕种，制造耒耜，嫘祖发明养蚕以后，”均删去。

同页第7行——

“在历史上的传说时代，”删去。

同页第10行——

“以后还发明太阳历，”删去。

同页末行——

“从传说中的夏代奚仲作马车以后，”删去。

第31页第5行——

“四千年前，祝融发明用炭，”删去。

四、第34页第9行——

① 原书为竖排版，“‘科学’二字之上”即“‘科学’二字之前”，下同。——编者注

“这样”二字,改为“他们所采取”。

五、第 132 页第 2—6 行,即

“譬如说,这绝对的总体的过程……而现在则只能从已经到达的阶段逐步地攀登上去。”全删。

六、第 148 页第 9 行起至第 153 页末行止,全部删去。因为这一段说明,只是我个人的私见,不能代表原著的意见。并且其中所引“知之匪艰,行之维艰”两句,是《书经》上的话,不是孔子说的。孔子不曾谈到知行难易问题。

七、第 157 页第 3 行——从“武训传中所描写的武训”起,至第 13 行“后来的北洋军阀和蒋介石也都嘉奖他。”止,全部删去。因为这一段话,是在《人民日报》发表《武训历史调查记》以前写的,主要地参考了伪造的武训传记,所以弄错了,现在改写如下:

根据《武训历史调查记》,武训出生于贫农家庭,幼年曾随母亲讨过饭,因而养成了不劳而食的游民习惯。成年以后,他在李变征家只做了一年的轻微劳动,就已经感到厌倦,觉得“不如讨饭随自己的好”。因此,他拒绝了哥哥和母亲的劝阻,决心干乞丐的勾当,叛离了自己的阶级。一个身强力壮的青年,“腰有案板那样粗”,行乞时怕人笑骂不肯施舍,他便装疯卖傻,打起兴学的招牌,作为行乞的手段。从此,他做起了流氓头子,把要流氓手段弄到的钱财,大放其高利贷,居然成了大地主。他 51 岁的那一年,已积蓄了一万多吊钱的财产,却全无兴学之意,只因为小地主郭芬捐了一块地基给他兴学,而恶霸杨树坊也同他谈起兴学之事,他不得已才和杨树坊合办那所崇贤义塾。这正是所谓“刘备招亲,弄假成真”。但他却因此得到了满清政府的嘉奖(后来北洋军阀和蒋介石匪帮也嘉奖了他),终于以地主而兼充了统治阶级的一名小卒。

八、第 165 页第 6 行、第 176 页第 9 行——

“科学”二字之上,均加添“社会”二字。

以上几点修正,请持有此书的同志们照着修改。此外,本书如还有欠妥当的地方,仍望同志们给提意见。

(载 1952 年《学习》第 2 期,署名李达)

致参加土改工作全体师生的慰勉信*

（1952.3）

各团、各队全体同志们：

我们两千多位教职员和同学参加土改工作，到现在整整2个月了。在这2个月期间，我们不断接到你们的报告，并从各方面获得一些反映。从这些报告和反映当中，得知你们的情况，基本上都是很好的。在旅途中，同志们个个背着自己的行装，团结互助，男的帮助女的，年轻的帮助年老的，爬山越岭，奋勇前进；在工作中，同志们又个个发挥积极性，服从领导，深入贫雇，坚持了三同一片的工作精神，像这些优良的革命表现，使我全体留校的师生员工和家属们，都引以为荣，并对你们致以敬意。

大家都能认识到：我们知识分子参加土改工作，是有着两重的伟大意义的。从搞好土地改革中，来锻炼自己的立场、思想意识与作风。你们的工作，是改造了客观世界，同时也改造了主观世界——改造了自己的思想。同志们已经有了两个月的亲身经验了，想来体会都是很深的，从深切的体会中，自然就会更感觉到自己所担负的革命任务，是多么光荣而伟大；同时对自己的改造说来，又是多么重要。

留校的全体师生员工，除几个专修科的同学和工友同志外，一般的都是老弱，但在你们英勇地参加土改工作的感召下，在学习上和留校工作上都发挥了应有的积极性，尤其在"整理校区迎接土改战士胜利归来"的劳动建校上，大家都很热情，有不少的人从来是没有劳动过的，但在这一工作上，大家都很积

---

* 这是1952年3月5日时任湖南大学校长李达、副校长易鼎新致湖南大学参加土改工作的师生的慰勉信，标题系编者所加。——编者注

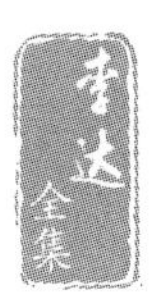

极地参加了。像这些成绩的获得,不消说,也是你们给予的鼓励;同时也是可以告慰你们的。

目前全国在轰轰烈烈地进行着“三反”运动,这同样是一场激烈的阶级斗争。我校决定在你们土改胜利归来后,一定要大张旗鼓、雷厉风行地展开这一运动。同志们这次在土改战线上,每天和农民一起,在火热的斗争当中,消灭了地主阶级,获得了伟大的胜利。回校后更要继续发挥战斗精神,在“三反”运动当中,检举贪污分子,清查资产阶级的腐朽思想,打退资产阶级的猖狂进攻,从胜利更走向胜利。

根据各地的报告,各团各队所在地区的工作,都将胜利完成了,这是一大喜讯,希望就在这将近胜利完成的时期,不要产生骄气、松劲的情绪和“算天数”、赶任务的思想,而要发挥更高度的革命热情,在各级负责同志领导下,加倍信心,以获全胜。并且利用空隙,即刻准备思想总结的工作,以免来日返校后再花时日,来专搞总结。

最后,敬祝你们身体健康!

三月五日

(原载1952年3月7日湖南大学校报《人民湖大》第85期,署名李达、易鼎新)

高等学校的“三反”运动必须结合思想改造

（1952.3）

当反贪污、反浪费、反官僚主义运动刚刚展开的时候，许多教育工作者大都采取漠不关心的态度。有的人说：“‘三反’运动是财经部门的事，学校是清水衙门，没有关系”；有的说：“学校里至多只有浪费和官僚主义，贪污则未必有”；有的说：“我们无官可僚，无费可浪，无机会可贪污”；有的说：“反正我自身清白，‘三反’于我何干。”诸如此类的右倾论调，到现在已经完全站不住脚了。

根据京、津、武汉、宁、沪各地学校在“三反”运动中所揭露的材料来看，各级学校中的官僚主义现象，是普遍地存在着的。其次，贪污现象也很严重，贪污千万元以上的很多，贪污一亿元以上的也不少，并且有些院长、系主任、教授也是贪污分子。至于浪费更是严重而普遍，凡属仪器、实验器材、设备、基本建设、水电、灯泡、玻璃用品、床、凳、桌、椅、书架、纸张、文具、油墨、粉笔、粮食、储藏室器物等，无不有严重的浪费现象；甚至大学各系所积压的教学器材，有为数达数十亿至百余亿元之多。此外，人力和时间的浪费，也是很普遍的。

湖南大学现因全体教职员学生都已下乡参加土地改革工作，“三反”斗争要延期到四月初才能展开，但据初步调查的材料来看，官僚主义现象很严重，贪污方面也发现了不少问题，浪费现象也颇为惊人。我们已下定决心，要把“三反”运动进行到底。

反贪污、反浪费、反官僚主义的运动，和反行贿、反偷税漏税、反盗骗国家资财、反偷工减料、反盗窃国家经济情报的运动，是一场严重而尖锐的阶级斗争，是工人阶级反对资产阶级进攻的斗争。资产阶级的进攻是全国规模的，工人阶级的反攻也是全国规模的。这一斗争，工人阶级必须取得全胜，才能巩固人民民主专政,建设新民主主义社会,创造社会主义的条件。不粉碎资产阶级进攻,资产阶级就会篡夺工人阶级的领导权,把人民国家引导到反动黑暗的路上去,这是绝对不能容忍的。

“三反”运动,在高等学校里,特别是在旧型高等学校里,更具有重大的意义。高等学校是以马克思列宁主义和毛泽东思想为教育的最高指导原理,实行共同纲领的教育政策,培养出具有高度政治觉悟、掌握现代科学与技术的高级建设干部的机关。在这里,资产阶级思想是不容许存在的。高等学校的“三反”运动,不仅是政治上、经济上的阶级斗争,并且是思想上的阶级斗争;不仅要粉碎资产阶级的进攻,并且要清除资产阶级思想。

不容讳言,资产阶级思想,在高等学校的教育工作者中,是严重的存在着。其具体的表现,有下列 12 项:

第一,自高自大。自认学有专长,造诣甚高,看不起同事,看不起劳动群众。

第二,客观主义。抱着超阶级、超政治的观点,对于新国家采取旁观者的态度,不能也不愿认识中国社会发展的规律,对于人民的国家缺乏爱心。

第三,雇佣观点。自以为拿月薪生活,认学校是资方,自己是劳方,上课开口,拿钱伸手,经常向学校争取好的待遇和条件,完全没有当家做主、为搞好自己的学校而服务的思想。

第四,做客思想。教一年书是一年,遇有好的机会就走向别的机关或学校去。他们的情绪是很不安定的。

第五,技术观点。认为技术与政治无关,有了技术,到处可以教书吃饭,不必学习政治。

第六,理论与实际脱节。教自然科学的人,只知从外国的教科书搬取教材来教学生,对于新国家工农业建设的实际需要并不考虑。教社会科学的人,多数不能应用马克思列宁主义和毛泽东思想,研究中国的历史实际与社会实际,仍然用资产阶级那一套社会科学来教学生;有的在开场白中也搬用《共同纲领》的条文,而在本论中仍是资产阶级的老一套。他们对于新社会的经济政治的新事物,竟熟视无睹,甚至教经济科学的人对报章杂志所载的新的经济资料和论文都不曾看过。教文艺的人,有的先生不求进步,用多年前所编的讲义教学生，甚至说世界上的小说只有英国的好。教戏剧的先生专门举欧洲的例子，对于中国的事例，认为不够标准。

第七，不负责任。主持系务的人，多不明白系的目的与任务，也不明白系内同事所教的各科目之间的联系，不审查各科目的教学大纲，更不关心学生的学业情况。各系的教员也是各师各教，从不提出本科目的教学大纲，互相讨论，遇有交叉重叠之处，也不划清界限，以致一个科目教过的东西，别的科目也重复一遍，徒然浪费学生的时间。

第八，本位主义。有的系负责人，认为本系是全校重点中的重点，不考虑全校教学设备费的限度，力争本系教学设备要多于他系，甚至有的主张把学校的修建费移作教学设备之用。事实上，如报端所揭露的，有的院系积压不用而腐朽的设备，至足惊人。

第九，宗派主义。援引同学为本系教员，排斥非同学教员；或者援引同自己同一个国家留过学的人为教员，排斥留学过别国的教员，树立派系。

第十，崇美亲美。过去留美的教员，多有崇美亲美的观念，在抗美援朝大运动后，表面上崇美亲美的观念是淡薄了，但仇美还是仇不起来。

第十一，拒绝根本改革。毛主席说起知识分子的思想改造时，有“稳步前进”一语，许多先生们却只知“稳步”，不知“前进”，甚至“稳步”不进，“拖延不改”。若说起用革命精神与革命方法来改进教学工作，他们却不知如何改进，仍然是老一套。

第十二，不注重学生政治学习。目前各高等学校，排定 9 小时的政治学习时间，但许多先生们对于学生们的政治学习，不但不予以鼓励，反而加以妨碍。例如他们故意加重学生的课外作业时间，使学生在政治学习时间中也搞业务课的学习。

以上各种资产阶级思想的表现，在部分的教育工作者中，确是普遍存在的，不过表现的形式不同。那些有浓厚资产阶级思想的人，名义上虽入了工会，而思想上却没有入工会，他们口头上虽也说自己是工人阶级，而心坎里却绝不承认自己是工人阶级，并没有工人阶级的意识。这是因为资产阶级思想在妨碍着他们转移阶级的立场。教育工作者中这种资产阶级思想若不完全清除，若不真正树立工人阶级的思想，那就绝不能胜任人民高等教师的职责，绝

不能培养出新国家所需要的新的干部。

现在高等学校的学生中，除了一部分积极分子外，思想是很复杂的：有资产阶级和小资产阶级的思想，也有封建地主阶级的思想。这些思想的具体表现，也有下列7项。

第一，专学技术。国家需要技术干部甚为迫切，他们进到学校后，就专心要学习技术，对于思想政治的课程，视为可有可无，甚至在政治课堂中搞业务课程方面的习题，以为只要学好技术，就不愁没有好的工作机会。再加以技术观点的先生的指导，他们就相得益彰了。

第二，断混资格。有的学生，特别是学习文教及社会科学的学生们，并不注重于思想政治的学习，也不用功搞好业务学习，他们以为只要混到毕业，政府自然要派给工作。

第三，剥削人民。家境并不清寒的学生，也有的申请人民助学金，还要申请甲等。有的还要求学校无代价发给书籍用品，甚至还借口营养欠佳，要求学校供给补药。他们好像把学校看作劳方，而自居资方，实行剥削。

第四，滥费公物。有的学生对于公物并不爱惜，如桌、凳、床架以及实验实习的器材等项，严重的浪费和破坏。

第五，自由散漫。不遵守纪律，没有组织观点，经常不参加集体生活和小组讨论，上课时迟到早退。

第六，享乐至上。有的学生，生活富裕，他们来到学校，是希望混个资格，以便将来能站上工作岗位。他们经常出入舞场，乱搞男女关系，又爱吃喝玩耍，学校附近的小馆和摊贩，是专为他们而设的。对于政治学习，心存抗拒。

第七，别有用心。有些因为其反动派或恶霸的父兄被镇压，或在土地改革后丧失了剥削生活根据的学生们，对于人民政府是怀恨在心的。他们蓄意破坏，在同学中经常借故挑拨离间，打击进步分子，又常常散播谣言，或密写标语诋毁人民政府。

高等学校中，有这类充满腐化堕落或反动思想的学生，又有那类充满资产阶级思想的教员来指导他们，试问怎能够培养出新国家所需要的全心全意为人民服务的人才来呢？

高等学校中，资产阶级思想严重存在的现象，是必须彻底清除的，现在也正是要彻底清除的时候了。我们必须在“三反”运动中，把清除资产阶级思想的斗争进行到底。

北京高等学校的师生员工，在“三反”运动中，对资产阶级思想展开着坚决的斗争，并已取得了初步的成绩。他们在这一斗争中，揭发了行政领导和教师们损害国家建设和人民利益的严重事实，使他们放下“架子”来检讨。许多校长、院长、系主任、教授、讲师、助教，都在群众面前做了检讨；检讨了自己的官僚主义或宗派主义，或本位主义，或自私自利行为，或崇美亲美思想等。检讨得深刻彻底的人可以被群众通过，否则要当众检讨两三次不等，有的教师曾检讨过 5 次。燕京大学教师在“肃清美帝国主义文化侵略影响”的号召下，普遍地进行检讨，清洗污毒。像这样在“三反”运动中对资产阶级思想展开坚决斗争的经验，是其他各地高等学校所应当取法的。

高等学校是教育阵地，又是思想阵地。每个教育工作者，在“三反”运动中，都得要认真检讨；不单要粉碎资产阶级的进攻，而最重要的是清除资产阶级思想。只有这样，才能把“三反”运动进行得彻底，只有这样，才能树立工人阶级思想——毛泽东思想的领导，才能改进教学方法与教学内容，才能真正应用理论与实际一致的教育方法，教育出新国家所需要的建设干部。

（原载 1952 年 3 月 24 日《长江日报》，署名李达）

声讨美帝国主义者撒播细菌的兽行

（1952. 3）

美帝国主义者，穷凶极恶，是杀人的强盗，是吃人的生物，是害人的野兽。它处心积虑要毒杀世界人民，掠夺世界资财，企图延长其兽命。它侵略朝鲜的目的，是要把朝鲜作为侵略中国和苏联的基地。它不料遭到中朝人民英勇军队的捶击，伤亡员兵 50 余万人，损失飞机 3000 多架，消耗战费美金 200 多亿。它遭受到失败命运，不得已才向中朝部队求和，举行停战谈判，但它又不甘心接受失败的教训，一再阻挠停战谈判的进行，声言要凭借海空军的优势，企图在谈判中取得在陆战中所不能取得的东西。但中朝人民部队并不曾为它的什么优势所吓倒，反而在谈判期间打退了它的兽军的进攻，予以大量的杀伤。美帝野兽们，于是老羞成怒，无计可施，终至乞怜于细菌战术。它灭绝人性，大逞兽性，竟在朝鲜的前线和后方，在我国的东北和青岛，用飞机撒布大量的细菌。这些细菌的种类，有脑膜炎菌、霍乱菌、伤寒菌、鼠疫菌等等，附带这些细菌的昆虫、苍蝇、蚊虫、跳蚤、蟋蟀、蜘蛛、老鼠、蚂蚁、小黑虫等，还有野鸟，附带这些细菌的东西，有鸡毛、鸭毛、树叶、肉类、饼干、罐头、小盒，还有各种装着各色毒药的布包。美帝野兽们，企图利用这些法宝在中国和朝鲜制造出流行性的瘟疫，毒死中朝的人民。它还自鸣得意，张开血盆大口说："此计甚妙！不费一兵一卒，可以杀尽中朝的军民，那时去掠取中朝的财产好了。"美帝野兽所犯的这种滔天罪行，引起了全中国全世界人民愤怒的抗议和声讨以后，它却面不改色，瞒天撒谎地说："莫非朝鲜和中国发生了瘟疫，终疑心我们撒布了细菌。那么，我叫我的走狗国际红十字会到朝鲜和中国去调查一下，看细菌战术的效果到底怎样。"美帝野兽们这样下流无耻，犯了大罪却不认供，简直和蒋匪帮的特务在我国秘密放火放毒的罪行，一模一样，可恶极了！

美帝野兽的细菌战术,是绝不能挽救它在朝鲜战场上的失败的。已经站起来了的中国人民,绝不是什么细菌战术所能吓倒的。美帝所扶植的蒋匪帮的800万军队,被我们人民打垮了,美帝及仆从所凑合的几百万侵朝军队也被中朝人民的英勇部队打败了,难道那些撒布下来的带细菌的玩意儿就不能消灭么?只要我全国人民提高警惕,那些毒菌是可以完全消灭的。

起来!我全国人民要认识美帝野兽的罪恶,一致声讨。我们要提高对于细菌战术的警惕,学习扑灭细菌的技术;同时要加紧增加生产,厉行节约,支援中国人民志愿军,让他们在朝鲜战场上痛歼美帝野兽!

起来!全世界人民,要同声声讨美帝野兽,讲求有效的手段,扑灭这个人类的公敌!

日、德、意法西斯野兽们,在第二次世界大战蓄意要犯而未敢大犯的细菌战罪行,是受到过人民的公审的,这就是美帝野兽的榜样。全世界人民总有一天把美帝野兽当作战犯来处分,这一天不久就会到来的。

(原载1952年3月25日湖南大学校报《人民湖大》第86期,署名李达)

湖大思想改造与“三反”斗争运动报告*

（1952.4）

同志们、同学们！

反贪污、反浪费、反官僚主义运动，早已大张旗鼓、轰轰烈烈地在全国范围内展开了。这一运动（以及工商界的“五反”运动）是一场严重的尖锐的阶级斗争，是工人阶级反对资产阶级猖狂进攻的斗争。同时，在这运动中，开展着工人阶级思想与非工人阶级的思想斗争。这和抗美援朝、土地改革、镇压反革命三大运动一样，有同等重要的意义。

贪污是盗窃国家财产据为己有，如：利用自己的地位和职权出卖经济情报，使国家和人民的财产遭到巨大的损失；勾结奸商盗卖国家财产、包庇、贿赂、走私、漏税、侵吞公款公物；伪造单据、吃回扣、拿佣金、假公济私；还有严重的公私不分。

浪费是浪费国家和人民的财产，如：对基本建设计划不周，致使国家财产遭受损失；积压物质和资金，使经营物资不能充分利用；不需要用的钱却用了；讲排场，讲大方，虚耗公共财物。

官僚主义是对所领导的工作不负责任，不思考问题，不深入检查，作风恶劣，脱离群众，以致事务主义与文牍主义无法克服，贪污浪费现象严重存在，民主缺乏，群众的智慧和积极性不得发扬，工作效率无法提高。

自从“三反”运动在全国开展以来，许多机构、企业、部队、学校和群众团体，都发现有严重的贪污、浪费的现象；这些现象又都是受到了官僚主义的包

* 这是1952年4月11日李达在湖南大学开展思想改造与三反斗争运动动员大会上的报告。——编者注

庇和纵容，而得以存在、发展。我们如不彻底地肃清它们，新民主主义的各种建设，就不能顺利前进，并且已有的建设上的成就也要遭到严重的破坏。

所以“三反”运动，首先是政治斗争。因为贪污、浪费和官僚主义都是旧时代的遗毒，是由于资产阶级的坏思想和坏作风在腐化我们党与非党的干部，使他们蜕化变质，脱离革命；并且在这三种现象严重存在的地方，反动分子就会乘虚而入，混进革命队伍，破坏我们革命的事业。为了巩固革命的的胜利，纯洁革命的队伍，保证建设事业的顺利进行，必须把“三反”运动进行到底。

其次，“三反”运动是经济斗争。国家要进行大规模的经济建设，需要大量的资金，这些资金的积累是很不容易的。可是新中国成立以来，竟有大量资金被贪污了、被浪费了，这是绝对不能容忍的。这种现象如不彻底消灭，国家大规模的经济建设就无法开展。

再次，“三反”运动是思想斗争。资产阶级的腐朽堕落的思想是：剥削群众、不劳而食、损人利己、唯利是图、假公济私、投机取巧、铺张浪费、享乐至上。这些思想，在蜕化变质分子行为上的表现，就是贪污浪费。为了克服这些腐朽堕落思想的侵蚀，就必须通过“三反”运动，把工人阶级思想——毛泽东思想武装自己的头脑，向资产阶级思想开火。

只有争取“三反”运动的胜利，才能肃清一切反动的、贪污的、堕落的思想，提高工人阶级的自觉，纯洁革命的队伍，保护国家的财产，进行新民主主义的建设，创造出社会主义的条件。

当全国“三反”运动开始进行时，大学里有些先生们，认为“三反”运动是财经部门的事，学校是“清水衙门”，可以不展开“三反”，或者说大学里只有浪费和官僚主义，不会有贪污。现在这种想法已经被打破了。

根据京、津、沪、宁、武汉各地高等学校在“三反”运动中所揭露的材料来看，官僚主义是普遍地存在着，几乎没有例外。贪污现象很严重，有些素以“清高”自命的学者名流，竟是贪污分子。至于浪费现象更为严重而普遍。凡属仪器、实验器材、设备、基本建设、水电、灯泡、玻璃用品、床、凳、桌椅、书架、纸张、文具、油墨、粉笔、粮食、储藏器物等，无不有严重的浪费现象，甚至大学各系所积压的教学器材，有为数达数十亿至百余亿元之多。此外人力和时间的浪费，也是很普遍的。

我们湖大，根据初步的调查，贪污、浪费和官僚主义现象，也是普遍而严重的。这些现象一直未能克服，是与我们思想中的混乱状态分不开的。大学是教育阵地，因此是重要的思想阵地。它隶属于人民政府的教育部，是为国家培养新建设干部的机关，这种新建设干部必须具有工人阶级思想和掌握现代的科学与技术。因此，大学里的“三反”运动，必须结合思想改造去进行，不仅要消灭贪污、浪费和官僚主义的现象，而最重要的是清算非工人阶级的教学思想，建立工人阶级的教学思想。

我校为了开展这一运动，于本月 8 日召集了约两百个代表的扩大校务会议，组织了“湖南大学节约检查委员会”并通过了关于开展思想改造与三反运动的方案。这里我把方案中的方针和任务报告出来。

第一，两年多以来，由于新中国整个形势的要求与推动，湖大师生在新的领导之下力求进步，通过抗美援朝、镇压反革命、土地改革等政治运动，在各方面都有巨大的进步，已经出现了新的面貌。

第二，但是，湖大是与其他几个高等学校从反动政权长期统治之下接管合并起来的，旧的传统在各方面都有深刻影响，方针步骤未能完全一致；同时，两年多来领导方针不够正确，对于经常的有系统的政治思想教育抓得不紧，以致目前还存在很多问题：贪污和浪费现象普遍严重存在；官僚主义没有克服；教学思想混乱；封建思想和买办思想仍未肃清；资产阶级思想的腐蚀作用深而且广，这一切都阻碍了团结、阻碍了进步，使学校赶不上祖国形势的需要。

第三，毛主席所号召的思想改造与增产节约，在最近数月之内已在全国形成了广泛和深入的群众运动，并已获得了伟大的成效。湖大师生为了准备思想改造运动，参加土改运动达 3 个月，因此校内思想改造与“三反”运动推进了一步。现在既然有全国两大运动的胜利和全国参加土改的收获做直接的基础，本校应该全体动员，以积极努力，稳步前进的精神，立即开展思想改造，结合“三反”运动，把“三反”运动贯彻到底，来推动思想改造。在这个方针下，要达到这些目的：根绝贪污浪费，克服官僚主义，肃清封建思想买办思想，批判资产阶级思想。树立工人阶级的教学思想，贯彻新民主主义的文教政策，为调整院系、加强领导、改进教学内容和教学方法打好基础，使全校师生由此更进一步认真努力学习马列主义和毛泽东思想，更好地为祖国为人民服务。

第四，由于国家建设的需要，全体师生员工的进步要求和共同努力，在共产党和人民政府的领导之下，加以全国思想改造与“三反”运动伟大胜利的鼓舞和丰富经验的借镜，本校的思想改造与“三反”运动，一定能彻底完成。

我校开展思想改造与“三反”运动的第一步，是学习关于“三反”运动的文件。学习这些文件，要认真而深入。我们要深刻地认识三反运动的伟大意义，认识“三反”运动的方针和政策，认识贪污浪费和官僚主义对于我们的革命建设事业的危害同时，我们要认识“三反”运动，同时是严重的思想斗争，是自我改造的运动，必须通过“三反”运动来巩固工人阶级思想——马列主义、毛泽东思想的领导。特别是我们学习文件时，要联系自己的思想实际与学校的教学思想实际，认识贪污浪费和官僚主义对于学校的危害，认识非工人阶级的教学思想对于学校的危害，大下决心来消灭它们。为了这个目的，我们全体人员应该勇敢地运用批评和自我批评武器，从领导方面起，进行严格的检讨，只有如此，才能够把官僚主义克服，才能发挥群众来对贪污浪费现象进行斗争，并开展严格的思想斗争。

我接办湖大两年多以来，对于行政上的领导与思想上的领导的方法以及工作态度是有很多缺点的。我一定要在这个运动中依靠群众的力量来克服这些缺点，并把运动彻底完成。我诚恳地欢迎大家予以批评，希望大家对我的缺点，“知无不言，言无不尽”。我一定要本着“言者无罪，闻者足戒”。“有则改之，无则加勉”的精神，虚心研究大家对我提出的意见，做深刻的检讨。

全体湖大人动员起来，为贯彻思想改造与“三反”运动的方针而奋斗！

（原载1952年4月13日湖南大学校报《人民湖大》第87期，署名李达）

从湖大“三反”运动的进展说到思想改造

(1952.5)

湖南大学开展“三反”运动以来已经40天了，群众所揭露出来的贪污、浪费和官僚主义现象，是那样的普遍而严重，使我受了莫大的震动。这是群众给我的生动的具体的政治教育，我痛切地感到我对于人民教育事业犯了严重的错误。

我接掌湖大两年多，工作重心是放在思想的领导方面，但由于领导的方法和工作的态度存在着许多缺点，对于经常的有系统的思想政治教育抓得不紧，以致发生了很多问题。贪污、浪费与官僚主义的严重存在，教学思想的混乱，资产阶级思想腐蚀作用的深而且广，这都是思想政治教育没有收到效果的证明。

我对于行政工作的领导，一向不曾予以足够的重视。湖大是与其他几个高等学校从反动统治之下接管合并而来的，旧的传统在各方面都有深刻的影响，许多工作干部都或多或少地带着旧社会的坏思想坏习惯进入人民湖大的，但学校不曾用有效办法对这些旧的工作人员给以足够的政治教育，改造他们的旧思想，使他们树立为人民服务的新思想。我麻痹大意，对那些有腐朽思想的工作人员，不但不曾提高警惕，反而盲目地信赖他们。例如就总务处来说，我对于总务长及所辖各单位工作人员，从来不曾怀疑过他们。甚至在去年9月8日的座谈会上，我还当众说过“总务处不会有贪污”（这是何等右倾的思想！）。湖大房荒严重，教室，学生宿舍和教职员工友住宅，都异常缺乏，所以我主张要大兴土木。一切建筑设计，概由总务处主持，每逢总务处把建筑计划送来时，我总是“批一批”了事，以后工程的进展和经费的支出，我从不过问。这等于说，他们如何贪污，如何偷工减料，我是不过问的。这说明我的官僚主义是何等的严重！

又如教学器材的购置，我是主张采用重点补充的方法的。因为解放以前的湖大，一切教学设备费，概由各系瓜分，各系把瓜分得的经费作为本系的私产，任意处理，或者购买黄金或美钞，或者存入钱庄生息，各得其所，互不过问。我认为这种本位主义必须打破，所以主张重点补充。例如普通物理化学的实验器材，原来只能供数十人学习之用，而现在则需供两三百人的实习，势非补充不可。因此在1950年下期，我采纳了物理化学两系主任的意见，并征得理工两院院长的同意，仅先补充一年级生普通的物理和化学实习器材。但是该两系的采购人员，却于上项实习器材之外，任意买进一些不用或不能用的东西，把钱花光了为止。这次的采购，物理化学两系的负责人，事前没有计划，事后也没有检查到底买来了一些什么东西。我呢，更是不曾过问。其他各系的购置，也有类似的情形。其次，关于图书的购置，也有盲目采购的事实，我也不曾过问。此次我校所举行反浪费展览会，暴露了我校积压浪费的数字达82亿元之多，虽然其中绝大部分是属于解放以前的事情，而在解放以后短短的两年多的时间中，积压浪费亦复不少。不管解放前后积压浪费的数字如何，却有一件事实说明了：解放以后的湖大，在浪费人民财产一事上，仍和解放以前的湖大一样，丝毫没有改变，这是绝对不能容忍的。我清楚地知道，人民政府拨给学校的经费，是人民的财产，应当充分地善于利用在教学工作方面，不容有丝毫浪费的行为，而结果却竟有那么多的浪费，说来何等痛心。

湖大的贪污和浪费现象，是与层层的官僚主义分不开的，而我自己应当负总的责任。我为什么有官僚主义呢？这是与我的生活历史有关系的。我原出身于贫农家庭。我依靠着公费才能受中等和高等的教育，生活上还曾保持过艰苦朴素的作风。但是到了做大学教授以后，就逐渐地受了资产阶级思想的侵蚀，生活上就逐渐地铺张浪费起来，把过去艰苦朴素的作风完全抛弃了。再加上多年来生活在旧式大学的环境中，常常看到那些学校行政负责人，高高在上，出主意，订计划，交由职员们去执行，自己盖章画行以后，无所事事。这种印象，在我的脑筋中是很深刻的。所以我接长湖大以后，对于行政的领导，就沿袭着那老一套的官僚主义的作风。讲大方，讲排场，尽量多建筑房屋，多充实设备，画行盖章以后，很少做监督和检查的工作。我不曾建立行政工作的新

制度，也不曾订出办法，组织力量，来训练那些旧的工作人员，改造他们的思想，特别是对于贪污成性的坏分子，从不曾调查过他们的历史，提高警惕，以致大量的人民财产被贪污分子贪污了去，被本位主义者浪费了去。在不重视人民财产这一件事来说，我也是有愧为人民大学的校长的。

湖大师生员工，从解放以来，就投入思想改造运动中，大家学习共同纲领、社会发展史、时事政策、实践论、党史、毛泽东选集，又通过抗美援朝、土地改革、镇压反革命的三大运动，绝大多数人都有了新的认识，认识毛主席和中国共产党是光荣的、伟大的、正确的，认识人民政府是真正为人民谋利益的，认识中国社会是由新民主主义到达社会主义的。但是许多人的这种认识，还飘浮在表面上，还停顿在口头上，还不曾把这种认识和自己的思想实际联系起来。只有通过这次的“三反”运动，大家在思想上才真正有了一些转变。大家对于我校的贪污、浪费和官僚主义的现象，认为是可耻的，可恨的。教师们对于这次反浪费的展览，认为是受了一场生动的具体的政治大课，深切地认识了浪费对于人民教育事业的危害性。好几位院长和系主任认识到自己所犯的官僚主义、本位主义和形式主义的错误，认识到自己的非工人阶级的教学思想的错误，大家都有决心纠正那些错误，来树立工人阶级的教学思想。这是湖大的转折点，是由旧型大学到新型大学的转折点。我愿和全体教师们，在这个新的认识的基础上，结合自己的思想实际，进一步进行改造，从感性的阶段进到理性的阶段，再由理性的认识进到教学的实践。

我们要通过“三反”运动，来彻底改造我们的思想。我们要根绝贪污、浪费，克服官僚主义，批判资产阶级思想，培养工人阶级思想，认真努力学习马克思列宁主义、毛泽东思想，更好地为人民大学的教育事业服务。

（原载 1952 年 5 月 23 日湖南大学校报《人民湖大》第 98 期，署名李达）

纪念“六·二五”两周年

（1952.6）

今年6月25日，是朝鲜人民反抗美帝侵略朝鲜的战争两周年纪念日。首先我们要知道，中朝人民军队的战果是辉煌无比的。两年之间，我方已经毙伤了美帝兽军30余万人（李承晚匪军的伤亡超过此数），打落和打伤了敌机4000多架，灭伤了敌舰百多艘，坦克和战车2000多辆，汽车10000多辆，缴获了大炮、机枪及其他武器弹药难以数计。

这个战争证明了：美帝的侵略战争，是非正义的战争，它必然是失败的，它果然失败了；我方的反侵略战争，是正义的战争，它必然要胜利的，它果然胜利了！

这个战争暴露了：美帝是灭绝人道的生番，无比凶残的野兽，它残杀了朝鲜数十万和平的居民，烧毁了朝鲜无数万人民的房屋，它在朝鲜和中国进行了惨无人道的细菌战，它在巨济岛和釜山等地毒杀了手无寸铁的我方被俘人员数千人；而我对于敌方被俘人员，则给以合于日内瓦公约的人道的待遇，使得他们发出由衷的感激，发出反侵略战争、反华尔街老板们的呼声。这显然是一个鲜明的对照。

在这个战争中，美帝是愈战愈弱了，而我方则是愈战愈强了。早在去年麦魔滚蛋以前，美帝代言人已经垂顶丧气地说：照这样的形势，美帝要打到鸭绿江边，需要数十年。今年它们的论调更是悲观。它的谍报宣称，中朝人民部队已增加到百多万人，战斗机已有数千架，坦克很多，大炮很多，而且打得很准。它时刻忧虑着我方将要大举反攻。但它却用“阿Q式”的论调，大言不惭地说，它已在“三八线”以南建筑了“马奇诺防线”，退可以守，进可以战，并且威胁地说，那时它将用原子武器遮断两方的阵线，阻止我方前进，而它却可以从

容不迫的后退。这种“原子讹诈”的老调,显见得是黔驴技穷了。

在这个战争中,美帝兽军的士气大大地消沉了。陆军方面的一些有战斗经验的士兵,在这次战争中,大半是死的死了,伤的伤了,补充的大半是无战斗经验的新兵。就拿美帝所称为“王牌军”的陆战第一师来说,大部分都是新兵,他们一出阵就都变为炮灰,因此他们以充当俘虏保全狗命为万幸。他们被俘以后,还嗔怪我军不早点喊话,叫他们投降。至于它国内的壮丁们,大都厌战,并且看到了几十万远征兵士有去无还,就设法逃避征兵,因此它连新兵的补充都感到困难。空军方面,由于敌机毁伤数字的增多,飞行员大量死亡,特别是所谓“王牌”的著名空中强盗戴维斯一流人,都牺牲在我人民空军战斗英雄之手,使得他们许多飞行员不敢也不愿意起飞,以致美帝要用军法来制裁他们。从前美国大学生喜欢参加空军,以为可以发财,现在看到空军战士死伤太多,都感到生命的重要。志愿参加空军的人,几无一人。由此可以看出敌军士气消沉的程度,美帝是无法继续侵略朝鲜的战争的。

由于这一次战争,美帝一伙的反动侵略阵线削弱了,并且混乱不堪了。美帝与其仆从国家之间,互相争吵,其内部的矛盾扩大了。仆从国家中,有的对美帝实行“跪着的反抗”,有的则公开地脱离了。特别是在两年侵略战争中,美帝三易主将,仍然不能挽回失败的命运。麦克阿瑟发动了侵朝战争以后,被中朝人民打得头破血流,因而滚蛋了。李奇微来,也是一筹莫展,只是使用了一阵细菌战术,赢得了“瘟疫将军”的称号,滚到欧洲撒布瘟疫去了。后来的克拉克,一代不如一代,他的拿手杰作,就是调动大批军队,集中大量凶恶武器,来毒杀我方手无寸铁的被俘人员而自鸣得意。除此以外,就是耍癞皮狗,拖延朝鲜停战谈判。在停战谈判会议上,美帝首席代表,前有乔埃,现有哈利逊,都是蛮不讲理的家伙,以能挨骂而著名。他们始终坚持“甄别战俘,扣留我方被俘人员十万名”这一荒谬、蛮横、违反《日内瓦公约》而灭绝人道的主张,借以拖延和谈的成功。我方首席代表南日将军,在谈判会议上,理直气壮,痛斥对方野蛮、残忍、凶暴的罪恶,使得乔埃和哈利逊哑口无言。乔埃前因能够忍受南日将军的痛骂,博得了美帝的夸奖,说他富有忍耐心。哈利逊呢,原曾做过牧师,比乔埃更富有挨骂的忍耐心。每次会议席上,总是南日侃侃而言,哈利逊低头静听,每次临走时,老是说一句同样的话,“我方甄别俘虏的主张是不可改变的”。他最近由于怕挨骂而逃会了三天,又逃会了三天。南日问他是否主张停止和谈,他却不敢答复。这真是耍癞皮狗。正如毛主席所说:“在野兽面前,不可以表示丝毫的怯懦,我们要学景阳冈上的武松。在武松看来,景阳冈上的老虎,刺激它也是那样,不刺激它也是那样,总之是要吃人的。或者把老虎打死,或者被老虎吃掉,二者必居其一。”我们是学武松的,一定要把老虎打死。美帝一贯的政策,是反苏、反共、反人民,它制造紧张的空气,实行大鱼吃小鱼的方法,要武装那些仆从国家,借以控制仆从国家的资源,增殖华尔街老板的利润。因此,在大吹大擂挑动世界大战的今日,它是绝不会松弛它所制造的紧张空气的。假使朝鲜停战谈判成功了,紧张空气一缓和,它所要筹组的欧洲反苏军的计划,就会得不到仆从国的支持,华尔街老板们的发财计划就会落空。所以美帝为了保持所制造的紧张空气,就选择了拖延朝鲜停战谈判的方法。我方是坚决主张无条件遣返全部战俘的,美帝则坚决要扣留我方10万名被俘人员。于是这个和谈,就只有拖下去。拖下去就拖下去吧。我们要美帝拖死在朝鲜。单只5月份的战果,我方就歼灭了敌军万余名,毁伤了敌机533架。6月份的战果将会更大。美帝尽管这样地牺牲陆军空军来拖延朝鲜的停战谈判罢,我们是严阵以待,不怕拖延的。

纪念“六·二五”两周年,我们要向金日成将军和朝鲜人民军全体将士们致敬!他们英勇的抗美卫国战争,鼓舞了我国和全世界爱好和平的人们为争取世界持久和平而奋斗的勇气和信心。

纪念“六·二五”两周年,我们要向中国人民志愿军的指挥员致敬!由于他们发挥了高度的国际主义和爱国主义的精神,在朝鲜战场上粉碎了美帝的侵略,保卫了邻邦的朝鲜,保卫了祖国的边疆,保卫了远东的安全与世界的和平。他们的功劳是无比的伟大,我们今天还能过着和平的日子,完全出于他们之赐。我们要学习他们的高贵的品质,清除自己思想上的残滓,同时要尽我们所有的能力去支援他们,并慰问他们。

纪念“六·二五”两周年,我们要向毛主席致敬!由于他的抗美援朝的英明而正确的决策,打破了头号帝国主义者,洗清了中华民族一百多年的奇耻大辱,并且改变了国际局势,打乱了美帝发动世界大战的日程表,加强了世界和平民主阵营的力量。中国人民真正雄壮地坚强地站起来了。我们要响应毛主

席的号召，在“三反”和“五反”斗争的胜利基础上，加紧增产节约，充实国防力量，支援人民志愿军，为解放朝鲜而战，并准备在将来为解放台湾而战！

崇美、亲美、恐美的人们醒来！你崇美么？美帝是惨无人道的吃人的生番和野兽。你亲美么？美帝是中国和世界人民的公敌。你恐美么？美帝是我人民部队的败北者。你或者说，两年来抗美援朝的胜利教训了你，冲淡了你的崇美亲美的观念，但要你仇美，你却仇不起来。你这是什么立场？你站在中国人民与美帝之间的第三者的立场么？第三者的立场是没有的。第三者的立场就是美帝的立场。目前的世界，划分了两大战线，一条是以苏联为首的和平民主战线，一条是以美帝为首的侵略反动战线；前者是人民战线，后者是反人民战线。只有这两条战线，绝没有第三者的中间战线。你若是崇美、亲美、恐美，你就是站在美帝一边了。你既然站在美帝的一边，你就会跟着它反苏、反共、反人民。这是逻辑上必然的结论。

美帝的野蛮、残暴、卑鄙和无耻，在这次战争中，已经暴露得很清楚了，难道还有什么可“崇”、可“亲”和可“恐”么？过去一些受了美帝教育熏陶的人，留恋于美国生活方式，不认美帝的真面目，总觉得它的物质文明比我们好，科学技术比我们进步，并且有强大的海陆空军，还有原子弹，因而觉得它是可崇、可亲、可恐的。这种思想，一方面是由于阶级立场，一方面是由于民族自卑感所养成的。现在美帝的真面目已经被揭破了，站在中华民族的立场、站在工人阶级立场的知识分子，就必须转变过去那种错误的思想，由崇美转到鄙美，由亲美转到仇美，由恐美转到抗美方面来。在今天的思想改造运动当中，我们第一要清除的反动思想，是崇美、亲美、恐美的思想，和反苏、反共、反人民的思想。具有那些思想的人们，应该清醒过来，把那些思想检查出来，认真检讨，彻底清除，不要留一点残滓，断然地和敌人的思想划分界线。这是知识分子在思想改造过程中必须通过的第一关。

（原载1952年6月18日湖南大学校报《人民湖大》第102期，署名李达）

纪念“七一”,谈知识分子思想改造问题

(1952.7)

今年的“七一”,是中国共产党成立31周年纪念日。纪念今年的七一,我来谈谈知识分子的思想改造问题。

中国共产党对于知识分子的政策,是正确而伟大的,是完全适合于中国的国情的。早在1939年,毛主席为中共中央所写的关于《大量吸收知识分子》的决定中,说明了吸收知识分子对于革命事业的重要性,并指示全党的干部照着这个政策去实行。这个决定,首先说明着:

> 在长期的和残酷的民族解放战争中,在建立新中国的伟大斗争中,共产党必须善于吸收知识分子,才能组织伟大的抗战力量,组织千百万农民群众,发展革命的文化运动和发展革命的统一战线。没有知识分子,革命的胜利是不可能的。①

由于确认知识分子对于革命事业的重要性,所以主张放手吸收知识分子,吸收那些比较能吃苦耐劳的知识分子,“加以教育,使他们在战争中在工作中去历练,使他们为军队、为政府、为群众服务,并按照具体情况将具备了入党条件的一部分知识分子吸收入党”。“对于多少有用的比较忠实的知识分子,应该分配适当的工作,应该好好地教育他们,带领他们,在长期斗争中,逐渐克服他们的弱点,使他们革命化和群众化,使他们同老党员和老干部融洽起来,使他们同工农党员融洽起来。”(见前著)中国共产党对于知识分子的这样伟大

---

① 《毛泽东选集》第2卷,第587页。

而正确的政策，是一贯地实行着，在新国家成立以后，这种政策应用的范围是更加扩大而深入了。

中国共产党对于知识分子为什么采用那样伟大而正确的政策，这主要地是由于中国知识分子的特殊性。中国的知识分子，是和资本主义国家的知识分子不同的。资本主义国家的知识分子，一般是为资产阶级服务的，他们的主要的目标，对内是捏造对于无产阶级的欺骗、压迫和剥削的理论，对外是捏造对于殖民地的掠夺和征服的理论。他们对于马克思列宁主义的理论，则视为洪水猛兽，表示深恶痛绝，还要著书立说，肆意诋毁。他们和无产阶级及其政党，完全站在敌对的立场（固然，在资本主义没落时期，他们中也有少数人采取改良主义，希图为资产阶级缓和无产阶级的革命斗争的）。至于中国的知识分子，却具有其特殊性。如毛主席在“中国革命与中国共产党”中所说：“数十年来，中国已出现了一个很大的知识分子群与青年学生群。在这一群人中间，除去一部分接近帝国主义和大资产阶级并为其服务而反对民众的知识分子外，一般地是受帝国主义、封建主义和大资产阶级的压迫，遭受着失业和失学的威胁。因此，他们有很大的革命性。他们或多或少地有了资本主义的科学知识，富于政治感觉，他们在现阶段的中国革命中常起着先锋的和桥梁的作用。辛亥革命前的留学生运动，1919 年的五四运动，1925 年的‘五卅’运动，1935 年的‘一二·九’运动，就是显明的例证。尤其是广大的比较贫苦的知识分子，能够和工农一道，参加和拥护革命。马克思列宁主义思想在中国的广大的传播和接受，首先也是在知识分子和青年学生中。革命力量的组织和革命事业的建设，离开革命的知识分子的参加，是不能成功的。”由此可见，知识分子虽是革命的一方面军而不是主力军（工农），但他们对于中国革命事业的重要性，却是很明显的。我们再从新民主主义革命史来看，每逢革命形势有了新的变化时，知识分子投奔革命阵营的人数就增多。例如 1924—1927 年大革命时期，许多知识分子奔赴广州和武汉，参加了革命事业。在 1927 年以后的土地革命战争时期，在白色区域的知识分子，都望着井冈山的革命的灯塔，配合着苏区的革命运动，用各种方式展开着反帝反封建的斗争。在抗日战争时期，许多少壮的知识分子，都奔赴延安圣地，参加着抗日革命的工作，而留在蒋匪帮区域大后方的进步知识分子，也配合着做过很多抗日革命的工作。到了第三次国内战争时期，知识分子中，除了买办和地主阶级的知识分子和一部分资产阶级的知识分子以外，都来到了中国共产党一边，人们对此记忆犹新。由此可见，中国知识分子对于革命事业的重要性，完全是与中国革命之反帝反封建的性质，息息相关的。毛主席当年要党的干部认识殖民地半殖民地国家的知识分子和资本主义国家的知识分子的区别，大量吸收知识分子参加革命工作的决定，是伟大而正确的，是完全适合于中国国情的。

大量吸收知识分子的决定，随着革命的胜利，愈加扩大地深入地实行着。在 1949 年中央人民政府未宣告成立以前，党立即召集了全国各地的自然科学工作者、社会科学工作者、教育工作者和文艺工作者，到北京举行各种筹备会议，把一切知识分子组织起来，教育他们，使他们参加各种革命建设工作。从此各方面的知识分子都响应了党的号召，集中于党的周围，愿为新民主主义的建设事业而奋斗。新国家成立以后，党对于知识分子的政策，是沿着“大量吸收知识分子”的决定中所指出的两条路线进行的，即“使工农干部的知识分子化和知识分子的工农群众化”。“使工农干部的知识分子化”，即是培养新知识分子；“使知识分子的工农群众化”，即是改造旧知识分子使成为新知识分子。培养新知识分子的方法，是设立各级新型的学校（包括工农学校）。至于改造旧知识分子的方法，则主要地是推动他们改造思想。对于旧知识分子采用思想改造的方法，一方面是吸收了苏联的经验，一方面也是由于革命胜利后的中国旧知识分子与十月革命后俄国旧知识分子不同。俄国的旧知识分子，原来是就食于资产阶级并效劳于资产阶级的，十月革命以后，他们的思想很少改变，加以国内反动派的叛乱和外国武装的干涉，他们中最有影响、最熟练的一部分就向苏维埃政权斗争，并实行怠工。结果，这一部分被苏维埃政权机关打破和驱散了。后来其中的大多数人，就被敌人招去做暗害分子和间谍，结果也被肃清了。旧知识分子的第三部分，是熟练程度较差而人数较多的一部分，原曾抱着“等待主义”，等候“好日子”的来临，但等了很久，没有希望，只好抛弃原来的念头，决心在苏维埃政权下工作。所以联共对于旧知识分子的政策，是采用列宁的“吸收与割断”的公式，即对于忠诚老实的旧知识分子则予以吸收，对于那些反动顽固的旧知识分子则予以“割断”。至于革命胜利以后的中国旧知识分子，情况却有些不同。旧知识分子中除了极少数反动者以外，大多

数是愿意服从党的领导而为人民服务的，并且已被人民政府所吸收，参加着各种建设的工作。其中也不免有一部分人，在最初抱着等待主义，等待他们自己心目中的“好日子”的来临，但由于人民政权力量的强大，很快地肃清了美蒋匪帮在国内的残余势力和封建势力，使他们的“等待”落了空。其次，有一部分人抱着客观主义，站在“超阶级”“超政治”的立场，而实则站在资产阶级的立场。他们实行思想改造后，仍会成为有益于人民的知识分子。至于被敌人招去做暗害分子的人，也还是有的，但为数极少，他们自绝于人民，于人民无尤。

那些已经参加机关和厂矿工作的知识分子们，比较容易革命化和群众化。他们能和革命老干部融洽起来，又有工人群众影响他们，他们比较容易改造思想，成为新知识分子。现在成为思想改造问题的中心的人，就是那些站在资产阶级立场的，和曾经抱有等待主义的知识分子。毋庸讳言，这类知识分子，有许多就是高等学校教师们。他们是党和人民政府所要“争取、团结、教育、改造”的对象。1951年秋季以来，中央人民政府教育部主持京津高等学校教师的政治学习，并号召全国高等学校教师进行政治学习。今年全国各高等学校，都结合三反运动进行教师的思想改造。由此可见，党和人民政府对于高等学校的教师改造思想，是寄予了很大的希望的。

党和人民政府为什么那样迫切期望着高等学校教师改造思想呢？第一是因为我国文化不发达，“知识分子极可宝贵”①，所以要争取他们改造思想，使他们克服非工人阶级思想，成为人民的教师。第二，新国家正在大规模地实行新民主主义的经济建设、政治建设与文化建设，以创造进到社会主义的条件。这些大规模的建设，需要大量的新建设的干部，即具有共产主义觉悟而又能掌握现代科学与技术的新干部，而这些新干部的养成，不能不依靠原有的高等学校教师的帮助。假使原有的高等教师自己如不先进行思想改造，就绝不可能培养出新国家所需要的新干部来，这道理是很明显的。

作为一个人民教师，在积极方面，他必须站在工人阶级的立场，深刻地懂得中国社会从新民主主义社会进到社会主义社会、共产主义社会的发展规律，

① 见《整顿学风文风党风》。

领导学生学习马克思列宁主义、毛泽东思想，在今天为新民主主义的实现而努力，在明天为社会主义共产主义的实现而努力；他必须领导学生发扬爱祖国、爱人民、爱科学、爱劳动、爱护公共财物的公德；他必须领导学生精通自然科学与技术，以服务于工业农业和国防建设；他必须应用辩证唯物论和历史唯物论的观点，教导学生研究和解释历史、经济、政治、文化及国际事务；他必须教导学生以为人民服务的文学艺术，启发人民的政治觉悟，鼓励人民的劳动热情；他必须具体地灵活地运用理论与实际相一致的教学方法，使学生所学的东西能切合于目前新民主主义建设的需要。作为一个人民教师，在消极方面，他必须肃清自己所曾经有过的反动思想的影响——封建的买办的法西斯主义思想，反苏、反共、反人民的思想，崇美、亲美、恐美的思想，与敌人的思想划分界线；他必须克服资产阶级思想——个人主义、作客思想、雇佣观点、技术观点、超阶级超政治观点等，与资产阶级思想划分界线。目前全国展开着的教师思想改造运动，其唯一的要求，就只是希望原有的教师们改造思想，成为人民的教师。要改造到这个地步，也许是不容易的事情，但只要下定决心，向着这个方向稳步前进，还是容易做到的。

就目前全国教师的思想改造运动的情况来看，教师们中间的资产阶级的思想是普遍存在着，反苏、反共、反人民的思想和崇美、亲美、恐美的思想，也是存在着的。这类反工人阶级的思想，是党和人民政府所迫切期望他们彻底改造的。在这次思想改造运动中，确已有不少的教师，敢于暴露自己的错误思想，并下了决心，加以改正，愿意站在工人阶级的立场，来改造自己成为人民教师。但也有一部分人，心存疑虑，不敢暴露自己，不愿正视自己的缺点，只把这个运动当成一阵风浪来看，或者口头上给自己扣上几顶帽子，便认为自己的思想已经改造了。甚至还有极少数的人，对思想改造，始终存心抗拒，自以为是，有的人说“技术观点对教育是大有贡献的”，有的人说“我过去教书是为人民服务，现在教书也是为人民服务，没有什么思想需要改造的”，有的人甚至说：“我不考虑思想改造，我有技术，到处可以吃饭，东方不亮西方亮。”像这种抗拒改造的人，当然是绝对少数。像这一类的人，人民仍然是要争取他，帮助他改造，但他若仍彻底拒绝改造，那就是自绝于人民了。但是我们应该有信心能够把他们争取过来。

知识分子的思想改造运动，是今年的三大运动之一。为了纪念中国共产党成立的31周年，知识分子应当深刻地体会到党对于知识分子的政策的正确和伟大，自觉自愿地投身到思想改造运动中来，站在工人阶级的立场，用马克思列宁主义、毛泽东思想武装自己的头脑，并下决心为群众利益服务而与群众相结合，然后才能发挥出积极性和创造性来。李芬等工程师在此次荆江分洪工程中所表现的模范事实，便是一个典型的实例。反之，沅湘管理处主管工程师沈炳炎，抱着单纯技术观点，拒绝改造其个人主义思想，一切从考虑个人的得失出发，对人民祖国没有热爱，对人民企业缺乏责任，因此造成了生产上的极大的损失，终于遭到了人民的唾弃，这是知识分子的前车之鉴。

（原载1952年7月1日湖南大学校报《人民湖大》第104期，署名李达）

读《大量吸收知识分子》

——谈知识分子思想改造问题

（1952.8）

解决为什么人的问题，不是一件轻易的事。毛主席说："要彻底解决这个问题，非有十年八年的长时间不可。但是时间无论怎样长，我们却必须解决它，必须明确地彻底地解决它。"①

知识分子在解放以前，连口头上承认与工农结合都是难得的；解放以后，问题就不在口头而在思想和行动上。经过三年来无数生动事实的教育，加上思想改造中批评自我批评的初步开展，思想上愿意转变方向了；可是在每一步实际行动中都是举步维艰，移动一下都要经过剧烈的痛苦的思想斗争。爱人民之所爱，恨人民之所恨；"象忧亦忧，象喜亦喜"；还是说到做不到。虽然不是横眉冷对孺子而俯首甘事独夫；可是还做不到"俯首甘为孺子牛"，与工农变成一体。这又是知识分子的特点。

列宁在《怎样组织比赛》中说："知识分子往往能提供极好的意见和指示，可是到了要实行这些意见和指示，要真正切实监督来把言论变成事实时，他们却'笨手笨脚'，无力得可笑，无力得可耻，无力得荒谬绝伦。"②又说："这种疏懈、粗忽、大意、草率、举动急躁，爱用讨论来代替作事，用空话来代替工作的恶习，无事不干而一事不成的恶习，是'有学识人'的特性之一，这根本不是由于他们的天性恶劣，更不是由于他们的心怀恶意，而是由于他们的一切生活习惯，由于他们的劳动环境，由于疲劳过度，由于智力劳动与体力劳动之非常态

① 《在延安文艺座谈会上的讲话》。

② 《列宁文选》第2卷，第311页。

的分离现象等等等等所产生的。”①列宁在同一文中说“小知识分子老爷们”的话，也不妨引来做个借鉴：“这般老爷们‘高喊’反对资本家，喊得喉咙嘶哑，并‘指手画脚’，‘痛斥’资本家，可是一到要真正做事，要实现自己的威胁，要在实践中来真正撤销资本家的时候，他们便痛哭流涕起来，其举动就好像挨了打的小狗儿一样。”②

不与工农结合的知识分子是极端软弱的，而参加革命的知识分子又是极端需要的，尤其是在人民国家进行大规模建设的时候。毛主席在人民政协全国委员会第三次会议中曾指出知识分子思想改造的重要性，斯大林说：“向来无论哪一个统治阶级，都一定要有它自己的知识界。苏联工人阶级当然也一定要有它自己的生产技术知识界。”③斯大林在与威尔斯谈话中也说到知识分子的作用和力量来源。毛主席在《大量吸收知识分子》中说：“没有知识分子的参加，革命的胜利是不可能的。”又说：“对于知识分子的正确的政策，是革命胜利的重要条件之一。”因此，团结改造知识分子的方针，就是要“好好地教育他们，带领他们，在长期斗争中逐渐克服他们的弱点，使他们革命化和群众化”，还要实现“工农干部的知识分子化和知识分子的工农群众化”。在知识分子这方面，就是要认识自己的地位与弱点，结合工农，进行自我教育自我改造，解决自己的社会地位、所处环境和思想、行动之间的矛盾。这样才对国家人民有利，也对自己有利。

五四运动已经过去33年了，毛主席的纪念文章到现在也是13年了。毛主席在文中曾号召全国青年和文化界，“认识中国革命的性质和动力，把自己的工作和工农民众结合起来，到工农民众中去，变为工农民众的宣传者和组织者”。这个号召在祖国将展开大规模经济建设的今天，就更有现实的意义。作为一个正在改造中的知识分子，我写下了自己学习毛主席这篇论文的点滴体会，也愿意在思想上和在实践中努力遵循毛主席所指示的道路前进。

中国共产党对于知识分子的政策，是正确的、伟大的。早在1939年，毛主席为中共中央所写的关于《大量吸收知识分子》的决定中，说明了吸收知识分

① 《列宁文选》第2卷，第310页。
② 《列宁文选》第2卷，第306页。
③ 《列宁主义问题》，第459页。

子对于革命事业的重要性,并指示全党干部照着这个决定去实行。这个决定首先说明着:

> 在长期的和残酷的民族解放战争中,在建立新中国的伟大斗争中,共产党必须善于吸收知识分子,才能组织伟大的抗战力量,组织千百万农民群众,发展革命的文化运动和发展革命的统一战线。没有知识分子的参加,革命的胜利是不可能的。

由于确认知识分子对于革命事业的重要性,所以主张放手吸收知识分子,吸收那些比较能吃苦耐劳的知识分子,“加以教育,使他们在战争中在工作中去磨炼,使他们为军队、为政府、为群众服务,并按照具体情况将具备了入党条件的一部分知识分子吸收入党”。“对于一切多少有用的比较忠实的知识分子,应该分配适当的工作,应该好好地教育他们、带领他们,在长期斗争中逐渐克服他们的弱点,使他们革命化和群众化,使他们同老党员老干部融洽起来”。中国共产党对于知识分子这样伟大而正确的政策,从 1939 年当时起,早已一贯地实行着。

知识分子不但对于革命事业有其重要性,并且对于建设事业也有其重要性。毛主席在《论联合政府》中这样说着:

> 为着扫除民族压迫与封建压迫,为着建立新民主主义的独立、自由、民主、统一与富强的中国,需要大批的人民的教育家、教师、人民的科学家、工程师、技师、医生、新闻工作者、著作家、文学家、艺术家与普通文化工作者,以“为人民服务”、“和人民打成一片”的精神,从事艰巨的工作。一切这些知识分子,只要是在为人民服务中著有成绩的,应受到政府与社会的尊重,把他们看作国家与社会的宝贵财富。

中国共产党对于知识分子为什么采取那样伟大而正确的政策?这主要是由于中国知识分子的特殊性。中国的知识分子,是和资本主义国家的知识分子不同的。资本主义国家的知识分子,一般是为资产阶级服务的。许多大知

识分子主要的目标,对内是捏造对于无产阶级的欺骗、压迫和剥削的理论;对外是捏造对于殖民地的掠夺和征服的理论。他们对于马克思列宁主义,则视为洪水猛兽,表示深恶痛绝,还要著书立说,肆意诋毁。他们和无产阶级及其政党,完全站在敌对的立场(固然,在资本主义没落时期,他们中也有少数人采取改良主义,希图为资产阶级缓和无产阶级的革命斗争的)。至于由无产阶级出身的知识分子,或者放弃原来的阶级立场而转移到无产阶级的知识分子,却只是极少数。说到中国的知识分子,则具有其特殊性。如毛主席在《中国革命和中国共产党》中所说:"数十年来,中国已出现了一个很大的知识分子群和青年学生群。在这一群人中间,除去一部分接近帝国主义和大资产阶级并为其服务而反对民众的知识分子外,一般地是受帝国主义、封建主义和大资产阶级的压迫,遭受着失业和失学的威胁。因此,他们有很大的革命性。他们或多或少地有了资本主义的科学知识,富于政治感觉,他们在现阶段的中国革命中常常起着先锋的和桥梁的作用。辛亥革命前的留学生运动,1919年的五四运动,1925年的'五卅'运动,1935年的'一二·九'运动,就是显明的例证。尤其是广大的比较贫苦的知识分子,能够和工农一道,参加和拥护革命。马克思列宁主义思想在中国的广大的传播和接受,首先也是在知识分子和青年学生中。革命力量的组织和革命事业的建设,离开革命的知识分子的参加,是不能成功的。"由此可见,知识分子虽是参加革命,而不是主力军(工农),但他们对于中国革命事业的重要性,却是很明显的。我们再从新民主主义革命史来看,每逢革命情势有了新的变化时,知识分子投奔革命阵营的人数就增多。在1924—1927年大革命时期,许多知识分子都投奔广州和武汉,参加了革命事业。在第二次国内革命战争时期,白色区域中的知识分子,都望着井冈山的革命的灯塔,配合着苏区的革命运动,用各种方式展开着反帝反封建的斗争。在抗日战争时期,许多少壮的知识分子,都奔赴延安圣地,参加着抗日革命的工作,而留在蒋匪帮区域大后方的进步知识分子,也配合着做过很多抗日革命的工作。到了第三次国内革命战争时期,知识分子中,除了买办和地主阶级的知识分子和一部分资产阶级知识分子以外,都倒向了中国共产党一边,这在人们心中记忆犹新。由此可见,中国知识分子对于革命事业的重要性,完全是与中国革命之反帝反封建的性质,息息相关的。毛主席当年要党的干部认识殖民地半殖民地国家的知识分子和资本主义国家的知识分子的区别，大量吸收知识分子参加革命工作的决定，是伟大而正确的，是完全适合于中国的国情的。

大量吸收知识分子的决定，随着革命的胜利，愈加扩大而深入地实行了。当1949年中央人民政府未成立以前，党立即召集了全国各地的自然科学工作者、社会科学工作者、教育工作者和文艺工作者，到北京举行了各种筹备会议，把一切知识分子组织起来，教育他们，使他们参加各种革命建设工作。从此，各方面的知识分子，都响应了党的号召，集中于党的周围，愿为新民主主义的建设事业而奋斗。中华人民共和国成立以后，党对于知识分子的政策，是沿着"大量吸收知识分子"决定中所指出的两条路线进行的，即"使工农干部的知识分子化和使知识分子的工农群众化。"即"有计划地从广大人民中培养各类知识分子干部，并注意团结与教育现有一切有用的知识分子"①。

至于如何"使知识分子工农群众化?""如何团结与教育现有一切有用的知识分子?"主要的方法是推动知识分子的思想改造。对于现有的知识分子采用思想改造的方法，一方面是吸收了苏联的经验，一方面也是由于革命胜利后的中国现有的知识分子与十月革命以后的俄国旧知识分子不同。俄国的旧知识分子(如《斯大林在第十八次党代表大会上的报告》所说)，原来是寄食于资产阶级并效劳于资产阶级的。十月革命以后，他们的思想很少改变，加以国内反动派的叛乱和外国武装的干涉，他们中最有影响、最熟练，也最反动的一部分就与苏维埃政权对抗，并实行怠工。结果，这一部分人是被苏维埃政权机关驱散了。后来，其中的大多数人，就被敌人招去做暗害分子和间谍，结果也被肃清了。旧知识分子的第三部分，是熟练程度较差而人数较多的一部分，原曾抱着"等待主义"，等候"好日子"的来临，但等了很久，没有希望，只好抛弃原来的念头，安心在苏维埃政权下工作。所以，联共对于旧知识分子的政策，是采用列宁的"吸收与割断"的方式，即对于忠诚老实的旧知识分子则予以"吸收"，对于那些反动顽固的旧知识分子则予以"割断"。

至于革命胜利以后的新中国的知识分子，情况却有些不同。在现有知识

① 《论联合政府》。

分子中，除了极少数反动者以外，大多数是愿意接受党的领导而为人民服务的，并且已被人民政府所吸收，参加着各种建设工作。其中也不免有一部分人，在最初拘着“等待主义”，错误地等待他们自己心目中的“好日子”来临。但由于人民政权力量的强大，很快地肃清了美蒋匪帮在国内的残余势力和封建势力，使他们的“等待”落了空。其次，也还有一部分人抱着客观主义，站在“超政治”、“超阶级”的立场，而实则站在资产阶级的立场。但他们实行思想改造以后，仍会成为有益于人民的知识分子。至于被敌人招去做暗害分子的人，也还是有的，但为数极少，他们自绝于人民，于人民无尤。

那些已经参加机关和厂矿工作的知识分子们，比较容易革命化和群众化。他们能和革命老干部融洽起来，又有工人群众影响他们，他们比较容易改造思想，成为新知识分子。现在成为思想改造问题的中心的人，就是那些站在资产阶级立场的，和曾经抱有“等待主义”的知识分子。毋庸讳言，这类知识分子，有许多就是高等学校的教师们。他们是党和人民政府所要“争取、团结、教育、改造”的对象。1951 年秋季以来，中央人民政府教育部主持京津高等学校教师的政治学习，并号召全国各高等学校教师进行政治学习。今年全国各高等学校，都结合“三反”运动进行教师的思想改造。由此可见，党和人民政府对于高等学校教师的思想改造，是寄予很大的希望的。

党和人民政府为什么那样迫切期望着高等学校教师的改造思想呢？第一，是因为我国文化不发达，知识分子极可宝贵，所以要争取他们改造思想，使他们克服非工人阶级思想，树立工人阶级思想，成为人民的教师。第二，新国家正在大规模地实行新民主主义的经济建设、政治建设与文化建设，以创造过渡到社会主义的条件。这些大规模的建设，需要大量的新的建设干部，即具有共产主义觉悟而又能掌握现代的科学与技术的新干部，而这些新干部的培养，还得依靠原有的高等学校教师的帮助。假使原有的高等学校的教师们自己还不先来进行思想改造，就不能培养出新国家所需要的新干部来，这道理是很明显的。

作为一个人民教师，在积极方面，他必须站在工人阶级的立场，深刻地懂得中国社会从新民主主义阶段进到社会主义、共产主义阶段的发展规律，领导学生学习马克思列宁主义和毛泽东思想，在今天为实现新民主主义而努力，在明天为实现社会主义、共产主义而努力；他必须领导学生发扬爱祖国、爱人民、爱劳动、爱科学、爱护公共财物的公德；他必须领导学生精通自然科学和技术，以服务于工业农业和国防建设；他必须应用辩证唯物论和历史唯物论的观点，教导学生研究和解释历史、经济、政治、文化及国际事务；他必须教导学生以“为人民服务的文学艺术”，启发人民的政治觉悟，鼓励人民的劳动热情；他必须具体地灵活地运用理论与实际相一致的教学方法，使学生所学的东西能切合于目前新民主主义建设的需要。作为一个人民教师，在消极方面，他必须肃清自己所曾感染过反动思想的影响——封建的、买办的、法西斯主义的思想，反苏、反共、反人民的思想，崇美、亲美、恐美的思想，与敌人的思想划清界限；他必须克服资产阶级思想——个人主义、作客思想、雇佣观点、技术观点、超阶级超政治观点等，与资产阶级思想划清界限。目前全国展开着教师的思想改造运动，其唯一的要求，就只是希望原有的教师们改造思想，成为人民的教师。思想改造虽是一个长期的艰苦的过程，但我们只要下定决心，向着这个方向稳步前进，还是容易做到的。

就目前全国教师的思想改造运动的情况来说，教师们中间的资产阶级思想是普遍地存在着，反苏、反共、反人民的思想和崇美、亲美、恐美的思想，也是存在着的。这类反工人阶级的思想，是党和人民政府所迫切期望他们彻底予以改造的。在这次思想改造运动中，确已有不少的教师敢于暴露自己的错误思想，并下了决心要加以改正，愿意站在工人阶级立场，改造自己，成为人民的教师。但也有一部分，心存疑虑，不敢暴露自己，不愿意改正自己的缺点，只把这个运动当成一阵风浪来看，或者口头上给自己扣上几顶帽子，便认为自己的思想已经改造了。甚至还有极少数的人，对思想改造，始终存心抗拒，自以为是。有的人说，“技术观点对教育是大有贡献的”；有的人说，“我过去教书是为人民服务，现在教书也是为人民服务”；有的人说：“我有技术，到处可以教书吃饭，东方不亮西方亮。”像这种抗拒改造的人，当然是绝对少数。像这一类的人，人民仍然是要争取他，帮助他改造，他倘若仍旧拒绝改造，那就是自绝于人民了。但是我们应该有信心地把他争取过来。

知识分子的思想改造，是今年的三大运动之一。知识分子应当深刻地体会到党和人民政府对于知识分子政策的正确和伟大，自觉自愿地投身到思想

改造运动中来，站在工人阶级的立场，用马克思列宁主义和毛泽东思想武装自己的头脑，并下决心为群众服务而与群众深相结合，然后才能发挥出积极性和创造性，贡献于祖国的建设事业。工程师王咸成、李芬、丁昱、刘瀛洲等在荆江分洪工程中所表现的模范事迹，便是典型的实例。反之，如沅湘管理处主管工程师沈炳炎，抱着单纯技术观点，拒绝改造个人主义思想，一切从个人的得失出发，对人民祖国没有热爱，对人民事业不负责任，因此造成了生产上的重大损失，终于遭到了人民的唾弃，这是知识分子的前车之鉴。

（1952 年 7 月 12 日于湖南大学）

（原载 1952 年《新建设》8 月号，署名李达）

湖南大学师生员工代表会议开幕词*

（1952.9）

各位代表：

现在，湖大全体师生员工所盼望的代表会议开幕了。

三年以来，由于新中国整个形势的要求和推动，我们湖南大学全体师生员工，在中国共产党和人民政府的领导下，都一致要求思想改造，经过抗美援朝、镇压反革命、土地改革等一连串的政治运动，在各方面都有很大的进步；特别是通过半年来的“三反”斗争和思想改造运动，我全体师生员工对于贪污、浪费现象，有了深切的痛恨，思想觉悟大大提高，基本上划清了敌我界线，划清了工人阶级与资产阶级的思想界线，为巩固地树立工人阶级的思想领导，完整地贯彻新民主主义的文教政策，打下了良好的基础。我们的胜利是伟大的，全体师生员工都在欢呼这一胜利，而我们这个会议就是在思想改造的胜利的基础之上召开的。所以，我们这次会议，是胜利的会议，它标志着我校全体师生员工响应毛主席关于知识分子思想改造的伟大号召的光辉胜利，它标志着湖大从此走向崭新的建设阶段，预示着湖大的光辉前途。

今天，摆在我们面前的任务，就是巩固胜利，发展胜利；就是在现有的基础上，普遍开展有系统的、自觉的马克思列宁主义、毛泽东思想的学习，改进教学内容和教学方法，加强领导，发扬民主，加强并调整组织机构，健全各种制度，为更好地完成培养建设人才的光荣任务而奋斗。

我们在思想改造运动中，彻底地打击了和严厉地克服了三敌思想，批判了

---

* 这是1952年9月24日李达在湖南大学师生员工代表会议上的开幕词，原标题为“李达校长致开幕词”。——编者注

资产阶级思想和小资产阶级思想。大家都否定了旧的，要求建立新的，所以，立即普遍开展有系统的、经常的、自觉的马克思列宁主义、毛泽东思想的学习，是必要的和适时的。我们全体师生员工，必须通过这样的学习，逐步地建立马克思列宁主义、毛泽东思想的革命的人生观，全心全意地为祖国为人民服务。

现在祖国正处在大规模经济建设的前夕，而"随着经济建设的高潮的到来，不可避免地将要出现一个文化建设的高潮"，为了迎接经济建设的高潮，为迎接文化建设的高潮，我们必须加强教学工作，有计划、有步骤地改革教学制度、教学内容和教学方法，特别是加强教学中理论与实践的一致性，更好地为祖国培养出具有高度政治水平、掌握现代科学与技术的财经、政治和文化各方面的建设干部。

为了保证做好政治理论和业务的教学工作，完整地执行新民主主义的文教政策，加强领导，发扬民主，加强与调整组织机构，特别是建立新的工作机构，建立新的工作制度，树立新的工作作风，是非常重要的环节。此外还须加强保卫工作和卫生工作，尽量照顾师生员工的福利，当然，在我们今后新建设的道路上，是仍然会有困难的，但我们不能强调客观困难，而应以革命精神和革命方法，来办革命的学校。群众是我们力量的源泉，只要我们紧紧地掌握毛主席的政策发挥群众智慧，集中群众力量，统一群众意志，我们就能够克服一切困难。

代表们，我们这个会议是有重大的历史意义的，它是湖南大学由旧型大学转到新型大学的转折点，湖大将通过这次会议走向新的历史阶段。在这会议中，我们将讨论湖大今后的方针和任务，提出切实可行的方法，为湖大今后的新建设铺开道路。

代表们，现在全校三千多师生员工都在以万分兴奋的心情盼望着我们会议的成功，那么，就让我们以高度的荣誉感和责任感来认真开好这次会议；让我们在胜利的道路上前进，在全校师生员工以感激和期望所铺成的道路上前进！

预祝湖大师生员工代表会议的成功。

思想改造运动的伟大胜利万岁！

马克思列宁主义毛主席思想的伟大胜利万岁！

中国共产党万岁！

中国人民伟大的领袖毛主席万岁！

（原载 1952 年 9 月 24 日湖南大学校报《人民湖大》第 120 期）

湖南大学师生员工代表会议总结报告*

（1952.10）

各位代表：

我们的会议经过了整整4天的时间，由于全体代表高度发挥了当家做主认真负责爱国爱校的精神，经过共同一致的努力，已经胜利地完成了全部会议的程序和讨论的项目，也就是已经胜利完成了全校师生员工所交托给我们的一件重大的爱国、爱校的工作。

这次会议，无论就表现、就内容、就实质、就收获来说，在湖大都是空前的，这表现以下几方面，是非常明显的：

第一，各位代表都是全校师生员工分别认真负责选举出来的，因而能够真正代表全校师生员工的意志、要求和希望，所以这次会议，是名实相符全校性代表会议。

第二，由于这次会议是在“三反”斗争和思想改造胜利基础上来举行的，大家政治觉悟大大提高了，因而能够当家做主，认真负责研讨各项报告和意见，并作出了切实可行的决议，而不流于形式。

第三，这次会议是在全校师生员工热烈开展合理化建议的过程中举行的，各代表都带来了广大群众的宝贵意见，而行政上又集中了群众的意见，提出改进学校的具体计划方案，所以会议内容非常丰富，而不流于空洞。

第四，参加这次会议的各位代表，都是群众中的积极分子，或各级行政工作上的负责人，对于关于学校从旧大学到新大学转折点的会议，特别开心和负

---

* 本文是1952年9月24日李达在湖南大学师生员工代表会议上的总结报告，原标题为“李校长在代表会议上的总结报告”。——编者注

责，所以会议进行非常顺利，而且紧凑严肃，不像以往的会议那么松懈。

由于上述的原因，我们的会议获得了伟大的收获，表现在以下几点也是很明显的：

一是，在会议中，大家听取了行政领导的关于总结运动的报告，因而对过去半年来运动成绩更能系统地巩固和发展，这对于建设新的人民湖大是非常有利的条件。

二是，在会议中，对于行政领导上所提的"行政改革工作报告"做了深刻详细的研讨，一致同意通过了这些主要报告，并做出两大项重大决议（即在全校普遍开展马克思列宁主义毛泽东思想系统的学习与关于坚决贯彻行政机构和工作制度改革的决议），这对于建设新的人民湖大，不单提供了建设意见，而且做出了全校师生员工今后具体行动的方案和办法，因而这次会议，也就成为建设新的人民湖大具体行动的开端，并创造了祖国和人民交给我们伟大而艰巨的光荣任务的保证条件。

三是，在这次会议中，全体代表和会外全体师生员工密切联系，认真负责地研讨了和通过调整工资评议机构及进行的办法，并表示热烈的拥护和贯彻实行，保证搞好评薪工作，这是完成了祖国和人民交给我们的一件主要政治任务，因为这种新的工资制度和办法的实行，将大大鼓励全国教育工作者和干部，锻炼并提高自己的德和才，这种提高对祖国建设势必增加无限的雄厚力量，所以这是完成了一件光荣的政治任务，也是一次具体的爱国行动。

四是，在这次会议中，我们全体代表深刻的体会了民主集中制度的优越性，它是领导与群众相结合，在各种工作上发挥主动性、积极性、创造性的最好办法。在我们这次会议上，大家不单体会了而且灵活正确地使用了它，这不单为这次会议带来了很大的成绩，而且为今后继续开展合理化建议与各种工作的推动，都提供了保证胜利的条件。

由上面的分析总结与估价，我们可以明白，这次会议的收获是伟大的。

这次会议，也还存在着缺点，那就是某些方面事先准备不够，譬如调整工资评议机构及进行办法，研究起草较迟，未能于会议开幕前印发，交给群众普遍详细讨论，思想酝酿准备不够，以致在会议中临时提出，某些师生员工思想上还有些混乱，在会议过程中进行普遍讨论，耽误了一天时间，延长了会期，这是一个经验教训。

今天大会就要闭幕了，会议的收获固然是很大的，但巩固和发展这收获，还有赖于全校师生员工今后共同努力，各级负责同志尤应加强领导，发扬民主，大家提高爱国主义精神，使用批评与自我批评武器，那么我们这次会议所获得的成绩，一定能生根、开花、结果，新的人民湖大一定能建设起来。

希望各位代表把这次会议的收获带回群众中去，使之生根、开花、结果，为建设新的人民湖大，迎接祖国伟大建设而努力。

（原载 1952 年 10 月 1 日湖南大学校报《人民湖大》第 121 期）

适应国家建设的需要，建设新的人民湖大*

（1952.11）

同志们、同学们：

由于“三反”和思想改造运动，我们的开学稍微延迟了些。但是，经过这一系列的运动，我们的学校改变了面目，从此由一个旧型的大学转变为一个新型的人民的大学了。

祖国在明年要开展大规模的经济建设，我们的学校要配合这个建设来进行教学。首先，要贯彻共同纲领的教育政策，发扬五爱的新道德精神，学习苏联的先进经验；努力发展自然科学，服务于工农业和国防建设；努力用历史唯物论的观点来研究历史、经济、政治和文化；提倡工农兵的文艺方向，使文艺为工农兵服务，实行理论与实际一致的教学方法。

我们教师的任务，是为祖国的建设，社会主义的前途而教学的，我们要培养学生成为新型的建设干部；同学们的任务，同样要为祖国建设，社会主义前途而学习，使自己真正能成为新型的建设干部。我们全体师生的任务是很明确的，我们要好好担负起这个伟大的任务。

现在，教务处已制订了新的教学计划，明确新的教学方针，改进了教学内容与教学方法，并已订出进行办法。首先，在工学院开始实行专业化的教学；文教、社会、财经和自然科学院也都改进了课程内容。这些改进都是符合国家的需要的，但这只是一个开始，希望教师们坚持贯彻下去。

对同学来说，学习是最突出的任务。斯大林曾教导我们：“要建设，就必

---

* 本文是1952年11月9日李达在湖南大学开学典礼上的讲话的摘要，原标题为“适应国家建设的需要，建设新的人民湖大——李校长在开学典礼上的讲话（摘要）”。——编者注

须有知识，就必须掌握科学。而要有知识，就必须学习。顽强的学习，耐心的学习。”学习的原则是自学为主，结合互助。同时学习必须订出计划。计划是对自己的命令，执行这个命令，充分利用时间，使自己对所学课程有充分理解，取得优越的成绩。希望同学们团结友爱，积极努力，配合国家的经济建设与文化建设高潮，掀起学习的高潮。在这个基础上，开展学习的竞赛。

我所谈的学习不是“单纯业务观点”的学习，而是政治和业务相结合的学习。斯大林曾教导我们：“工作人员的政治水准和马列主义觉悟程度愈高，工作本身也愈高，愈有成效，工作的结果也愈有效力；反过来说，工作人员的政治水准和马列主义觉悟愈低，工作中延误和失败也愈多，工作人员本身也会愈加变为鼠目寸光的小人。”我们要防止单纯的业务学习。

同学们对自己的健康必须重视。并且大力地开展文娱体育活动，注意清洁卫生。

我们的学校现在是呈现着一片新的气象，希望大家都根据国家建设的需要，向着更美好的前途迈进。

（原载 1952 年 11 月 14 日湖南大学校报《人民湖大》第 125 期）

湖南自修大学是训练干部的学校*

（1952）

中国共产党成立后，1922年8月，毛泽东同志为了加强党和团的干部本身马列主义理论的学习，和团结社会上进步分子，进修马克思主义学说，利用船山学社的经费和地址，才创办了自修大学。

船山学社是一些旧时代的文人学者，为了纪念王船山的民族革命思想和批评国故的学说而创办的，此社曾由一些旧学者讲演船山学术，反对袁世凯帝制思想。毛泽东同志曾去听过讲演。

毛泽东同志后来和船山学社一个负责人相熟，而他是反对当时湖南省长的人。于是利用船山学社的经费和地址，创办了这所大学。

湖南自修大学组织大纲（见1922年8月16日长沙报纸）第一章《宗旨及命名》中说：

> 本大学鉴于现在教育制度之缺点，采取古代书院与现代学校二者之长，取自动的方法，研究各种学术，以期发现真理造就人才，使文化普及于平民，学术流传于社会。招生只凭学历，不限资格。学习以自由研究、共同讨论为主。教师负责提出习题，订正笔记，修改作文的责任。学生只收膳费，不收学费。

学校设有图书室，当时进步刊物和书籍，搜罗丰富。

---

* 本文是1952年冬李达在长沙接待来访的苏中友好代表团团长吉洪诺夫时的谈话稿。——编者注

学长李达，学生有夏明翰、陈佑魁、夏曦、罗学瓒、陈章甫、何叔衡、毛泽东同志自己和他的许多战友，共 24 人。

公开招收的学生，主要地注重他的人生观及其对社会的批评。

自修大学出版了校刊《新时代》月刊，李达主编。

毛泽东同志著《外人、军阀与革命》登在创刊号第一篇。

《新时代》还发表了《何谓帝国主义》（李达）、《观念史观批判》（李维汉）、《马克思学说与中国》（李达）、马克思的《哥达纲领批判》（李达译）、《共产主义与经济进化》等文。

自修大学附设有补习学校，是公开训练青年工农干部的，主要网罗青年工人与学生。设国文、英文、数学、史地等普通科目。但在国文与历史中，则专讲新学说，如《告中国农民》一文，就是根据湖南农村情况写的。

党刊《向导》、团刊《中国青年》是课外必读之物。

湖南学联也附设在自修大学，由夏曦同志负责。

自修大学当时成为共产主义的大本营。反动省长赵恒惕最害怕，与 1923 年 4 月通缉毛泽东同志，11 月，唆使鄂军一个连驻在自修大学内。于是自修大学停办。

补习班另行公开改为湘江中学。

（原载 1988 年 8 月人民出版社出版的《李达文集》第 4 卷）

读《怎样分析农村阶级》*

（1952）

一

《毛泽东选集》是毛泽东同志天才地应用马克思列宁主义解决中国革命实际问题的伟大汇集，是毛泽东思想的结晶，是中国人民革命的宝库。

《毛泽东选集》中的著作，都有着划时代的历史意义。当我们学习的时候，只要能够一篇一篇地认真精读，加深体会，自然就会极深刻地领会到毛泽东同志在每一个时期，对每一个具体问题的适当解决与卓越分析，使我们在学习之后，确实能够学到一切革命知识，确实能够学到如何掌握革命规律，确实能够学到活生生的马列主义。

二

《怎样分析农村阶级》一篇著作，是毛泽东同志在1933年为纠正在土地改革中发生的偏向，正确地解决土地问题而写的。这篇著作，看来全文不足1000字。但仔细体会起来，意义是极为深远的，对于我们在阶级理论的认识上，和在阶级斗争实践的启发上，都是非常大的。

本来社会上有着阶级存在、有着阶级斗争，在马克思以前，有的资产阶级历史学家、经济学家和一般空想社会主义者是有了一些认识的。但真正对于阶级、对于阶级斗争，有了科学的了解，并把阶级斗争理论推论到无产阶级专

* 本文是1952年李达在湖南大学撰写的。——编者注

政的地步,则实在开始于马克思。马克思以后,列宁继承了马克思的伟大事业。他在阶级和阶级斗争的理论与实践上,更丰富了马克思主义。列宁在这上面伟大的贡献之一,是他一贯地从实际斗争当中,结合实践,终于获得了一个最完整的阶级解说,给人们分析阶级创造了一个科学的依据。在列宁的著作当中,有两个地方是这样分析阶级的:

“阶级一般说来究竟是什么呢?这就是说社会上一部分人占有另一部分人的劳动。如果社会上一部分人占有全部土地,那就是说有了地主阶级和农民阶级。如果社会上有一部分人拥有工厂,拥有股东和资本;而另一部分人都在这些工厂内做工,那就是说有了资本家阶级和无产者阶级。”①

“所谓各个阶级,就是在历史上一定社会生产体系中所处的地位不同。对生产资料的关系(这种关系大部分都是在法律上明文规定了的)不同。在社会劳动组织中所起的作用不同,因而领得自己所支配的那份社会财富的方式和多寡各不相同的几个巨大集团。所谓各阶级,就是由于彼此在一定社会经济结构中所处地位不同,而有某一集团能占得另一集团劳动的各个集团。”②

综合列宁这两段科学的分析,我们完全可以知道:分析阶级,完全是从经济关系中来分析;阶级关系,就是经济诸关系,就是生产诸关系的总和。而所谓阶级,就是社会上有一部分人,也可以说是一大集团,他们在社会生产体系中,有相当的地位;对生产资料有同一的关系;在生产组织中有相当的作用;而取得收入的方法也是一样的。像这样的一部分人,也可以说一个大集团,就是一个阶级。由此,在革命工作当中,在具体地划分阶级的标准上,所依据的基础条件,基本上应包括以下四点:

(一)根据他在历史上一定社会生产体系中所处的地位。

(二)根据他对生产资料的关系。

(三)根据他在社会劳动中所起的作用。

(四)根据他领得自己那份社会财富的方式和多寡。

---

① 《青年团的任务》,载《列宁文选》第2集,第808页。

② 《伟大的创举》,载《列宁文选》第2集,第592页。

这就是说：分析任何一种人所以属于那样的阶级，必定从这四个基础条件上去衡量、去分析。可是我们知道：就在列宁提出这样一个科学的解说的时候，一般资产阶级的代表人和改良主义者以及机会主义分子们，还不是这样认识阶级的。他们有的公然无耻地主张“自然阶级论”，或“人种阶级论”；有的则有意地断章取义、盗窃列宁解说中的一部分，制造什么“分配阶级论”，或“职业阶级论”或“技术组织阶级论”。他们的卑劣企图，是想借此混淆阶级的分析，迷惑人们的认识，掩饰他们将近倾覆的统治。在中国人民当中，过去乃至现在，有些人在划分阶级标准上还认识不清，或在工作中发生偏向，就是因为或多或少地受了这些反动学说的影响。另外也有些人，好像也懂得列宁的解说，阶级理论也可以讲一大套，但一遇到实际问题，便格格不入，这都是由于根本上还缺乏对阶级本质的了解，没有把握着列宁的科学解说的精髓。

毛泽东同志的《怎样分析农村阶级》这篇著作，对于地主、富农、中农、贫农和工人等阶级，一个一个的，做了全面的分析。这些分析，完全是合乎上列四项基础条件的分析，完全是列宁对阶级解说的天才运用和有益扩张。毛泽东同志在 1933 年适时地发表这一著作，天才地运用马列主义一般阶级理论，适当地解决中国革命的具体问题，这不仅在事实上纠正了当时土地工作中的偏向，为划分阶级指出了具体的标准，而且对当时一些不三不四的胡说，或似是而非的主张，都给予了彻底的澄清。

什么是地主呢？毛泽东同志这样分析：“占有土地，自己不劳动，或只有附带的劳动，而靠剥削农民为生的，叫做地主。”①毛泽东同志在这里所指出的“占有土地”，就恰如列宁在阶级解说中所指出的“对生产资料的关系”而言，即占有生产资料。“自己不劳动或只有附带的劳动”，就是指“在社会劳动中所起的作用”而言，即不起劳动作用或极少起劳动作用。“靠剥削农民为生”，就是指“在自己领得那份社会财富的方式和多寡”上而言，即靠剥削的方式过着优裕奢侈的生活。总此三点，自然就刻画出地主在“历史上一定社会生产体系中的地位”，即完全是支配和统治的地位。像毛泽东同志对地主阶级这样几句简短的分析，引申起来，是完全与列宁的阶级解说相吻合的。由此完全

---

① 《毛泽东选集》，第 113 页。

可以理解,毛泽东同志对中国农村中现有阶级的分析,是确实意味着马列主义阶级理论的实际运用和有益扩张。

再如什么是富农呢?毛泽东同志这样分析:“富农一般占有土地。但也有自己占有一部分土地,另租入一部分土地的。也有自己全无土地,全部土地都是租入的。富农一般都占有比较优裕的生产工具和活动资本,自己参加劳动,但经常地依靠剥削为其生活来源的一部或大部。”[①]毛泽东同志在这里所指出的“一般占有土地,但也有自己占有一部分土地,另租入一部分土地的。也有自己全无土地,全部土地都入租的。”和“一般都占有比较优裕的生产工具和活动资本”就恰如列宁在阶级解说中所指出的“对生产资料的关系”而言,即直接占有生产资料,或通过另一种形式占有生产资料。“自己参加劳动”就是指“在社会劳动组织中所起的作用”而言,即起着一定的作用,仅是“参加”的作用,而不是主导的作用。“经常地依靠剥削为其生活来源的一部或大部”,就是指“自己领得那份社会财富的方式和多寡”而言,即经常地依靠一部分或大部分剥削的方式,过着优裕的生活。总此三点,自然也就刻画出富农“在历史上一定社会生产体系中的地位”,即相当的支配与统治的地位。像毛泽东同志对富农阶级这样几句简短的分析,引申起来,也是完全与列宁的阶级解说相吻合的。由此也完全可以理解,毛泽东同志对中国农村中现有阶级的分析,确实是意味着马列主义阶级理论的实际运用与有益扩张。

余如对中农、贫农和工人的分析,都完全像分析地主富农一样,都是从经济关系上着眼,都是与列宁的阶级解说相吻合的,因而也都意味着马列主义阶级理论的实际运用和有益扩张。

还有,特别值得指出的,是毛泽东同志在分析地主的一项内,连带指出:“有些地主虽然已经破产了,但破产之后仍不劳动,依靠欺骗、掠夺或亲友接济等方法为生,而其生活状况超过普通中农者,仍然算是地主。”“帮助地主收租管家,依靠地主剥削农民为主要的生活来源,其生活状况超过普通中农的一些人,应和地主一例看待。”[②]“依靠高利贷剥削为主要生活来源,其生活状况

① 《毛泽东选集》,第114页。
② 《毛泽东选集》,第113页。

超过普通中农的人,称为高利贷者,应和地主一例看待。”①毛泽东同志这些理论,都是极其卓越的论点。这些论点完全是根据中国早年半封建半殖民地的农村状况,天才地运用着马列主义阶级理论,更深刻地分析了中国地主阶级的一群。像“有些地主破产了”,乍一看来,这在他们“对生产资料的关系”上发生了变化,与原有的地主成分有了不同。但问题就在于“破产之后,仍不劳动”,这说明他们“在社会劳动组织中所起的作用”仍和原来地主一样,仍然是不起丝毫的劳动作用。“依靠欺骗、掠夺或亲友接济等方法为生”,这欺骗掠夺不是凭借着一般的盗窃行为,而是依然依靠着固有的地主威风;“亲友接济”意味着什么?亲友接济就是间接地还是凭剥削为生。这样,在“领得那份社会财富的方式上”,又是和原来地主没有多大的不同。再就“其生活状况超过普通中农”而言,这又说明什么?这说明他们在“领得那份社会财富的多寡”上,并没有因破产而降低,倒是生活依然和原来地主一样,依然是骄侈淫逸。最后我们再把这些方面综合起来,即完全可以知道:破产地主在“社会生产体系中所处的地位”还是直接地或间接地处于支配或半支配的、统治或半统治的地位。所以,对他们说来,“仍然算是地主”。至于对帮助地主收租的管家和农村高利贷者“应和地主一例看待”,其道理也是同样的,毋庸再加过多地解说,尤其是中国农村中的高利贷者,他们绝不同于都市中的资本主义的生息,这是人人知道的。中国农村中高利贷的剥削方式之多,条件之苛,有时还甚于土地剥削,这里边完全充满着苛刻的封建剥削。毛泽东同志之所以指出把高利贷者“应和地主一例”看待,是极有道理的。

综上所说,像毛泽东同志在这样短短的一篇著作中,根据中国农村特有的真实情况,运用着马列主义一般的阶级理论,深入地、细致地分析了中国农村中的地主阶级、富农、中农、贫农和工人等,使人们提高了划分阶级的认识。使人们更懂得了马列主义阶级理论具体应用的道理,这正是进一步丰富了马列主义,发展了马列主义。

---

① 《毛泽东选集》,第113—114页。

三

毛泽东同志的这一篇著作的伟大意义还不仅在于此，主要地是它从轰轰烈烈的斗争实践中来，而立刻又到轰轰烈烈的实践中去。中国人民早先因为没有这样一篇著作来指导，在土改工作中发生了偏向，或多或少地招来了革命的损失。自从有了这一篇伟大的著作，不仅纠正了过去的不良偏向，而且为以后两次颁布土改法立下了有力的张本。使得中国土地改革卒能在有计划、有步骤地要求下，进行一系列的“有系统的激烈斗争”；使得全国截至1951年8月底止，能有3.1亿多农业人口地区完成了土改，并保证到今年年底，除少数民族地区外，全国的土地改革基本上就要胜利完成。

毛泽东同志很早就这样指出过：“中国的革命，实质上就是农民革命。”①“土地制度的改革，是中国新民主主义革命的主要内容。”②这样，土改的重要性是不消多说的。总之中国不经土改，封建土地制度不废除，地主阶级不打倒，中国农村中有90%的人口不得解放，帝国主义侵略中国的根源就不能铲除，而我们的国家的民主化与工业化亦无法建立起。土改之所以称之为中国人民革命中“第二关”，其道理即在此。

但凡参加过土改的人，没有一个不是深深地体会到土改是根据政策所进行的一场“有系统的激烈斗争”；而同时又由于农村中多种阶级成分的参加，它又是一场不是简单，而是复杂的激烈斗争。在这个斗争战线上，有工人、有贫农、有中农、有富农，更有地主。各个阶级在斗争展开的时候，除工人一般的具有远大眼光外，其余的都是拼命地从自己利益出发，尤其是地主。他们在斗争中，不仅不甘心认错示弱，向人民低头；相反地是随时创造斗争的新花样，以图隐藏、逃避，从中取胜。而富农呢？则在暗地里散布泄气话。中农则旁观。个别的贫农不积极。像这一切情况，都是需要每个革命工作者，必定要根据政策，针对具体条件，适当地决定对策的。搞好了，胜利地完成任务；搞不好，则

---

① 《新民主主义论》，载《毛泽东选集》东北版，第258页。

② 《在晋绥干部会议上的讲话》，载《毛泽东选集》，第1208页。

失之过左或过右，无意中扩大了打击面，或缩小了打击面，打乱了革命的阵线，帮助了敌人，孤立了自己，对于革命招来了的损失是极大的。

人人都知道：在土改过程中，“划阶级”是最重要的阶段，是成败的关键。因为划阶级就是要我们在对具体的人身上划清界限，分清敌我，实践农村中的统一战线，具体地公布出谁是自己人？谁是我们的敌人？谁又是我们的朋友？而哪一个是团结的对象？哪一个是孤立的对象？哪一个又是打击的对象？像这些一一具体的人、具体的事，倘若搞不清楚，划错了阶级，那就是搞乱了阵营，危险是极大的。多少人在土改中犯错误，基本上的环节就在这一点上。

毛泽东同志的《怎样分析农村阶级》这一著作的发表，在这方面提供了依据，解决了困难，其意义是极大的。这不仅是对于土改的成败，即对整个新民主主义革命说来，也是有着决定性的作用的。中国人民自从有了这一文献，在划阶级当中，有了准则，很少再有划错阶级的。因而保证了土改的顺利进行与成功；保证了土改在一地一地的迅速完成，保证了中国人民民主统一战线一日一日的强大，保证了中国人民民主政权越来越巩固。像毛泽东同志这样一篇著作，一经形诸实践，就获得这样伟大的成就，亦即为中国人民缔造无限的幸福，这是特别值得我们加深体会的。

四

所以说，毛泽东同志这一篇著作，一方面显示着它马列主义阶级理论的天才运用与有益扩张；另一方面也显示它标志着中国人民在农村中革命的道路，再有更显示着它在新民主主义革命中起着伟大的、能动作用。因而它和毛泽东同志的其他著作一样，自然是中国人民革命的宝库之一，伟大的精神财富之一。

现在，我们在中南区、华东区、西南区，正进行着新中国最后一批的土地改革，千千万万的农民、土改干部和都市知识分子，都正卷入这一实际斗争当中，这正是意味着毛泽东同志这一天才著作形诸实践。我们从实践当中，更会体会到毛泽东同志这一篇著作的伟大。

（原载1988年8月人民出版社出版的《李达文集》第4卷）

庆祝 1953 年元旦题词

（1953.1）

迎接伟大的 1953 年，我们要献身于祖国大规模的经济建设与文化建设，加紧生产，搞好教学。

（原载 1953 年 1 月 1 日湖南大学校报《人民湖大》第 131 期，署名李达）

在湖南大学欢送会上的讲话*

（1953.1）

各位同学、各位同志：

当我向湖南大学告别的时候，大家开这样一个盛大的会来欢送我，我表示非常的感谢。在另一方面，我又感到惭愧。我是1937年来湖大教书的，当我回想到过去的情况，那时学校里主持行政的人，尽是些党棍子把持，他们不知道办大学是怎么一回事。同时教课的也都抱着纯技术观点，特别是雇佣观点。同学们也是一样，有些学生上课时把脚放在桌子上，先生来了，也不起立。教员下课后什么也不管，考试时马马虎虎过关了事。那时蒋管区里闹着反饥饿斗争，学校里中统军统特务打击着进步势力，当时进步势力虽小，但力量却很大。我们湖南大学当时也曾表现过革命的精神。在反动势力统治下的社会，大学学生毕业就是失业。解放后，什么都变了，湖南大学也与过去不同了。但由于过去传统的旧习还是遗留下来，特别是湖大合并四个大学，情况很复杂。当时我知道困难是很大的，但我相信有党在领导，困难是可以克服的。我主办湖大后，首先是根据国家的需要，共同纲领的文教政策，以及华北各大学的先进经验来办的。由于党和人民政府的正确领导，全体师生员工的努力，取得了很大的成绩。我们首先学习社会发展史，接着是抗美援朝运动，参干运动，1950年冬，部分师生参加土改，继之又开展镇压反革命运动；1951年冬季，全校两千多师生员工参加土改；回校后又展开“三反”和思想改造运动，忠诚老实运动。经过一系列的运动，特别是经过思想改造运动，使我们湖南大学面目

* 这是1953年1月22日李达在湖南大学举行的欢送会上的讲话，原标题为“在欢送会上李校长的讲话”。——编者注

为之一新。本期来,可说已由旧大学转入到新型的大学。我们教师们都在努力教学,职工同志都在努力工作,同学们在努力学习。总结这三年来的经验,我有一点感想,就是从一个旧型大学转变到新型的人民大学,首先要解决的就是新旧矛盾问题,这是一个主要矛盾。要解决这个主要矛盾方法就是思想改造。我们抓住了这个中心环节。从大体的方向说来,这是没有错误的。现在的事实也证明的了。在这期间,我的主观愿望急于想把湖大办好,因此就主观急躁,有些地方不切合实际。群众观点不强,群众路线没走好,理论常与实践脱节。这是我过去的缺点,好在有党在领导,在党的领导下,我们大体上达到了上述成就。

当要向同志们、同学们告别的时候,我对大家提出几点希望:

第一,现在高等学校马上要进行调整,我们湖南大学和别的大学一样要进行调整。这样的调整是不是好呢?肯定地说是好的。旧的高等教育制度是不合理的,像湖大过去有6个学院(理、工、农、商、法、文),但是各院的目的任务很不明确,相互间也没联系。现在按照苏联高等教育方针改造旧的大学,我们已经具备一定的条件,今年暑假是完全可以实现的。三年来,湖大取得了这样大的成绩,这是很好的。可是现在要改组,分散了,我们情绪上不免多少有点波动,但这是不必要的。我们要服从中央调整院系的计划,我自己首先服从。

第二,希望同志们、同学们努力学习苏联先进经验。教师们要努力学习苏联先进的教学法;职工同志们努力学习苏联先进的工作经验,同学们要努力学习苏联先进的学习方法。

第三,大家要努力学习马克思列宁主义毛泽东思想,这是最基本的东西。我们全校有二十多个系,都有自己选修的课程,但其中有一门公共必修科,就是马克思列宁主义、毛泽东思想。现在教师们在努力学习辩证唯物主义和历史唯物主义,及斯大林论"苏联社会主义经济问题",职员们在学习政治常识读本,工人同志们在职工业余学校和速成识字班学习,家属同志们也参加了学习,同学们在学习新民主主义论和政治经济学,大家热情都很高。希望继续努力,取得更大的成绩。

第四,希望同志们、同学们注意健康。毛主席曾题过八个字,就是健康第一,学习第二。全国工人们、农民们以及各阶层的人民,都在努力建设祖国。

像这样下去,我们国家很快就会走向社会主义。你们明日都是社会主义和共产主义建设的战士,这样一来身体健康是很重要的。希望同志们、同学们按照作息时间工作和学习,大力展开文娱活动,锻炼好身体。

第五,我向大家提出两条保证:首先是学习。学习,学习,再学习。学习马克思列宁主义毛泽东思想,我有时感到自己很空虚。确实,一个人不学习,他会赶不上形势的发展。其次,好好的工作。我身体有病,但为了革命的需要,我还是继续工作,以便完成国家交给我的任务。

祝全体同志们、同学们身体健康!

(原载 1953 年 1 月 28 日湖南大学校报《人民湖大》第 135 期)

到武汉大学就职谈话*

(1953.2)

本校全体师生员工和妇工团的同志们:

我们奉中央人民政府的任命,于今天到达武汉大学就校长、副校长之职。

过去三年半的时期中,武汉大学在实际上,以查谦副主任委员为首的校务委员会领导之下,全体师生员工和妇工团的同志们团结一致,艰苦奋斗,获得了巨大的成绩。思想改造的效果很好,教学改革也已打下了基础,全校呈现一片崭新的气象,这使我们在开始工作的时候,感到非常愉快,并且增强了信心。我们谨向查副主任委员表示敬意,向全体校务委员会委员表示敬意,向全体教工同志表示敬意,向全体同学表示敬意,也向妇工团的同志们表示敬意。

今后我们在前校务委员会所完成的基础上,继续根据中央人民政府的政策方针,为进一步把武汉大学建设成为人民的大学而努力,希望全体师生员工和妇工团的同志们,继续发扬"团结一致,艰苦奋斗"的精神,进一步加强马克思列宁主义和毛泽东思想的学习,提高自己的政治思想,努力学习苏联先进的科学技术,稳步前进地改革教学,提高教学质量,并改进一切工作方法,发挥所有的人力、物理、财力,争取达到最大的效果,使我们培养国家建设人才的光荣任务能够很好地完成。

今天我们先向大家宣布下面几件事情:

第一,我们定于明天(2 月 24 日)开始工作,从明天起,前校务委员会就告结束,并准备成立性质不同的新的校务委员会。

---

* 这是 1953 年 2 月 23 日李达就任武汉大学校长当天所发表的谈话,原标题为"李达校长徐懋庸副校长的谈话"。——编者注

第二，根据中央教育部关于“高等学校暂行规程”的规定，将原有秘书长、副秘书长的职称撤销。

第三，成立校长办公室，委任谭崇台先生为校长办公室主任，文书组归校长办公室领导，并准备在校长办公室下面设一个统计机构。

第四，其他一切机构及工作人员都不变动。

第五，目前一切工作按照原定计划进行。

（原载 1953 年 3 月 5 日武汉大学校报《新武大》第 88 期，署名校长李达、副校长徐懋庸）

高举着斯大林的旗帜前进

——悼伟大的导师斯大林同志

（1953.3）

全世界劳动人民的伟大领袖，中国人民最敬爱的朋友和导师，约·维·斯大林同志和我们永别了！我以万分沉痛的心情，对我们的伟大的导师斯大林同志致以无比深切的哀悼！

斯大林同志是马克思、列宁主义革命学说的奠基人之一，是马克思、恩格斯、列宁事业的天才继承者，是当代最伟大的革命理论家。

斯大林同志是列宁的最亲密的战友，他和列宁一道，创立了、牢固了、并培植了无产阶级的新型政党——布尔什维克——苏联共产党，并且用真正的革命理论武装了这个党。

斯大林同志和列宁一道，领导苏联共产党和无产阶级，实现了伟大的十月革命，开辟了人类历史的新纪元，创造了世界第一个社会主义国家——无产阶级专政的国家；粉碎了帝国主义的武装干涉和国内反动派的叛乱，创立了苏维埃社会主义共和国联盟。

列宁逝世以后，斯大林同志担负了领导苏联共产党和苏维埃国家的全部工作。在斯大林同志领导下，苏联共产党肃清了“左”右倾机会主义派别和叛徒，发展了列宁的社会主义可能在一个国家内首先胜利的理论，并用这一理论武装了苏联共产党和全体劳动人民，进一步实现了国家工业化和农业集体化，保证了社会主义在苏联的胜利，永远消灭了人对人的剥削，消灭了失业与贫穷；经过了一个又一个的五年计划，满足了整个社会不断增长的物质的和文化的需要。

在苏联伟大的卫国战争中，斯大林同志担任了苏联军队的最高统帅，驱逐了法西斯侵略者，粉碎了德、意、日三个法西斯国家，并帮助中欧、东南欧各国和中国从法西斯奴役下获得了解放，使这些国家的工人和农民，能在共产党的领导下，推翻了本国的反动统治阶级，建立了人民民主国家。

在斯大林同志的领导下，苏联在卫国战争胜利结束以后，又进入新的经济发展的时期，在战后短时期内，不但恢复了战前生产水平，而且现在正在实行新的五年计划，正在进行着大规模的共产主义建设。

伟大的斯大林同志是世界和平阵营的创造者和保卫者。在卫国战争时，斯大林同志不忘记被压迫民族的解放斗争，并坚持列宁主义的民族政策。战后世界和平阵营就是在斯大林同志的领导下建设成功的。

伟大的斯大林同志是世界工人阶级的领袖和导师。斯大林同志的著作指示各国共产党和工人党，使他们了解社会主义发展的规律、阶级斗争的规律，精通革命运动的战略和战术，并教导这些党以无产阶级国际主义精神、革命的警觉和对社会主义的敌人进行不妥协的斗争。

正如毛主席在《最伟大的友谊》一文中所说的，“斯大林同志创造性地发展了列宁关于资本主义发展不平衡规律的理论和关于社会主义可能在一个国家内首先胜利的理论；斯大林同志创造性地贡献了关于资本主义体系总危机的理论，贡献了关于在苏联建设共产主义的理论，贡献了关于现代资本主义和社会主义基本经济法则的理论，贡献了关于殖民地半殖民地革命的理论。斯大林同志还创造性地发展了列宁关于党的建设的理论。斯大林同志这一切创造性的理论，进一步地把全世界的工人们联合起来，进一步地把全世界的被压迫阶级和被压迫人民联合起来，使世界的工人阶级和一切被压迫的人们为解放和幸福的斗争及其胜利达到空前未有的规模”。

斯大林同志始终不倦地关怀着中国人民的命运。正如毛主席在哀悼斯大林同志逝世致苏联最高苏维埃主席团主席什维尔尼克的电文中所说：“中国人民革命的胜利和斯大林三十多年来不断的关怀、指导和支持，是完全分不开的”，还在1926—1927年的时期，斯大林同志发表了许多关于中国革命问题的报告和论文，如《论中国革命的前途》（1926年11月）、《中国革命问题》（1927年4月）、《与中山大学学生的谈话》（1927年5月）、《中国革命与共产国际底任务》（1927年5月）、《关于中国》（1927年7月）、《时事问题简评》等。在这些论文和报告中，斯大林同志对于中国革命的性质、动力、任务和前途，做了英明正确的分析和预言。斯大林同志对于中国革命问题上所做的马列主义理论的贡献是非常正确、非常重要的。为了贯彻中国革命问题上的正确路线，斯大林同志做了一系列的严肃的理论斗争，粉碎了托洛茨基派的反动见解。后来，事实充分证明：以毛主席为首的中国共产党在革命实践中正是遵循着斯大林同志英明的指示而获得胜利的。试问如果没有以苏联共产党为榜样建设起来的中国共产党、没有强大的人民解放军，没有以工人阶级为领导以工农联盟基础、包括各民主党派、各民主阶级、各民族及其他爱国民主人士的广泛的革命统一战线，中国革命能够取得伟大的胜利么？事实证明：中国革命的伟大胜利，是在毛泽东思想和斯大林学说完全一致的思想指导之下才得到的。中国人民之所以热爱与感谢斯大林同志是有深厚的根源的。

中国人民在自己的许多困难的日子里，斯大林同志所领导的苏联政府和人民、始终一贯地给予中国人民以崇高的友爱的无私的援助，中国人民从实际体验中认识了苏联是我们空前未有的最可靠的、忠诚无私的朋友。在抗日战争初期，苏联首先援助中国抗战。在苏联卫国战争的艰难的岁月里，苏联在远东的军队牵制了日寇的精锐的关东军，直到最后予以歼灭，迫使日寇投降，解放了中国的东北。毛主席在致苏联最高苏维埃主席团主席什维尔尼克的电文中说："在中国人民革命胜利后，斯大林同志和在他领导下的伟大的苏联人民和苏联政府，对中国人民的建设事业，又给予了慷慨无私的援助。斯大林同志对于中国人民这样伟大的深厚的友谊，中国人民永远感念不忘。"试问：在抗日战争时期，假使没有苏联远东军队牵制日寇百万关东军，假使苏联不出兵东北歼灭它，中国抗日战争不知要困难若干倍；假使不是斯大林同志领导苏联红军打倒德、意、日法西斯强盗，那么堆在我们头上的国际反动势力不知要大多少倍；我们能够这样快地取得胜利么？假使没有中苏友好同盟，美帝国主义对于中国的威胁，不知要猖獗多少倍；假使没有苏联政府和人民对我们给以人力和物资的援助，则我们的经济恢复工作和大规模的经济建设也不会这样快。斯大林同志所领导的苏联人民和政府对于中国人民慷慨无私的援助，将永远铭记在中国人民的心里。

斯大林同志虽然和我们永别了，斯大林同志的不朽光辉永远照耀着全世界劳动人民前进的道路，照耀着中国人民前进的道路。《斯大林全集》和最近发表的伟大著作《苏联社会主义经济问题》遗留给我们，斯大林同志的革命理论与政策永远教育着我们；斯大林同志建设共产主义的道路、经验永远指导着我们；斯大林同志的革命精神永远记忆在全世界人民和中国人民的心里。

第一，我们追悼斯大林同志，不要只限于表志我们对这位世界的伟大领袖沉痛的哀悼，更重要的是我们劳动人民的最伟大的领袖逝世的时候，太平洋彼岸的帝国主义战争贩子们，正在幸灾乐祸地发出了挑发离间的可耻的叫嚣。但正如人民日报三月七日的社论所说："历史是这样判断的：幸灾乐祸的帝国主义者一定不免于死亡，而我们是一定要永远胜利的。"我们中国人民要紧紧地团结在毛主席与中国共产党与中央人民政府的周围，并与苏联人民一道团结在列宁斯大林旗帜之下，巩固两国人民的友谊和团结，为保卫世界的和平、为继续列宁斯大林的事业而奋斗到底。"完全可以断言，对于任何帝国主义的侵略，我们都是不怕的，任何帝国主义的侵略都将被我们所粉碎，一切卑鄙的挑拨都是完全没有用的"。①

第二，我们要学习斯大林毕生为共产主义事业奋斗不懈的精神，还要学习斯大林的崇高的品德。斯大林在《论列宁》的文章里，大大地称赞列宁有以下的崇高的品德——"山鹰气概"、"谦逊态度"、"逻辑力量"、"不灰心失望"、"不自鸣得意"、"原则性精神"、"相信群众"、"革命天才"。像列宁这些品德，斯大林是完全具备的。斯大林和列宁所共有的那些最崇高的品德，永远是我们学习的榜样。

第三，我们要加紧学习马克思、恩格斯、列宁的学说，特别是学习斯大林学说。斯大林学说"划时代地发展了马克思列宁主义的理论，把马克思列宁主义的发展推进到新的阶段"。② 它是关于社会、社会发展规律、无产阶级革命发现展规律、社会主义经济发展规律以及共产主义胜利的科学。我们悼念斯大林，必须加倍努力学习斯大林学说，把自己的头脑武装起来，为革命与建设的事业而奋斗！

---

① 毛主席：《伟大的友谊》。

② 见《最伟大的友谊》。

第四，我们要努力学习苏联先进的科学和技术，把自己培养成为具有共产主义觉悟并掌握苏联先进的科学和技术的建设人才，把祖国建设得和今日的苏联一样。

我们高举着斯大林的旗帜向着他指示的方向前进！

伟大的斯大林同志永垂不朽！

（原载1953年3月16日《长江日报》，署名李达）

《矛盾论》——革命行动和科学研究的指南

（1953.4）

一、《矛盾论》——革命行动的指南

《矛盾论》是论证事物的矛盾法则，即对立统一法则的学说，是马克思主义的辩证法，是共产党的宇宙观。这个宇宙观，具备了严谨的科学的客观性，共产党人的主观能动性及其对于历史实际和革命实际的党性。这个宇宙观在社会领域中扩张起来，就显示出工人阶级对于特定社会之社会主义改造的道路。

《矛盾论》教导我们去认识人类社会发展的普遍规律，认识特定社会发展的特殊规律，并且根据这一规律去决定革命斗争过程的总目标和总路线，拟定革命斗争的战略和战术，为实现社会主义、共产主义而奋勇前进。

《矛盾论》是马克思列宁主义的普遍真理和中国革命的具体实践相结合的范本，它总结了中国人民革命的经验，丰富并发展了马克思主义的辩证法。

《矛盾论》主要地说明着矛盾的普遍性和矛盾的特殊性之辩证的关系。它在分析事物的矛盾法则时，先“分析矛盾的普遍性的问题，然后再着重地分析矛盾的特殊性的问题，最后仍归到矛盾的普遍性的问题”。《矛盾论》指出，马克思、恩格斯、列宁、斯大林等大师们，应用事物的矛盾法则，分析了历史上各种敌对社会的阶级矛盾的特殊性、资本主义和帝国主义时代各国的各种阶级矛盾的特殊性，暴露了社会发展的规律，即旧东西死亡和新东西产生的规律、资本主义死亡和社会主义产生的规律，因而创造了世界无产阶级社会主义革命的理论。这就是马克思列宁主义的普遍真理。这个普遍真理已由十月社会主义革命和苏联社会主义建设所证明，“矛盾的普遍性已经被很多人所承

认”,但是要把马克思列宁主义的普遍真理,拿来和各国革命的具体实践结合起来,那就必须分析各国的阶级矛盾的特殊性,才能定出正确的革命斗争的路线、战略和战术。可是“关于矛盾的特殊性的问题,则还有很多的同志,特别是教条主义者,弄不清楚”。矛盾的普遍性寓于矛盾的特殊性之中。一方面,没有矛盾的特殊性就没有矛盾的普遍性;另一方面,矛盾的特殊性被包摄于矛盾的普遍性之中,也不能离开矛盾的普遍性。所以研究了矛盾的普遍性,必须着重地分析矛盾的特殊性。正是这个矛盾的特殊性之研究,是共产党人革命斗争的路线、战略和战术的依据。

列宁说:“所有民族都要走向社会主义,这是必然的,但所有民族不是完全相同地走向社会主义,每一个民族在某种民主形式上,在某种无产阶级专政的形式上,在社会生活各方面的社会主义改造的某种速度上,都有其特点。”①他又说:“共产主义者的任务和在任何时候一样,也就是要善于把共产主义总的和基本的原则,应用到本国各阶级和各政党相互关系的特殊情况上去,应用到本国走向共产主义的客观发展中的特殊情况上去,这种特殊情况在各国是互不相同的,我们应该善于研究,探索和猜度这种特殊情况。”②由此可见,中国社会的矛盾的特殊性之研究,对于中国共产主义的运动,该具有何等重大而深刻的意义。

斯大林同志在1925—1927年的时间,针对着中国社会的特殊情况,对于中国革命的性质、前途和步骤,对于中国革命的力量、武装斗争和农民运动等,给了很多宝贵的正确的指示③。

毛泽东同志遵循了列宁、斯大林的指示,应用矛盾法则,客观地、全面地、深刻而具体地分析了中国社会之经济的、政治的、文化的和民族的各种特殊情况,分析了各种复杂的具体的矛盾和矛盾各方面的特点,指出了各种矛盾在其总体上的特殊性,即中国社会全部的特殊情况。基于这样的分析和研究,毛泽东同志确认中国社会是半殖民地半封建的社会,暴露了这个社会发展的规律,是经由新民主主义社会到达于社会主义社会,并根据这个规律,奠定了中国革

① 列宁:《论对马克思主义的讽刺画与帝国主义的经济主义》,载《列宁全集》俄文第4版,第23卷,第58页;转引自罗森塔尔:《发展即对立的斗争》。

② 《列宁文选》两卷集,莫斯科外国文书籍出版局中文版,第2卷,第753页。

③ 《列宁、斯大林论中国》。

命的总目标和总路线，即“中国共产党领导的整个中国革命运动，是包括民主主义革命和社会主义革命两个阶段在内的全部革命运动；这是两个性质不同的革命过程，只有完成了前一个革命过程才有可能去完成后一个革命过程。……而一切共产主义者的最后目的，则是在于力争社会主义社会和共产主义社会的最后的完成”①。中国革命的动力，是工人阶级、农民阶级、小资产阶级和民族资产阶级；中国革命的对象是帝国主义、封建主义和官僚资本主义；中国革命的任务，主要地就是打击这三个敌人，就是对外实行推翻帝国主义压迫的民族革命和对内实行推翻封建地主压迫的民主革命，而这两个任务是密切联系着的，如果不推翻其一个，就不能推翻其另一个。因此，在新民主主义革命的过程中，必须解决两个主要矛盾——中华民族和帝国主义的矛盾、人民大众和封建制度的矛盾，而解决这两个主要矛盾的方法，是“一个有纪律的有马、恩、列、斯的理论武装的采取自我批评方法的联系人民群众的党。一个由这样的党领导的军队。一个由这样的党领导的各革命阶层各革命派别的统一战线”。② 以上这一切解决中国革命问题的方法，都是根据于中国社会的矛盾特殊性的分析而决定的。

由于中国社会的矛盾的特殊性，所以中国革命虽是世界无产阶级社会主义革命的一部分，但它和资本主义国家的无产阶级革命不同。因为前者是工人阶级领导的反外国帝国主义的革命，而后者是无产阶级反本国帝国主义的革命。列宁分析俄国革命的发展，认为无产阶级民主主义革命和社会主义革命是一根链条的两个环节。中国的民主主义革命和社会主义革命，当然也是一样，但中国的民主主义革命要经过相当的准备时期才能转变为社会主义革命，不像俄国 1917 年的二月革命和十月革命那样直接地联系着，并且这两个革命之间的转变也不会像十月革命那样采取爆炸的形式。无产阶级革命只解决一个主要矛盾，即它和资产阶级的矛盾，中国革命要解决两个主要矛盾，敌人众多而势力庞大，革命任务特别繁重。再如用武装夺取政权，用战争解决问题，是革命的中心任务和最高形式，这是马克思列宁主义的原则。但中国共产

① 《毛泽东选集》第二卷，第 622 页。

② 《论人民民主专政》，第 19 页。

党执行这个原则的条件，则和资本主义各国无产阶级政党不同。“中国的特点是：不是一个独立的民主的国家，而是一个半殖民地半封建的国家；在内部没有民主制度，而受封建制度压迫；在外部没有民族独立，而受帝国主义压迫。因此，无议会可以利用，无组织工人举行罢工的合法权利。在这里，共产党的任务，基本地不是经过长期合法斗争以进入起义和战争，也不是先占城市后取乡村，而是走相反的道路。”①所以中国革命的主要斗争形式是战争，主要组织形式是军队。“在中国，离开了武装斗争，就没有无产阶级和共产党的地位，就不能完成任何的革命任务。”②再就统一战线说，在俄国，主要地是无产阶级和劳动农民的联盟，在中国，则是无产阶级、农民阶级、小资产阶级和民族资产阶级的联合。在资本主义国家，资产阶级是无产阶级革命的对象，而在中国，无产阶级却联合民族资产阶级成立革命统一战线，这主要地是由于新民主主义革命是反帝国主义反封建主义的革命，是无产阶级所领导的资产阶级性的民主革命。民族资产阶级基本上还没有掌握过政权，在政治上和经济上却受着帝国主义和封建主义的压迫，他们虽然具有革命性和软弱性的两面性，但对于反帝反封建的革命却是能够参加的，所以它也能成为革命的动力之一。

毛泽东同志对于中国革命的性质、革命的对象、革命的任务、革命的动力、革命的前途以及解决两个主要矛盾的方法——这一切英明正确的决定，完全是根据于中国社会的性质即中国社会的特殊情况、特殊的复杂的矛盾的分析而来的。这完全是符合于列宁的指示的。列宁说：各国共产党人，“要去正确运用共产主义的基本原则……使这些原则在局部方面能有正确的形式上的变动，使这些原则能正确适应于民族的和民族国家的特殊情形”③。毛泽东同志解决中国革命问题的方法，正是这样做的。

矛盾的特殊性之研究，对于革命发展的过程中各个发展阶段上的战略和战术之决定和改变，也是非常重要的。战略是规定革命阶级在某一阶段上的主要打击方向，并准备主要的和次要的后备力量，达到战略上的目的。战术是革命阶级在革命来潮或退潮时期，适应于革命形势的变化而规定的短时期的

---

① 《毛泽东选集》第二卷，第 506 页。

② 《毛泽东选集》第二卷，第 508 页。

③ 《列宁文选》两卷集，第 2 卷，第 755 页。

行动路线，适时地变更斗争形式和组织形式，更换口号，以服务于战略。所以某一阶段的战略和战术的规定，必须审慎而周详地估计到客观形势和主观力量，具体地分析这一阶段上变化了的各种矛盾的特殊性和各种矛盾双方的特点，在这些矛盾的总体上认识这一阶段上的特殊情况，从其中找出一种起着领导的、决定作用的主要矛盾，来用全力解决它。革命阶级找出这个阶段上的主要矛盾，就可以规定主要打击方向，制定革命力量的相当布置计划，因而能够规定为战略服务的战术。所以说，"对于矛盾的各种不平衡情况的研究，对于主要的矛盾和非主要的矛盾，主要的矛盾方面和非主要的矛盾方面的研究，成为革命政党正确地决定其政治上和军事上的战略战术方针的重要方法之一，是一切共产党人都应当注意的"。

新民主主义革命的过程，直到中华人民共和国成立之时为止，经历了4个时期（或4个阶段），虽然整个过程的革命的总战略是"武装的革命反对武装的反革命"，即用武装斗争来打击帝国主义和封建主义，但在各个时期中由于特别突出的主要矛盾之不同，革命战争的锋芒有时指向封建主义，有时则指向帝国主义。我们可以说，每一个时期中的革命战略的目的，是解决一个主要矛盾，即集中打击一个强大的敌人。在第一次国内革命战争时期，人民大众和代表封建势力并勾结帝国主义的北洋军阀政府之间的矛盾成为主要矛盾，工人阶级所领导的革命战争的锋芒，是指向北洋封建军阀政府。准备力量的计划是和国民党成立统一战线，发动广大的农民阶级并争取小资产阶级和民族资产阶级（这是毛泽东同志在《中国社会各阶级的分析》和《湖南农民运动考察报告》中所指出的，并且事情正是这样发生了的，只因当时陈独秀派机会主义领导集团见不到此）。至于北伐战争爆发以前，五四运动到"五卅"运动那一时期的一切组织和斗争，是为了准备战争的，在战争爆发以后的革命军后方一切组织和斗争是直接地配合战争的，北洋军阀区域内的一切组织和斗争，是间接地配合战争的。在第二次国内革命战争时期，人民大众和蒋介石匪帮的国民党政府之间的矛盾成为主要的矛盾，革命战争的锋芒是指向国民党政府，工人阶级与农民阶级结成联盟，并实行土地革命。红色区域内部的一切组织和斗争是直接地配合战争的，红色区域外部的一切组织斗争，是间接地配合战争的。在抗日战争时期，中华民族和日本帝国主义之间的矛盾成为主要矛盾，民

族革命战争的锋芒,是指向日本帝国主义,打败它,变半殖民地半封建的中国为独立的人民共和国。准备力量的计划是争取千百万群众进入抗日民族统一战线。为了战略上的目的,甚至不惜和敌人即国民党(和美英买办集团)联合成立统一战线,但同时保持独立自主,实行又联合又斗争的策略,而在斗争中则采取"有理、有利、有节"的原则。这一时期抗日军后方和敌军占领地的一切组织和斗争,也同样是直接或间接地配合战争的。同样,在第三次国内革命战争时期,人民大众和蒋介石匪帮政府之间的矛盾成为主要矛盾,革命战争的锋芒是指向蒋介石匪帮,革命力量的配备是组成各革命阶级、各民主党派和各民主爱国分子的最广大的革命统一战线。解放区和待解放区的一切组织和斗争,都是直接或间接地配合战争的。

毛主席对于革命的战略和战术的规定,完全是从中国矛盾的特殊性的全面研究出发,而又符合于共产主义的总的基本原则的。他严密而周详地分析了变化中的阶级矛盾,估计到具体的革命情势,确定革命的战略和战术,随时改变斗争的方式。在革命高潮时期,勇敢地领导人民大众冲击革命的敌人;在革命低潮时期,就迅速收集革命的力量,在敌人进攻面前,组织有秩序的退却和防御。当人民大众和封建制度的矛盾占居主要地位时,则团结国内各革命阶级和有革命性的政党成立统一战线,对封建制度做斗争;当中华民族和帝国主义的矛盾占居主要地位时,则尽可能地联合一切可能联合的阶级和政党(甚至原来是敌对的),成立统一战线,对帝国主义做斗争。统一战线成立时,则争取革命领导权;统一战线破裂时,则紧紧依靠广大的人民群众,对反革命派实行坚决的斗争。党的一切战略和战术的决定,都依据于矛盾在一定的时间、地点和条件下的特殊性,依据于共产主义的基本原则和革命的利益。列宁说:"要想战胜更强大的敌人,只有用最大的努力,同时必须最精细地、最留心地、最谨慎地、最巧妙地一方面利用敌人间的任何'裂痕'(哪怕是最小的裂痕),利用各国资产阶级间以及本国资产阶级各集团或各派别间的任何利害冲突;另一方面利用各种机会(哪怕是极小的机会)以获得人数众多的同盟者,尽管是暂时的、动摇的、不稳定的、靠不住的、有条件的同盟者。"①毛主席

---

① 《列宁文选》两卷集,第 2 卷,第 735 页。

在抗日战争时期和国内战争时期,对于政治的军事的战略战术的决定,是完全符合于列宁的指示的。

应用共产主义的基本原则,分析个别国家的阶级矛盾的特殊性,找出解决那些矛盾的具体方法,决定到达于社会主义的过渡形式,这是完全正确的。但若片面地强调阶级矛盾的特殊性,离开共产主义的基本原则,那便是错误的。所以,分析了矛盾的特殊性问题以后,必须回到矛盾的普遍性问题。矛盾的普遍性存在于矛盾的特殊性之中,两者是密切地联结着的。个别国家的阶级矛盾,有其特殊性的一面,也有其普遍性的一面,两者互相联结着。一个国家的阶级矛盾和其他许多国家的阶级矛盾,各自具有其特殊性;同时又皆具有普遍性,两者也是互相联结着。这些特殊性和普遍性,都联结于共产主义的基本原则、联结于工人阶级的革命斗争的国际原则。例如:工人阶级的国际团结、反帝国主义的不妥协的斗争、工人阶级在革命群众中的领导权、共产党的领导作用、工人阶级专政或人民民主专政、保证特定社会之社会主义的改造。这些原则,都体现于苏联的社会主义和共产主义建设的经验之中。所以,苏联的经验具有国际的意义,学习并利用苏联的先进经验,才能理解阶级矛盾的特殊性和普遍性的联结。因而,各国共产党的革命斗争的战略和战术,一方面固然要注意本国的特殊情况,另一方面又要贯彻无产阶级国际主义的精神。

毛主席在《论人民民主专政》中说:"到现在为止,中国人民已经取得的主要的和基本的经验,就是这两件事:(一)在国内,唤起民众。这就是团结工人阶级,农民阶级,小资产阶级和民族资产阶级,在工人阶级领导之下,结成国内的统一战线,并由此发展到建立工人阶级领导的以工农联盟为基础的人民民主专政的国家;(二)在国外,联合世界上以平等待我之民族及各国人民,共同奋斗。这就是联合苏联、联合各新民主国家、联合其他各国的无产阶级及广大人民,结成国际的统一战线。"①国内的统一战线表现着矛盾的特殊性,国际的统一战线表现着矛盾的普遍性。两个战线的联结,表现着特殊性和普遍性的联结。正因为这两个统一战线的联结,所以中国的革命能够达到胜利和巩固胜利。

---

① 《论人民民主专政》,第7—8页。

由马克思列宁主义到毛泽东思想，是由一般到特殊，而毛泽东思想又补充、丰富和发展了马克思列宁主义。

《矛盾论》正是马克思列宁主义的普遍真理与中国革命的具体实践相结合的范本。

二、《矛盾论》——科学研究的指南

《矛盾论》不但是革命行动的指南，并且是科学研究的指南。

《矛盾论》是马克思主义的辩证法。它是科学的宇宙观，又是科学的方法。它是关于自然、社会和思维的运动和发展的最一般的法则的科学。这运动和发展的最一般的法则，就是对立统一法则，即矛盾法则。这个最一般的法则，是自然、社会和思维本身中所固有的法则，而由辩证法在理论上归纳出来的，所以，它对于自然的运动和发展，对于社会的运动和发展，对于思维的运动和发展都是一律有效的。

马克思主义的辩证法，是人类一切生产斗争知识和阶级斗争知识的概括与总结，即是“自然知识和社会知识的概括和总结”①。它以自然科学和社会科学所提供的资料为根据，以历史发展的经验和实践为根据，正确地反映了客观的辩证法。所以，它所处理的一般的原理、范畴和法则，是各种自然科学和社会科学所处理的特殊的原理、概念和法则的普遍化。而各种特殊的原理、概念和法则是一般的原理、范畴和法则在各个特殊现象中的具体表现。正因为辩证法是自然科学和社会科学的概括与总结，所以它必然能够成为个别科学的方法。个别的自然科学和社会科学，只有完全接受马克思主义辩证法的指导，才能得到处理自然现象和社会现象的正确的方法，才能积极地、创造性地解决科学的任务，并使知识和实践相结合。

依据《矛盾论》的指示，人的认识物质，就是认识物质的一定的运动形式，因而每一门科学所研究的物质的运动形式，必然是特殊的运动形式，而任一特

---

① 《毛泽东选集》第三卷，第838页。又文内引号中的话未附注的，均见《矛盾论》原文。又关于自然科学的部分，参考了孔恩：《科学是一种社会意识形态》，载《学习译丛》第四辑。

殊运动形式中必然包含着本身特殊的矛盾。科学的任务,就是要暴露所研究的特殊运动形式中的特殊的矛盾发展的法则。所以,“科学研究的区分,就是根据科学对象所具有的特殊的矛盾性。因此,对于某一现象的领域所特有的某一种矛盾的研究,就构成某一门科学的对象。例如,数学中的正数和负数,机械学中的作用和反作用,物理学中的阴电和阳电,化学中的化分和化合,社会科学中的生产力和生产关系、阶级和阶级的互相斗争,……都是因为具有特殊的矛盾和特殊的本质,才构成了不同的科学研究的对象”。由此可见,个别的自然科学和社会科学,都各自研究其特殊运动形式中的特殊矛盾发展法则,即新东西发生和旧东西死亡的法则。马克思主义的辩证法之贯穿于各种自然科学和社会科学而成为科学研究的指导,这是非常明显的。

依据《矛盾论》的指示,个别科学研究其特殊对象的方法,首先要从实际出发,详细地占有材料,然后进行具体的分析,即分析材料中的具体的矛盾。单纯的事物只有一对矛盾,复杂的事物则有多对的矛盾。我们要分析事物全过程中的各种矛盾和矛盾的各方面,并从其中找出一对根本矛盾,追求这根本矛盾在全过程中的自始至终的运动,追求它在全过程的某一发展阶段上的变化以及其他许多矛盾在这一阶段上的消长情况,并分析那些矛盾的各个方面。特别重要的是找寻各个发展阶段上的主要矛盾,即能够规定或影响其他矛盾的存在和发展的主要矛盾,并且还要分析这主要矛盾的两个方面及其互相转化的必然性。因为只要能够解决这个主要矛盾,其他许多矛盾都可以随同解决;并且这主要矛盾的主要方面是决定事物的性质的东西。主要矛盾的新生的一方面如果取得支配地位,事物的性质便由新生的一方面所规定,而旧事物就转变为新事物。新事物发生以后,就开始新的矛盾的发展过程。这样的分析过程,同时伴随着综合过程。我们要了解全过程中的矛盾在其总体上的特殊性,要了解各发展阶段的矛盾在其总体上的特殊性,要了解新东西发生和旧东西灭亡的必然性,必须是一面进行分析,一面进行综合。用一句话说,在关于对象的认识过程的各个阶段上;同时分析的综合的起作用。这分析与综合的统一过程,即是由感性认识到理性认识的过程。

依据《矛盾论》的指示,分析与综合的统一过程,必须结合归纳与演绎的统一过程。归纳即是“由特殊到一般”,演绎即是“由一般到特殊”。由特殊到

一般和由一般到特殊这两个过程是互相联结的，即归纳与演绎是统一的。而归纳与演绎的统一，有隶属于分析与综合的统一。归纳是人们把所认识的许多事物的特殊的本质概括起来，认识诸种事物的共同的本质。这是由特殊到一般的过程。人们根据所已经认识的这种共同的本质，进行研究那些尚未研究或者尚未深入地研究过的各种具体事物，找出其特殊的本质，就可以补充、丰富和发展这种共同的本质的认识。这是由一般到特殊的过程。但我们当要概括所已经认识的许多事物的特殊的本质，而归纳出诸种事物的共同的本质时，如果不先进行具体的分析，那样的归纳必然是粗枝大叶，流于肤浅，也绝不能认识诸种事物的共同的本质。同样，当我们要根据那种共同的本质的认识去演绎到新的事物时，如果对于那个新事物不进行具体的分析，那样的演绎就会抓不住新事物的本质，而变为独断。所以，归纳与演绎必须隶属具体的分析。分析是与综合相结合的，因而归纳与演绎就成为综合的因素。

由于与具体的分析相结合，归纳与演绎的每一次循环，“都可能使人类的认识提高一步，使人类的认识不断地深化”。科学是不断地通过克服某种科学原理与新冒出来的具体事物之间的矛盾而发展的。正因为旧原理与新事物之间有矛盾，科学便为了克服这类矛盾，展开了新东西与旧东西之间的斗争。于是一切不符合于新的客观实际的东西则被抛弃，而符合于新的客观实际的东西则被保存和发展。所以，科学本身的发展，也是遵从着矛盾法则的。

我们的科学工作者，正在响应着毛主席的号召，都在努力学习着苏联的先进的科学和技术，这是科学界的新气象。但是，苏联的科学和技术何以能够成为先进的而站在世界科学界的最高峰？我们必须弄明白这一点，然后才能好好地学习它。

苏联的科学和技术所以能够成为先进的，是由于社会主义使得科学从资本的奴役状态中解放出来，而苏联的科学家又能够剔除资产阶级学者所掺入科学中的主观的歪曲与伪造，保存其合乎客观真理的积极成果，并且使它向前发展。因此，苏联的科学变为人民的科学、为人民利益服务的科学，并与共产主义的建设密切地联系着。

资产阶级的社会科学，是拥护自己阶级利益的说教，充满自己阶级的偏见。它在与封建阶级的神学做斗争的时候，虽然起过进步的作用，并且也曾发现过历史上的阶级斗争和经济学中的价值规律，但它从未曾暴露过社会发展的根本法则，因而从未曾成为真正的科学理论。特别是在马克思主义诞生以后，资产阶级的社会科学，为了反对马克思主义，拥护资本主义的剥削制度，就掩蔽社会的阶级矛盾，由改良主义的学说而转变为法西斯主义的学说了。苏联的马克思主义社会科学界对于过去资产阶级社会科学所取的态度，是指斥它的唯心论的反动的、非科学的理论，只汲取其中积累下来的事实材料，利用其个别的部分的结论，批判地加以改造，并坚决地向整个资产阶级社会科学进行斗争。苏联的科学家发展着马克思主义的社会科学，反映出人类社会的发展法则，并利用这些法则进行着共产主义的建设。

至于自然科学，原是没有阶级性的，但阶级对于自然科学却不是漠不关心的。在帝国主义国家，垄断资本把自然科学弄得残破不全，一些重要科学部门处于停滞状态，而另一些部门却向着残杀人类的方向猛烈发展。物理学被用来制造原子弹，化学被用来制造毒气弹，机械学被用来制造新武器，细菌学被用来制造细菌弹。美国科学研究的经费，有70%以上用在海陆空军方面，许多自然科学家被华尔街老板们所雇佣，专门研究杀人武器。垄断资本奴役自然科学家，使自然科学向着巩固其统治和增加其最大限度利润的方向发展。还有，自然科学虽没有阶级性，而自然科学家则是有阶级性的。属于资产阶级的自然科学家，决不忘记自己阶级的利益，他们在哲学观点上是拥护唯心论和僧侣主义的，当把客观事实和规律做哲学性的结论时，就必然反映出自己阶级的利害。他们之中，甚至有的故意和唯物辩证法作对，往往把科学的经验材料做主观的歪曲，企图攻击唯物论（如马赫派把电子的发见曲解为物质的消灭），还有故意把唯心论学说掺杂于自然科学之中，歪曲经验材料，为僧侣主义洞开门户。

苏维埃社会主义国家成立以后，立即把自然科学从资本的枷锁下解放出来，使它变为人民的科学，并且大力推动科学的发展与繁荣。苏维埃的自然科学家受着马克思列宁主义的教育，在唯物辩证法的基础上，剔除某些资产阶级的自然科学家所掺杂于科学中的主观的歪曲，如量子力学中的唯心论，物理学中的唯能论，化学中的共振论、中介论，生物学中的魏斯曼主义、社会达尔文主义，并与之做毫不妥协的斗争。同时，苏维埃的自然科学家，坚决依靠过去自

然科学的成就，利用过去科学所积累起来的经验材料及其所暴露的符合于客观实际的自然法则，向前发展其基本的内容，在唯物辩证法的基础上，使自然科学更趋于繁荣和发展。因此，苏维埃自然科学表现了惊人的成绩，如巴甫洛夫的生理学说，米丘林的生物学说，勒柏辛斯卡娅的细胞学说等，都是伟大的新成就。① 至于科学工作者对苏联工业、企业方面所做的合理化的建议和发明，更是不可数计。

现在，苏维埃的社会科学和自然科学，同样是反映不以人们的意志为转移的自然现象和社会现象的法则，并利用这些法则，为共产主义建设服务。但马克思主义的社会科学是有工人阶级的党性的，这党性是和严谨的科学性结合着。

由此可见，我们的科学工作者要学习苏联的先进科学和技术，首先要坚决地站在人民的立场，把一切科学转变为人民的科学，为人民服务的科学，为新民主主义建设、社会主义建设服务的科学。同时，我们必须像苏联科学家那样，学习马克思列宁主义，把自己的头脑武装起来，在唯物辩证法的基础上，批判地处理过去科学上的成就，汲取那些为实践所证明的合乎客观实际的东西，把它保存起来，并加以发展，剔除那些为实践所不能证明的不符合于客观实际的东西，加以批判，并与之斗争。

上面说过，资产阶级的社会科学并不能算是科学，它从不曾暴露过社会发展的根本规律，并且是拥护剥削制度和压迫无产阶级的说教。我们只有学习马克思主义这种真正的社会科学，才能了解社会发展的根本法则、资本主义死亡和社会主义代兴的法则，才能了解社会之社会主义改造的途径。我们对于资产阶级社会科学所要汲取的东西，至多只是它所收集的实际材料和个别部分的结论，并且对于那些实际材料和个别部分的结论，还必须做辩证法的研究和改造，使适合于我们的目的。同时，对于资产阶级社会科学的反动倾向，我们必须坚持自己的路线，同它进行不妥协的斗争。

我们对于自然科学的态度，和对于资产阶级社会科学的态度，当然是不同

---

① 作者在此段论述中对所列举的自然科学实例的评价是不妥当的，后来作者改正了自己的观点。——编者注

的。自然科学是人类许多世代积累下来的知识，多少精确地反映着客观的自然现象的联系和法则的。至于由旧的统治阶级带进自然科学中的主观的曲解，那并不能算是科学。我们对于过去的自然科学，只有在唯物辩证法的基础上做一番去粗取精、去伪存真的功夫，保存其积极的成果，发展其基本的内容，使为人民利益服务。但我们自然科学家本身，必须克服过去所接受的资产阶级的偏见，即唯心论与形而上学的偏见。有的自然科学家觉得自己所研究的对象是客观的自然现象，便自诩为唯物论者，但到了做一般性的结论时，便不免杂有主观的见解，或者以偏概全，结果变成了唯心论者。有的化学教授，把主观主义的共振论当作新颖的学说广为传播。许多生物学教授，在米丘林学说未介绍到中国来以前，把魏斯曼、摩尔根的学说，即《矛盾论》所指斥的庸俗进化论，当作金科玉律向学生讲授。地理学教授，把环境决定论，即《矛盾论》所指斥的外因论当作唯物论，宣传地理环境是社会发展的原因。实际上，这只是机械唯物论的见解，仍属于形而上学。还有，教条主义在科学家之间也颇为流行，有的是为科学而科学，不与实际相联系；有的是照着教科书在实验室中去实验，自以为联系了实际，实则是和现社会的生产的实践完全脱节。所有这些偏向，如果不在唯物辩证法的基础上彻底地加以克服，我们就不能把自然科学推向前进。

我们的自然科学家已经提出了“科学联系生产”的口号，这是很正确的。这是理论联系实际的最好方法。自然科学原是生产斗争的知识，它直接与生产相联系，它是从生产发生的，又积极地影响于生产。生产的发展促进科学的发展，反之，科学的发展又助长生产的发展。科学与生产的相互作用，正是促进科学发展的原因。苏维埃科学所以能有今日这样伟大的成就，主要地是由于科学和社会主义生产密切地联系着，这是大家所熟知的。目前我国有些科学研究机关已经和企业部门取得联系与合作，并且作出了不少的贡献，这已经为科学的发展开辟了一条广阔的道路。科学家如能够与直接生产者发生联系，必能对生产技术的改进方面，提供出许多合理化的建议；同时，直接生产者也必能把新的经验提供给科学家，让科学家把这些经验总结起来，提高成理论，推广出去。科学与生产的这样的联系，一定能够促进科学的发展与繁荣。

批评和自我批评的方法，是促进科学的基本方法之一。批评和自我批评的方法，是从矛盾论即辩证法产生的。批评是互提意见，展开争论，可以说是互相矛盾；自我批评是自己对自己的斗争，可以说是自相矛盾。这两者都以客观真理为根据。真理愈辩而愈明。科学家们只有展开批评和自我批评，才能克服旧的观点和作风，树立新的观点和作风；才能肃清过去科学中旧的残滓，发展科学中新的内容；才能正确地阐明自然规律和社会规律，并利用这些规律去改造自然和社会，为国家大规模的建设服务。只有这样，科学才能不断地向前发展。倘若科学家们缺乏批评和自我批评的精神，或者互相标榜，或者自以为是，科学就必将停滞不前。正如斯大林所说："谁都承认，如果没有不同意见的争论，没有自由的批评，任何科学都是不可能发展，不可能进步的。"

（原载 1953 年《新建设》杂志社出版的《学习〈矛盾论〉》第 2 辑，署名李达）

我们应怎样庆祝今年的“五一”节

（1953.5）

今年的五一节，比去年的五一节，大不相同。

在国际方面，和平民主阵营的力量，压倒了反动侵略阵营的力量。特别是自从中、朝、苏三国发表了和平解决朝鲜停战问题的声明以后，博得了全世界爱好和平的人民的热烈的拥护和支持，甚至美帝国主义的许多仆从国家也感到欢欣和鼓舞。因此，美帝国主义者感到狼狈不堪，被迫着用伪善的态度发表了武装和平的叫嚣。它实际上是外强中干，而表面上却是穷凶极恶。它坚决表示要在欧洲继续组织侵略军，在亚洲继续武装日本，武装李承晚、蒋介石和保大匪帮，要久占我们的台湾，至于朝鲜停战谈判，则叫嚣着要使问题“复杂化”，其用意是在于拥军备战，企图达到取得世界霸权的目的，“用旨在保证最高利润的战争和国民经济军事化的办法，来保证最大限度的资本主义利润”。① 所以朝鲜和平的获致，我们不能麻痹，还要提高警惕，发扬国际主义与爱国主义的精神，继续加强抗美援朝工作，直到美帝国主义愿意和平之时为止。

在国内方面，由于人民民主专政基础的巩固和财政经济的根本好转，我中央人民政府已经颁布了全国人民代表大会和地方各级人民代表大会的选举法，动员全国人民积极准备和参加全国人民代表大会和地方各级人民代表大会的选举，实行进一步民主化，以便充分地发挥全国人民的积极性，来共同奋斗。今年 5 月以后将要进行普选，我们要积极准备参加，向广大群众宣传选举的意义和选举法，协助政府发动最大多数的选民参加选举，以便把他们自己所认为满意的和认为必要的选举出来，代表自己去参加国家政权的工作，负责管

---

① 斯大林：《苏联社会主义经济问题》。

理国家的事务和地方的事务。

今年是第一个五年计划的第一年，全国工人阶级在生产战线上，展开着爱国主义的劳动竞赛，来迎接今年的五一节和第七次全国劳动大会，情绪非常高涨，获得了新的生产上的伟大成就。几年以来，工人阶级中涌出了许多的劳动英雄和劳动模范，他们发挥了创造性的劳动和智慧，学习苏联的先进经验，创造了和改进了许多生产设备和生产工具，使我国工业生产向着自动化和机械化的方向发展，引起了生产技术的重大革新。此外，他们还提出了合理化建议共约 98 万件，其中已被采纳的约有 40 万件左右。这些令人鼓舞的新人新事，标志着我国工人阶级的领导力量是日益加强了。现在召开的第七次全国劳动大会，其中心任务，如刘宁一同志所说："就是动员全国工人阶级在中国共产党和毛主席的领导下，充分发挥劳动热情和创造精神，并团结全国人民为保证完成和超过国家建设计划，实现国家工业化，并引导向社会主义和共产主义社会发展而斗争。"我们庆祝第七次全国劳动大会的召开，同时要学习先进工人的活的榜样，来搞好我们本岗位的工作。

我们高等学校的教育工作者们，是工人阶级的一部分，我们的中心任务是学习苏联先进教学经验，改革教学内容，教育青年一代，使成为新国家所需要的建设干部。去秋以来，我们的教师们已开始采用苏联科学的各种教材，进行教学，在这一方面，是有一些成绩的。但由于苏联先进的科学是受着马克思列宁主义的引导，并体现着马克思列宁主义的。如果不懂得马克思列宁主义，就很难体会苏联科学的精神和实质，而且也很难教下去。因此，我们的教师们就普遍地要求有系统地学习马克思列宁主义。这一要求是正当的，也是适时的。因为我们如果不懂得辩证唯物论，就不能分辨自然科学上物质的概念和哲学上物质的概念的区别，而容易陷入唯心论；就不能认识物理学上的"唯能论"是唯心论的变种；就不能认识有机化学上的"共振论"是与客观自然不符合的主观主义；就不能认识魏士曼等的庸俗进化论是法西斯主义的宣教等。而苏联的科学则是贯穿着唯物辩证法，彻底清除了反动阶级所掺杂于科学中的主观的歪曲的。所以，我们只有学会了唯物辩证法，才能体会苏联科学的精神与实质，才能搞好我们的教学。但是我们学习马克思列宁主义，不单是为了要懂得苏联科学的方面借便于教学，也不单是为了使自己成为自己所喜爱的那一门科学的新专家，而主要地是要善于应用马克思列宁主义的立场、观点和方法，贯穿于自己的业务部门，同时还要积极关怀本国的命运，通晓社会经济发展的规律，把苏联的科学经验与本国的自然环境与财经实际结合起来，使科学变为为人民服务，为社会主义建设服务的科学。

我们高等教育的同学们，明天就要加入工人阶级的行列，我们学习的中心任务，是要培养自己成为新国家的建设所需要的专家——电机、机械、土木、建筑、地质、采冶、水利、农业、化学、物理、生物学、数学、政法经济工作、文艺工作等的专家，以便在国家工业化、农业集体化和向社会主义过渡的路程中，贡献自己的专门知识以为人民服务。但在目前教师们正在开始采用苏联先进教学经验改进教学内容的时候，对于教师们的要求不宜过高，也不要急躁，不要贪多务得，最主要地是向老师们学习一些专长，培养自己的独立思考和独立工作的能力。同时，也不要以为自己将成为专家，而专门注重业务学习，忽视政治学习。我们要知道政治是指导业务的，而业务体现着政治，两者是不可分离的。我们一面要学习业务，一面要学习政治，学习马克思列宁主义，因为马克思列宁主义是一切专家共同必修的科目。那种只懂得自己的专业而不知道应用马克思列宁主义的立场、观点和方法于自己专业的专家，不关怀本国的命运，不通晓社会经济发展规律的专家，纵令他学有专长，而对于祖国的贡献仍然是有限的，并且是微不足道的。我们必须使自己成为祖国所需要的既有共产主义觉悟又掌握先进的科学和技术的专家。

我们要有这样的决心来庆祝今年的五一节。

让我们高呼：

全世界劳动人民的节日——五一国际劳动节万岁！

庆祝第七次全国劳动大会的召开！

伟大的战无不胜的马克思、恩格斯、列宁、斯大林的学说万岁！

伟大的中华人民共和国万岁！

伟大的中国共产党万岁！

中国人民的伟大领袖毛泽东主席万岁！

（原载 1953 年 5 月 1 日武汉大学校报《新武大》第 90 期，署名李达）

责任编辑:赵圣涛

图书在版编目(CIP)数据

李达全集.第十六卷/汪信砚 主编. —北京:人民出版社,2016.12
ISBN 978-7-01-016654-4

Ⅰ.①李… Ⅱ.①汪… Ⅲ.①李达(1890—1966)-全集 Ⅳ.①C52

中国版本图书馆 CIP 数据核字(2016)第 210277 号

李达全集
LIDA QUANJI
第十六卷

汪信砚 主编

人民出版社 出版发行
(100706 北京市东城区隆福寺街 99 号)

北京新华印刷有限公司印刷 新华书店经销

2016 年 12 月第 1 版 2016 年 12 月北京第 1 次印刷
开本:710 毫米×1000 毫米 1/16 印张:31
字数:500 千字

ISBN 978-7-01-016654-4 定价:159.00 元

邮购地址 100706 北京市东城区隆福寺街 99 号
人民东方图书销售中心 电话 (010)65250042 65289539